Un doux parfum
de lavande

Belinda Alexandra

Un doux parfum
de lavande

Traduit de l'anglais (Australie)
par Virginie Buhl

ÉDITIONS
FRANCE
LOISIRS

Titre original : *Wild Lavender*
publié par HarperCollins *Publishers* Pty Limited, Sydney, Australia.

Édition du Club France Loisirs,
avec l'autorisation des Éditions Belfond.

Éditions France Loisirs,
123, boulevard de Grenelle, Paris.
www.franceloisirs.com

© Belinda Alexandra 2004. Tous droits réservés.
© Belfond, un département de Place des éditeurs, 2006, pour la
traduction française.
ISBN : 2-7441-8978-2

À ma mère, la belle Deanna :
tu as été ma plus grande admiratrice
et ma plus fidèle amie.

Première partie

1

« Suzanne, la lavande t'attend ! »

Tut ! Tut !

« Suzanne, Suzanne ! »

J'ignore lequel des deux me réveilla le premier : le klaxon de la nouvelle voiture de Bernard ou mon père qui m'appelait de la cuisine. Je levai la tête de l'oreiller et fronçai les sourcils. L'odeur du coton chaud emplissait la chambre. Le soleil matinal qui se déversait par les stores ouverts était déjà brûlant.

« Suzanne, la lavande t'attend ! »

Il y avait de la joie dans la voix de mon père. Et il semblait aussi y avoir de la joie dans le klaxon de Bernard. En m'asseyant sur mon lit, j'aperçus la voiture bordeaux par la fenêtre ; capote abaissée, elle longeait la route et les pins. Bernard était radieux au volant. Les rayons de ses roues étaient assortis au blanc éclatant de son costume et de son panama. Je me demandai si Bernard choisissait ses tenues en fonction de ses automobiles. L'année précédente, quand la mode était aux voitures anglaises, il était arrivé en costume noir et chapeau melon. Il s'arrêta près de la glycine dans la cour et jeta un regard par-dessus son épaule. Plus bas sur la route, une charrette avançait lourdement. Le conducteur avait le teint basané et les passagers, la peau aussi sombre que des aubergines.

Je roulai sur le côté, me levai et parcourus la chambre à la recherche de ma robe de travail. Aucun de mes vêtements n'était suspendu dans l'armoire ; ils étaient éparpillés sous le lit ou débordaient des tiroirs de ma commode. Je brossai mes longs cheveux tout en essayant de trouver ma robe.

« Suzanne ! appela encore mon père. On aimerait bien te voir avant 1923.

— J'arrive, papa !

— Oh ! Aurais-je troublé le sommeil de notre Belle au bois dormant ? »

Je souris. Je le voyais déjà attablé dans la cuisine, une grande tasse de café dans une main, un bout de saucisse piqué sur une fourchette dans l'autre. Sa canne était posée contre sa jambe et, de l'œil qui y voyait encore, il scrutait patiemment le palier pour y déceler un signe de vie.

J'aperçus ma robe, suspendue derrière la porte où je l'avais accrochée la veille au soir. Je passai les bras dans les manches et réussis à l'agrafer sans me prendre les cheveux dans les crochets.

Le klaxon de la voiture de Bernard retentit à nouveau. Je jetai un coup d'œil par la fenêtre. Ce n'était pas Bernard qui klaxonnait, mais un petit garçon debout sur le marchepied. Il avait les yeux comme des soucoupes. Une femme aux cheveux noués sous un fichu le tira en arrière en le grondant, mais son mécontentement était de pure forme. Le petit sourit et sa mère lui couvrit le front de baisers. Les trois passagers de la charrette, des hommes, se mirent à en décharger des malles et de gros sacs de toile. Le plus grand sortit une guitare, recueillant la caisse et le manche dans ses bras avec la délicatesse d'une mère pour son enfant.

Oncle Jérôme, les cheveux gris cachés sous son chapeau de travail, s'adressa au conducteur. À la façon dont l'extrémité de ses moustaches s'abaissait, je compris qu'ils parlaient d'argent. Oncle Jérôme fit un signe vers la forêt et l'autre haussa les épaules. Les gesticulations se poursuivirent pendant plusieurs minutes jusqu'à ce que le conducteur acquiesce. Oncle Jérôme fouilla dans sa poche, en sortit une bourse et compta chacune des pièces qu'il plaça dans la paume de l'homme. Satisfait, ce dernier serra la main d'oncle Jérôme et salua les autres d'un geste avant de remonter dans la charrette et de se mettre en route. Oncle Jérôme prit un petit carnet dans sa poche, tira un crayon coincé derrière son oreille et griffonna le montant payé dans son livre de comptes – celui-là même où étaient consignées les dettes que mon père devait rembourser.

Je baisai le crucifix accroché près de la porte et m'élançai hors de la chambre. J'avais descendu la moitié des marches quand je me rappelai mon porte-bonheur. Je remontai à ma chambre quatre à quatre, pris le sachet de lavande sur la commode et le cachai dans ma poche.

Mon père se tenait exactement là où je m'y attendais, café et saucisse à la main. Bernard était assis à côté de lui, qui faisait durer son verre de vin. Bernard avait combattu avec mon père dans les tranchées pendant la guerre. Ces deux hommes ne se seraient jamais rencontrés dans d'autres circonstances, mais ils étaient devenus les amis les plus fidèles.

Mon père accueillait volontiers Bernard dans notre famille, sachant son ami rejeté par les siens. Les cheveux blonds de celui-ci semblaient encore plus pâles que la dernière fois que je l'avais vu. Il humait le vin avant de le boire, comme il flairait tout dans la vie avant d'y goûter. À sa première visite chez nous, j'avais trouvé Bernard dans la cour occupé à renifler l'air tel un chien. « Dites-moi, Suzanne, y a-t-il un ruisseau au fond de ce vallon, près des genévriers ? » Il avait raison, seulement on ne voyait pas les genévriers de là où nous nous tenions et le ruisseau se réduisait à un filet d'eau.

Ma mère et tante Yvette s'affairaient dans la cuisine, débarrassant les restes du petit déjeuner : saucisse, fromage de chèvre, œufs à la coque et pain imprégné d'huile. Tante Yvette chercha à tâtons ses lunettes dans la poche de son tablier et les chaussa pour voir si quelque chose valait la peine d'être conservé dans le désordre de la table.

« Et moi ? » m'écriai-je, attrapant du pain sur une assiette avant que ma mère ne s'en saisisse. Elle me sourit. Ses cheveux noirs étaient noués en chignon au sommet de son crâne. Mon père l'appelait *señorita* à cause de son teint, dont j'avais hérité. La peau de ma mère était plus claire que celle des ouvriers dehors, mais sombre comparée à celle des Fleurier, qui, à part moi, avaient toujours eu les cheveux blonds et les yeux bleus. Les sourcils blancs et la peau d'albinos de tante Yvette la plaçaient à l'autre extrême du spectre des couleurs ; elle était le sel et ma mère le poivre.

Mon père ouvrit les bras et prit une expression blessée. « Oh, tu fais passer la nourriture avant les hommes de ta vie ! » dit-il. Je posai un baiser sur ses deux joues et sur la cicatrice qui fermait son œil gauche. Puis je me penchai et embrassai aussi Bernard.

« Attention à son costume ! prévint tante Yvette.

— Mais non », répondit Bernard. Il se tourna vers moi et ajouta : « Tu as encore grandi, Suzanne ! Quel âge as-tu ?

— Quatorze ans le mois prochain. » Je m'assis à côté de mon père et rejetai mes cheveux sur mes épaules. Ma mère et ma tante échangèrent un sourire. Mon père poussa son assiette vers moi.

« J'ai pris double ration ce matin, dit-il. Une pour moi et une pour toi. »

Je l'embrassai encore.

Un bol de romarin séché se trouvait sur la table et j'en saupoudrai sur le pain. « Pourquoi ne m'avez-vous pas réveillée plus tôt ? »

Les doigts de tante Yvette m'effleurèrent les épaules. « Nous pensions que tu préférerais dormir. » Son poignet sentait la rose et je devinai qu'elle avait essayé certains des parfums que Bernard ne manquait jamais d'apporter de Grasse. Tante Yvette et Bernard constituaient les influences civilisatrices dans nos vies ; bien qu'oncle Jérôme fût le plus riche fermier de la région, sans eux, nous aurions ignoré ce qu'étaient un bidet ou un croissant.

Ma mère servit un verre de vin à mon père et remplit celui de Bernard, à moitié vide. En repartant vers le buffet, elle jeta un regard sur mes espadrilles. « Bernard a raison, remarqua-t-elle. Tu grandis si vite ! Quand le colporteur viendra le mois prochain, il faudra qu'on t'achète de vrais bottillons. Tu vas perdre tes orteils si tu continues à porter ça. »

15

Nous nous sourîmes. Je n'avais pas le don de ma mère pour lire les pensées des gens, mais quand je regardais son visage – calme, réservé, fier – je percevais toujours son amour pour moi, sa fille unique.

« D'ici un an, elle aura tellement de paires de chaussures qu'elle ne saura plus quoi en faire », déclara mon père. Bernard et lui trinquèrent.

Oncle Jérôme entendit ces paroles alors qu'il franchissait la porte. « Pas si on ne va pas travailler aux champs de lavande dès maintenant, lança-t-il.

— Ah, oui ! fit Bernard en se levant. Je ferais mieux d'y aller. Je dois encore visiter deux fermes avant la fin de la matinée.

— Est-ce que je dois préparer à manger aux gitans ? demandai-je. Ils doivent avoir faim après ce voyage. »

Mon père m'ébouriffa les cheveux. « Ce ne sont pas des gitans, Suzanne. Ils sont espagnols. Et, contrairement à toi, ils se lèvent tôt. Ils ont déjà déjeuné. »

Je me tournai vers ma mère, qui acquiesça. Je glissai tout de même un morceau de pain dans ma poche. Elle m'avait dit que les gitans en gardaient comme porte-bonheur.

Dehors, les ouvriers attendaient, munis de leurs faucilles et de leurs râteaux. Tante Yvette attacha son bonnet, descendit ses manches et enfila ses gants pour se protéger du soleil. Chocolat, son cocker, avançait avec précaution dans l'herbe, suivi par mon chat tigré, Olive, dont seules les oreilles et la queue rousses étaient visibles dans les hautes herbes.

« Revenez, les petits ! » appelai-je.

Les deux boules de fourrure se mirent à gambader dans ma direction. Olive se frotta contre mes jambes. Je l'avais délivré d'un piège pour les oiseaux quand il était chaton. Oncle Jérôme avait accepté que je le garde à condition qu'il attrape des souris et que je ne le nourrisse pas. Mais mes parents, ma tante et moi lui glissions du fromage et de la viande sous la table dès qu'il effleurait nos jambes. Par conséquent, Olive était gros comme un melon et bien piètre chasseur de souris.

« Je reviens demain pour la distillation, Pierre », annonça Bernard à mon père. Il nous embrassa, ma mère, ma tante et moi. « Bonne chance pour la récolte ! » lança-t-il en montant en voiture. Il adressa un signe à mon oncle, mais ce dernier n'avait guère de temps à consacrer à notre courtier en lavande. Bernard et sa voiture n'avaient pas sitôt disparu derrière les amandiers qu'oncle Jérôme se mit à imiter sa démarche affectée. Tout le monde l'ignora. Bernard avait couru sous le feu ennemi et dans la boue jusqu'à l'hôpital militaire en portant mon père sur son dos. Un obus avait explosé dans leur tranchée, tuant leur commandant et tous les autres soldats dans un rayon de dix mètres. Et aujourd'hui, sans le dévouement de Bernard pour mon père – et non pas grâce à oncle Jérôme –, notre branche de la famille serait sans le sou.

Nous franchîmes le petit cours d'eau. Les champs de lavande s'étendaient devant nous tel un océan violet. La beauté de cette fleur n'était jamais si saisissante ni son parfum si suave qu'au moment de la récolte. La chaleur de l'été faisait ressortir la richesse de son essence et sa teinte était plus profonde que jamais, les épis mauves du printemps ayant laissé place aux gerbes de fleurons violets. J'étais triste à l'idée que dans quelques jours les champs seraient réduits à néant et débités en faisceaux.

Mon père s'appuya sur sa canne et assigna une section à chaque ouvrier tandis qu'oncle Jérôme descendait la colline avec une mule et une carriole. Chacun des ouvriers reçut une lanière des mains de mon père et y fit des nœuds pour délimiter les quatre coins de la sangle destinée à recevoir les épis coupés.

Le petit garçon alla s'asseoir sous un arbre. Je pris Olive dans mes bras et appelai Chocolat. « Tu veux les caresser ? » demandai-je à l'enfant en déposant Olive à côté de lui.

Il tendit la main pour leur toucher la tête. Chocolat lui lécha les doigts et Olive posa le menton sur ses genoux. Le petit garçon gloussa et me fit un sourire. Je mis le doigt sur ma poitrine et dis « Suzanne », mais soit il ne me comprit pas, soit il était trop timide pour me donner son nom. Je contemplai ses grands yeux et décidai de l'appeler Goya car je lui trouvais l'air aussi sensible qu'un artiste.

Je m'assis à côté de lui et nous regardâmes les ouvriers se disperser dans les champs. Comme je ne parlais pas sa langue et ne pouvais pas demander à Goya leurs véritables noms, je leur en inventai à partir des quelques prénoms espagnols que je connaissais. L'ouvrier grand et maigre reçut le prénom de Rafael. C'était le plus jeune, il avait un menton proéminent, des sourcils longilignes et de bonnes dents. Il était beau et se pavanait comme s'il savait parfaitement couper la lavande, mais de temps

18

en temps il se tournait vers Rosa – j'avais donné ce nom à la femme – pour regarder comment elle s'y prenait. Quant à l'ouvrier trapu, je l'appelai Fernandez. Il aurait pu être le frère jumeau d'oncle Jérôme. L'un et l'autre déboulaient sur les bouquets de lavande comme un taureau charge le matador. L'autre Espagnol était le père de Goya, un bon géant qui ne s'écartait pas de son sillon et moissonnait en silence. C'était celui qui avait tenu la guitare avec tant de tendresse. Je le baptisai José.

Tante Yvette traversa le champ de lavande pour revenir vers nous.

« On ferait mieux de commencer à préparer le repas », dit-elle.

Je me levai et époussetai l'herbe de ma robe. « Tu crois qu'il veut venir ? » demandai-je en désignant Goya. Chocolat était lové contre son épaule et Olive dormait sur ses genoux. Goya n'avait d'yeux que pour les mèches blond platine qui s'échappaient du chapeau de ma tante. Depuis toujours habituée à son apparence, j'en oubliais que les gens étaient surpris la première fois qu'ils voyaient une albinos.

« Il te prend pour une fée. »

Tante Yvette adressa un sourire à Goya et lui tapota la tête. « Il a l'air de se trouver bien où il est, et je pense que sa mère est contente de l'avoir à portée de vue. »

À la fin de la journée, nous prîmes le souper dans la cour qui séparait nos deux fermes, et nous y restâmes jusqu'à la tombée de la nuit. L'air était chargé d'essence de lavande. En avalant, j'en sentais le goût au fond de ma gorge.

19

Ma mère raccommodait une des chemises de mon père, éclairant son ouvrage à l'aide d'une lampe tempête. Pour une raison connue d'elle seule, elle ne reprisait jamais qu'avec du fil rouge, comme si les accrocs et les déchirures étaient les plaies du tissu. Les mains de ma mère étaient couvertes d'un lacis de coupures, mais les moissonneurs n'accordaient jamais d'importance aux blessures superficielles. L'huile essentielle de lavande était un désinfectant naturel et les entailles cicatrisaient en quelques jours.

Tante Yvette lisait *Les Misérables* avec moi. L'école du village avait fermé ses portes deux ans plus tôt, après l'extension de la voie ferrée et le départ de nombreux habitants de la région vers les villes, et sans l'intérêt que ma tante portait à mon éducation, je serais sans doute restée aussi illettrée que le reste de ma famille. Oncle Jérôme savait déchiffrer les livres de comptes et les instructions pour l'utilisation des engrais, mais ma mère ne savait pas lire du tout, bien que sa connaissance des herbes et des plantes fût aussi vaste que celle d'un pharmacien. Seul mon père était capable de parcourir le journal. C'était à cause de ce qu'il y avait lu en 1914 qu'il était parti combattre dans la Grande Guerre.

« "Les fêtards continuèrent à chanter leurs chansons, ânonnai-je tout haut, et la petite, sous la table, fredonnait la sienne"…

— Bof ! lâcha dédaigneusement oncle Jérôme, qui se curait les dents avec un couteau. C'est bon pour les autres, les livres inutiles, surtout pour ceux qui ne se cassent pas le dos dans les champs toute la journée. »

Les mains de ma mère s'immobilisèrent et nos regards se croisèrent. Les muscles de son cou se tendirent. Ma tante et moi nous penchâmes tout près d'elle en soulevant un bout de tissu que nous fîmes semblant d'examiner. Même si aucun de nous ne pouvait affronter oncle Jérôme, nous nous venions toujours en aide quand l'un ou l'autre était en butte à ses moqueries. Tante Yvette ne pouvait pas travailler aux champs à cause de sa peau. Une heure sous le soleil du sud de la France aurait provoqué chez elle des brûlures au troisième degré. Elle était originaire de la ville de Sault et je ne voyais pas pourquoi une femme aussi intelligente et séduisante aurait été donnée en mariage à oncle Jérôme n'eussent été les superstitions qui entouraient les albinos. Il était assez lucide pour savoir que ce qu'elle ne faisait pas comme ouvrière agricole, elle le compensait largement comme cuisinière et intendante, mais je ne l'avais jamais entendu reconnaître les mérites de sa femme. Quant à moi, j'étais tout simplement inapte à la récolte. On m'appelait la *flamingo* parce que mes jambes maigrelettes étaient presque deux fois plus longues que mon buste. Même mon père, avec un seul œil et une jambe estropiée, nettoyait un champ plus vite que moi.

Des rires fusèrent dans la grange. Je me demandai où les Espagnols trouvaient assez d'énergie pour être si joyeux après une journée aux champs. Le son d'une guitare flotta dans la cour. J'imaginai José en train d'en gratter les cordes, les yeux pleins de passion. Les autres battaient la mesure en tapant des mains et en fredonnant du flamenco.

Tante Yvette leva les yeux puis reprit sa lecture.

Oncle Jérôme attrapa une couverture et se l'enroula autour de la tête, cabotinage destiné à exprimer son aversion pour la musique. Mon père contemplait le ciel, perdu dans ses pensées. Ma mère gardait les yeux sur son ouvrage, comme sourde aux bruits festifs. À partir de la taille, son maintien était si droit qu'elle ressemblait à une statue. Je baissai les yeux et regardai sous la table. Elle avait quitté ses chaussures et un de ses pieds battait sensuellement la mesure, s'élevant et retombant dans une danse qui lui était propre. Son apparence trompeuse me rappela que c'était une femme pleine de secrets.

Alors que les portraits de grand-mère et grand-père Fleurier étaient exposés sur le manteau de la cheminée, il n'y avait de photo de mes grands-parents maternels nulle part dans la maison. Quand j'étais petite, ma mère me montrait la cabane où ils avaient vécu, au pied d'une colline. C'était une simple construction en pierre et en bois qui avait duré jusqu'à ce qu'un incendie de forêt alimenté par un violent mistral ravage le vallon en une seule année. Florette, l'institutrice du village, m'avait raconté que ma grand-mère avait été si célèbre pour ses remèdes que même la femme du maire et le vieux curé s'adressaient à elle quand la médecine conventionnelle et la prière avaient échoué. Elle avait dit qu'un jour mes grands-parents, alors d'âge mûr, avaient fait leur apparition au village avec ma mère. La ravissante fillette, qu'ils appelaient Marguerite, avait alors trois ans. Bien que le couple jurât qu'il s'agissait de leur enfant, beaucoup de gens pensaient que ma mère avait été abandonnée par des gitans.

Le mystère de ses origines et les rumeurs concernant ses propres dons de guérisseuse n'aidèrent pas ma mère à se faire aimer des Fleurier, une famille de stricte observance catholique qui s'était d'abord opposée au mariage de leur fils préféré. Pourtant, nul ne pouvait nier que c'était ma mère qui avait ramené mon père à la santé quand tous les médecins militaires le pensaient condamné.

Les Espagnols continuèrent à chanter longtemps après qu'oncle Jérôme et tante Yvette eurent regagné leur maison et mes parents et moi nos lits. Je restai éveillée, à contempler les poutres du plafond en sentant la sueur me couler au creux des reins. La clarté lunaire filtrée par les cyprès faisait surgir des ombres ondoyantes sur le mur de ma chambre. J'imaginais que ces silhouettes étaient des danseurs se mouvant au son de la musique si sensuelle.

Je dus m'endormir car je me réveillai en sursaut plus tard dans la nuit et m'aperçus que la musique avait cessé. J'entendis Chocolat aboyer. Me glissant hors du lit, je regardai par la fenêtre dans la cour. Une brise avait rafraîchi l'air, la lumière argentée éclaboussait les toits de tuiles et les bâtiments. Je jetai un coup d'œil sur le mur du fond du jardin et clignai des yeux. Des gens y dansaient en rond. Ils se déplaçaient en silence, sans musique ni chants, les bras levés au-dessus de la tête, leurs pieds martelant la terre en un rythme silencieux. En scrutant l'obscurité, je reconnus José qui dansait avec Goya sur ses épaules, le sourire éclatant du petit garçon faisait comme une entaille dans sa figure sombre. Mes propres talons se soulevèrent de terre. Je ressentis un élan qui me poussait à descendre me joindre à eux. J'agrippai l'embrasure de la fenêtre en me demandant s'il s'agissait bien des Espagnols ou si des mauvais esprits s'étaient déguisés pour m'attirer dans un piège mortel. Les vieilles du village racontaient ce genre d'histoires.

Mon cœur s'arrêta de battre.

À part Goya, il y avait cinq danseurs : trois hommes et deux femmes. Je restai bouche bée à la vue de la longue chevelure noire et des membres graciles de la seconde femme. Le feu couvait sous sa peau, les étincelles jaillissaient de ses pieds quand ils touchaient le sol. Sa robe flottait autour d'elle comme une vague. Ma mère. J'ouvris la bouche pour l'appeler mais me surpris à regagner mon lit d'un pas chancelant, à nouveau terrassée par le sommeil.

Quand j'ouvris les yeux, le jour commençait à poindre. J'avais la gorge sèche. J'appuyai mes paumes sur mon visage en me demandant si ce que j'avais vu était rêve ou réalité.

Après avoir enfilé ma robe, je descendis l'escalier et passai devant la chambre de mes parents à pas de loup. Mon père et ma mère dormaient. Je n'avais peut-être pas hérité des pouvoirs de ma mère, mais j'avais sa curiosité. Je me glissai au fond de la cour, près du mur à l'abri duquel poussaient les amandiers. L'herbe était haute en été et elle n'avait pas été foulée. J'examinai les arbres et les plantes à la recherche de traces d'intrusion, en vain. Il n'y avait ni fagotins de brindilles, ni fragments d'os, ni pierres sacrées. Pas le moindre signe de magie. Je haussai les épaules et tournais les talons pour repartir lorsqu'un éclat de lumière attira mon regard. Je tendis la main

24

vers la plus basse branche d'un arbre. Accroché à l'une des feuilles, un unique fil rouge était suspendu.

La peau pâle de ma tante et mes longues jambes ne nous épargnaient pas le travail qu'exigeait la distillation. À l'aide d'un treuil, le visage crispé par l'effort, mon père et oncle Jérôme sortaient le cylindre fumant d'épis de lavande tassés les uns contre les autres. Ma mère et moi nous empressions de planter nos fourches dans le tas. Nous étalions les épis sur des tapis que nous traînions ensuite au soleil pour qu'ils sèchent.

« Il n'y a pas de temps à perdre, nous dit mon père, avec la nouvelle distillerie, on pourra utiliser ces épis comme carburant quand ils seront secs. »

Ma mère et moi retournions la lavande coupée pour l'empêcher de fermenter, tandis que tante Yvette aidait les hommes à préparer le prochain ballot et à l'enfourner dans la distillerie. Quand il fut prêt, mon père m'ordonna de sauter dessus pour tasser les épis et « nous porter chance » !

« Elle est trop maigrichonne pour peser là-dessus, s'esclaffa oncle Jérôme, qui tendit tout de même les bras pour m'aider à entrer dans la distillerie. Attention aux bords ! prévint-il. Ils sont brûlants. »

On raconte que la lavande réjouit l'humeur ; je me demandai si le délicieux parfum qui s'élevait en volutes avait réussi à améliorer jusqu'au tempérament d'oncle Jérôme.

Je piétinai la lavande, sans me soucier des égratignures sur mes jambes ni de la chaleur. Si le projet de récolte et de distillerie de lavande de mon père et de Bernard était un succès commercial, mon père

25

pourrait racheter sa part de la ferme. J'imaginai que chacun de mes coups de pied l'aidait à faire un pas de plus vers son rêve.

Quand oncle Jérôme m'eut aidée à sortir de la distillerie puis en eut hermétiquement refermé le couvercle, mon père descendit par l'échelle jusqu'à l'étage inférieur. Je l'entendis attiser le feu. « Je peux déjà dire que l'huile essentielle tirée de la première fournée est bonne », annonça-t-il, rayonnant, quand il remonta.

Oncle Jérôme se frotta la moustache. « Bonne ou pas, on verra bien si ça se vend. »

À midi, après la quatrième fournée, mon père déclara qu'on pouvait faire une pause. Nous nous laissâmes tomber dans la paille, ma mère trempa des bouts de tissu dans l'eau et nous les pressâmes sur nos visages brûlants et sur les paumes de nos mains.

Une voiture se fit entendre dehors et nous sortîmes dans la cour accueillir Bernard. Sur le siège passager se trouvait M. Poulard, maire et cafetier du village. À l'arrière étaient assis la sœur de M. Poulard, Odile, et son mari, Jules Fournier.

« Bonjour ! Bonjour ! » lança M. Poulard en descendant de voiture et en s'épongeant le visage avec un mouchoir. Il portait le costume noir qu'il réservait aux occasions officielles. L'habit était trop petit d'une taille et lui comprimait les épaules ; il ressemblait aussi à une chemise sur un étendoir à linge.

Odile et Jules sortirent de la voiture et tout le monde entra dans la grange à distiller. M. Poulard et les Fournier examinèrent la distillerie, d'une taille supérieure à celles que l'on utilisait depuis des années dans la région. Bien que n'étant pas agriculteurs, ils s'intéressaient au succès de notre entreprise. Avec tous ces gens qui quittaient le pays de Sault pour les villes, ils espéraient que la lavande relancerait le commerce dans notre village.

« Je vais chercher une bouteille de vin », décréta tante Yvette en se tournant vers la maison. Bernard proposa de l'aider à apporter les verres. Je les regardai gravir le chemin, têtes inclinées l'une vers l'autre. Bernard dit quelque chose et Yvette rit. Mon père m'avait expliqué que Bernard était un homme bien qui ne s'intéressait pas aux femmes, pourtant il se montrait si doux avec tante Yvette qu'il m'arrivait de me demander s'il était amoureux d'elle. Je jetai un coup d'œil à oncle Jérôme, mais il était trop occupé à se vanter des capacités de la nouvelle distillerie pour le remarquer.

« C'est le genre de machine qu'on utilise dans les grandes distilleries à Grasse, dit-il. Elle est plus efficace que les machines portatives qu'on employait jusqu'à maintenant. »

À l'entendre parler, tout le monde aurait cru que l'idée de la distillerie était de lui. Mais il était le bailleur de fonds, pas le rêveur : il avait fourni l'argent pour acheter cette coûteuse machine et récolterait la moitié des profits. Cependant mon père et Bernard avaient calculé que si les trois prochaines récoltes de lavande étaient bonnes, la distillerie serait remboursée en deux ans et la ferme trois ans plus tard.

Odile huma l'air et vint discrètement à ma hauteur. « L'essence de lavande sent bon, chuchotat-elle. J'espère qu'elle nous enrichira tous et libérera ton père de ses dettes. »

J'acquiesçai en silence. Je ne connaissais que trop bien le déshonneur lié à la situation de ma famille. La terre avait été partagée entre les deux frères à la mort de mon grand-père. Pendant que mon père était à la guerre, oncle Jérôme avait prêté de l'argent à ma mère pour qu'elle continue à faire tourner la ferme. Mais quand mon père était revenu estropié et que sa maigre pension n'avait pas suffi à rembourser les dettes, oncle Jérôme avait réclamé l'autre moitié de la ferme. Une fois mon père remis, oncle Jérôme avait déclaré qu'il pouvait racheter sa ferme en payant des traites avec intérêts à l'année. C'était une pratique honteuse quand on savait que même les plus pauvres habitants du village étaient venus déposer des paniers de légumes sur le seuil de notre maison pendant que mon père était malade. Mais on ne pouvait jamais dire le moindre mot contre son frère aîné à mon père. « Si vous aviez vu comment nos parents le traitaient, vous comprendriez, répétait-il. Je ne me souviens pas avoir entendu aucun d'eux lui adresser une parole gentille. Il rappelait trop son propre père à papa. Déjà petit garçon, il suffisait que Jérôme regarde mon père pour que celui-ci lui chauffe les oreilles. Légalement, la ferme devrait lui appartenir en entier, mais pour je ne sais quelle raison, nos parents m'ont toujours favorisé. Ne vous inquiétez pas, on va racheter notre part. »

« Qui d'autre va vous apporter sa lavande à distiller ? demanda Jules à mon père.

— Les Bousquet, les Noiret et les Tourbet, répondit-il.

— Les autres viendront aussi quand ils comprendront à quel point c'est rentable », dit oncle Jérôme en levant le menton comme s'il se voyait déjà distillateur et florissant courtier en lavande. M. Poulard leva les sourcils. Se disait-il qu'oncle Jérôme se prenait déjà pour le nouveau maire ?

Les traits de ma mère étaient tirés et soucieux et je devinais ses pensées. C'était la première fois qu'oncle Jérôme formulait un commentaire positif sur ce projet. Si la moitié des profits était pour lui, mon père prenait tous les risques. Notre ferme avait presque entièrement été convertie à la culture de la lavande alors qu'oncle Jérôme plantait toujours de l'avoine et des pommes de terre. « Au cas où ça ne marcherait pas et où je me retrouverais obligé de tous vous nourrir », nous avait-il dit.

Quand la récolte de la lavande fut terminée, le conducteur de la charrette revint emmener les ouvriers à une autre ferme. Je restai dans la cour pour regarder les Espagnols charger leurs affaires. Rafael faisait passer des sacs en toile et des malles à Fernandez et à José, qui les entassaient à l'avant de la charrette afin de s'asseoir à l'arrière et de faire ainsi contrepoids. Quand tout fut empaqueté, José attrapa sa guitare et joua une mélodie pendant que le conducteur terminait le vin que ma tante lui avait servi dans un grand verre.

Goya dansait autour des jambes de sa mère. Je pris le sachet de lavande que j'avais gardé dans ma poche pendant la moisson et le lui donnai. Il sembla comprendre que ce cadeau était destiné à lui porter bonheur car il sortit un bout de ficelle de sa propre poche et l'enfila dans le ruban qui fermait le sachet. Quand on le souleva pour le déposer sur la charrette à côté de sa mère, je vis qu'il portait le sachet autour du cou.

Si oncle Jérôme avait eu des doutes sur la rentabilité de l'essence de lavande, ils furent dissipés quelques jours plus tard quand, sur la recommandation de Bernard, une entreprise de Grasse acheta toute la production.

« C'est certainement la meilleure qualité d'huile essentielle que j'aie vue depuis des années », commenta Bernard en posant l'acte de vente sur la table de la cuisine. Mon père, ma mère, ma tante et moi en eûmes le souffle coupé en lisant le montant griffonné au bas de la note. Malheureusement, oncle Jérôme était parti aux champs et nous n'eûmes pas le plaisir de voir sa surprise.

« Papa ! m'écriai-je en jetant mes bras autour de son cou. Nous allons bientôt reprendre la ferme et ensuite nous serons riches !

— Seigneur ! dit Bernard en se couvrant les oreilles. Jamais je n'aurais deviné que Suzanne avait autant de voix.

— Ah bon ? répondit ma mère, les yeux pétillants de gaieté, la nuit où elle est née, sa grand-mère a déclaré qu'elle avait des poumons extraordinaires et lui a prédit une carrière de chanteuse. »

Tout le monde rit. Sous sa réserve, ma mère avait un sens de l'humour espiègle. Et rien que pour lui donner la réplique, je me juchai sur ma chaise pour chanter *À la claire fontaine* à pleine voix.

Tous les mois, mon père se rendait à Sault pour acheter les provisions qu'on ne pouvait pas se procurer au village et vendre certains de nos produits. Il conduisait la mule et la charrette sans peine à la ferme, malgré son œil en moins, mais la route de Sault était en rocaille calcaire glissante et longeait les précipices des gorges de la Nesque. La moindre erreur de perspective pouvait lui être fatale. En octobre, oncle Jérôme devait s'occuper de son troupeau de moutons, aussi notre voisin, Jean Grimaud, accepta d'accompagner mon père. Il avait besoin d'aller acheter des harnais et des cordes.

La brume matinale se dissipait à peine quand j'aidai mon père à charger sur la charrette les amandes qu'il vendrait en ville. Jean nous héla depuis la route et nous regardâmes sa silhouette de géant approcher. « Si Jean était un arbre, ce serait un noyer », disait toujours mon père. En effet, les bras de Jean étaient plus épais que les jambes de la plupart des gens et ses mains, si grandes qu'il pouvait sûrement écraser un rocher entre ses paumes.

Jean montra le ciel. « Tu crois qu'il va y avoir de l'orage ? »

Mon père observa les rares et légers nuages qui flottaient au-dessus de nous. « Non, je crois plutôt qu'il va faire très chaud. Mais on ne sait jamais, à cette période de l'année. »

Je caressai la mule pendant que ma mère et ma tante donnaient à mon père la liste de provisions à acheter pour la maison. Tante Yvette posa le doigt sur un élément de la liste et lui chuchota quelque chose à l'oreille. Je me tournai vers les collines, comme si je n'avais rien remarqué, mais je savais de quoi ils parlaient : la veille au soir, j'avais écouté une conversation entre tante Yvette et ma mère. Ma tante voulait acheter du tissu et me coudre une belle robe pour aller à l'église et en ville. Je savais qu'elle voulait pour moi une vie différente de la sienne. « Un homme qui aime vraiment une femme la respecte intellectuellement, me disait-elle souvent. Tu es intelligente. Ne fais pas un mariage indigne de toi. Et n'épouse pas un paysan si tu peux l'éviter. » Alors que mon père répétait toujours que je pourrais choisir un mari quand je jugerais le moment venu, je soupçonnais tante Yvette de me destiner aux fils du docteur ou des notaires de Sault. Je ne m'intéressais pas du tout aux garçons, mais à une nouvelle robe, oui.

Oncle Jérôme apparut dans la cour, chaussé de ses jambières en cuir et un fusil de chasse sur l'épaule. « Sois prudent sur la route, recommanda-t-il à mon père. Les pluies l'ont emportée par endroits.

— On va y aller doucement, répondit mon père. Si on ne pense pas pouvoir être de retour avant la nuit, on dormira là-bas. »

L'automne en Provence était aussi beau que le printemps et l'été. J'imaginais mon père et Jean cheminant le long des forêts de pins vert jade et des couleurs flamboyantes de la vigne vierge. J'aurais aimé les accompagner mais la place manquait. Les hommes nous adressèrent des signes de la main et nous regardâmes la charrette descendre la route en brinquebalant. La voix de mon père se fit entendre :

Ces montagnes si hautes
Qui rejoignent les cieux
Se dressent et la dérobent
À mes yeux amoureux.

Ma mère et ma tante regagnèrent la cuisine d'Yvette ; nous l'utilisions plus souvent que la nôtre parce qu'elle était plus vaste et équipée d'un poêle à bois. Je les suivis en chantant le dernier couplet de la chanson :

> *Les montagnes s'écartent,*
> *Je la vois à présent,*
> *Auprès d'elle il me tarde*
> *Que me pousse mon navire.*

Je pensai à ce qu'avait raconté ma mère au sujet de la prédiction de ma grand-mère sur mon avenir de chanteuse. Si elle avait dit vrai, je ne pouvais avoir hérité mon talent que de mon père. Sa voix était aussi pure que celle d'un ange. Bernard avait rapporté que lorsqu'ils étaient dans les tranchées jusqu'aux genoux, avec l'odeur de la mort tout autour d'eux, les hommes demandaient sans cesse à mon père de chanter. « C'était la seule chose qui nous donnait espoir. »

Je raclai mes bottillons et poussai la porte de la cuisine. Ma mère et ma tante disposaient des bols en porcelaine sur l'établi. Il y avait un panier de pommes de terre près de la table, je m'assis et commençai à les éplucher. Ma mère râpa un gros morceau de fromage tandis que ma tante coupait l'ail. Elles allaient préparer mon plat favori : de l'aligot.

Oncle Jérôme parti à la chasse, nous pouvions être nous-mêmes. Pendant que nous cuisinions, ma tante nous racontait des histoires qu'elle avait lues dans des magazines et dans les livres et ma mère nous contait des légendes du village. Ma préférée était

33

celle du curé devenu sénile qui était arrivé un beau matin tout nu à l'église. Je leur chantai des chansons et elles applaudirent. J'adorais la cuisine de ma tante, avec son mélange d'ordre et de bric-à-brac. Les boiseries étaient imprégnées des senteurs de l'huile d'olive et de l'ail. Des pots en fer forgé et des casseroles en cuivre de toutes tailles étaient suspendus à des poutres au-dessus de la cheminée, noircie par des années d'utilisation. Une table de couvent occupait le centre de la pièce, ses bancs étaient garnis de coussins qui laissaient échapper de petits nuages de farine lorsque quelqu'un s'y asseyait. Des pilons et des mortiers, des carafes à eau et des paniers doublés de mousseline étaient éparpillés sur toutes les étagères libres et sur tous les bancs.

Comme mon père l'avait prédit, à midi le temps était très chaud et nous nous assîmes à la table de la cour pour profiter de notre petit festin. Mais dans l'après-midi, quand j'allai chercher de l'eau au puits, les nuages commençaient à projeter des ombres sinistres sur la vallée.

« Ils ont bien fait d'emporter leurs vêtements de pluie, fit observer tante Yvette en jetant les pelures de pomme de terre aux poules. Ils sont sans doute sur le chemin du retour à cette heure-ci. Si l'orage éclate, ils vont être trempés jusqu'aux os. »

Une pluie légère commença à tomber, mais les nuages du côté de Sault étaient encore plus menaçants. Je m'assis à la fenêtre de la cuisine en priant pour que mon père et Jean rentrent sains et saufs. Il y avait eu une averse soudaine le jour où j'avais accompagné mon père et oncle Jérôme à la foire à la lavande, au mois d'août, et une des roues de notre

34

charrctte s'était enlisée dans la boue. Nous avions mis trois heures à la dégager avant de pouvoir reprendre la route.

Un éclair zébra le ciel. Le coup de tonnerre qui suivit me fit sursauter.

« Éloigne-toi de la fenêtre, dit tante Yvette en fermant les rideaux. Ça ne les fera pas revenir plus vite, de regarder la route. »

J'obéis et allai m'asseoir à la table. Ma mère était affalée dans son fauteuil, les yeux fixés sur quelque chose. Je regardai par-dessus mon épaule et vis que l'horloge sur le manteau de la cheminée s'était arrêtée. Ma mère était pâle comme un linceul.

« Ça va, maman ? »

Elle ne m'entendit pas. Je pensais parfois qu'elle ressemblait à un chat, s'évanouissant dans l'ombre, capable de voir sans être vue et ne réapparaissant que selon son désir.

« Maman ? » murmurai-je. J'avais envie qu'elle me parle, qu'elle me prodigue des paroles d'espoir, mais elle restait aussi silencieuse que la lune.

Au dîner, oncle Jérôme s'attaqua à ses légumes et à sa viande avec une brutalité carnassière. « Ils ont dû décider de rester en ville », marmotta-t-il.

Tante Yvette m'assura qu'oncle Jérôme avait raison : les hommes avaient décidé de passer la nuit dans la grange du charron ou dans la remise du forgeron. Elle me fit un lit dans l'une des chambres à l'étage afin de m'éviter d'avoir à courir sous la pluie pour rentrer à la maison. Ma mère et oncle Jérôme restèrent devant l'âtre. Je devinai à la façon dont ce dernier grinçait des dents qu'il ne croyait pas entièrement à sa propre supposition.

Je restai étendue à écouter la pluie sur les tuiles du toit en chantant doucement pour moi-même. Je dus m'endormir peu de temps après car je fus réveillée en sursaut par un grand coup contre la porte de la cuisine. Je me levai d'un bond et courus à la fenêtre. La mule était là, sous la pluie, mais il n'y avait aucune trace de la charrette. Entendant des voix au rez-de-chaussée, je m'habillai à la hâte.

Jean Grimaud se tenait près de la porte, dégoulinant d'eau sur les tommettes. Une entaille lui barrait le front, du sang lui coulait dans l'œil. Oncle Jérôme était gris comme une pierre.

« Parle ! ordonna-t-il à Jean. Dis quelque chose ! »

Jean posa sur ma mère un regard torturé. Quand il ouvrit la bouche et qu'aucun son n'en sortit, je compris. Il n'y avait rien à dire. Père n'était plus.

2

« Pas de discussions ! s'écria oncle Jérôme en frappant la table du plat de la main. Suzanne ira travailler pour tante Augustine à Marseille. »

Ma mère, tante Yvette et moi sursautâmes face à la violence de sa colère. Était-ce le même homme qui s'était tenu devant la tombe de mon père une semaine plus tôt, le visage déformé par le chagrin ? Il semblait remis du choc causé par la mort de son frère comme d'autres se remettent d'une grippe. Il avait passé les deux derniers jours à étudier ses livres de comptes et à équilibrer son budget.

« Je n'ai pas besoin de deux intendantes », déclarat-il en se tournant vers le feu pour le tisonner avec un bâton. La flamme se dressa puis mourut, ce qui plongea la pièce dans une pénombre encore plus grande. « Si Suzanne n'est pas capable de travailler à la ferme, il faut qu'elle gagne sa vie ailleurs. Ce n'est plus une enfant et j'ai assez de bouches à nourrir. Peut-être que si Pierre n'avait pas laissé autant de dettes... »

Oncle Jérôme énuméra rapidement le coût de la culture de la lavande, le prix de la distillerie et le montant à payer pour la ferme. Ma mère et moi échangeâmes un regard. Oncle Jérôme allait profiter du projet élaboré grâce à l'imagination de mon père. Quelle importance avaient ces dépenses à présent ?

Une image me traversa l'esprit. Non pas quelque chose que j'avais vu mais une vision qui me hantait depuis une semaine : mon père étendu sur le dos, sur un replat rocheux des gorges de la Nesque. Jean et lui avaient attendu à Sault que l'orage de l'aprèsmidi passe avant de conduire la mule dans les chemins pentus. Ayant négocié les tronçons de route les plus dangereux, ils s'étaient arrêtés pour dîner de pain. Mais à peine Jean avait-il dételé la mule pour l'emmener sur un coin d'herbe qu'il entendit un craquement. Des éboulis, détachés par la pluie, dévalaient la pente. Une grosse branche d'arbre fit tomber Jean et la mule sur le côté. Mon père et la charrette furent précipités dans la gorge.

« Bernard nous aidera, répliqua tante Yvette. Si tu veux envoyer Suzanne à Marseille, fais-le au moins pour qu'elle y soit instruite. Pas comme une sorte d'esclave au service de ta tante. »

C'était la première fois que j'entendais tante Yvette s'opposer à mon oncle et j'eus peur pour elle. Bien qu'il n'eût jamais frappé aucune d'entre nous, je ne pus m'empêcher de me demander si les choses n'allaient pas changer maintenant que mon père n'était plus là. En tant que maître des deux maisons, oncle Jérôme était en position de force et nous n'avions aucun recours contre lui. Mais il se contenta de sourire avec mépris : « L'instruction est une perte de temps, pour une femme encore plus que pour un homme. Quant à Bernard, ne vous imaginez pas qu'il a de l'argent. Ce qu'il a pu gagner dans sa vie a déjà été dépensé en voitures et sur la Côte d'Azur. »

Cette nuit-là, ma mère et moi dormîmes dans les bras l'une de l'autre, comme toutes les nuits depuis l'accident. Nous écoutions hurler le mistral. Le vent gémissait sous la porte avant de se transformer en fantôme capricieux qui faisait ployer les cyprès dans les champs. Nous avions tant pleuré l'une et l'autre que je pensais devenir aveugle. Je plissai les yeux pour apercevoir les contours du Christ en croix près de la porte puis me détournai. Il était cruel que mon père n'eût survécu aux blessures causées par les éclats d'obus que pour être terrassé par la nature. « C'est allé si vite, il n'a certainement pas eu le temps de comprendre ce qu'il se passait », fut la seule consolation que le curé put nous offrir. C'était arrivé si rapidement que je n'arrivais toujours pas à y croire. Je voyais mon père partout : sa silhouette penchée au-dessus du puits, ou lui assis sur sa chaise, à m'attendre pour le petit déjeuner. L'espace de quelques secondes joyeuses, j'étais convaincue que sa mort n'était qu'un cauchemar, puis je m'apercevais que je n'avais rien vu de plus que l'ombre d'un arbre ou les contours d'un balai.

Ma mère, toujours réservée, s'enferma encore plus dans le silence. Je crois qu'elle se demandait pourquoi ses pouvoirs lui avaient fait défaut, pourquoi elle avait été incapable de prévoir la mort de mon père et de le mettre en garde. Mais, elle l'avait elle-même reconnu, il y avait des choses qu'on ne devait pas savoir, des choses qui ne pouvaient être prédites ni empêchées. Je lui touchai le bras, sa peau était froide comme la glace ; je fermai les yeux et luttai contre d'autres larmes douloureuses en redoutant le jour où je la perdrais, elle aussi.

Au moins, ma mère aurait tante Yvette. Mais qui était tante Augustine ? Mon père n'avait jamais fait allusion à elle. Tout ce qu'oncle Jérôme acceptait de nous dire était qu'elle était la sœur de leur père et avait épousé un marin, mort en mer peu de temps après les noces. Tante Augustine tenait une pension de famille, mais à présent qu'elle était vieille et arthritique, elle avait besoin d'une femme de chambre et d'une cuisinière. En échange, elle me donnerait à manger mais pas d'argent. Je me demandai d'où le grand cœur et la générosité de mon père lui venaient. Tous les autres Fleurier semblaient descendre de Judas : prêts à vendre père et mère pour trente pièces d'or.

Bernard arriva une semaine plus tard pour me conduire à Carpentras, d'où je devais prendre un train pour Marseille. Tante Yvette m'embrassa en pleurant. « Ne t'inquiète pas pour Olive, me chuchota-t-elle. Je prendrai soin de lui. » C'est tout juste si je pouvais regarder mon chat, qui était en train de renifler les pneus de la voiture de Bernard, et encore moins ma mère. Elle se tenait près de la porte de la cuisine, les coins des lèvres baissés, le regard plein de tristesse. J'enfonçai mes ongles dans mes paumes. Pour elle, je m'étais promis de ne pas pleurer.

Je n'avais pour tout bagage qu'un ballot de vêtements. Bernard me le saisit des mains pour le mettre dans la voiture. Ma mère s'avança et me prit la main. Un objet acéré me piqua la paume. Quand elle retira ses doigts, je vis qu'elle m'avait donné un médaillon et quelques pièces. Je les glissai dans ma poche et l'embrassai. Nous prolongeâmes notre étreinte mais aucune de nous deux ne put prononcer une seule parole.

Bernard ouvrit la portière et m'aida à monter sur le siège passager. Oncle Jérôme nous observait depuis la cour. Son expression était sévère, pourtant il y avait quelque chose d'étrange dans sa posture. Ses épaules étaient voûtées et sa bouche tordue, comme s'il avait mal. Abritait-il quelque démon qui l'obligeait à agir avec tant de méchanceté ? Peut-être au fond de lui souhaitait-il ressembler plus à mon père et moins à lui-même ? L'illusion s'évanouit quand il lança : « Travaille dur, Suzanne ! Tante Augustine ne tolérera aucun faux-fuyant et je ne te reprendrai pas ici si elle te jette dehors. »

La gare de Carpentras était une véritable fourmilière. Les passagers de première et deuxième classe montaient dans le train de façon civilisée, mais les voyageurs de troisième classe se chamaillaient au sujet des places qu'ils allaient occuper, de l'endroit où ils allaient mettre leurs poules, leurs lapins et tout ce qu'ils avaient prévu d'emporter. L'arche de Noé, pensai-je, en contournant un cochon.

Bernard montra mon billet au chef de train. « Elle voyage seule, lui expliqua-t-il. C'est la première fois qu'elle prend le train. Si je paie la différence, pourriez-vous lui donner une place dans un wagon de deuxième classe avec des dames ? »

Le chef de train acquiesça. « Elle devra voyager en troisième classe jusqu'à Sorgues, dit-il. Mais après, je pourrai lui trouver une place en deuxième classe jusqu'à Marseille. »

Comment se faisait-il que Bernard se soucie de mon confort et de ma sécurité alors que mon propre oncle était ravi de m'envoyer Dieu sait où en troisième classe ?

Bernard glissa quelque argent au chef de train, qui m'aida à grimper en voiture et à trouver une place vers l'avant du wagon. Le train siffla, le cochon poussa un cri strident et les poules caquetèrent. Bernard me fit signe sur le quai. « Je vais trouver un moyen de t'aider, Suzanne, lança-t-il par la fenêtre ouverte. La prochaine fois que je gagnerai un peu d'argent en plus, je te l'enverrai. »

Une volute de suie et de fumée se déroula dans la gare. Le train se mit en branle et changea de voie. Je ne détachai mes yeux de Bernard que lorsque nous eûmes quitté la gare. En reprenant ma place, je me rappelai le médaillon que ma mère m'avait donné. Je le sortis de ma poche et l'ouvris. À l'intérieur se trouvait une photographie de mes parents le jour de leur mariage. J'avais cinq ans lorsque mon père était parti à la guerre et je me rappelais à peine à quoi il ressemblait avant ses blessures. Le visage séduisant et alerte qui me regardait me fit monter les larmes aux yeux. Je me tournai vers la fenêtre et regardai défiler les fermes et les forêts. Au bout d'un moment, terrassée par la chaleur intense qui régnait dans le wagon, l'odeur des corps mal lavés et le chagrin, je m'assoupis.

Nous arrivâmes à Marseille en début de soirée. Le voyage en troisième classe avait été plus agréable, malgré le bruit et les odeurs d'animaux, que le temps passé en deuxième classe. Quand nous avions atteint Sorgues, le chef de train m'avait accompagnée jusqu'à l'omnibus à destination de Marseille et avait dit au chef de ce train-là de me donner une place en compartiment. Ce dernier m'avait mise avec deux femmes qui revenaient de Paris.

« Elle est toute seule, leur avait-il expliqué. Veillez sur elle, voulez-vous ? »

Je ne pus m'empêcher de détailler leurs vêtements. Leurs robes étaient en soie avec des cols en V. Au lieu d'être cintrées à la taille, leurs ceintures étaient lâches et leur descendaient sur les hanches. Leurs jupes étaient si courtes que je voyais leurs tibias quand elles croisaient les jambes. Mais elles portaient de simples chapeaux à bords tombants, qui évoquaient des fleurs de liseron. Quand je demandai à ces dames si elles pouvaient me parler un peu de Marseille, elles firent mine de ne pas me comprendre. Et je les vis rouler les yeux au moment où je sortis le saucisson à l'ail que tante Yvette m'avait préparé pour le déjeuner.

« Espérons qu'elle ne va pas nous donner ses poux », chuchota l'une à l'autre.

Je gardai les yeux baissés, les joues brûlantes de honte. J'étais pauvre mais je m'étais scrupuleusement lavée et j'avais enfilé ma plus belle robe pour le voyage. J'oubliai la mesquinerie de ces femmes dès que le train s'arrêta à la gare Saint-Charles : je n'avais jamais vu autant de gens réunis en un seul endroit. Pardi, toute la population de ma région se pressait dans une gare ! Je regardai les femmes aller et venir d'un pas pressé, occupées à identifier leurs bagages ; les marchands ambulants de fleurs et les vendeurs de cigarettes ; les marins à la démarche saccadée, sacs en toile sur l'épaule ; les enfants et les chiens juchés au sommet des valises. Et je fus étonnée par la diversité des langues qui fusèrent autour de moi lorsque je posai le pied sur le quai. Si les accents espagnol et italien m'étaient familiers, ceux des Grecs, des Arméniens et des Turcs ne l'étaient pas. J'ouvris la carte que m'avait donnée oncle Jérôme et essayai de calculer le temps qu'il me faudrait pour me rendre à pied au Vieux-Port, où vivait tante Augustine. Le soleil allait bientôt se coucher et je n'avais pas envie de courir les rues d'une ville inconnue à la nuit tombée.

« C'est trop loin pour y aller à pied, me dit un marin, une cigarette pendue au coin des lèvres, quand je lui montrai le plan. Vous feriez mieux de prendre un taxi.

— Mais je n'ai pas l'argent pour un taxi », répondis-je.

Il s'approcha un peu plus près et sourit en découvrant ses dents tel un requin. Son haleine sentait

43

l'alcool. Un frisson me parcourut et je me fondis dans la foule. À côté de l'entrée de la gare, une femme vendait des reproductions en miniature de la basilique Notre-Dame-de-la-Garde, avec son dôme et son clocher surmonté d'une statue dorée de la Vierge. La mère du Christ était censée veiller sur ceux qui sont perdus en mer. Si j'avais eu assez d'argent, j'aurais acheté un de ces modèles réduits dans l'espoir qu'elle me protégerait.

« Prenez le tramway », me conseilla la femme quand je lui demandai comment me rendre au Vieux-Port.

Je me dirigeai vers l'endroit, à l'extérieur de la gare, où elle m'avait dit d'attendre. Un bruit de tonnerre me fit sursauter et en levant les yeux je vis un tramway qui avançait lourdement vers l'arrêt. Accrochés aux parois ou debout sur les marchepieds, il y avait des dizaines de gamins aux visages crasseux. Le véhicule s'arrêta et les enfants sautèrent sur le trottoir. Je tendis au receveur une des pièces de ma mère et allai m'asseoir derrière le chauffeur. Des gens montèrent puis d'autres enfants – et aussi des adultes – grimpèrent sur les rebords. J'appris par la suite que c'était une façon de voyager gratuitement. Le tramway démarra, il prit peu à peu de la vitesse en oscillant et en cahotant d'un côté et de l'autre. Je m'accrochai d'une main au rebord de la fenêtre et de l'autre à mon siège. Je n'avais encore jamais vu Marseille et une chose est sûre, jamais je n'aurais imaginé cela. C'était une mosaïque d'imposants immeubles avec leurs toits en tuiles et leurs élégants balcons et de maisons aux volets en bois miteux et aux façades tachées par l'humidité. On aurait dit qu'un tremblement de terre avait entassé pêle-mêle les fragments de différents villages.

Le pare-brise du tramway était dépourvu de vitre et une brise rafraîchissante me chatouillait le cuir chevelu et les joues. Heureusement que la ventilation était bonne car l'homme assis à côté de moi empestait l'oignon et le tabac froid. « Vous venez d'arriver ? » demanda-t-il en voyant l'expression inquiète de mon visage quand le tramway grinça et fit une embardée pour prendre un virage. J'acquiesçai. « Alors, dit-il en m'envoyant son haleine écœurante en plein visage, bienvenue à Marseille : la ville des voleurs, des assassins et des putains ! »

Je fus soulagée d'arriver enfin au Vieux-Port. Mes jambes tremblaient autant que si j'avais passé plusieurs mois en mer. Je jetai mon baluchon sur mon épaule. Les derniers rayons du soleil faisaient scintiller la Méditerranée et le ciel était bleu-vert. Je n'avais encore jamais vu la mer ; ce spectacle et les mouettes qui poussaient des cris stridents me donnèrent des fourmis dans les orteils.

Je longeai le quai des Belges, dépassant des Africains qui vendaient des épices dorées et ocre et des babioles en cuivre. J'avais entendu parler des Noirs dans les livres de tante Yvette, mais je ne les avais jamais vus en vrai. J'étais fascinée par leurs ongles blancs et la pâleur de leurs paumes, mais je me rappelais la façon dont les deux femmes m'avaient traitée dans le train et je pris garde à éviter les regards curieux cette fois-ci. Je marchai le long du port jusqu'au quai de Rive-Neuve. Les cafés et les bistrots ouvraient pour la nuit et l'air embaumait les sardines grillées, le thym et les tomates. Ces

45

odeurs me donnèrent tout à la fois faim et le mal du pays. Ma mère et ma tante devaient préparer le repas du soir à cette heure-ci, et je marquai une pause pour les imaginer en train de dresser la table. Je ne les avais quittées que le matin même mais déjà elles commençaient à m'apparaître comme les personnages d'un rêve. Les larmes m'emplirent à nouveau les yeux au point que je distinguais à peine mon chemin dans le dédale de ruelles tortueuses. Les caniveaux étaient encombrés de restes de poisson et les pavés empestaient les déchets. Un rat sortit d'une crevasse pour se régaler des immondices.

« Va-t'en ! lança une voix de femme bourrue derrière moi. C'est mon coin ! »

La rue Sainte, où tante Augustine tenait sa pension de famille, rassemblait le même mélange éclectique d'architectures que le reste de la ville. Elle était composée d'imposantes demeures datant de l'époque de la prospérité maritime et d'alignements de petites maisons jumelles. Celle de ma tante appartenait à la seconde catégorie et était accolée à une autre d'où s'échappaient des bouffées d'encens et de lessive. Trois femmes très légèrement vêtues étaient accoudées à une des fenêtres, mais par bonheur aucune ne m'apostropha.

Je gravis les marches du perron, soulevai le heurtoir puis le laissai timidement retomber. Je levai les yeux sur les fenêtres incrustées de sel : il n'y avait de lumière derrière aucune d'entre elles.

« Essaie encore ! suggéra une des femmes. Elle est à moitié sourde. »

J'étais trop timide pour la regarder mais je suivis son conseil. J'empoignai le marteau et le fis basculer.

Il heurta le bois avec une telle violence qu'il fit trembler les fenêtres et résonna dans la rue. Les femmes éclatèrent de rire.

Cette fois-ci, j'entendis un bruit de porte à l'intérieur et quelqu'un descendre l'escalier d'un pas lourd. Le loquet émit un déclic et la porte s'ouvrit. Une vieille femme se tenait devant moi. Elle avait le visage tout en angles avec un nez crochu et un menton si pointu que j'aurais pu m'en servir pour labourer le potager.

« Pas besoin de faire un vacarme pareil ! glapit-elle d'un air renfrogné. Je ne suis pas sourde. »

Je fis un pas en arrière et faillis trébucher. « Tante Augustine ? »

La femme m'examina de la tête aux pieds et eut l'air d'arriver à une conclusion désagréable. « Oui, je suis ta grand-tante Augustine, dit-elle en croisant ses bras épais sur sa poitrine. Essuie tes bottillons avant d'entrer. »

À sa suite, je traversai le petit salon, qui contenait un tapis élimé, deux chaises et un piano rouillé, jusqu'à la salle à manger. Une table, un placard vitré et un buffet étaient entassés dans la pièce. Des tableaux représentant des aventures de marins juraient avec le papier peint à rayures. La seule lumière naturelle provenait de la fenêtre de la cuisine adjacente. Un abat-jour à franges se balançait au-dessus de la table et je m'attendais à ce que tante Augustine allume la lumière. Mais elle ne le fit pas et nous nous assîmes à la table dans la pénombre.

« Du thé ? proposa-t-elle en désignant la théière et les tasses dépareillées posées à côté.

— Oui, s'il vous plaît. »

47

J'avais la gorge sèche et mes papilles se réveillèrent instantanément à l'idée d'une tisane réconfortante. Je sentais déjà la douceur soyeuse de la camomille dans ma gorge ou la fraîcheur du romarin sur ma langue.

Tante Augustine serra l'anse de la théière dans ses doigts noueux et versa le thé. « Voilà ! » dit-elle en poussant une tasse et une soucoupe vers moi. Je contemplai le liquide sombre. Il n'avait aucun arôme et, quand je le goûtai, je m'aperçus qu'il était froid et avait un goût d'eau croupie. Il avait dû rester là depuis le matin, voire plus longtemps encore. Je bus parce que j'avais soif, mais les larmes me brûlaient les yeux. Tante Augustine ne pouvait-elle même pas me faire du thé ? Une partie de moi avait osé espérer qu'elle ressemblerait plus à mon père qu'à oncle Jérôme.

Tante Augustine se laissa aller contre sa chaise et se mit à tirer un poil sur son menton. Je redressai les épaules et m'assis bien droite, décidée à lui donner une nouvelle chance. Elle avait sûrement compris que nous étions toutes deux des Fleurier, issues de la même chair. Mais avant que j'aie pu ouvrir la bouche, elle annonça : « Trois repas par jour. Et prends garde à ne pas trop manger, tu n'es pas une pensionnaire. »

Elle désigna un morceau de papier cloué à la porte. « Les autres inscrivent leur nom là-dessus pour t'indiquer s'ils seront là pour le repas. M. Roulin est toujours là et l'*autre*, là-haut, n'est jamais là. De toute façon, je ne voudrais pas de cette sorte de gens à ma table.

— L'autre ? » demandai-je.

48

Tante Augustine roula les yeux vers le plafond et je suivis son regard. Si je n'y voyais que des toiles d'araignée, sa figure renfrognée donnait à penser qu'elle faisait allusion à quelque chose de maléfique. L'écho inquiétant du mot « l'autre » résonnait encore dans la pièce.

« Bon, fit-elle en m'arrachant la tasse vide des mains pour la replacer à l'envers sur sa soucoupe. Je vais te montrer ta chambre. Je veux que tu sois levée à cinq heures demain matin pour faire les marchés aux poissons. »

Je n'avais rien mangé depuis mon saucisson dans le train, mais j'étais trop effrayée pour dire que j'avais faim.

Ma chambre se trouvait à l'arrière de la maison, juste à côté de la cuisine. La porte était déformée et quand je la poussai, elle racla le sol. Je voyais à l'égratignure en demi-cercle sur le plancher que c'était son mouvement habituel. Mon cœur se serra à la vue des murs de ciment. Les seuls meubles étaient une chaise d'aspect branlant dans le coin, une armoire et un lit dont la couverture était parsemée de taches de moisi. À travers la crasse de la fenêtre à barreaux, j'apercevais les toilettes dans la cour et un jardinet qui avait besoin d'être désherbé.

« Je reviendrai dans une heure t'expliquer ce que tu devras faire », conclut tante Augustine en refermant la porte derrière elle. Elle ne se comportait pas du tout comme une parente. Elle n'était rien de plus qu'une patronne.

Derrière la porte se trouvait une liste de corvées. Le papier sur lequel elle avait été griffonnée était jauni par le temps. « Frotter les tommettes à l'huile de lin et à la cire d'abeille. Aérer et battre la literie. Passer la serpillière... » Je me demandai depuis combien de temps personne n'avait fait tout cela. Je m'assis sur la chaise et regardai par la fenêtre ; les larmes me coulèrent sur les joues quand je comparai la chaleur de mon père à la froideur de ma grand-tante. Je jetai un coup d'œil sur le matelas affaissé. Le lit tout simple qui était le mien à la maison m'apparut soudain comme un divan digne d'une reine. Les genoux contre la poitrine, enfouie dans une position fœtale, je fermai les yeux et m'imaginai allongée là-bas.

Le premier repas que j'eus à préparer fut le déjeuner du lendemain. La cuisine était aussi déprimante que ma chambre. Le dallage et les murs retenaient le froid, accentué par le courant d'air qui s'infiltrait par un carreau cassé de la fenêtre. Tante Augustine se tassa sur une chaise en paille pour me superviser, ses pieds enflés immergés dans un seau d'eau chaude. J'y versai quelques gouttes d'huile de lavande en lui disant que cela apaiserait l'inflammation. Le parfum qui s'en dégagea le disputa à l'odeur de torchon à vaisselle moisi de la cuisine. J'imaginai les champs de lavande ondoyant sous la brise, leurs vagues violettes bruissant dans l'ombre et la lumière. J'entendais mon père chanter doucement *Se canto* et j'étais sur le point de fredonner le refrain lorsque tante Augustine rompit le charme : « Attention à ce que tu fais, ma fille ! »

Je décrochai une casserole. La poignée était graisseuse et le fond incrusté de restes de nourriture. Je la nettoyai d'un coup de torchon pendant que tante

Augustine regardait ailleurs. J'avais détesté être envoyée chercher du vin à la cave, une véritable caverne dont la porte grinçait ; la première chose que j'avais vue était une toile où était suspendue une araignée noire. J'avais enlevé l'araignée à l'aide d'un balai avant d'avancer à pas furtifs dans cet espace confiné avec une lampe pour seul guide. La cave empestait la boue, des excréments de rat jonchaient le sol. J'en avais eu la chair de poule, sursautant sous des morsures imaginaires. J'étais terrifiée à l'idée d'être mordue par un rat, car Marseille était célèbre pour ses maladies, véritable danger dans toute ville portuaire depuis l'époque de la peste. J'avais attrapé les deux premières bouteilles à ma portée sans même me donner la peine d'en vérifier le contenu.

J'allai chercher de l'eau à la pompe, dehors, près de la porte de la cuisine, puis examinai le panier de légumes posé sur le banc. Je fus surprise par la qualité des produits. Les tomates étaient encore fermes et rouges en cette fin d'été, les aubergines bien lourdes dans mes mains, les poireaux tout frais et les olives noires avaient l'air succulentes. Dans la cuisine sale, les bonnes odeurs de ces légumes étaient aussi bienvenues qu'une oasis dans le désert.

Tante Augustine devina mon admiration. « On a toujours bien mangé ici. J'étais connue pour ça. Bien sûr, je ne suis plus la cuisinière que j'étais », dit-elle en joignant ses mains aux doigts crochus.

Je la détaillai, essayant de retrouver la femme qui se cachait derrière ce visage maussade, la jeune fille passionnée qui avait désobéi à ses parents pour s'enfuir avec un marin. Il en restait des vestiges dans la façon dont elle redressait ses larges épaules et dans son menton masculin, mais dans ses yeux je ne lisais que l'amertume.

Quand j'eus rassemblé les ingrédients, tante Augustine se mit à crier ses instructions pour couvrir les bruits des casseroles bouillonnantes et des poêles sifflantes. À chaque étape, je devais lui apporter la nourriture afin qu'elle l'inspecte : le poisson pour lui montrer que la peau avait été enlevée ; les pommes de terre pour prouver que je les avais bien moulinées ; les olives pour attester qu'elles avaient été finement émincées malgré le couteau émoussé ; même l'ail pour montrer qu'il avait été écrasé comme elle l'avait spécifié.

À mesure que la préparation du repas progressait, le visage de tante Augustine s'empourprait. Je crus d'abord que c'était parce que rien ne semblait convenir. « Reprends ça, tu as lacéré ces feuilles comme une paysanne ! Trop d'huile, va l'éponger, pour l'amour de Dieu ! Combien de menthe tu as mis là-dedans ? Tu croyais peut-être que je t'avais demandé de préparer de l'eau dentifrice ? » C'était là beaucoup d'histoires pour une femme qui ne se donnait même pas la peine de servir du thé fraîchement infusé. Mais comme la température de la pièce augmentait et tandis que ses instructions devenaient de plus en plus frénétiques, je compris que le rouge sur ses joues provenait de la passion intérieure que j'avais cherché à déceler. Elle était le chef d'orchestre qui incorporait ses notes de poisson frit, de beurre et de romarin dans une symphonie gastronomique. Et les vapeurs aromatiques semblèrent tirer les pensionnaires de leurs chambres. J'entendis des voix et des bruits de pas qui descendaient l'escalier presque une demi-heure avant l'heure prévue du déjeuner.

Quand la table fut prête, nous étions cinq en tout. À part tante Augustine et moi, il y avait Ghislaine, une femme d'âge mûr qui travaillait comme vendeuse de poisson, et deux hommes : M. Roulin, un marin à la retraite, et M. Bellot, un jeune professeur du lycée pour garçons. M. Roulin avait un trou à la place des deux dents de devant, sa chevelure se réduisait désormais à quelques mèches à l'arrière de son crâne tacheté et son avant-bras droit était amputé à hauteur du coude. Il agitait le bout fripé de son moignon et s'exprimait avec une voix qui ressemblait à un moteur ayant besoin d'huile. « C'est bien agréable, d'avoir une jeune femme à table. Elle est noire comme une mûre, mais quand même jolie. »

Je souris poliment, comprenant à ma position en bout de table, près de la porte de la cuisine, que j'étais une domestique et ne devais pas me mettre en avant dans la conversation.

M. Bellot se tirait le lobe de l'oreille et ne disait rien à part « S'il vous plaît » et « Merci ». Pendant le repas, dont M. Roulin déclara que c'était le meilleur qu'ils eussent mangé depuis des mois, le visage de M. Bellot exprima la perplexité, puis il se fit songeur et enfin sévère, comme s'il était engagé dans un intense dialogue intérieur. Tout ce qui manquait à M. Roulin, M. Bellot semblait l'avoir en double quantité : ses dents étaient aussi longues que celles d'un âne, ses cheveux formaient un large halo autour de sa tête et ses membres étaient si grands qu'il n'avait même pas besoin de se pencher pour prendre la carafe d'eau posée pourtant de mon côté de la table.

Ghislaine était assise à côté de moi. J'étais étonnée qu'une personne travaillant sur les marchés aux poissons sente si bon le propre. Sa peau dégageait le parfum frais d'une pêche et ses cheveux, l'odeur riche de l'huile d'olive utilisée pour le savon de Marseille. Ses yeux se plissèrent en un sourire quand M. Roulin surprit mon regard sur son moignon et s'écria : « Un requin gros comme un paquebot au large de Madagascar ! »

Je devinai aux rires et aux regards échangés par les autres convives que l'histoire était fausse. L'angle trop net de l'amputation ne pouvait être que le résultat d'un accident causé par une machine ou d'un acte chirurgical. Je n'avais pas examiné le moignon avec répugnance, juste avec intérêt. Les reliefs de la cicatrice qui fermait l'œil de mon père m'avaient enseigné qu'un cœur pur n'est en rien changé par une difformité.

Quand j'eus lavé les assiettes, tante Augustine m'imposa d'autres corvées journalières, entre autres vider dans les toilettes de la cour le seau fermé par un couvercle qui se trouvait à l'étage. Puis elle passa le doigt sur le buffet de la salle à manger et considéra la traînée de poussière accumulée au bout de son index. « De la poussière du premier au dernier étage, constata-t-elle comme si je devais être tenue pour responsable de la mauvaise tenue de la maison. Commence par la chambre de M. Bellot, ensuite, dès que Ghislaine sera partie travailler, tu balaieras le sol de la sienne. Pour la chambre de M. Roulin, c'est sa fille qui y fait le ménage. Ne t'occupe pas du quatrième étage. *Elle* ne veut pas qu'on aille mettre le nez dans ses affaires. »

Elle ? Je pouvais donc donner une identité sexuée à l'étrange personne du quatrième, dont la simple mention semblait mettre tante Augustine mal à l'aise même si elle ne voyait aucun inconvénient à encaisser son argent pour le loyer.

« Je fais la sieste, l'après-midi, mais je redescendrai superviser la préparation du dîner », conclut tante Augustine en agrippant la rampe de l'escalier pour se hisser de marche en marche.

Le sol de la cuisine crissa sous mes pieds quand j'allai chercher le balai. J'eus un mouvement de recul à l'idée de préparer un autre repas dans cette pièce peu hygiénique. Nonobstant les instructions de tante Augustine, qui voulait me voir commencer par la poussière, je nettoyai d'abord la cuisine. Je remplis un seau d'eau et le mis à chauffer sur le poêle, puis récurai la table et les bancs à l'eau savonneuse tout en essayant de me représenter la pensionnaire inconnue du dernier étage. J'imaginai tout d'abord une femme flétrie de l'âge de ma tante, clouée au lit, le visage creux et marqué par la souffrance. C'était une ancienne rivale – soit en amour, soit en gastronomie – tombée dans la ruine et tante Augustine la laissait dépérir dans la crasse et la famine. Comme je me mettais à laver le sol, le visage de la vieille femme s'adoucit et ses rides disparurent. L'une de ses jambes prit un aspect ratatiné et je la transformai en infirme issue d'une riche famille qui, honteuse de sa malformation, payait tante Augustine pour qu'elle la garde chez elle. Peut-être s'agissait-il d'un membre de la famille – une Fleurier inconnue – que tante

55

Augustine avait caché à tous parce qu'elle niait le lien de parenté les unissant.

J'étais tellement absorbée par mes scénarios imaginaires et le frottement de ma brosse à récurer sur les tommettes que je n'entendis pas tout de suite le bruit d'une porte qui s'ouvrait en grinçant, puis se refermait brutalement. Ma main s'immobilisa en plein mouvement et je levai les yeux. La voix était claire et sautait de note en note comme un papillon volette de fleur en fleur. C'était le genre de mélodie rapide qu'un accordéoniste jouerait dans une foire. Au rythme de l'air fredonné, des bruits de pas dévalaient l'escalier. *Pa-dam ! Pa-dam ! Pa-dam !* Les pas d'une femme trop légère pour être tante Augustine ou Ghislaine. Ils s'arrêtèrent au rez-de-chaussée. Je perçus le tintement des bijoux et un crépitement semblable à celui du riz qu'on agite dans une boîte métallique.

Je sautai sur mes pieds et lissai mes cheveux et ma jupe. Mon tablier et l'ourlet de ma robe étaient trempés, mais je ne pus résister à l'envie de voir l'inconnue. J'essorai mon tablier, essuyai mes chaussures avec le chiffon que j'avais utilisé pour balayer puis m'élançai vers l'entrée. Mais quand je traversai la salle à manger, mon talon s'affaissa sur le tapis. Je trébuchai et m'écrasai contre le buffet en éparpillant les tasses et les soucoupes – sans en casser aucune, par chance. Je me remis d'aplomb et rangeai la porcelaine, mais j'arrivai au petit salon un instant trop tard. Je n'entr'aperçus que le balancement d'une robe ivoire garnie de perles qui disparut derrière la porte. Un soupçon d'ylang-ylang flottait encore dans l'air.

En décembre, la brise venue de la mer était si pénétrante qu'elle vous mettait la peau à vif. À vif, mes doigts l'étaient aussi, à force de débarrasser les étagères, les placards et les planchers de la maison de tante Augustine de leurs couches de poussière et de crasse. J'avais les muscles ankylosés et les épaules douloureuses d'avoir poussé les lourds meubles pour atteindre les amas de saleté et enlevé des toiles d'araignée suspendues aux corniches depuis des années. Ghislaine acquiesçait d'un air appréciatif à la vue du petit salon reluisant et du carrelage miroitant de la salle de bains, qui dégageait encore l'odeur de l'eau de Javel que j'avais utilisée pour éliminer la moisissure logée dans le mastic. Tante Augustine se contentait d'avancer la lèvre inférieure et de lâcher : « Les boutons de porte sont ternes et je vois encore des traces de mousse dans la baignoire. » Je repliais les manchettes élimées de ma robe d'hiver et m'agenouillais pour récurer, polir et savonner à nouveau, trop craintive devant ma tante pour lui dire que certaines parties de sa maison étaient si décrépites que le plus complet des nettoyages n'y changerait rien.

Le chagrin causé par la mort de mon père s'apaisa un peu, du fait de l'épuisement dû à mes dures corvées plus que par acceptation. La nuit, recroquevillée sous ma mince couverture, j'écoutais le radiateur crachoter et exhaler en sifflant une chaleur irrégulière dans la pièce. Mes cheveux empestaient le sel, et l'odeur de l'huile de lin restait accrochée au bout de mes doigts. Je me récurais les ongles et me démêlais les cheveux tous les soirs, mais le bain hebdomadaire auquel j'avais droit ne suffisait pas à me débarrasser des odeurs de sel et d'huile de lin. Elles semblaient exsuder de ma peau.

Une autre vie doit être possible, songeais-je. Les quelques minutes qui précédaient mon endormissement étaient le seul moment où je pouvais réfléchir et former des projets. Tante Augustine prétendait que m'assurer le gîte et le couvert lui coûtait une « fortune », raison pour laquelle elle ne me payait pas un centime. Je n'avais même pas l'argent pour m'acheter du savon ou envoyer une lettre à ma famille. Il m'apparut que je n'avais aucunement l'obligation de rester chez tante Augustine, mais ma mère et ma tante m'avaient suppliée de faire au mieux. « J'ai entendu dire que des choses terribles peuvent arriver aux jeunes filles seules à Marseille, m'avait prévenue tante Yvette. Attends que Bernard t'envoie de l'argent. »

J'aspirais à la beauté, seulement autour de moi tout n'était que grisaille. Le matin au réveil, les premières choses que je voyais étaient la fenêtre à barreaux, les fissures courant le long des murs et les taches sur le plancher. À la ferme, en ouvrant les yeux j'avais vue sur les champs, la caresse des brises qui embaumaient la lavande et la glycine me réveillait. Dans la maison de tante Augustine, les relents d'eau de mer traversaient le plancher si bien qu'il m'arrivait de rêver que j'étais retenue captive dans la coque d'un navire. À la ferme, je négligeais le ménage parce que la beauté naturelle du lieu ne pouvait être ternie par des vêtements éparpillés ou par un lit mal fait. Mais à Marseille, l'endroit où je vivais était si laid que je devins obsédée par l'ordre, bien que mes tentatives d'embellir la maison fussent sans cesse frustrées.

J'avais beau redonner du volume aux coussins et les disposer joliment, il semblait que les meubles conservaient leur aspect miteux, et comme tante Augustine insistait pour qu'on garde les volets fermés même en hiver, tout était plongé dans une pénombre déprimante. Ghislaine respectait mes efforts, mais si M. Bellot regardait autour de lui d'un air admiratif, cela ne l'empêchait pas de marcher sur les tapis avec ses bottes crottées ni M. Roulin de cracher ses noyaux d'olive dans l'escalier fraîchement balayé.

Après des semaines passées chez tante Augustine, je n'avais toujours pas vu la mystérieuse pensionnaire du quatrième étage. Je sentais souvent son parfum : un soupçon de patchouli dans la salle de bains ; un peu d'encens au bois de santal qui s'échappait de sous sa porte. Et parfois je l'entendais : bruits de pas rythmés sur le plancher quand je nettoyais la chambre d'Augustine ; faibles bribes de chansons s'échappant d'un gramophone : « Je ne veux pas vivre sans amour… » Mais je ne la voyais jamais. Elle semblait avoir des horaires bien à elle. Quand nous nous mettions à table pour le déjeuner, j'entendais grincer les robinets de la salle de bains. Pendant que je lavais la vaisselle dans la cuisine, ses pas furtifs et légers descendaient l'escalier et s'évaporaient sur un claquement de porte. Parfois, si j'étais encore éveillée au petit matin, j'entendais une voiture s'arrêter devant la maison et un chœur de voix excitées. Son rire les couvrait toutes. C'était un rire léger et insouciant qui vous chatouillait la peau comme la brise du printemps.

Ghislaine me fournit les quelques informations qu'elle possédait : la pensionnaire s'appelait Camille

Casal, elle avait vingt ans et était danseuse de revue dans le music-hall du quartier. Mais je n'arrivais jamais à l'apercevoir, aussi je finis tout simplement par y renoncer.

3

Le printemps fut en avance l'année suivante et, à la fin du mois de mars, l'air était déjà teinté de douceur. J'examinai le potager où poussaient aussi des herbes aromatiques, tâtai les plants de tomates enchevêtrés et arrachai les stolons herbeux qui avaient étouffé les têtes de laitues. Il y avait des brins de fenouil, de romarin et de thym, très déshydratés mais peut-être récupérables. Si leurs feuilles se révélaient trop dures pour être mangées, je pourrais les sécher et en faire des sachets. J'extirpai une bêche rouillée des griffes d'une clématite qui avait grimpé sur la clôture du jardin derrière la maison puis m'aventurai courageusement dans la cave pour y chercher une fourche. Après dîner, quand l'air eut fraîchi, je retournai la terre compacte et y mêlai des restes de légumes pour nourrir le sol. Ghislaine m'apporta des graines de coriandre, de basilic et de menthe. Je les semai dans de petits monticules en me disant que mon père aurait bien ri de voir sa *flamingo* travailler la terre de la sorte. Tous les matins, en arrosant mon jardin, je me remémorais un de ses dictons favoris : « Il n'advient rien que de bon à qui sème et attend patiemment. »

À la fin avril, mes journées se fondaient dans une monotonie déprimante faites d'heures passées à laver, à balayer, à biner et à dormir, jusqu'à cet après-midi où je raccrochais les rideaux dans la pièce de devant après les avoir aérés. Je me lamentais intérieurement en voyant les trous de mites et les auréoles dans le tissu quand j'entendis un jappement puis le cri aigu de tante Augustine. Je perdis l'équilibre et atterris sur les fesses avec un bruit sourd.

« À qui appartient ce monstre ? »

Quelle que fût la créature à laquelle tante Augustine faisait allusion, elle recommença à japper. Je me relevai, remis le tabouret d'aplomb, puis me précipitai sur le palier. Quelqu'un riait. Ce rire provoqua des fourmillements sur tout mon corps car je devinai instantanément de qui il provenait.

« Vieille grincheuse ! C'est mon petit chien, répliqua Camille. M. Gosling me l'a offert après le spectacle où j'ai eu droit à cinq rappels.

— Tout ça pour avoir exhibé votre cul et vos nichons, gronda tante Augustine plus fort que les jappements. J'avais dit pas d'animaux ! »

Je rougis d'entendre la vieille dame utiliser des mots pareils. Mais ma honte n'atténua pas ma curiosité. Prête à essuyer le courroux de ma tante pour avoir écouté la conversation, je m'avançai dans l'escalier.

« Il est si petit, c'est plus une plante qu'un animal ! Vous êtes vache parce qu'il vous a fait peur.

— Je ne veux pas de saletés !

— Vous vous en accommodiez très bien avant l'arrivée de votre nièce. »

Ces paroles furent suivies d'un silence et je m'arrêtai sur le palier du premier étage, tendant l'oreille. Je mesurai l'audace de Camille, qui parlait ainsi à tante Augustine, et l'avarice de cette dernière, qui gardait une pensionnaire pourtant détestée. Mais je savais grâce au livre de comptes que ma tante avait un jour laissé ouvert sur son bureau que Camille payait un loyer deux fois plus élevé que les autres, même si elle ne prenait jamais ses repas à la pension.

« Il ne fera aucun bruit quand je ne serai pas là, reprit Camille. Votre jeune employée n'aura qu'à le promener tous les soirs. Et après il dormira.

— Elle ne fera rien de la sorte ! Elle est bien assez occupée comme ça, objecta tante Augustine d'un ton cassant.

— Je suis sûre qu'elle voudra bien… si je la paie. Et je suis sûre que vous voudrez prélever la moitié de son salaire. »

La conversation s'interrompit à nouveau. Je devinai que tante Augustine réfléchissait à la question. Elle préférerait l'argent à la propreté de sa maison. Je mourais d'envie d'être payée pour un travail, quand bien même tante Augustine prélèverait la moitié de mes gains. Il me semblait qu'avoir quelque argent m'ouvrirait la porte d'un avenir meilleur. J'inspirai un grand coup et montai un étage de plus à pas de loup. Mais un bruit de pas qui approchaient m'arrêta net. Ce n'était pas la démarche pesante de tante Augustine, c'était l'allure altière d'une lionne. Ma première impulsion fut de tourner les talons pour m'enfuir. Au lieu de cela, je me sentis soudain des jambes de plomb. Tout au plus pouvais-je baisser les yeux pour les regarder. Les pas s'arrêtèrent au-dessus de moi.

« Vous voilà, justement ! »

Je levai les yeux. L'espace d'un instant, je crus avoir une vision. Penchée par-dessus la balustrade, sur le palier supérieur, se tenait la plus belle femme que j'aie jamais vue. Ses cheveux blonds tombaient en cascade, ses yeux étaient d'un bleu limpide et son nez aussi bien dessiné que ceux des statues du palais Longchamp, que je m'étais arrêtée pour admirer un jour, en faisant une course. Elle ressemblait à une rose dans sa robe vert pâle surmontée d'un corsage de pétales pourpres. Ses longs doigts retenaient un animal contre sa poitrine. À sa taille, je le pris pour un rat brun-roux, mais quand il se tourna vers moi, cligna de ses gros yeux saillants et sortit sa langue rose, je m'aperçus que c'était le plus petit chien du monde.

Camille descendit jusqu'à moi et me mit dans les bras le petit animal gigotant. « Il s'appelle Bonbon. C'est un chihuahua. »

Le chien me lécha la figure et agita sa queue empanachée avec une telle vigueur que tout son corps trembla. Je caressai sa fourrure soyeuse et le laissai me mordiller les doigts, oubliant un instant que Camille m'observait.

« Vous voyez, dit-elle, il vous aime déjà plus que moi. »

Je levai les yeux vers elle. « Vous voulez que je le promène ?

— Pardieu, oui ! répondit-elle en m'examinant

des pieds à la tête. Je n'y entends rien aux animaux. »

Je retournai Bonbon pour lui chatouiller le ventre. C'est alors que je m'aperçus que c'était une fille, pas un garçon.

Tante Augustine prenait la moitié des cinquante centimes que Camille me payait pour promener Bonbon pendant une heure. Mais cela m'était égal, c'était l'occasion d'échapper à la sinistre pension. Chaque fois que je franchissais le seuil, Bonbon s'élançait allègrement devant moi, me conduisait par les ruelles sinueuses jusqu'aux quais et je me sentais revivre. Nous écoutions les marchands ambulants haranguer la foule et les gitans jouer du violon. Bonbon et moi déambulions le long de la Canebière, nous arrêtions pour humer les roses qui jaillissaient de leurs seaux sur le seuil d'un fleuriste ou pour faire du lèche-vitrines devant la chocolaterie, où nous regardions les pralines que l'on emballait dans des boîtes fermées par des rubans dorés. Que ce fussent des messieurs prenant l'apéritif en terrasse ou des femmes portant chapeaux et perles qui sirotaient leur café crème, tous ceux qui nous voyaient passer levaient les sourcils devant cette fille vêtue d'une robe passée de mode qui promenait un chien affublé d'un col en strass.

Un après-midi où nous rentrions, les prostituées de la maison voisine qui se tenaient sur le seuil, à attendre les clients du soir, jetèrent des cris stridents en me voyant avec Bonbon.

« Qu'est-ce que tu tiens au bout de ta corde ? Un rat ? » fit la plus proche de nous dans un éclat de rire.

Bien que tante Augustine m'eût enjoint de ne pas adresser la parole à nos voisines, je ne pus m'empêcher de leur sourire. Je pris Bonbon dans mes bras et le leur tendis. Elles lui grattèrent le menton et caressèrent sa fourrure. « Elle est mignonne. Regardez ces oreilles... elles sont plus grosses qu'elle », dirent-elles.

De près, je m'aperçus que ces femmes étaient beaucoup plus vieilles qu'il y paraissait de loin. Leurs rides et la couperose se voyaient sous les couches de poudre et de rouge, et le parfum d'eau de rose que dégageaient leurs cheveux et leurs vêtements ne suffisait pas à masquer l'odeur âcre de leur chair. Ces femmes avaient beau sourire et rire, elles me rendaient triste. Au fond de leurs yeux, je voyais des rêves brisés et des occasions manquées.

Lorsque Bonbon atteignit le seuil de la maison de tante Augustine, elle s'arrêta, la queue entre les jambes, et mon humeur s'assombrit. Je me baissai pour lui gratter le collier et lui chatouiller les oreilles.

« Je veux bien d'elle comme pensionnaire, entendis-je tante Augustine dire au moment où j'entrais dans la pièce de devant, mais je ne veux pas voir ce genre de femme se promener ici ou ramener des hommes à la maison. »

Je fermai la porte aussi doucement que possible. Les griffes de Bonbon raclèrent le plancher et elle s'aplatit sur le sol dans un bruit sourd, levant sur moi ses yeux intelligents. Je la soulevai puis la nichai dans ma poche avant de me diriger vers la cuisine à pas de loup pour voir à qui parlait tante Augustine. Un miroir incliné était accroché à la cimaise de la salle à manger et s'y reflétait l'image de ma tante assise à la table de la cuisine, les pieds dans un seau. Ghislaine ouvrait des moules et jetait les coquilles vides dans un panier. Tante Augustine baissa la voix et je dus tendre l'oreille.

« Elles ne portent pour ainsi dire rien. *Rien !* siffla-t-elle. Les femmes se collent un bout de tissu sur le corps avec de la colle à postiche et les hommes mettent du rembourrage… eh bien… tu sais où. »

Je plaquai la main sur ma bouche pour étouffer un gloussement. Comment tante Augustine savait-elle tout cela ?

Ghislaine attendit d'avoir écaillé sa dernière moule avant de répondre : « Je ne pense pas que promener le chien de Camille suffise à pervertir Suzanne. »

Marseille m'avait effrayée au début, mais je finis par l'aimer en promenant Bonbon. Le Vieux-Port était pittoresque avec ses longs couchers de soleil. À ce moment de la journée, on était loin des allées et venues incessantes de l'aube, à l'ouverture du marché aux poissons. Les promeneurs du soir pouvaient déambuler à loisir. Les bonimenteurs abondaient, ils attiraient les gens dans leurs restaurants d'où s'échappaient des arômes épicés d'ail et de bouillabaisse. Des gitans convergeaient vers les quais, où ils vendaient des paniers en osier et de la vaisselle en étain ou incitaient les passants à se faire lire les lignes de la main et dire la bonne aventure. Ghislaine m'avait expliqué qu'ils venaient de toute l'Europe pour la célébration annuelle des Saintes-Maries-de-la-Mer et passeraient la plus grande partie de l'été dans le sud de la France. L'air résonnait de notes de violon et de chants. Les jupes jaunes et rouges des danseuses me faisaient penser aux fleurs sauvages qui parsemaient les collines du pays de Sault et me rappelèrent que maintenant que j'avais un peu d'argent, je pouvais répondre à la lettre de tante Yvette et lui raconter, ainsi qu'à ma mère, comment je me portais.

Je passai devant un étalage de ce que je pris pour des oiseaux plumés et suspendus à une corde entre deux piquets. La viande avait une odeur faisandée et je demandai au vendeur quelle espèce c'était. Il se gratta la tête et esquissa la forme de l'animal dans le vide avant de se rappeler le mot français : hérisson. J'eus un mouvement de recul et m'éloignai à la hâte. Ces petits corps ressemblaient trop à Bonbon à mon goût.

Une mouette poussa un cri au-dessus de ma tête. Je la suivis du regard et la vis se poser sur le quai. Au même instant, je remarquai Camille devant une charrette de fruits au coin de la rue Breteuil. Elle avait un bouquet d'iris enveloppé dans du papier journal sur un bras et de l'autre désignait des raisins au vendeur. Sa blondeur ressortait au milieu de tous les visages basanés comme un lampadaire dans une ruelle sombre. Elle portait sa robe verte, un châle indien drapé autour de ses épaules, et ses cheveux retenus par un ruban lui dégageaient le visage. Quand elle eut payé son achat, elle lança un regard dans ma direction. Mais si elle me vit, elle n'en montra rien et se détourna pour se diriger vers la Canebière.

Elle est sans doute en route pour le music-hall, me dis-je. Bonbon se mit à gigoter dans mes bras et je la posai par terre. M'entraînant à sa suite, elle trottina vers elle au milieu de la forêt de jambes. Voilà qui était étrange, car Bonbon m'était plus attachée qu'à sa maîtresse. Je me demandai si l'animal comprenait à quel point Camille titillait ma curiosité et si elle me donnait ainsi l'occasion de lui parler loin de la maison.

La Canebière grouillait de monde à toute heure du jour mais ce soir-là en particulier du fait de la présence des gitans. Pour une fois, je me réjouis de ma haute taille si peu féminine parce qu'elle me permettait d'apercevoir la tête blonde de Camille apparaître et disparaître au milieu de tant de gens devant nous. Elle tourna et s'engagea dans une avenue ombragée de platanes ; Bonbon et moi lui emboîtâmes le pas. La rue était pleine d'élégantes qui se promenaient au bras de leur distingué compagnon. Les vendeurs avaient aligné leurs charrettes le long des caniveaux, les melons et les pêches bien mûrs embaumaient l'air. Bonbon sautillait, ignorant les caniches et les fox-terriers parés de bijoux qui agitaient la queue en lui lançant des regards énamourés. La chienne était-elle déjà venue par ici ? Retrouvait-elle son chemin de mémoire ?

Il me semblait sournois de suivre Camille, pourtant je n'arrivais pas à m'approcher assez pour l'appeler. À chaque coin de rue, j'espérais qu'elle se retournerait et me verrait, mais elle ne le fit pas. Elle continuait sa route, tout à sa destination. Au bout d'un moment, elle tourna et longea une ruelle étroite dont les maisons obstruaient les derniers rayons du soleil. Les pavés empestaient l'alcool et le vomi. Les façades des maisons – celles qui n'étaient pas couvertes de lierre – choquaient la vue tant leur peinture était écaillée. Des prostituées, bien plus décharnées que nos voisines, scrutaient les alentours depuis le seuil, adressant des signes d'invite aux groupes de marins qui rôdaient dans la rue. Je pris Bonbon dans mes bras et jetai un regard pardessus mon épaule, redoutant de m'aventurer plus avant dans les rues adjacentes mais aussi trop effrayée pour rebrousser chemin.

Camille disparut au coin de la rue et je me mis à courir pour ne pas me laisser distancer. Je me retrouvai sur une place au milieu de laquelle s'élevait une fontaine. À l'autre bout se dressait une énorme bâtisse en pierre avec quatre colonnes et une double porte flanquée de deux panneaux où étaient sculptées des nymphes qui dansaient. *Le Chat espiègle*, annonçait l'enseigne au-dessus de la porte. Les proportions de la bâtisse étaient imposantes mais le détail en était délabré. Les colonnes étaient fissurées et tachées et les hauts-reliefs, qui avaient dû être blancs, noircis par la saleté. J'arrivai à la fontaine à temps pour voir Camille s'enfoncer dans une ruelle sur le côté. Je traversai la place au pas de course à sa suite et j'étais sur le point de l'appeler quand elle gravit le perron d'un pas leste et disparut derrière une porte. J'hésitai un instant, me demandant si je devais la suivre. Je gravis les marches et soulevai le loquet : la porte était verrouillée. Les notes assourdies d'un piano s'échappèrent d'une fenêtre ouverte au deuxième étage. Bonbon dressa les oreilles et s'arrêta pour écouter.

Des bruits de pas résonnèrent sur les pavés et je dévalai l'escalier pour aller me cacher derrière des cagettes de détritus. J'y arrivai juste à temps pour échapper aux regards d'une procession de femmes qui marchaient vers nous. Elles étaient jeunes et minces, elles avaient de jolis minois et les cheveux courts. Je me renfonçai un peu plus derrière les journaux froissés et les bouteilles vides. Cela sentait le poisson et le gin. Bonbon coucha ses oreilles et pressa sa tête tout contre ma poitrine.

Une rouquine monta l'escalier à grandes enjambées et frappa à la porte. Les autres s'appuyèrent avec indolence sur la rambarde ou s'assirent. Elles portaient des robes à la mode, qui s'arrêtaient juste au-dessous du genou, mais même de l'endroit où j'étais recroquevillée, je voyais bien que la dentelle en était rêche et les perles sans valeur ni éclat.

Une blonde décolorée sortit un peigne de son sac et le passa dans sa frange. « J'ai faim, gémit-elle en se penchant en avant, une main sur le ventre.

— C'est des choses qui arrivent quand on ne mange pas », répliqua sa voisine. Son accent était guindé mais malgré ses traits élégants, elle parlait comme une lavandière.

« Je ne peux pas manger, répondit la première en jetant un regard par-dessus son épaule à la rousse qui tambourinait à la porte. Je dois payer mon loyer demain.

— Mon Dieu ! Quelle chaleur ! se plaignit une brune en tamponnant sa figure rougeaude avec un mouchoir. Je me fane comme une fleur.

— Ça va un peu mieux, dit celle qui avait faim. C'était pire cet après-midi. Mon maquillage de scène dégoulinait. Ils refusent de mettre les ventilateurs en marche pour les répétitions. »

La rouquine se tourna vers elles. « Marcel m'a laissée tomber pendant la danse arabe.

— J'ai vu ! s'exclama une autre fille. Tu es tombée en plein dans la flaque de sueur à ses pieds.

— Encore heureux que je ne m'y sois pas noyée ! » repartit la rouquine avec un gros rire.

Les autres filles gloussèrent.

Le loquet joua avec un déclic et elles se mirent instantanément en rang, comme par la force de l'habitude. La porte s'ouvrit. « Bonsoir, Albert ! » firent-elles d'une voix chantante l'une après l'autre avant de disparaître dans les ténèbres.

Bonbon s'agita et me lécha les doigts. J'étais sur le point de me relever quand j'entendis d'autres bruits de pas sur les pavés et me tassai encore une fois. J'épiai entre les déchets entassés une femme corpulente s'approcher de nous, une pile de cartons à chapeaux dans les bras. La pile était si haute qu'elle était obligée de se dévisser le cou pour voir où elle marchait. Deux hommes basanés, des étuis à instruments de musique sous le bras, la suivaient non loin. Tous trois s'arrêtèrent devant la porte et un des hommes frappa. Comme les filles, ils durent attendre quelques minutes avant qu'elle s'ouvre pour disparaître à l'intérieur. Malgré mes mollets et mes pieds endoloris, et Bonbon qui se tortillait dans mes bras, j'étais fascinée par ce défilé. Comparés à ma vie de corvées ménagères, ces gens étaient pleins de mystère.

La porte s'ouvrit et je sursautai. Un homme sortit, son regard parcourut la ruelle. J'étais sûre qu'il allait me voir, mais ses yeux s'arrêtèrent à quelques pas de ma cachette. En dépit de la chaleur, il était vêtu d'un pardessus qui lui descendait jusqu'aux talons et le col de sa chemise était relevé. L'homme coinça la porte avec une brique et s'accouda un moment à la rambarde, puis il prit quelque chose dans sa poche et se roula une cigarette. J'étais restée accroupie si longtemps que ma cheville droite me brûlait, alors je déplaçai mon pied pour soulager la crampe. Mon soulier heurta une bouteille de vin et l'envoya rouler dans le caniveau, où elle s'arrêta avec un tintement. L'homme se tourna, nos yeux se croisèrent. J'en eus le souffle coupé. « Tiens, bonjour vous ! dit-il en grattant son menton à la barbe naissante.

— Bonjour », répondis-je en me relevant et en rajustant ma robe. Puis, incapable de trouver une raison de m'être cachée dans les détritus, j'ajoutai : « Bonsoir ! » et m'enfuis dans la ruelle.

Intriguée par ce que j'avais vu et faute d'autre distraction, je retournai au théâtre le soir suivant. Quand j'arrivai dans la ruelle, elle était déserte. Je me dis que le Chat espiègle ne proposait peut-être pas de spectacle le samedi soir et contournai le bâtiment pour me précipiter vers la caissière ; elle m'assura qu'il y avait bien une représentation et m'indiqua les prix des billets. On entendait les sons d'un violon que l'on accordait et je fus rassurée : j'allais encore profiter du divertissement occasionné par l'arrivée des danseurs. Je dénichai une cagette vide parmi les détritus et la posai sous l'auvent de la boutique de bric-à-brac en face de l'entrée des artistes. Je m'assis sur la cagette, les bras autour des jambes, Bonbon sur un genou, et me mis à scruter le coin de la rue avec impatience. Je n'eus pas à attendre longtemps avant que les danseuses de revue ne fassent leur apparition, elles gloussaient et se pavanaient comme une file de canetons en route pour la mare. La rouquine fut la première à m'apercevoir. « Bonsoir ! » lança-t-elle, pas du tout surprise de voir une fille assise sur un cageot avec un petit chien sur le genou. Les autres m'adressèrent un signe de tête ou un sourire en passant. Elles frappèrent à la porte, qui s'ouvrit, et disparurent dans les ténèbres.

Un peu plus tard, trois hommes et deux femmes apparurent au coin de la rue. Je fus frappée par la façon dont ils défilaient plutôt qu'ils marchaient, leurs larges épaules en arrière, le menton levé vers le ciel. Les hommes avaient les bras aussi épais que des troncs d'arbres et les femmes, des membres fins et musculeux et le visage acéré. Deux des hommes portaient une malle. Quand ils furent assez près, je pus lire les mots « La Famille Zo-Zo » peints sur le côté ainsi qu'une image représentant six trapézistes en équilibre sur une corde. La corde était tendue au-dessus d'une rivière aux crocodiles et, à l'arrière-plan, j'apercevais des montagnes et des arbres d'aspect préhistorique. Il y avait six acrobates sur l'image et seulement cinq dans le groupe. Je me demandai ce qu'il était advenu du sixième artiste.

Une des femmes frappa à la porte. Elle s'ouvrit et cette fois-ci je pus voir la silhouette du portier tapie dans l'ombre. Quand les acrobates furent entrés, il sortit sur le perron et s'adressa à moi.

« Je me disais bien que c'était vous. Vous êtes en avance. D'habitude, on ne laisse pas entrer les admirateurs avant la fin du spectacle. Et seulement s'ils ont payé pour venir. »

73

Mon cœur se mit à battre plus fort. J'avais le pressentiment terrible qu'il allait me chasser. Je bredouillai que je voulais simplement voir arriver les artistes et que je n'avais pas d'argent pour assister au spectacle, mais si j'en avais eu, j'aurais certainement acheté mon billet pour entrer dans un si beau théâtre. Les yeux du portier pétillèrent et le coin de sa bouche tremblota.

Un homme vêtu d'un costume fatigué et élimé aux genoux et d'une chemise d'un blanc grisâtre approchait. Il avait les yeux fixés sur un bout de papier chiffonné qu'il tenait à la main. Son autre main était enfoncée dans sa poche.

« Bonsoir, Georges ! » lança le portier. L'homme s'arrêta et leva les yeux mais ne rendit pas son salut au portier. Il marmonna quelque chose pour lui-même et gravit les marches du perron. Le portier éleva la voix et répéta : « Bonsoir, Georges. » Comme l'autre ne réagissait toujours pas, le portier lui fit barrage de son corps en croisant les bras sur sa poitrine. « C'est déjà malpoli de ne pas me saluer. Mais vous pourriez au moins dire bonsoir à cette jeune dame et à son chien, là-bas. Ils attendaient pour vous voir passer. »

L'homme leva les yeux sur le portier, puis il se tourna et me lança un regard effrayant. Bonbon recula et se mit à japper.

Le front de l'homme se plissa comme s'il émergeait d'un rêve. « Bonsoir », nous jeta-t-il d'un air sévère avec un signe de tête, avant de contourner le portier pour se glisser dans les ténèbres. Son teint grêlé et ses yeux creusés me firent une impression macabre. Je me demandai s'il s'agissait d'un de ces magiciens sur lesquels j'avais lu des récits, ceux qui découpaient de jolies jeunes filles avec une scie.

Le portier le regarda disparaître. « C'est le comique de la troupe », fit-il avec un sourire.

Un bruit de talons résonna sur les pavés. *Clac !* *Clac ! Clac ! Clac !* Nous levâmes tous trois les yeux. Camille descendait la ruelle, les jambes nues. Elle portait une robe rouge, ses cheveux étaient retenus sur le côté par un peigne. Elle avait une orchidée derrière l'oreille. Elle détacha des raisins de la grappe qu'elle tenait à la main et les glissa dans sa bouche l'un après l'autre, mâchant chaque grain d'un air pensif, les yeux dans le vague. Des pas plus pesants la suivaient. Je vis un homme en habit et chapeau haut de forme tourner le coin de la rue, un bouquet de roses sous le bras. Je me demandais quel genre d'artiste c'était quand il poussa un gémissement de douleur : « Caaamiiille ! »

Je frémis à l'entendre. Mais s'il espérait une réaction de Camille, il n'en obtint aucune. Elle continua d'un pas nonchalant, les yeux rivés sur l'entrée des artistes, sans même me voir. La figure de l'homme s'empourpra et il se mordit la lèvre. Il avait la trentaine, mais ses joues rebondies et son menton fuyant lui donnaient l'air d'un bébé.

« Camille », supplia-t-il en lui courant après.

Elle plissa le front et se retourna pour faire face à son poursuivant. « Tu ne peux même pas me laisser tranquille une minute ? » lança-t-elle d'un ton hargneux.

L'homme marqua un temps d'arrêt et déglutit, puis fit un pas en avant. « Mais tu avais promis…

— Tu m'ennuies. Va-t'en ! » fit-elle en élevant la

voix. L'homme se raidit. Il lança un regard au portier, qui arbora une expression compatissante.

« On se retrouve après le spectacle, tu veux bien ?

— Pour quoi faire ? dit Camille en haussant les épaules. Tu peux m'avoir un autre chien ? J'ai donné le premier. »

Bonbon dressa les oreilles. Je supposai que l'homme était M. Gosling, l'admirateur qui avait offert Bonbon à Camille après ses cinq rappels. Il ne semblait pas à sa place dans cet environnement.

« Écoute-moi, reprit Camille en lui plantant le doigt dans la poitrine. Je ne laisse personne faire de moi son jouet. Je n'ai pas de temps à consacrer à un homme qui n'est pas sérieux. »

Elle l'écarta brutalement de son chemin et avait gravi la moitié des marches quand M. Gosling poussa un autre grognement et plia les genoux. Je crus qu'il allait s'évanouir ou ramper vers elle. Il tendit les roses. J'étais sûre que ce n'était pas le bon moment pour ce geste. Camille esquissa un sourire cruel. Elle semblait sur le point de lâcher une remarque cinglante, puis elle s'immobilisa et regarda les fleurs. Quelque chose dans le bouquet la fit changer d'avis. Son visage s'adoucit comme un bourgeon s'ouvre sous la pluie.

« Monsieur Gosling », ronronna-t-elle en se passant la main sur le cou avant de la plonger au milieu des pétales pour en saisir quelque chose. L'objet étincela au soleil. C'était un bracelet de diamants.

La confiance de M. Gosling se raffermit quand il vit l'expression ravie sur le visage de Camille. La voix glaciale de cette dernière se fit rauque tandis qu'elle susurrait : « Voilà qui est mieux », en l'embrassant sur la joue. Il était tel un chiot qui a fait plaisir à sa maîtresse en urinant au bon endroit.

« Après le spectacle… ? dit-il en s'efforçant d'avoir l'air viril et exigeant, mais c'était encore une question.

— Après le spectacle », répondit Camille, avant de se glisser devant le portier pour se couler dans l'obscurité. Le portier roula les yeux. M. Gosling descendit les escaliers d'un pas léger puis il sursauta en me voyant ou, plus précisément, en apercevant Bonbon.

« Est-ce… ? Je dois vous demander… est-ce… ? bégaya-t-il en s'approchant un peu de moi.

— Oui. C'est la petite chienne que vous avez donnée à Mlle Casal. Je la promène tous les jours. »

Ses yeux s'élargirent et il se mit à rire en découvrant des dents mal rangées. Je me serais enfuie si le portier n'avait pas été là. M. Gosling applaudit et leva le visage vers le ciel, les lèvres étirées par un sourire radieux. « Elle m'aime après tout ! cria-t-il assez fort pour être entendu de tout Marseille. Elle m'aime ! »

Je ne pus aller au théâtre le lendemain. J'avais amené Bonbon à la porte, prête à partir, quand tante Augustine m'appela du haut de l'escalier pour m'ordonner de porter un billet de toute urgence chez son notaire. « Tu pourras faire d'une pierre deux coups. » Pas vraiment, me dis-je, sachant que je ne pouvais pas aller jusque chez son notaire, rue Paradis, puis au théâtre.

Le jour suivant, j'étais en train de mettre sa laisse à Bonbon pour notre promenade quand tante

Augustine m'appela et me demanda de remettre une lettre au pharmacien. J'espérai qu'elle n'allait pas prendre l'habitude de combiner courses et promenades du chien. Après avoir déposé la lettre chez le pharmacien, je courus tout le long du chemin jusqu'au Chat espiègle. Quand j'arrivai à la ruelle, mon cœur bondit de joie à la vue de ma cagette, que l'on avait préparée, avec une jarre d'eau pour Bonbon. Je pris place et versai un peu d'eau dans ma paume. Bonbon se mit à la laper. Mais après avoir attendu un quart d'heure, je ne vis toujours personne arriver. Je m'adossai au mur, essayant de réprimer ma déception. Arrivée une demi-heure plus tard que les deux premiers soirs, j'avais raté tous les artistes. J'étais sur le point de me relever pour partir quand la porte s'ouvrit et une voix familière m'interpella : « Je croyais que vous ne viendriez plus. »

Je levai les yeux et vis le portier qui me souriait.

« Je les ai ratés ? »

Il acquiesça et mon cœur se serra.

« Puisque c'est comme ça, mademoiselle, dit-il, je suggère que vous entriez regarder depuis les coulisses. »

Je sautai sur mes pieds, éberluée. Mes jambes tremblaient si fort que je pouvais à peine bouger.

« Allez, venez », fit le portier en riant.

Je n'eus pas besoin d'autres encouragements. Je m'élançai vers les escaliers et m'engouffrai derrière la porte que j'avais vu les autres franchir avant moi. Je fus d'abord aveuglée par le contraste entre la lumière du soleil et l'obscurité de l'intérieur, mais au bout de quelques instants mes yeux s'y habituèrent et je m'aperçus que nous nous trouvions dans un escalier encombré de fauteuils et de panneaux représentant des scènes de bains turcs.

« Je m'appelle Albert, reprit le portier. Et vous êtes… ?

— Suzanne. Et voici Bonbon, ajoutai-je en soulevant la chienne pour la lui montrer.

— Enchanté de faire votre connaissance, dit-il avec un geste qui m'invitait à le suivre dans les escaliers puis le long d'un étroit couloir. Bon, il ne faut faire aucun bruit, Suzanne et Bonbon, c'est très important, sinon la direction n'appréciera pas. »

Il tira un rideau et désigna un tabouret sous des escaliers. Je me frayai un chemin au milieu d'autres panneaux de décors, dépassai un chandelier posé sur un divan en piteux état et un seau plein de sable et me glissai dans le petit coin, Bonbon juché sur mes genoux. L'odeur de poussière et de peinture me chatouillait le nez mais peu m'importait. Albert posa le doigt sur ses lèvres et je hochai la tête pour promettre le silence. Il sourit et disparut.

Je regardai par la fente entre les rideaux et plissai les yeux sous les lumières vives qui brillaient comme quatre soleils braqués sur moi. Je me trouvais dans des coulisses situées à proximité de la toile de fond, qui dépeignait la cavalcade d'un troupeau de buffles sur une plaine. Au loin, une file de chariots avançait le long d'une rivière. Je voyais toute la scène jusqu'à la fosse d'orchestre, et au-delà j'apercevais les trois premiers rangs. Au milieu de la scène se dressait un immense totem en bois sur les côtés duquel étaient gravées des figures primitives. L'orchestre chauffait ses instruments. Un homme aux jambes grêles, à la moustache cirée et relevée, courait dans tous les sens en hurlant à quelqu'un de fermer le rideau.

« Nous allons faire entrer les spectateurs ! cria-t-il en passant ses doigts dans ses cheveux gominés. Comment ça, la corde est emmêlée ? »

Plusieurs grognements et un raclement lui répondirent. Les rideaux jaillirent mais s'arrêtèrent abruptement à un mètre l'un de l'autre. D'autres grognements se firent entendre dans les coulisses de devant, suivis par une série de jurons.

Le grand échalas fixa un point dans la toile de fond pendant quelques instants avant de soupirer. « Comment ça, ils ne veulent pas se fermer ? Je vous avais dit de les vérifier pendant la répétition. Il est trop tard pour huiler les chariots maintenant. »

Il y eut un grand « Boum ! » et le décor oscilla. Bonbon poussa un jappement mais par chance le bruit était si fort que son écho noya le cri de la chienne. Je lui grattai le dos et regardai par la fente, les yeux plissés. Le totem était renversé sur le côté. Deux hommes en salopette avec des marteaux dans leur poche arrière accoururent sur scène et le remirent d'aplomb, fixant un support à sa base. Les yeux de l'homme aux moustaches recourbées lui sortirent de la tête et, les bras le long du corps, il serra les poings. Il avait l'air près d'exploser, mais une fois le totem bien arrimé et les deux machinistes repartis dans les coulisses, il expira longuement, la respiration sifflante, leva les bras en l'air et cria : « Que le spectacle commence ! »

Le noir se fit et je me demandai ce qui allait suivre. Je distinguais une rangée d'ampoules autour de la fosse d'orchestre et un cercle de lumière provenant d'une lampe dans les coulisses de devant.

Au bout d'un moment, des voix se firent entendre. Le bruit s'amplifia. Je fronçai le nez : de la fumée de tabac flottait dans l'air. Je regardai loin derrière l'espace entre les rideaux et aperçus des silhouettes qui affluaient le long des allées et prenaient place dans les fauteuils. Quelques minutes plus tard, une voix d'homme résonna dans la salle et les bavardages cessèrent brusquement. « Mesdames, messieurs, bienvenue au Chat espiègle... »

Un frisson me descendit le long de la colonne vertébrale jusque derrière les cuisses. Bonbon se serra contre moi, les oreilles dressées. Un cercle de lumière s'illumina sur scène devant les rideaux. Les spectateurs applaudirent. Les vibrations des applaudissements firent trembler le plancher sous mes pieds et tinter le lustre. L'orchestre attaqua une mélodie romantique et un homme en chemise rayée et béret entra dans le cercle de lumière. Il se tourna et je le vis de profil. Il avait le visage grimé en blanc, les yeux et la bouche cerclés de noir. Il tendit la main, faisant mine de sentir une fleur. Après l'avoir contemplée, il la tendit à des passants imaginaires. J'avais déjà vu des mimes à la foire de Sault, mais celui-ci était plus convaincant. Chaque fois qu'on refusait sa fleur, ses épaules retombaient et il inclinait la tête dans un mouvement qui me communiquait sa désillusion. Je ne voyais pas les expressions de son visage, mais les spectateurs éclatèrent de rire et trépignèrent pour saluer son jeu. La scène prit fin quand quelqu'un accepta sa fleur et qu'il descendit les marches de la scène d'un pas léger pour aller la lui offrir.

Les percussionnistes firent retentir un tonnerre de tambours et de cymbales. Le rideau s'ouvrit, la lumière inonda la scène. Une cavalcade résonna dans l'escalier au-dessus de moi et la scène se remplit de danseuses de revue déguisées en Indiennes d'Amérique. Leurs bas couleur fauve miroitaient sous les projecteurs et leurs perruques tressées virevoltaient autour de leurs visages tandis qu'elles se courbaient et se relevaient autour du totem en poussant leurs cris de guerre. Les spectateurs se levèrent pour les acclamer. Certains sifflaient, d'autres poussaient des cris aigus. Sous les lumières plus vives, je les distinguais mieux. Presque tous étaient des hommes vêtus de costumes sombres et coiffés de casquettes, ou des marins, mais ici et là dans la foule se trouvaient des femmes voyantes toutes de paillettes et de plumes et une demi-douzaine de messieurs qui n'avaient pas l'air à leur place, vêtus comme M. Gosling. Sur scène, la danse se fit plus frénétique. De braves Indiens arrivèrent en canoë mais ils furent assaillis par les squaws, qui les terrassèrent pour leur voler leurs mocassins.

Puis, aussi vite qu'elles étaient apparues, les filles repartirent telles des fourmis avant l'orage, fuyant vers les coulisses ou grimpant l'escalier. Les échos de leurs voix qui s'éloignaient résonnèrent autour de moi. Les lumières s'éteignirent une fois encore. Bonbon frémit d'excitation dans mes bras. Ma peau me brûlait, le sang battait à mes tempes. Je n'avais encore jamais rien éprouvé de semblable.

Regardant une fois encore entre les rideaux, je

clignai des yeux. Des êtres fantomatiques se déplaçaient d'un pas traînant sur scène. Ils hissèrent quelque chose sur la toile de fond ; le tissu se déroula avec le claquement sourd d'une voile qui se déploie dans le vent. Ils poussèrent le totem dans les coulisses et, à sa place, installèrent des objets qui ressemblaient à des arbres. Quelques minutes plus tard, les silhouettes se retirèrent, aussi furtivement que des assassins. Je perçus une voix assourdie : une autre scène se déroulait devant le rideau. Les épaules tombantes et l'allure macabre du personnage m'étaient familières et je vis qu'il s'agissait du comédien maussade de tout à l'heure. Je n'entendais pas ses propos parce qu'il projetait sa voix vers les spectateurs, mais ces derniers ne les appréciaient pas. Ils le huaient et tapaient du poing sur les accoudoirs de leur siège.

« Faites venir les filles ! » cria une voix revêche par-dessus le vacarme.

Que le comédien eût terminé son spectacle ou non, je l'ignorais, mais quelques instants plus tard une harpe entama une jolie mélodie. Une flûte se joignit à elle, insinuant sa phrase musicale tel un serpent. Une lumière dorée se répandit sur scène. Les spectateurs en eurent le souffle coupé, tout comme moi. La scène se situait en Égypte ancienne avec pour toile de fond le sable, des pyramides et des palmiers. Les danseuses de revue étaient debout ou à genoux devant un escalier qui disparaissait au milieu des chevrons au-dessus de nos têtes. Elles étaient vêtues de tuniques blanches retenues aux épaules par des fermoirs en argent et se ressemblaient toutes avec leurs perruques couleur d'ébène et leurs yeux allongés au khôl noir. Des eunuques se tenaient de part et d'autre de la scène, qui agitaient des éventails en plumes de paon. Les danseuses de revue entonnèrent un chant et une voix roucoulante leur répondit depuis le dessus.

Des pieds ornés de chaînes en argent apparurent au sommet de l'escalier. Ils étaient surmontés de jambes finement galbées et d'un buste étroit. Quand la femme apparut tout entière, un silence époustouflé s'abattit sur la salle. Ses hanches étaient drapées de mousseline ondoyante, retenue à la taille par un fermoir en forme de serpent. Ses bijoux scintillaient de toutes parts. Ils étincelaient à ses oreilles, à ses poignets et à chaque bras elle portait un bracelet en or. Sur sa poitrine des colliers de perles oscillaient, cachant à peine ses seins coquins. Pas à pas, elle se coula au bas de l'escalier. Ce n'est qu'à sa démarche que je la reconnus. Camille. La jolie femme s'était transformée en tentatrice exotique. Soudain, je compris la fièvre de M. Gosling.

Camille arriva en bas de l'escalier et s'approcha des feux de la rampe. Là elle se mit à agiter les bras et à rouler les hanches au rythme de la musique. Un homme au premier rang se plaqua la main sur la bouche sans pouvoir détacher ses yeux de son corps. Les autres spectateurs étaient complètement immobiles, agrippés à leur siège. En roulant les épaules et les hanches, Camille tourna sur elle-même. J'aperçus ses yeux étincelants, son expression hautaine. Tous les autres danseurs et figurants se fondirent en une masse insignifiante. Sa voix était fluette, mais elle avait une présence incroyable. Un navire surmonté d'une voile mauve sortit des coulisses et s'immobilisa au pied de l'escalier. Suivie par les danseuses de revue, Camille monta à bord. Elle se tourna vers la salle et, après un dernier roulement de hanches suggestif, elle disparut. Le noir se fit. Le spectacle était terminé. Les gens se levèrent dans une clameur et un tonnerre d'applaudissements. Je serrai Bonbon contre moi, nous tremblions l'une et l'autre.

Après plusieurs rappels auxquels Camille ne répondit pas, je m'aperçus qu'il devait être tard : j'allais devoir rater le second acte. Je me levai pour rentrer.

Albert fumait sur le palier et je le remerciai de m'avoir permis d'assister au spectacle, mais c'est tout juste si je m'entendis parler tant le souvenir de la musique et des applaudissements était encore vivace dans ma mémoire. Je déambulai le long de la Canebière comme dans un rêve, tandis que Bonbon trottinait sur les pavés à mon côté. Le spectacle de Camille se déroula une deuxième fois devant mes yeux ; jamais rien ne m'avait autant impressionnée. Il n'était ni salace ni vulgaire comme tante Augustine l'avait insinué. Il était fascinant. Et à côté de cela, ma vie semblait encore plus monotone.

J'arrivai à la porte d'entrée au moment où le soleil se couchait et en soulevai le loquet. Mais la jeune fille qui avait quitté la maison cet après-midi-là n'était plus la même. Je savais que ma vie serait la scène, ou ma vie ne serait rien.

4

Le Chat espiègle n'était pas un music-hall de luxe qui disposait d'un gros budget et comptait des ducs et des princes parmi ses spectateurs, mais c'était un lieu magique à mes yeux. Pour moi, rien n'égalait le prestige et l'enchantement des éclairages, de la musique, des costumes étincelants et des danseuses de revue. Je ne connaissais rien de comparable. Je ne voyais ni les rideaux en lambeaux, ni les sièges miteux, ni les visages faméliques des artistes. Je ne vivais que pour ces soirées où Bonbon et moi allions jusqu'au théâtre où Albert nous faisait entrer discrètement et nous conduisait à notre cachette dans les coulisses.

Parfois, les numéros prévus à la seconde partie de programme étaient joués en début de soirée, et un dimanche je pus assister à la matinée car tante Augustine, alitée à cause d'une migraine, m'avait ordonné de ne pas la déranger et de ne faire aucun bruit dans la maison. Ainsi, j'eus l'occasion de voir les autres comédiens. Les artistes et l'imprésario, M. Dargent, me découvraient de temps à autre, pourtant ils ne dirent rien. Même Camille ferma les yeux sur ma présence, elle gardait ses distances mais ne me dénonça pas à tante Augustine et continua à me payer pour promener Bonbon.

Le mime s'appelait Gérard Chalou. Je ne le voyais que de dos pendant son numéro, mais je tombais souvent sur lui dans les coulisses, qui rectifiait la position de ses épaules contre un mur ou, couché par terre, contractait et relâchait ses abdominaux. Il lui arrivait de s'échauffer près de l'endroit où j'étais assise et il passait souvent quatre ou cinq minutes entières à rouler les yeux.

« Ils expriment tout, répondit-il à mon air perplexe. Il faut les assouplir, eux aussi. »

Pendant l'entracte, Chalou nous joua, à Albert et moi, son sketch à propos d'un caniche qui n'en fait qu'à sa tête. Pour accentuer l'effet comique, il se figea dans certaines postures. Je scrutai ses lèvres et sa poitrine en y cherchant des signes de respiration, mais n'en décelai aucun. Madeleine et Rosalie, deux danseuses qui apparaissaient nues sur scène à part des cache-sexe incrustés de diamants, supplièrent Gérard de leur enseigner les secrets de sa technique d'immobilisation.

« Entraînez-vous en courant dans tous les sens, leur dit-il. Puis arrêtez-vous et gardez la pose. Vous ne devez pas bouger le moindre muscle. Mais vous ne devez pas non plus avoir l'air mortes. Vos yeux doivent exprimer vos émotions. »

Madeleine et Rosalie se mirent à caracoler comme des poneys. Quand Gérard cria : « Stop ! », elles s'immobilisèrent en faisant de leur mieux pour ne pas vaciller sur leurs talons hauts, leurs boas en plumes déployés derrière elles telles des ailes. Seulement elles avaient beau s'appliquer, à chacune de leurs tentatives quelque chose les trahissait. Une boucle d'oreille qui cliquetait contre une coiffe ; un bracelet qui glissait le long d'un bras ; leurs seins qui continuaient à tressaillir. Pour des femmes censées apparaître nues, leurs « costumes » étaient souvent plus lourds que ceux des danseuses habillées.

M. Dargent, qui passait par-là, observa leurs

efforts avec intérêt. « Ça ne marchera jamais même si elles arrivent à jouer les statues, commenta-t-il. Pas tant qu'elles courent comme ça. »

Albert m'expliqua que, selon la loi, les filles pouvaient apparaître nues seulement si elles défilaient et posaient. Si elles dansaient ou bougeaient trop, elles étaient considérées comme des strip-teaseuses et la police pouvait faire fermer l'établissement.

Claude Contet, le magicien, était époustouflant. Il avait le teint lumineux et les yeux pâles d'un spirite. Quand il paradait sur scène, sa cape scintillait et lançait des étincelles, chargée d'électricité. Je le regardais agiter sa baguette trois fois au-dessus de la cage puis retirer l'étoffe pourpre. Le canari avait disparu. Les spectateurs applaudissaient. Claude tendait ses paumes vers leurs visages fascinés : « Voyez. Mes mains sont vides ! »

Quand la famille Zo-Zo faisait son entrée, tout le monde regardait depuis les coulisses ; les visages grimés des artistes et le mien, nu, étaient tendus vers les projecteurs tandis qu'Alfredo, Enrico, Peppino, Vincenzo, Violetta et Luisa se couvraient les mains de craie avant de grimper à l'échelle en corde pour prendre place sur les tremplins.

« Oh, mon Dieu ! Oh, mon Dieu ! » marmottait Mme Tarasova, la costumière, dans son mouchoir. Violetta et Luisa s'élançaient de leurs plates-formes et se balançaient au-dessus de nous comme des oiseaux pailletés, allant et venant pour prendre leur élan. Les Zo-Zo faisaient leur numéro sans filet et le grincement du trapèze sous leur poids ajoutait à la tension. On entendait souvent des soupirs et, de temps à autre, un cri dans la salle. Parfois, quand la tension était trop forte, je devais reporter mon regard sur les musiciens dans la fosse. Le numéro n'était accompagné d'aucune musique : une erreur de rythme aurait été fatale. Le chef d'orchestre fermait les yeux de toutes ses forces. Les violonistes étaient assis, têtes baissées, tels des moines en prière. Seuls les cuivres étaient assez courageux pour continuer à regarder. Le cœur au bord des lèvres, j'oubliais de respirer une seconde avant le saut. Tout à coup, les femmes virevoltaient et basculaient dans les airs comme des dauphins argentés. J'avais la sensation viscérale qu'elles tombaient, dégringolant vers le bord de la scène, mortellement dangereux. Mais dans un grand « Clac ! » leurs mains attrapaient celles des receveurs, geste minuté au quart de seconde près, et l'espace d'un instant les spectateurs en restaient abasourdis. Puis les applaudissements résonnaient dans la salle. Ceux dont les jambes ne tremblaient plus se levaient pour crier leur admiration. Mystérieusement, à partir de ce moment-là, je savais qu'il n'arriverait rien à la famille Zo-Zo, même si leurs pirouettes et leurs rattrapages devenaient de plus en plus complexes au fil de leur numéro.

J'y assistai plusieurs fois, mais chaque fois que l'orchestre entonnait l'air de la victoire, à la fin, les larmes m'aveuglaient. Le spectacle éveillait mon sens du beau et suscitait la répulsion en moi. Le beau parce que le numéro reposait plus sur la confiance que sur l'artifice ; la répulsion à cause des bribes de conversation entendues dans les coulisses. « La prochaine fois, peut-être », marmonnait-on avec un soupir. Une fois tous les membres de la famille

Zo-Zo redescendus sur scène pour saluer, le soupir de soulagement collectif qui circulait parmi les autres artistes recelait une pointe d'insatisfaction : la même déception que celle des passants quand le suicidaire décide de ne pas sauter.

Mais ma plus grande crainte était que tante Augustine ne découvre où j'allais chaque soir et m'interdise de continuer à promener Bonbon. Je n'étais pas une menteuse-née et cette double vie faite de tromperie me pesait. Je redoutais de rentrer en retard et, en fin d'après-midi, j'ignorais toujours jusqu'à la dernière minute si tante Augustine allait me charger d'une course et si l'espoir de toute une journée d'attente serait réduit à néant. Si je voulais un jour travailler dans le monde du spectacle, il était clair que je devrais commencer par partir de chez tante Augustine.

À cet égard, Albert vint à mon secours.

« Mme Tarasova a besoin de quelqu'un pour l'aider aux costumes, me dit-il. Va la voir ! »

Je me pinçai le poignet pour être sûre que je ne rêvais pas et me frayai un chemin jusqu'à l'endroit, dans les coulisses, où la costumière rangeait les perruques sur une étagère.

« Bonsoir, madame, lançai-je. Albert dit que vous avez besoin d'aide. Et j'ai besoin d'un travail. »

Mme Tarasova était une émigrée russe, toujours vêtue d'une ample robe en velours côtelé, une écharpe autour du cou, fermée par une broche. Elle me sourit et fit des roucoulades à Bonbon. « Quel adorable choupinette ! dit-elle en lui caressant le menton. Il faudra faire attention à ne pas la mettre sur la tête de quelqu'un en la prenant pour une perruque. »

Nous rîmes de concert.

Une jeune fille blonde un peu plus âgée que moi apparut avec des robes sur des cintres. Elle m'adressa un signe de tête et alla suspendre les robes derrière un rideau.

« Voici ma fille, Véra », fit Mme Tarasova en retirant des aiguilles d'un coussinet pour les piquer dans mon chemisier. Elle glissa une bobine de fil de coton et une paire de ciseaux dans ma poche. « Tu sais coudre ? »

Je lui expliquai que je cousais très bien parce que, à la ferme familiale, c'était la seule chose que je savais faire.

Mme Tarasova hocha la tête. « Il faut faire les retouches rapidement, recommanda-t-elle avec un geste m'invitant à la suivre dans l'escalier. Et j'ai besoin de toi pour m'aider à préparer les costumes. Les perruques sont trop fragiles pour que les filles courent dans les escaliers avec, alors on les récupère au moment où chaque danseuse sort de scène, on les nettoie puis on les remballe au rez-de-chaussée. Si tu viens plus tôt demain, tu pourras aider Véra à les préparer pour le premier numéro. »

Nous nous arrêtâmes devant une porte sur laquelle était peint un six. Un pépiement de voix féminines parvenait jusqu'à nous. Mme Tarasova poussa la porte et un véritable capharnaüm apparut sous nos yeux. Les danseuses étaient perchées en rang d'oignons sur des tabourets dans la pièce exiguë. Elles se regardaient dans des miroirs, s'enduisaient le visage de maquillage de théâtre et de rouge. L'air empestait l'eau de Cologne, la brillantine et la sueur. Mme Tarasova me prit Bonbon des bras

91

et la posa dans un carton à chapeaux sur une chaise, où quelqu'un laissa tomber un kimono sur sa tête. Bonbon sortit le nez de sous le tissu puis se glissa par terre pour suivre les allées et venues, bien à l'abri entre les pieds de la chaise. La rouquine que j'avais déjà vue me reconnut. « Rebonjour ! me lança-t-elle en se fardant les paupières de mauve. Tu aides Mme Tarasova ? » C'est alors que je compris pourquoi son français était si étrange : elle était anglaise.

« Quand les filles seront sur scène, expliqua Mme Tarasova en couvrant le brouhaha, Véra et toi, vous monterez ranger cette pièce. » Elle s'interrompit pour aider une danseuse à lacer son costume d'Indienne et secoua la tête en voyant une robe par terre. « Ce sont de braves filles, mais elles oublient parfois de suspendre leur costume. N'est-ce pas, Marion ? »

Marion sourit et continua à se mettre du rouge aux joues.

Une cloche retentit. « Plus que dix minutes avant le spectacle », annonça Mme Tarasova.

L'agitation redoubla dans la loge. Les filles se débarrassaient de leurs kimonos et enfilaient leurs costumes. Mme Tarasova et moi leur courions après, les aidant à tirer leurs collants et à peigner leurs perruques.

« Regardez ! » gémit une fille au teint pâle que je reconnus pour être celle qui s'était plainte d'avoir faim le premier soir. Elle désignait une déchirure sous le bras de sa tunique. « Je vais la recoudre ! » dis-je très vite. Elle ôta son costume et me le tendit. Je m'efforçai de ne pas regarder ses seins nus et son mont de Vénus tendus vers moi et me mis à coudre. Je n'étais pas timide, mais je n'étais pas non plus habituée à voir la nudité féminine étalée avec une telle désinvolture.

J'entendis des applaudissements et la cloche retentit encore une fois. J'aidai la fille à remettre son costume et la regardai dévaler l'escalier à la suite des autres. Mme Tarasova leur emboîta le pas. Le vacarme des pieds des danseuses de revue et leurs cris de guerre dans l'escalier faisaient vibrer le sol et trembler les murs.

« Suzanne ! lança Mme Tarasova par-dessus son épaule. Reviens demain soir. J'irai t'inscrire au fichier des salaires. »

J'en déduisis que j'étais embauchée.

Mme Tarasova m'autorisa à loger dans les coulisses aussi longtemps que je ne me serais pas trouvé une chambre. M. Dargent l'avait laissée y vivre avec sa fille quand elle était arrivée à Marseille après avoir fui la Russie, et je compris alors pourquoi elles lui étaient si fidèles alors qu'elles auraient pu trouver un meilleur travail ailleurs. Le lendemain, je brûlais d'impatience d'annoncer mon départ à tante Augustine. Ce ne fut qu'une fois mes affaires rassemblées et mon ballot de vêtements prêt que je remarquai Bonbon assise près de la porte de ma chambre, les oreilles pendantes.

Je la pris dans mes bras. J'avais oublié que si je partais, je ne la verrais plus. Je montai l'escalier jusqu'à la chambre de Camille, frappai à la porte. Camille vint m'ouvrir, vêtue d'un kimono. Sans son maquillage de scène, son joli visage était éthéré.

93

« Je pars, lui annonçai-je. J'ai trouvé un travail au Chat espiègle.

— Je sais, dit-elle.

— Mais je continuerai à m'occuper de Bonbon si vous l'amenez avec vous au théâtre. Gratuitement.

— Prenez-le, répliqua Camille dans un bâillement. Qu'est-ce que je ferais d'un chien ? »

Les oreilles de Bonbon se redressèrent et elle agita la queue. Elle avait dû percevoir le bonheur qui m'emplissait. C'était un bon début dans ma nouvelle vie : ma petite compagne pouvait rester avec moi.

Tante Augustine était assise dans le petit salon, en train de lire le journal. J'avais déjà envoyé une lettre à tante Yvette le matin même pour leur annoncer, à elle et à ma mère, que je partais car j'avais trouvé un travail de couturière dans un music-hall. Je devais prendre les devants : qui sait quels mensonges la vieille mégère irait raconter à ma famille ? Je ne trouvais aucune qualité qui rachète tante Augustine et me la fasse prendre en pitié. Elle ne m'avait témoigné aucune gentillesse. Elle ne m'avait pas « recueillie » après la mort de mon père, elle n'avait fait que m'exploiter.

Le visage de tante Augustine devint tout rouge et ses narines se dilatèrent comme les naseaux d'un taureau furieux quand je lui annonçai mon départ. « Petite ingrate, dévergondée ! s'écria-t-elle. Tu t'es fait mettre enceinte ?

— Non. J'ai trouvé un autre travail. »

Tante Augustine resta un instant abasourdie, mais elle ne tarda pas à se ressaisir. « Où ça ? demanda-t-elle, puis ses yeux se posèrent sur Bonbon, assise à côté de mon ballot. Alors tu t'es

94

acoquinée avec cette traînée, là-haut, c'est ça ? cracha-t-elle. Eh bien, laisse-moi te dire une chose : elle aura du travail tant qu'elle sera jeune et jolie mais, après ça, elle finira comme ces femmes, à côté. Mais toi, ricana-t-elle, tu n'es même pas assez jolie pour ça maintenant ! »

L'insulte me blessa parce qu'elle contenait une part de vérité : je n'étais pas aussi jolie que Camille. J'aurais donné n'importe quoi pour avoir sa blondeur féline et captivante, seulement je n'étais qu'une grande girafe aux yeux noirs. Avant que tante Augustine ne prononce la moindre parole décourageante, je soulevai Bonbon et mon sac puis franchis la porte. Au bout du compte, on n'avait pas besoin d'être belle pour devenir couturière !

Tante Augustine se précipita sur le perron à ma suite et les femmes de la maison voisine se penchèrent au balcon par curiosité.

« Suzanne ! » cria tante Augustine. Je me retournai et la vis désigner les prostituées. « Voilà ce qui arrive aux filles communes et sans talent qui tentent leur chance au music-hall. Regarde, Suzanne. C'est ton avenir qui te contemple ! »

Je calai Bonbon sous mon bras, pris mon baluchon sur l'épaule et tournai résolument les yeux dans la direction du Chat espiègle.

Quelques semaines après que j'eus commencé à travailler comme assistante costumière au Chat espiègle, un music-hall voisin ferma ses portes et M. Dargent racheta certains des décors et des costumes aux agents de recouvrement. Il créa un nouveau spectacle intitulé *Sur les mers*. Le premier acte était un sketch où trois marins font naufrage et s'échouent sur une île peuplée de beautés hawaiiennes.

Comme les costumes étaient moins sophistiqués que ceux du spectacle précédent, je pouvais grappiller quelques instants pour aller voir le numéro depuis les coulisses. Je commençais à saisir la différence entre les danseuses de revue et Camille. Les filles chantaient et levaient les jambes pour ne pas mourir de faim. Danser dans un music-hall était toujours mieux que faire le trottoir et le public leur accordait plus de respect, même si ce n'était pas beaucoup plus. C'était un cran au-dessus d'un travail dans une blanchisserie, dans une boulangerie ou au-dessus d'un emploi de domestique, où la tâche aurait tôt fait d'user leur plus grand atout : les charmes de la jeunesse. Au théâtre, elles pouvaient durer un peu plus longtemps, dans l'espoir qu'un soir il se trouverait un riche galant parmi les hommes qui s'attardaient aux abords de l'entrée des artistes. Aucune n'ignorait que Madeleine, à la suite d'une liaison avec l'héritier d'un armateur millionnaire, avait été forcée à avorter par le père de son amant, ni que, l'année précédente, deux filles avaient dû quitter le théâtre après avoir contracté des maladies vénériennes. C'était un aspect de la vie théâtrale que je n'avais pas anticipé et cela me choqua. Je n'avais jamais entendu parler de la Belle Otéro, de Liane de Pougy ni de Gaby Deslys, ces femmes de scène qui étaient aussi les maîtresses de rois et de princes. Les danseuses de revue recevaient bien des bijoux et des vêtements pour leurs faveurs, mais Mme Tarasova s'empressait de signaler que personne au Chat espiègle n'avait jamais convolé en justes noces avec un prince charmant, ni même avec le gérant d'une fabrique d'huile d'olive, et elle faisait de son mieux pour instruire tout le monde sur les avantages des capotes anglaises qui préviennent les grossesses et les maladies. Pourtant ses conseils restaient lettre morte : tomber enceinte était encore considéré comme un bon moyen d'attraper un mari.

Camille, cependant, ne ressemblait pas aux autres. Tout en elle, de ses yeux jusqu'à son déhanchement, projetait un charme magnétique par-delà les feux de la rampe vers les spectateurs avides. Une clameur et un tonnerre d'applaudissements la saluaient, comme on tente d'attraper les plus beaux fruits sur les étals du marché, mais elle restait lointaine, et sa beauté mystérieuse. Quand Camille sortait de scène, elle emportait l'enchantement et laissait les spectateurs se languir du moment où ils y goûteraient à nouveau. Camille n'éprouvait peut-être pas plus d'intérêt que les autres pour son travail de scène, seulement une chose était sûre : elle ne mourrait jamais de faim.

Parfois, quand le coin des costumes était désert, je faisais la moue et prenais la pose devant le miroir. J'essayais d'être Camille. Je m'imaginais en train d'ouvrir ma cape et de la laisser glisser par terre pour révéler mon « jardin d'Éden » dans toute sa gloire. Mais j'y réussissais aussi bien que la nuit à imiter le jour, que le crépuscule à ressembler à l'aube.

Un soir, en revenant de la loge où j'avais fait le ménage, je trouvai Mme Tarasova affalée sur une chaise et Véra penchée sur elle, qui l'éventait avec un script de chanson. Les joues de Mme Tarasova étaient toutes rouges, ses bras pendaient à ses côtés.

« Que s'est-il passé ? » demandai-je.

La costumière me jeta un bref regard. « Je n'en peux plus, gémit-elle. Je suis épuisée. »

Je fus étonnée d'entendre Mme Tarasova dire une chose pareille. Son immense énergie l'avait toujours fait paraître indestructible. Même quand Véra et moi étions mortes de fatigue, Mme Tarasova tenait le coup. « Restez là jusqu'à ce que ça aille mieux, lui conseillai-je. Véra et moi, on peut s'occuper des filles, ce soir. »

Mme Tarasova et Véra échangèrent un regard et se mirent à rire. Mme Tarasova se redressa sur son siège. « Ce n'est pas le travail qui m'épuise, dit-elle. C'est cette maudite chanson. » Elle se tapa sur les cuisses et, d'une voix affectée, entonna : « Aloha ! Aloha ! Aloha ! »

Cette chanson était le leitmotiv du premier acte. Pour acheter les costumes et les accessoires du Marin borgne, M. Dargent avait épuisé le budget réservé au parolier, aussi avait-il dû se charger de composer les chansons. Le numéro des Hawaiiennes n'était pas une réussite. Les spectateurs criaient souvent aux filles : « La suite ! » et le soir de la première, un homme avait tellement détesté la chanson qu'il avait lancé un sac de ciment sur la scène, ce qui avait renversé un palmier et semé la panique parmi les danseuses.

Je ne pus réprimer mon fou rire même quand Mme Tarasova eut terminé son imitation. Puis une joie de vivre enfantine s'empara de moi. Je pris une des fleurs d'hibiscus laissées là, me la coinçai derrière l'oreille et me mis à virevolter dans la pièce en me déhanchant pour parodier la danse hula. « Aloha ! Aloha ! Aloha ! » chantai-je en projetant ma voix comme une chanteuse de café-concert.

Mme Tarasova et Véra se mirent à rire et applaudirent. « Belle-Joie ! lança Mme Tarasova. Arrête ! Je vais faire exploser mon corset. » Belle-Joie était le petit nom qu'elle m'avait donné parce que, selon elle, je l'emplissais de joie.

Encouragée par leur gaieté, j'élevai la voix et me mis à danser avec une énergie redoublée, en rapprochant les genoux et en sortant la lèvre inférieure dans une grimace idiote. « Aloha ! Aloha ! Aloha ! » Je virevoltais dans la pièce en me déhanchant avec une frénésie grandissante.

Lorsque je jetai un regard en arrière à Mme Tarasova et à Véra, elles ne riaient plus. La figure de Véra était aussi cramoisie que du raisin et elle fixait quelque chose derrière moi. Je fis volte-face et vis M. Dargent qui se tenait dans l'embrasure de la porte. J'arrêtai net de danser pour me tordre les mains. Il ne souriait pas. Ses yeux rétrécis en deux minces fentes, il tirait sur le bout de ses moustaches.

« Bonsoir, monsieur Dargent », balbutiai-je, tandis que mes genoux se dérobaient sous moi. Je crus m'évanouir sur place.

M. Dargent ne répondit pas. Il se contenta de grogner puis il s'éloigna.

Bonbon et moi n'en menions pas large, le soir suivant, en nous éloignant du quartier du Panier – où je louais désormais une chambre – pour aller au théâtre. Je traînais les pieds, à peine capable de lever les yeux pour regarder où j'allais cependant que

Bonbon, sensible à mon humeur, trottinait à mon côté, la queue en berne. Notre air malheureux suscita la curiosité d'enfants qui jouaient dans la rue, ils nous contemplèrent bouche bée. Même les marins et les ivrognes s'empressaient de s'écarter de notre route comme s'ils craignaient d'être contaminés par notre détresse. J'étais persuadée qu'à mon arrivée au théâtre je serais renvoyée par M. Dargent. C'était le fils d'un respectable médecin qui avait défié ses parents pour devenir imprésario. Tout le monde m'avait prévenue : il était susceptible et n'appréciait pas les railleries, j'avais donc attiré les foudres du destin sur ma tête en caracolant et en singeant sa chorégraphie. S'il me mettait vraiment à la porte, Bonbon et moi serions dans de beaux draps ! J'avais déjà tout juste de quoi payer mon loyer. La chambre dans le Panier n'était guère mieux que celle de chez tante Augustine, mais j'avais été si heureuse au théâtre que cela m'était égal. Et même si le quartier était sordide, il y avait des musiciens des rues et des artistes à chaque coin de rue.

Je trouvai Mme Tarasova et Véra au travail, elles préparaient les perruques pour le premier acte. Elles me saluèrent comme si tout allait bien. Je n'avais d'autre choix que de monter à la loge pour les aider. En y allant, je croisai M. Dargent qui dévalait l'escalier. Je me figeai sur place mais il ne me remarqua pas. Il passa en coup de vent, criant des instructions à un machiniste, puis il disparut sur scène. Je haussai les épaules ; peut-être prenais-je les choses trop à cœur ? Il semblait que j'allais vivre et me battre un soir de plus au Chat espiègle.

Quelques jours plus tard, en me présentant au théâtre, je trouvai la porte ouverte, mais aucun signe d'Albert. Cela ne lui ressemblait pas de laisser la porte déverrouillée quand il n'était pas à son poste. Un frisson me chatouilla la nuque et le dos, quelque chose ne tournait pas rond. Bonbon dressa les oreilles. Alors que je scrutais les ténèbres, des bruits assourdis s'échappèrent du haut de l'escalier. J'écoutai, mais ils étaient trop faibles pour être identifiés. Il pouvait aussi bien s'agir d'un filet d'eau dans une conduite que d'un captif bâillonné appelant au secours. Il y avait eu une fusillade dans un music-hall à Belsunce, la veille, et la rumeur circulait que la mafia marseillaise s'infiltrait dans les théâtres.

« Albert ? » appelai-je. Aucune réponse. J'hésitai, me demandant s'il ne serait pas plus avisé d'aller voir la caissière à l'entrée principale, mais mon angoisse l'emporta et me poussa à monter l'escalier.

Aucune trace des machinistes ni des électriciens qui s'occupaient habituellement des décors. Mes pieds firent grincer le plancher. Les bruits que j'avais entendus un peu plus tôt provenaient de l'étage supérieur : des voix. L'image de M. Dargent et des danseuses ligotés sur leurs chaises me vint à l'esprit. Je l'écartai. Nous n'avions pas assez de renommée et nos profits n'étaient pas assez importants pour qu'on nous vole. Je grimpai l'escalier sur la pointe des pieds.

Cette fois-ci, la voix suppliante de M. Dargent emplit l'espace. « Tu ne peux pas me faire ça ! Le spectacle commence dans trois quarts d'heure !

— Je peux le faire et je vais le faire, répondit une voix féminine. Regardez-moi dans les yeux ! Allez-y, vous, montez sur scène chanter ce stupide numéro hawaiien, vous verrez l'effet que ça fait quand on vous jette des fruits ! »

Quelque chose heurta bruyamment le sol et j'entendis des bruits de pas venir vers moi. Anne, la danseuse anglaise, s'engouffra dans l'escalier, une valise pleine à craquer sous le bras. Une tache sombre était visible sous son œil droit et son visage était un peu enflé près du nez. Quand elle arriva sur le palier, elle se tourna vers moi et marmonna : « Au revoir, Suzanne. Bonne chance. Je retourne à Londres. »

Je la regardai descendre au rez-de-chaussée et foncer vers la porte. Je regrettais de la voir partir ; c'était ma préférée parmi les danseuses.

« Tout allait bien jusqu'à ce que vous introduisiez ce tour de chant idiot, dit une autre fille d'une petite voix. Il va causer notre perte à tous. Les spectateurs le détestent ! »

Je gravis l'escalier jusqu'au troisième étage et fus surprise de trouver toute l'équipe et tous les artistes, à l'exception de Camille, réunis là. Les danseuses de revue faisaient triste mine. M. Dargent était adossé à la porte de leur penderie, le poing serré le long de la cuisse, le front agité par l'effort qu'il faisait pour se dominer. Albert jeta un regard par-dessus son épaule dans ma direction et me fit signe d'approcher. Je ne l'avais jamais vu aussi maussade. « On va peut-être devoir annuler le spectacle, chuchota-t-il. La danseuse qui tenait le rôle principal vient de nous lâcher. Nous perdons de l'argent... les spectateurs n'aiment pas le premier acte. »

Je croisai le regard de Mme Tarasova, elle tenait

une guirlande hawaiienne dont elle triturait les fleurs. Elle m'adressa un sourire nerveux.

« On peut trouver du travail à l'Alcazar », avança la danseuse de revue famélique, qui s'appelait Claire. Elle agita un poing décharné en direction des autres danseuses, pour essayer de remporter leur adhésion. Une ou deux filles acquiescèrent courageusement, mais Claudine et Marie esquissaient une moue. Elles avaient toutes les deux des enfants à nourrir et une vision des choses plus réaliste. L'Alcazar était le meilleur music-hall de Marseille. Personne au Chat espiègle n'était assez talentueux pour s'y produire.

« Ce qu'il nous faut, intervint le chef éclairagiste, c'est une fantaisie comique. Comme le numéro du ventriloque dans le dernier spectacle. Ça faisait rire le public. Ça le dégelait.

— Je ne peux pas engager le ventriloque, soupira M. Dargent en nous lançant un regard suppliant. Un établissement balnéaire de Vichy nous l'a chipé.

— Rien ne pourra sauver le premier acte, fit Claire d'un ton hargneux. Il est nul ! »

Un murmure approbateur circula dans la pièce.

« C'est l'humour qui le sauvera ! » cria le chef éclairagiste pour couvrir les voix.

M. Dargent leva les yeux comme s'il était en prière. Puis il les baissa et étudia chaque artiste. Je me demandai s'il se sentait comme Jules César sur le point d'être trahi par ses amis. N'avait-il pas fait débuter chacun d'entre eux dans le monde du spectacle ? Mme Tarasova disait toujours que M. Dargent avait le don de repérer les talents, c'est juste qu'il n'y entendait rien à la gestion. Il fouilla nerveusement dans la poche de sa veste et en tira une cigarette, qu'il essaya d'allumer. Mais sa main tremblait et la cigarette tomba par terre. En se penchant pour la ramasser, il m'aperçut. Une expression étrange flotta sur son visage.

J'en eus le souffle coupé. Oh, mon Dieu ! me dis-je. Il se rappelle ma parodie du chant d'ouverture. Maintenant, il est d'assez mauvaise humeur pour me renvoyer. J'essayai de me glisser derrière Albert, seulement la salle était trop encombrée et je m'aperçus avec horreur que je me retrouvais poussée encore plus près de M. Dargent.

« L'humour ? grommela ce dernier en battant du pied. L'humour ! » Il claqua des doigts et toute la salle sursauta. S'élançant vers moi, il m'attrapa par les épaules et colla son visage contre le mien.

J'étais terrifiée. Que diable avait-il l'intention de faire ? « Aloha ! Aloha ! Aloha ! » chanta-t-il, les yeux plongés dans les miens.

Mme Tarasova fut la plus rapide à comprendre. « Nous avons une heure ! s'écria-t-elle.

— Vite, déshabillez-la ! » s'exclama M. Dargent, qui me poussa vers un tabouret devant un miroir. Personne ne songea à le contredire. Sa voix avait pris le ton impérieux d'un Napoléon et tous s'agitèrent instantanément.

Mme Tarasova m'arracha Bonbon des bras et posa l'animal sur une chaise. Albert mit les autres artistes à la porte avant de courir rejoindre son poste à l'entrée des artistes. « Prends-lui un costume en bas ! lui cria Mme Tarasova. Celui d'Anne fera l'affaire… elle n'en aura plus besoin. »

Elle tirait sur ma robe et Véra sur mes chaussures. Marie m'appliquait un bâton de maquillage de

104

théâtre sur le visage. « Elle n'a pas besoin de se farder le corps, conseilla Claudine, qui me coiffait les cheveux en arrière. Elle est brune comme une noix. »

Je finis par comprendre ce qu'ils avaient l'intention de faire. J'eus envie de rire et de hurler tout à la fois. Sans l'étourdissement qui s'emparait de moi tandis qu'on m'enduisait de lotions huileuses, j'aurais peut-être ressenti de la honte. Le seul homme encore présent était M. Dargent, tellement absorbé par les notes ajoutées au script de sa chanson qu'il ne semblait pas remarquer qu'on était en train de dépouiller l'assistante costumière de tous ses vêtements. Quelqu'un me retira ma combinaison et fourra mes seins dans un soutien-gorge en noix de coco avec autant de délicatesse qu'un marchand de quatre-saisons qui emballe ses fruits et légumes pour le marché.

« Aloha ! Aloha ! Aloha ! chantonnait M. Dargent pour lui-même.

— Vous devriez peut-être attendre demain pour la faire monter sur scène, suggéra Mme Tarasova. Quand elle aura eu le temps de répéter !

— Non, dit-il en secouant la tête. On a perdu notre premier rôle. Il faut sauver le spectacle, c'est ce soir ou jamais ! »

Mes bras et mes jambes tremblaient si fort que je pus à peine me lever quand Mme Tarasova voulut m'enfiler ma jupe. Je n'arrivais toujours pas à croire à ce que M. Dargent attendait de moi.

La cloche de scène retentit. « Dix minutes avant le spectacle ! » lança Véra.

Mme Tarasova ajusta ma perruque et Véra l'épingla. Je me contemplai dans la glace. Mon visage était rehaussé par des touches de couleur : mes yeux surmontés de courbes vertes et mes lèvres peintes en vermeil. Mes cils étaient tellement empesés de mascara qu'ils ressemblaient à deux mille-pattes.

« Bien, fit M. Dargent en se penchant vers moi. À mon signal, je veux que tu sortes des coulisses sur la gauche et que tu te mettes à danser et à chanter sur le plateau montagneux exactement comme l'autre jour. Je veux que tu imites les danseuses de revue. Tu seras notre comique. »

J'avalai ma salive, mais une boule était toujours coincée dans ma gorge.

Les filles se rangèrent en file indienne dans l'escalier, attendant leur tour d'entrer en scène. Le prélude était une musique de carnaval grêle dont les accordéons et les guitares me mirent les nerfs en pelote. Mme Tarasova et Véra me conduisirent dans les coulisses de gauche. L'endroit d'où j'avais regardé le spectacle la première fois avait été dégagé et remplacé par des marches en bois qui montaient vers la scène et sur le plateau où j'étais censée danser.

« Attends au pied de l'escalier, dit Mme Tarasova avec un dernier coup de brosse à ma perruque. Bonne chance ! » Son ton et sa façon de me tapoter l'épaule me donnèrent l'impression qu'on s'apprêtait à me jeter aux lions. Bien sûr, je faisais ce que tout artiste redoute, sans avoir la moindre idée qu'il y avait une expression pour cela : j'allais jouer à froid.

Je montai l'escalier et attendis sur la dernière marche qu'on me donne le signal, promenant mes regards sur le décor, des volcans fumants aux nuages bas. En contrebas, des palmiers en caoutchouc et un aquarium figuraient un lagon bleu. M. Dargent apparut dans les coulisses d'en face. Sa façon de se mordre la lèvre inférieure et de se tripoter les cheveux à la base du cou ne m'inspirait pas confiance.

Le rideau s'ouvrit. Les projecteurs s'allumèrent. Un roulement de tambour résonna dans la salle et l'orchestre attaqua en fanfare le thème du premier acte. Les danseuses s'élancèrent sur scène.

« Aloha ! Aloha ! Aloha ! »

Ma gorge se serra. Des perles de sueur se formèrent instantanément sur mes lèvres, mais j'avais trop peur de les essuyer, je ne voulais pas me barbouiller de maquillage. Tout désir de monter sur les planches m'avait quittée. Les filles évoluaient autour du lagon en ondulant les hanches. Claudine et Marie grattaient les cordes des ukulélés. La situation était surréaliste. M. Dargent ne savait même pas comment je m'appelais, mais le succès de la soirée reposait désormais sur mes épaules. Peu de temps auparavant je me faisais du souci pour mon loyer, et voilà que j'étais sur le point de me produire sur scène pour la première fois de ma vie, avec des noix de coco en lieu et place des seins et une perruque mal ajustée. Dans la salle, de nombreux fauteuils étaient vides, cependant il y en avait assez d'occupés pour me faire frissonner. Les visages levés me semblaient menaçants. Je m'aperçus que les danseuses en étaient au dernier vers avant le refrain et que M. Dargent me faisait signe. « Maintenant ! » articula-t-il en silence.

Je levai une jambe tremblante pour monter sur l'estrade et me retrouvai, trébuchante, sur scène.

L'éclat des projecteurs me prit par surprise. Je restai là, hébétée, ne sachant pas très bien quoi faire.

Un homme à la voix rauque éclata d'un gros rire. Une femme gloussa. Ma peau était en feu. J'étais sûre que ma figure était écarlate. Un second homme se joignit à l'hilarité, mais dans sa voix il y avait autre chose que la moquerie. Le plaisir anticipé ? Quelque chose dans ce rire me dégela et me tira de ma torpeur. « Aloha ! Aloha ! Aloha ! » chantai-je d'une voix roucoulante qui imitait celles des danseuses de revue. Je commençai par me demander si cette voix était la mienne ; elle se projetait au-dessus de la fosse d'orchestre et me revenait en écho, bien plus pleine que les voix fluettes des autres filles. D'autres spectateurs rirent et certains se mirent à applaudir. « Aloha, mademoiselle ! lança quelqu'un. Et après ? »

Je risquai un regard vers le public. Deux hommes au premier rang m'observaient avec intérêt. Je leur souris et me mis à danser le shimmy. Les spectateurs se déchaînèrent. Je ne dansais pas avec grâce, mais plus le public m'encourageait et applaudissait, plus mon corps se détendait et se trémoussait dans tous les sens. Mon embarras disparut, j'évoluais avec aisance et gaieté, pliant les jambes et battant des paupières, laissant mes bras et mes jambes faire ce que leur dictait la musique. Un frisson parcourut mon épiderme. Chaque visage dans la salle était tourné vers moi.

Le chaos était tel avant le spectacle que personne ne m'avait dit comment finir la danse. Je tourbillonnai sur moi-même et quand je me retrouvai face au public, les danseuses avaient quitté la scène. Levant les bras au ciel, je fis la statue, une pose incongrue pour ce spectacle, mais ce geste du numéro égyptien de Camille m'avait impressionnée. Le rideau tomba et une immense vague d'applaudissements jaillit de la salle. Je m'empressai de quitter la scène, à peine capable de respirer.

M. Dargent, Mme Tarasova, Albert et les autres m'attendaient en coulisses. Albert me souleva, m'assit sur ses épaules et me fit défiler ainsi. M. Dargent souriait jusqu'aux oreilles. Mme Tarasova se précipita vers moi et prit mes joues entre ses mains. « Sais-tu que ce que tu viens de faire, tous les artistes en rêvent ? Tu les as eus, Belle-Joie ! Tu les as eus ! »

5

Lors de ma première répétition de danse au Chat espiègle, j'eus le sentiment d'une imposture. Selon une clause de mon contrat, je devais m'entraîner avec les danseuses de revue tous les après-midi à deux heures dans le sous-sol situé sous la scène, sauf les jeudis et les dimanches, où il y avait un spectacle en matinée. La salle était fermée et j'attendis assise dans l'escalier poussiéreux avec les autres filles que Mme Baroux, la maîtresse de ballet, arrive avec Mme Dauphin, l'accompagnatrice. Dès qu'elle apparut, les danseuses s'empressèrent de quitter leurs positions affalées et je les suivis. Seules Claire et Ginette se hissèrent sur leurs pieds avec autant d'apathie que pour suivre un cortège funèbre, mais si Mme Baroux le remarqua, elle n'en montra rien.

« Bonjour, mesdemoiselles », modula-t-elle, appuyée sur sa canne. Elle tira sur une clé retenue autour de son cou par un bout de ficelle et l'inséra dans la serrure.

« Bonjour, madame Baroux », répondirent les filles, dont les voix sonnaient comme celles de novices dans un couvent.

Les yeux de Mme Baroux se posèrent sur moi et elle hocha la tête. Je supposai que M. Dargent lui avait expliqué qui j'étais. Les danseuses de revue étaient tenues de s'entraîner tous les jours pour rester souples, mais telle n'était pas l'intention de M. Dargent à mon égard. Il voulait que je comprenne ce que faisaient les filles pour pouvoir les imiter sur scène. Et il voulait aussi que j'aie une formation de base au cas où on aurait besoin de moi pour le prochain spectacle ou pour remplacer une danseuse absente. Il me faudrait gagner mon salaire.

Après quelques coups d'épaule, obligeamment donnés par Mme Dauphin, la porte s'ouvrit avec un grincement et nous entrâmes dans la salle derrière Mme Baroux. Mme Dauphin s'assit au piano dont elle souleva le couvercle abîmé. Elle se dégourdit les doigts en jouant un air qui m'évoqua des papillons effleurant les hautes herbes. Ses cheveux ébouriffés et sa robe fleurie étaient l'antithèse de la tenue de Mme Baroux, dont la chevelure était retenue par des peignes et qui dissimulait toute individualité sous la blouse blanche pimpante et le châle en crochet typiques de la femme d'âge mûr.

« Étirements ! » ordonna-t-elle, avec un coup de canne sur le parquet.

Les filles se jetèrent sur le sol, qui se transforma en océan de membres étalés, leurs silhouettes prosternées rendues deux fois plus nombreuses par les miroirs alignés sur les murs du sous-sol. Je me laissai tomber par terre à mon tour. Les grains de poussière sur le plancher s'accrochèrent à mes paumes et je frottai mes mains sur la tunique qui me couvrait les hanches avant d'observer ce que faisait Jeanne, la danseuse devant moi.

« Comme ça », chuchota-t-elle en étirant la jambe et en approchant le buste de son genou. Sa bouche se tordit et ses joues s'empourprèrent. Je suivis son exemple et, à ma grande surprise, pris la pose sans trop de difficulté. Je m'en félicitais quand je sentis la canne de Mme Baroux me tapoter le creux des reins. « Tends ta colonne vertébrale ! Tu es une danseuse, pas une contorsionniste. Chacun de tes mouvements doit émaner avec grâce de ton axe vertical. »

Bien qu'elles fussent danseuses de revue et non ballerines, la plupart des filles avaient une expérience de la danse classique. J'étais perdue au milieu d'elles. Qu'est-ce que je faisais là ? Où était mon axe vertical ?

« Oui, madame », dis-je, en me corrigeant de mon mieux. Mais quand je relevai les yeux, Mme Baroux s'était déjà éloignée.

« Pas besoin d'être très gracieuse pour son rôle », entendis-je quelqu'un dire au premier rang. Je scrutai la masse de bandeaux, de collants et de combinaisons pour voir qui avait parlé. Claire ? Paulette ? Ginette ? J'avais peut-être sauvé le spectacle, il n'en

111

restait pas moins une rancœur contre une assistante costumière à qui l'on avait confié un rôle important.

« À la barre, mesdemoiselles ! » lança Mme Baroux. Je levai les yeux et vis les autres filles attendre en position près d'une rampe en bois qui courait le long d'un mur. Je les rejoignis au petit trot et pris place dans la rangée. Mme Baroux m'adressa une grimace qu'elle s'efforça à peine de faire passer pour un sourire.

« Arabesque », annonça-t-elle.

Je jetai un coup d'œil à ma voisine et tendis la jambe en arrière comme elle. Mme Baroux longea la file, redressant des épaules, remontant des hanches. J'agrippai la barre hérissée d'échardes en imaginant les vertèbres de mon cou jusqu'à mon coccyx alignées telles des billes. Je gardai la jambe tendue, ignorant la brûlure à l'arrière de mes cuisses. Mais Mme Baroux passa sans un regard dans ma direction. Non que je fusse parfaite : je ne valais même pas la peine d'être corrigée.

« Elle ressemble à un bébé dans cet accoutrement », chuchota Ginette à Madeleine, assez fort pour que j'entende. Je comparai leurs justaucorps en jersey satiné à ma tunique de calicot, fabriquée avec du tissu apporté de la ferme. « Après tout, on l'a intégrée au spectacle pour qu'elle fasse rire les gens », répondit Madeleine avec un gloussement.

Je me mordis la lèvre en refoulant mes larmes. N'était-ce pas ce que j'avais souhaité : monter sur les planches ? Pourtant je ne m'étais jamais sentie aussi maladroite et affreuse, ni aussi seule.

La tension entre les danseuses et moi se déclara ouvertement quelques jours plus tard. Nous étions entassées dans la loge, en train de nous préparer pour le spectacle. On m'avait attribué un espace dans un coin à l'arrière de la pièce, entre une fenêtre obscurcie et un palmier anémique. Il avait fait très chaud dans la journée et bien que toutes les fenêtres intactes fussent grandes ouvertes, il n'y avait pas un souffle d'air. Nos costumes devaient être lavés, mais Mme Tarasova avait pris du retard dans la lessive et quelqu'un, Marion peut-être, ne s'était pas nettoyé les pieds depuis la répétition. L'air était chargé d'effluves mêlés d'eau de Cologne, de peau moite et de chaussures humides. Seules trois des dix ampoules de mon miroir fonctionnaient. C'était aussi bien, me dis-je en secouant la tête devant les taches de couleur sur mes paupières. Je n'avais pas attrapé le coup de main pour me farder, pourtant Mme Tarasova avait fait de son mieux pour m'apprendre. J'essayais d'estomper le maquillage de scène sur mon menton quand Claudine tira un tabouret et vint s'asseoir à côté de moi.

« Le spectacle marche bien grâce à toi, Suzanne. J'ai entendu M. Dargent dire qu'on a tout juste recommencé à faire des bénéfices », m'annonça-t-elle.

Je pris mon crayon à sourcils et acquiesçai. Si j'aimais bien Claudine, je me méfiais de Claire, assise devant moi. Elle avait pris la place d'Anne dans la troupe et ne se cachait pas pour clamer que j'étais de trop dans la loge. J'avais beau prendre des précautions, chaque fois que je tirais mon tabouret, je me cognais contre le sien. « Attention ! disait-elle d'un ton cassant. Si tu files mes bas, tu paieras l'addition. »

Et bien sûr, elle fit volte-face sur-le-champ et grommela à l'intention de Claudine : « Le premier acte est mauvais. Il faut le laisser tomber immédiatement !

— Pourquoi ? demanda Claudine. Un nouveau numéro, ce serait des semaines de répétitions non payées. »

Marie leva les yeux de son miroir : « De toute façon, ce n'est plus nécessaire, maintenant. Suzanne nous a sauvé la mise. Le nombre de spectateurs a augmenté et, hier soir, on a fait salle comble. »

Je me baissai pour fermer mes chaînes de cheville et éviter ainsi les regards. Tout le monde s'était montré amical avec moi quand j'étais assistante costumière, mais l'obtention d'un rôle dans le spectacle avait changé les choses. Les danseuses étaient divisées sur leur opinion à mon égard. Claudine, Marie, Jeanne et Marion, qui considéraient leur place dans la troupe comme un emploi, étaient contentes de me voir rejoindre la revue : cela signifiait qu'elles n'étaient pas obligées de passer du temps loin de leurs enfants à répéter un nouveau spectacle. Mais quelques-unes parmi les autres, comme Claire, Paulette, Ginette et Madeleine, avaient de l'ambition. Elles voulaient devenir meneuses, et je constituais une menace.

Claire plissa le nez. « Bah ! Le public est plus nombreux parce que les fêtes du 14-Juillet sont passées et les gens cherchent une distraction. » Certaines filles murmurèrent leur assentiment.

« Je pense qu'on devrait parler à M. Dargent après le spectacle, intervint Paulette en drapant sa robe tachée de maquillage autour de ses épaules. Les

114

spectateurs viennent pour voir danser des jolies filles. Avec Suzanne, on a l'air ridicules.

— Tu as parlé à M. Dargent la semaine dernière, fit Claudine avec un petit rire. Et il a réglé le problème en l'engageant. » Elle me tapota l'épaule et me fit un grand sourire. Je savais qu'elle me voulait du bien mais j'espérais qu'elle n'en dirait pas davantage. « En plus, reprit-elle, il est si content d'elle qu'il envisage de mettre son nom sur l'affiche. »

Le bourdonnement des voix cessa. Tous les yeux se tournèrent vers Claudine. Personne ne me regardait.

« C'est vrai, confirma Marie tout en se mettant du rouge aux joues. Je l'ai entendu en parler avec la caissière hier. Des gens sont venus demander si c'était le numéro "avec la drôle de fille". »

Paulette se retourna vers son miroir et passa sa brosse dans ses cheveux. Madeleine et Ginette échangèrent un regard.

« Si son nom est à l'affiche, je quitte la troupe, annonça Claire en rapprochant ses épaules maigrelettes. Elle n'est rien de plus qu'une costumière. Elle ne fera pas long feu sur scène. Il ne suffit pas de faire l'idiote, il faut savoir danser.

— Et ce n'est pas une beauté non plus », renchérit Madeleine.

Je me relevai et me précipitai vers la porte, piétinant des pantoufles et des sacs. Une fois à l'abri dans le couloir, je m'épongeai le front du revers du poignet et m'appuyai à la rambarde. La méchanceté des danseuses avait égratigné mon assurance. Peut-être avaient-elles raison, peut-être n'étais-je pas taillée pour le théâtre.

Mais mon humeur changea à l'instant où la cloche retentit. Je m'élançai dans l'escalier pour prendre ma place dans les coulisses. On devinait la présence du public avant même de l'avoir vu : l'atmosphère en était chargée. Les voix des hommes et des femmes qui emplissaient la salle bourdonnaient et pétillaient comme des étincelles d'électricité statique avant l'orage. J'appuyai la main sur le mur derrière moi pour me stabiliser. Le théâtre lui-même semblait palpiter. Ce soir, nous allions faire salle comble !

Un roulement de tambour retentit dans la salle. L'orchestre attaqua le thème du premier numéro et mon pied battit la mesure au rythme des guitares hawaiiennes. Je n'avais plus besoin de M. Dargent pour me donner le signal au bon moment ; je le connaissais par cœur. À la fin de la deuxième strophe, je bondissais sur scène dans la lumière. La foule hurlait et applaudissait.

« Aloha ! Aloha ! Aloha ! »

Ma voix couvrait celles des autres encore plus que d'habitude. Elle avait été renforcée par l'entraînement quotidien. Je pouvais la forcer sans chanter faux. La voix de soprano suraiguë de Claire luttait pour noyer mes paroles, mais elle n'arrivait pas à en maintenir le niveau sonore tout en dansant. Je scrutai le public, une mer de visages captivés. Oubliant le visage pincé de Mme Baroux quand elle me recommandait de surveiller mon « axe vertical », je me mis à agiter les hanches en projetant mes jambes dans tous les sens. Les spectateurs lancèrent une clameur et applaudirent. Leurs rires déferlaient sur la scène comme une vague vient s'écraser sur la plage. En un instant, tout le premier rang était debout et m'acclamait. « Bravo, mademoiselle Fleurier ! Bravo ! »

Ils connaissaient mon nom ? Des papillons se débattirent au creux de mon ventre. La vibration me remonta jusque dans la poitrine et ondula au bout de mes doigts. « Aloha ! Aloha ! Aloha ! » entonnai-je à pleins poumons.

« À peine deux semaines et tu es déjà une vedette ! s'écria Mme Tarasova quand je sortis de scène. Tu t'es faite au music-hall comme si tu y étais née. C'est ta nature !

— Tu nous manques en bas, fit Véra en me prenant ma perruque.

— Je vais me changer et je redescends, d'accord ? répliquai-je, déjà tournée vers l'escalier. M. Dargent veut que je vous aide en attendant qu'il y ait d'autres rôles pour moi dans le prochain spectacle. »

Je grimpai l'escalier quatre à quatre jusqu'à la loge puis m'arrêtai net en apercevant le désordre devant la porte. Je restai abasourdie pendant un instant, les yeux sur les pinceaux de maquillage et les crayons éparpillés. Un pot de rouge gisait sur le côté, un bloc de mascara avait été réduit en bouillie graisseuse sur le plancher et la poudre de riz jetée sur tout le reste comme de la neige. Une coiffeuse et un miroir craquelé étaient adossés au mur. Je contemplai le saccage bouche bée avant de comprendre que ces objets m'appartenaient.

Je m'accroupis pour ramasser les produits de maquillage et remarquai alors que le kimono à boutons de rose que j'avais hérité d'Anne était coincé sous la porte. Je tirai dessus, mais il était bloqué et ne se dégagerait qu'avec l'aide d'une des filles.

Quelqu'un gloussa, des ombres se déplacèrent dans le rai de lumière qui filtrait de la fente, sous la porte. J'imaginai Claire et ses complices en train de m'épier par le trou de la serrure en se félicitant de leur ruse. Je lâchai le peignoir ; je préférais revenir le chercher plutôt que leur donner le plaisir de les supplier.

Après avoir ramassé le pot de rouge, je nettoyai le reste du mieux que je pus, en essuyant les étuis avec la frange de mon pagne. Mme Tarasova m'avait fabriqué un nécessaire à maquillage avec des produits dépareillés qu'elle avait accumulés au fil des ans. Je fus soulagée de trouver la boîte de poudre encore à moitié pleine. Je jetai le mascara ; il était fichu et je n'avais pas les moyens de le remplacer. Si je me plaignais à M. Dargent, les responsables auraient des retenues sur salaire pour mauvais comportement. Mais cela aggraverait le harcèlement. Et j'avais plus de danseuses contre moi que d'alliées.

Plus loin, près des toilettes, se trouvait une alcôve. L'odeur d'urine était fétide, mais l'alcôve elle-même était propre, éclairée par une fenêtre à tabatière en verre dépoli et par une ampoule électrique. Je traînai ma coiffeuse et mon miroir dans le renfoncement et disposai ce qu'il me restait de maquillage sur le banc.

« Eh bien, Suzanne, je suis contente de voir que tu te fais des amies ! »

Jetant un coup d'œil dans la glace fendue, je vis Camille debout derrière moi, vêtue de sa tunique pour le rôle d'Hélène de Troie.

« Bienvenue dans le show-business ! » poursuivit-elle.

Je gardai le visage tourné vers mon miroir, je ne

voulais pas qu'elle me voie pleurer. Elle posa la main sur mon épaule et plissa les yeux. « Qui t'a appris à te maquiller ?

— Mme Tarasova m'a montré deux ou trois choses et j'ai copié le reste.

— Ta figure ressemble à une carte du monde. »

Ma main se porta instantanément à ma joue. J'avais beau essayer, je n'avais pas tout à fait réussi à maîtriser l'art de mélanger les couleurs. Heureusement que le public ne me voyait pas de près.

« Allez, viens ! dit Camille avec un signe de tête vers sa loge. J'ai encore un quart d'heure. Je vais t'apprendre à faire ça correctement. »

La loge de Camille était encombrée d'un bric-à-brac de jolis objets qui côtoyaient des breloques miteuses. Un fauteuil en osier bancal était posé à côté d'un bureau en bois de rose poli, et un tapis persan jouxtait un infâme tapis en coton sur le plancher en pente. Le canapé était recouvert de châles espagnols tandis que sur la coiffeuse s'entassaient des flacons de parfum débouchés. L'odeur me titillait les narines : une concoction d'effluves d'encens, de poussière et de savon de bain.

Camille me fit asseoir sur le tabouret recouvert de satin et essuya la couche luisante de maquillage qui s'était concentrée autour de mon menton et de mes narines. Les erreurs étaient faciles à repérer dans son miroir vivement éclairé. L'eye-liner me faisait les yeux asymétriques et ma bouche s'incurvait d'un seul côté. Une nuance de maquillage plus sombre sur le visage, une autre un peu plus claire sous les yeux et j'aurais ressemblé à un de ces chanteurs de jazz américains grimés en nègres.

« Regarde, dit Camille en rejetant mes cheveux en arrière sous un foulard et en appliquant le maquillage par petites touches, il faut t'enduire la peau depuis la naissance des cheveux jusque derrière les oreilles afin qu'on ne voie pas les contours. Et même si tu as la peau olivâtre, tu dois utiliser un fond de teint plus sombre. Toutes les couleurs paraissent plus claires sous les projecteurs. »

Je levai le regard vers elle. Le crayon khôl autour de ses yeux en faisait ressortir le bleu. Son maquillage de scène se fondait avec son teint et le rouge à ses lèvres était homogène. Les couleurs soulignaient les teintes naturelles. Son apparence était aussi parfaite que celle d'un fruit bien astiqué dans une coupe. Je m'agitai sur le tabouret, mal à l'aise. Pourquoi ne pouvais-je ressembler à cela ?

Camille ouvrit sa boîte de maquillage et farfouilla dedans. « Voilà ! » s'exclama-t-elle en brandissant un récipient rempli d'une crème nacrée. Elle dévissa le couvercle, étala la substance sous mes sourcils et sous mes yeux. « Veille toujours à mettre tes qualités en valeur et à estomper tes défauts », me conseilla-t-elle en effaçant les cercles de rouge que j'avais appliqués sur mes joues pour les remplacer par des traits de couleur qui soulignaient mes pommettes. Elle essuya sa houppette sur le dos de sa main avant de me l'appliquer sur le visage par petites touches. « Les hommes ne sont jamais que des animaux habillés, fit-elle. Quand ces filles s'en prennent à quelqu'un, soit elles essaient d'éliminer la plus faible de la bande, soit elles cherchent à effrayer une nouvelle venue considérée comme une menace. »

Je jouai avec la violette posée sur une soucoupe

sur la coiffeuse. « Tu es marseillaise ? » lui demandai-je. Camille était une blonde aux traits fins, elle ressemblait à une fille du Nord. Personne au Chat espiègle ne savait grand-chose d'elle. Elle était réputée pour rester sur sa réserve et ne parlait jamais de ce qu'elle avait fait avant de travailler au théâtre.

Camille poussa un soupir exaspéré. « Quelle petite curieuse ! Maintenant, lève les yeux, que je puisse t'enlever ces paquets dont tu t'es enduit les cils. »

J'obtempérai et elle me brossa les cils avec un peigne minuscule. « Qu'en dis-tu ? » demanda-t-elle en tournant mon visage vers le miroir. Je ressemblais à une poupée de magasin avec mes longs cils et ma bouche en cœur.

« Merci », murmurai-je, moins pour le maquillage que pour les cinq minutes de gentillesse que Camille m'avait accordées ; la jeune fille isolée que j'étais en avait bien besoin.

Camille hocha la tête. « Ne sois pas la plus faible de la bande, Suzanne, me recommanda-t-elle. Ma mère était une créature fragile. C'est pour ça qu'elle a laissé mon père la battre et la tuer au travail. »

Je me demandai pourquoi Camille m'avait fait cette confidence. Peut-être en avait-elle assez de ses riches prétendants et des admirateurs qui la harcelaient tous les soirs après le spectacle.

Camille dut raconter ce qui m'était arrivé à M. Dargent car, le soir suivant, on m'assigna la loge numéro trois. Elle était occupée par Fabienne Boyer, la plantureuse chanteuse de la revue, et par les acrobates Violetta et Luisa Zo-Zo. Elle était divisée sur toute la longueur par une rangée de paravents orientaux et un treillis ; aussi devions-nous veiller à ne pas claquer la porte sinon toute cette fragile construction risquait de s'écrouler. Fabienne s'habillait d'un côté, les sœurs Zo-Zo et moi de l'autre. Aux rares occasions où nous nous trouvions toutes ensemble dans la loge, l'atmosphère était détendue. Il arrivait que Violetta et Luisa se montrent graves avant leur numéro, mais elles étaient très bavardes après, et Bonbon pouvait venir se coucher dans son panier près de la porte quand elle n'était pas avec Mme Tarasova dans les coulisses.

« Le public est *fantastico* ! » annonçaient les sœurs Zo-Zo, en faisant irruption dans la loge. J'étais un peu perturbée par les zébrures rouges sur leurs paumes et à l'arrière de leurs jambes, mais les brûlures occasionnées par les cordes ne les dérangeaient pas. Elles épongeaient la sueur et se massaient la peau avec un baume à l'huile d'olive et à la lavande.

« C'est à la saison touristique que nous devons une telle affluence », nous expliqua Fabienne à travers le treillis. Le cloisonnement de la pièce était son idée, mais ce n'était pas du dédain de sa part. Elle l'avait plutôt fait par délicatesse envers nous, elle qui recevait tant de visites. Pourtant, les paravents n'arrêtaient pas le bruit, et les sœurs Zo-Zo et moi devions étouffer nos fous rires quand Fabienne échauffait sa voix : « Ma… Me… Mi… Mo… Mu. Maaa… Meee… Miii… Mooo… Muuu… »

La seule qualité de son timbre suraigu était sa justesse relative, pourtant personne ne venait pour écouter Fabienne. Sa figure espiègle et son incroyable silhouette drainaient les foules. Les jeunes femmes délurées au buste fin faisaient peut-être rage dans la mode féminine, mais les hommes salivaient devant les mensurations contrastées de Fabienne. Sa coiffeuse était toujours couverte de fleurs.

Si les propos des visiteurs de Fabienne étaient pleins de retenues – « Mademoiselle Boyer, votre apparition sur scène a empli mon cœur de joie, vous êtes magnifique » –, il y avait chez ces hommes quelque chose de présomptueux qui me donnait la chair de poule. Ils disaient bonsoir à Fabienne, lui baisaient la main avant de se diriger vers la porte avec arrogance et de se retourner pour la saluer, et dans leurs yeux luisait toujours une lueur qui me faisait penser à des loups. Quelques instants plus tard, Fabienne feignait de bâiller et annonçait qu'elle rentrait chez elle.

« Ils viendront bientôt pour toi, Suzanne », dit-elle un soir en vaporisant son parfum au lilas. C'est ainsi qu'elle avait la politesse de camoufler l'odeur de sueur aux relents d'oignon des sœurs Zo-Zo.

Je la remerciai pour sa remarque encourageante, mais l'attention des hommes n'était pas ce qui m'importait le plus. Je n'étais pas prude. J'étais née dans une ferme et, contrairement aux histoires que racontaient les danseuses de revue anglaises, mes parents ne m'avaient jamais interdit d'aller dans les champs pendant la saison de reproduction des animaux. En revanche, le récit de l'avortement forcé de Madeleine et l'idée de voir mon destin tributaire des caprices d'un homme me remplissaient de terreur. Si c'était le prix à payer pour la compagnie du sexe opposé, je n'en voulais pas.

Cependant, un autre désir courait dans mes veines aussi fort que la pulsion sexuelle. Chaque soir, je brûlais d'entendre les applaudissements du public, et je n'étais rassasiée qu'après au moins deux rappels. J'allais sur mes quinze ans, mais je savais déjà ce que je voulais dans la vie – et ce n'était pas une carrière de danseuse de revue comique de second ordre. Si je n'avais rien d'une beauté sur scène, je pourrais au moins devenir une chanteuse célèbre.

Le soir de l'avant-dernière de *Sur les mers*, en sortant de scène, j'aperçus Camille qui m'épiait derrière un palmier artificiel. « Viens me retrouver dans ma loge ! » souffla-t-elle en ramassant les bords de sa tunique sous son bras avant de disparaître telle une déesse.

Je montai l'escalier d'un pas lourd, évitai de justesse Claude, le magicien, qui le descendait avec force précautions, sa cage en équilibre sur une main et une table de jeu coincée sous l'autre bras. J'attendis dans ma loge jusqu'à ce que j'entende Camille fredonner dans le couloir et le loquet de sa porte jouer. Je n'avais pas la moindre idée des raisons de tout ce mystère.

« Viens ! » Elle me fit signe d'entrer quand je frappai à sa porte. Je m'arrêtai net. L'espace d'un instant, je crus que nous étions dans la loge d'une autre. Il ne restait rien du bric-à-brac habituel de Camille : pas de sous-vêtements drapés sur les chaises ; ni plumes ni chaussures éparpillées sur le plancher ; ni colliers de perles ni écharpe débordant des tiroirs de la coiffeuse. Le seul vêtement visible était une robe pourpre suspendue à la porte de l'armoire.

« Tu as fait du rangement », dis-je en remarquant la valise à côté de la coiffeuse.

Camille se tourna dans la direction de mon regard. « Ah, ça ! fit-elle. J'ai toujours aimé rassembler mes affaires à la fin d'une série de représentations. Ensuite je ressors tout, le soir de la première du spectacle suivant. »

Je hochai la tête. À chaque artiste ses rituels superstitieux. Le mien consistait à embrasser le médaillon contenant la photographie de mes parents avant d'entrer en scène. Fabienne, elle, se signait et les sœurs Zo-Zo tapaient des mains et des pieds. Un jour, Albert m'avait raconté que, le soir des premières, l'imprésario Samuel « Le Magnifique » faisait son apparition affublé d'un chapeau mangé par les mites et d'une barbe de deux jours. Il croyait qu'arriver habillé pour l'occasion porterait malheur à la compagnie. Nos destins étaient si précaires qu'une forme de rituel ou une autre était nécessaire pour nous donner une impression de stabilité.

La voix assourdie de Marcel Sorel, le chanteur de la troupe, filtra à travers la cloison. Il parlait à M. Dargent. « Dans le prochain spectacle, je veux le dernier créneau du premier acte.

— Pourquoi ? s'enquit M. Dargent. Vous avez un engagement dans un autre music-hall ? Ce serait rompre votre contrat. »

Camille baissa la voix. « Écoute, Suzanne, M. Gosling voulait que je te demande de venir dîner avec nous demain soir.

— À moi ?

Oui. Il est très emballé par ton numéro et il veut te rencontrer.

— Moi ?

— Nous irons au Nevers. »

125

Camille avait l'intention de m'appâter, mais ses paroles eurent l'effet inverse. Le Nevers était un des meilleurs restaurants de Marseille. Je me représentai les élégantes que j'avais vues le long de la Canebière quand j'y promenais Bonbon.

« Qu'est-ce qui ne va pas, Suzanne ? Si tu veux devenir une vedette, il ne suffit pas de te produire sur scène. Il faut fréquenter la bonne société, les gens qui pourront t'aider. »

Même si j'avais du mal à croire que M. Gosling avait le moindre intérêt pour ma personne, c'était ma toilette qui m'inquiétait le plus. Je n'avais pas de robe assez bien pour l'église, sans parler du Nevers ! Je regardai mes pieds, Camille rejeta la tête en arrière et se mit à rire.

« C'est ça le problème ? » Elle alla à son armoire et saisit la robe pourpre. « Tu peux prendre celle-ci. J'en ai assez, de toute façon. Et j'ai des chaussures assorties. Tu peux les étirer si elles sont trop petites. »

Je me rappelai la robe que tante Yvette avait voulu me coudre. Le tissu qui lui était destiné avait basculé dans les gorges de la Nesque en même temps que mon père. En dépit de mon enthousiasme pour le théâtre, il ne se passait pas un jour sans qu'il me manque ou que je pense à ma mère, à tante Yvette ou à Bernard. Je me demandais avec inquiétude si la culture de la lavande marchait bien et comment ma mère s'accommodait du joug d'oncle Jérôme. Camille prit ma tristesse pour de l'entêtement.

« Qu'y a-t-il encore ? soupira-t-elle en me pliant la robe sur le bras. Le Nevers. Une jolie robe. Une invitation à dîner avec l'héritier d'une des plus grosses fortunes des Savons de Marseille !

— Pourquoi tout ce secret ? »

Camille leva un sourcil. « Parce que je pensais que tu avais déjà suscité assez de jalousies ici. »

Elle ne me parut pas convaincante, mais je lui étais redevable de m'avoir témoigné de la gentillesse quand les danseuses m'avaient chassée de leur loge, aussi acceptai-je l'invitation.

Le soir suivant, Camille salua le portier du Nevers d'un geste de la main, puis elle marqua un temps d'arrêt dans l'entrée entre les deux urnes remplies de fougères. Je restai plantée derrière elle, avec l'impression d'être plus une voleuse qu'une cliente. Je m'étais lavé les cheveux et bien nettoyé le visage, mais même dans la robe de Camille, je ne me sentais pas à la hauteur de ce qui m'entourait. La lumière émanant des lampes à gaz était renvoyée par les verres en cristal et l'argenterie. Des dames avec des bijoux dans les cheveux étaient assises en face de messieurs portant des gardénias à la boutonnière. D'abord, je pensai que nous devions attendre le maître d'hôtel, mais même quand il nous eut accueillies, Camille s'attarda assez longtemps pour être aperçue de tous les hommes dans la salle. Une fois certaine d'avoir capté leur attention, elle adressa un signe de tête au maître d'hôtel et se pavana jusqu'à la table où M. Gosling était occupé à fumer. Il éteignit sa cigarette et sauta sur ses pieds.

« Voici Mlle Fleurier », dit Camille en prenant place sur la chaise que le maître d'hôtel avait tirée à son intention.

M. Gosling me baisa la main, puis il se retourna vers Camille. « Comment était la représentation, ce soir, ma chérie ? Je suis désolé de l'avoir manquée, j'avais des dispositions à prendre. »

Camille lui lança un sourire étincelant et posa les doigts sur son poignet. Elle s'intéressait plus à lui que le premier soir où je les avais vus devant le Chat espiègle.

« Suzanne a bien joué ce soir, déclara-t-elle.

— Vraiment ? fit M. Gosling en pivotant sur sa chaise pour me faire face. Je n'ai jamais vu le premier acte. Je ne peux jamais me trouver au théâtre en début de soirée. »

Je jetai un coup d'œil à Camille, mais si elle était consciente d'avoir été contredite, elle n'en montra rien. « C'est un endroit agréable, n'est-ce pas, Suzanne ? » minauda-t-elle.

Un serveur nous apporta des blancs-cassis en apéritif. Camille alluma une cigarette et la passa à M. Gosling.

« Nous devrions commander une bouillabaisse », proposa ce dernier, avant de se lancer dans un discours sur ce plat typiquement marseillais et sur le fait qu'il ne se trouvait pas deux personnes pour tomber d'accord sur la recette. « Notre cuisinier affirme que le secret, c'est le vin blanc, raconta-t-il. Mais ma grand-mère est si horrifiée par cette suggestion qu'elle en lève les bras au ciel. »

Camille posa le menton dans sa main, apparemment fascinée par les propos de M. Gosling. Quant à moi, je m'efforçais de retenir mes bâillements. Qu'est-ce que je faisais là, coincée entre le bord de la table et un buste de Jules César ? Peut-être Camille avait-elle souhaité ma compagnie pour rendre supportable le temps passé avec son M. Gosling, qui déblatérait à n'en plus finir.

Je fus soulagée quand le serveur apporta la bouillabaisse, même si ce n'était pas le plat auquel je m'attendais. Je considérai le mélange de fruits de mer qui nageaient dans la sauce orange. Après la description de M. Gosling, j'en avais déduit qu'il s'agissait d'une soupe ou d'un potage, mais ce n'était ni l'un ni l'autre. À part le merlan et les moules, je ne reconnus ni fruit de mer ni poisson, pas même celui qui était servi avec la tête. Mais quand je humai les effluves de safran, d'huile d'olive et d'ail, mon estomac se mit à grogner. Je pris mon couteau et ma fourchette et découpai un morceau de poisson.

Un serveur passa près de nous, la démarche altière, et leva les sourcils. Je m'aperçus que j'étais avachie sur mon assiette alors que Camille et M. Gosling étaient assis bien droit contre leur chaise, le visage loin de leur assiette. Je me redressai brusquement et un morceau de poisson noyé dans la sauce tomba de ma fourchette sur la nappe. J'épongeai la sauce avec ma serviette, mais la tache ocre s'étala encore plus et, par-dessus le marché, ma serviette était à présent toute sale. Je jetai un regard furtif à Camille et à M. Gosling, qui n'avaient rien remarqué. Ils se regardaient dans les yeux.

« J'ai une bonne nouvelle, Suzanne, annonça Camille quand le serveur apporta le fromage et les fruits. Demain, M. Gosling et moi partons pour Paris.

— Paris ? » Je faillis m'étouffer avec mon biscuit salé.

« M. Gosling m'installe dans un meublé avec une

garde-robe de haute couture, m'expliqua Camille, rayonnante. Je vais me produire à l'Eldorado.

— Et le nouveau spectacle du Chat espiègle ? demandai-je. Les répétitions commencent demain. »

Puisque *Sur les mers* avait été un succès financier, M. Dargent avait prévu un spectacle plus extravagant pour la saison suivante. Je savais qu'il avait dépensé des fortunes pour les costumes étincelants sur lesquels travaillaient Mme Tarasova et Véra. Je savais aussi qu'il comptait sur Camille Casal comme meneuse de revue.

Le sourire de Camille disparut un instant. Elle se frotta les bras. « Comment pourrais-je lui annoncer cela ? Il m'a lancée. Mais Paris… » Ses yeux s'éclairèrent à nouveau. « Il faut monter à Paris pour devenir une star. L'Adriana, les Folies-Bergère, le Casino de Paris, l'Eldorado. Je ne peux pas rester à Marseille, Suzanne. Seulement chaque fois que j'ai essayé d'en parler à M. Dargent, le courage m'a manqué. »

Un doute insidieux sur la vérité des propos de Camille me titilla, mais je l'ignorai. Je ne pouvais pas lui en vouloir d'avoir envie de partir à Paris. C'était la ville où il fallait aller pour connaître la gloire, tout le monde le disait. Pourtant je m'inquiétais de ce que le départ de Camille allait signifier pour nous autres. M. Dargent serait peut-être obligé d'annuler le spectacle.

« Il trouvera quelqu'un d'autre, reprit-elle. Crois-moi, il est doué pour ça ! » Elle plongea la main dans son sac et en sortit une enveloppe qu'elle poussa vers moi. « Je te confie ceci, Suzanne. Je lui dis tout ce que j'ai sur le cœur et je lui demande humblement pardon. Quand il lira cette lettre, il comprendra. »

Je poussai un soupir de soulagement. Camille avait donc eu une pensée pour les sentiments de M. Dargent.

« Tu la lui donneras, n'est-ce pas, Suzanne ? Mais pas avant demain.

— Oui, bien sûr », répondis-je.

J'aurais dû me douter que quelque chose clochait. Les signes annonciateurs, c'étaient les chaussures que Camille m'avait données, elles me comprimaient les orteils et me démangeaient les talons, et puis le regard de Fabienne quand je la croisai sur le perron du Chat espiègle.

« Tu n'étais pas à la soirée de clôture, hier soir », dit-elle avec un coup d'œil à ma robe, la robe de Camille.

« La soirée de clôture ?

— À la dernière d'un spectacle, il y a toujours une fête. Tout le monde y était, sauf Camille et toi. »

Personne ne m'avait parlé d'une fête. Pourquoi Camille ne l'avait-elle pas mentionnée ?

« Eh bien, débrouille-toi pour y être, la prochaine fois ! fit Fabienne avec une moue. Ça ne fait pas bonne impression de disparaître avec Camille et de snober les autres. »

Il faisait très chaud dans le théâtre. Les murs du Chat espiègle avaient une tendance incroyable à absorber et à conserver la chaleur. J'essuyai les gouttelettes de sueur sur mon cou. C'était la première fois que je remarquais à quel point le papier peint du foyer était taché par les infiltrations d'eau. Toute la structure branlante de l'édifice était lézardée et la moquette sentait le moisi. Assise dans sa cabine, la caissière tamponnait les billets pour le prochain spectacle. Le ventilateur dans sa cage métallique sur le buffet était éteint. « Cette stupide machine fait voler les tickets dans tous les sens quand je l'allume », se plaignit-elle. Je lui demandai où était M. Dargent et elle inclina la tête en direction de la salle. « Avec le régisseur, ils préparent le nouveau spectacle. »

Les portes de la salle étaient calées en position ouverte. Un murmure de voix masculines provenait de l'obscurité. Sur scène, un projecteur braquait sa clarté vers les portes et je dus plisser les yeux pour voir à l'intérieur. M. Dargent était adossé à la scène en train d'expliquer quelque chose à M. Vaimber sur les éclairages. Mes chaussures résonnèrent sur le plancher. M. Dargent s'interrompit au milieu d'une phrase et leva les yeux. Son regard rencontra le mien et il se détendit. J'eus alors l'impression qu'il attendait quelqu'un d'autre.

« Oui ? Qu'y a-t-il ?

— Mlle Casal m'a demandé de vous remettre ceci », dis-je en tendant l'enveloppe.

M. Dargent me considéra un instant et son front se plissa. « Apporte-moi ça ! » L'expression de malaise réapparut dans ses yeux.

Je descendis l'allée vers lui d'un pas traînant. M. Vaimber se retourna pour voir ce qui se passait.

« Quand te l'a-t-elle donnée ? » s'enquit M. Dargent en m'arrachant la lettre des mains.

Mes orteils se recroquevillèrent. « Hier soir.

— Où ça ? »

Pourquoi ne se contentait-il pas d'ouvrir l'enveloppe au lieu de me poser tant de questions ? « Au Nevers. »

M. Dargent lança un coup d'œil à M. Vaimber avant d'enfoncer le doigt sous le rabat et de déchirer l'enveloppe. Je le regardai déplier la lettre et la lire. Elle devait contenir quelques phrases tout au plus, à en juger par la vitesse à laquelle il la termina.

« Que dit-elle ? » demanda M. Vaimber.

M. Dargent me jeta le papier. « Lis-la ! » ordonna-t-il. Je saisis la lettre et la contemplai quelques secondes avant de me résoudre à croire ce qu'elle disait ou, plus précisément, le peu qu'elle disait :

En route pour un brillant avenir.
Bye bye !
C.

« Il doit y avoir autre chose, fis-je. Elle avait promis des explications complètes. » Je pris l'enveloppe à M. Dargent et la fouillai. Mais elle était vide.

« Camille essaie de dénoncer son contrat depuis un moment déjà, siffla M. Dargent. Je lui ai dit qu'elle pourrait partir après le prochain spectacle. Et elle avait promis de rester. C'est une catastrophe ! Je n'ai plus de meneuse. »

M. Vaimber me toisa. « Apparemment, tu étais au courant ?

— Ce n'est pas vrai ! dis-je en serrant les poings. Pas jusqu'à hier soir. C'est la première fois que j'ai entendu parler de son départ pour Paris.

— Tu aurais dû venir me voir tout de suite, répliqua M. Dargent. Au lieu d'attendre le milieu de la journée. Tu ne comprends donc pas ce que cela veut dire ? Ça veut dire que nous n'avons pas de revue ! »

Il avait beau annoncer que sans meneuse il n'y

133

aurait pas de revue, M. Dargent n'annula pas la répétition de l'après-midi. Au lieu de cela, il attendit que tout le monde fût rassemblé dans la salle de spectacle pour grimper sur scène, se passer la main dans les cheveux et annoncer que Camille Casal avait abandonné la troupe. L'une après l'autre, toutes les danseuses poussèrent des cris étouffés qui cessèrent brusquement lorsque Claire croisa les bras en ricanant.

« Tu trouves ça drôle, hein, Claire ? » cracha M. Dargent.

Elle haussa les épaules. « Camille n'était pas si ravissante. Vous pouvez en trouver une autre pour la remplacer. »

M. Dargent arbora une expression renfrognée. Avec ses complets blancs et ses chemises colorées, il ressemblait généralement à un dandy, quoique son élégance fût défraîchie. Mais à cette occasion, les cheveux dressés en deux cônes parce qu'il ne cessait d'y passer les mains, il avait l'allure d'un dandy halluciné.

« La seule solution, à part annuler le spectacle, c'est d'inciter un grand nom du show-business à quitter un autre théâtre. Pour ça, j'ai besoin d'argent. Tu trouveras peut-être la chose moins drôle quand je devrai prendre cet argent sur tous vos salaires ? »

La mine de Claire s'allongea. Un murmure parcourut l'assemblée.

« Vous ne pouvez pas faire ça ! intervint Madeleine. On a des contrats.

— Je viens d'apprendre qu'ils ne signifient pas grand-chose, déclara M. Dargent, qui semblait plus blessé que fâché maintenant. De quoi avez-vous le plus besoin, d'un contrat ou d'un travail ? »

Bien que M. Dargent n'eût pas mentionné mon association à la trahison de Camille, je remarquai les regards que lançaient les autres à ma robe. Il ne leur faudrait pas longtemps pour en arriver à des déductions. L'idée que leurs salaires misérables seraient encore réduits alourdit l'atmosphère, déjà assez chargée par l'odeur désagréable de benzène que dégageaient les costumes fraîchement nettoyés et celle de la peinture utilisée par les artistes pour confectionner la toile de fond du prochain spectacle.

Je regardai M. Dargent sortir précipitamment de la salle de spectacle. Furieuse contre Camille, qui m'avait transformée en comparse servile, je m'en voulais encore plus à moi-même de l'avoir laissée faire. Pourquoi m'avait-elle invitée au Nevers ? Elle aurait pu laisser l'enveloppe dans sa loge. Ou bien craignait-elle que quelqu'un la trouve *avant* qu'elle parte pour Paris ? Le départ de Camille n'aurait pas pu survenir à pire moment, car il me fallait avoir M. Dargent et toute la troupe de mon côté. Fidèle à sa promesse, il m'avait donné une place plus importante dans le nouveau spectacle, inspiré de l'histoire de Shéhérazade. J'apparaissais dans cinq des sept actes de la revue et j'avais même un rôle vaguement flatteur dans le mime, où je figurais une odalisque allongée dans le palais de Shal Shahryar. J'étais suffisamment utile sur scène pour ne pas avoir à travailler comme costumière, aussi M. Dargent avait-il embauché une couturière métisse pour me remplacer. Mais ce que j'avais vraiment envie de lui demander, c'était un rôle chanté.

« Suzanne ! me lança Gilles, le chorégraphe. Va rejoindre les danseuses sur scène, je vais te montrer la chorégraphie. »

Je montai en scène. Gilles avait été le partenaire de danse de Camille pour un pas de deux dans *Sur les mers*. Il avait dix-neuf ans et une peau aussi lisse que le chocolat. Toutes les filles se pâmaient pour lui, mais il préférait la compagnie des membres masculins de la troupe et de l'équipe.

La scène d'ouverture se déroulait dans un harem. La troupe interpréterait la danse des sept voiles selon l'interprétation de Gilles : les filles devaient laisser tomber chacun des voiles et elles finissaient en culottes légères et en soutien-gorge de satin incrusté de diamants. Mon rôle comique consistait à danser le shimmy avec elles au début, mais je portais un unique voile d'un seul tenant que je n'arrivais jamais à dérouler jusqu'au bout. Claude avait eu recours à ses talents de magicien pour fabriquer l'accessoire requis : un rouleau de soie serait caché dans le tronc d'un palmier et l'extrémité dans laquelle je serais enroulée donnerait l'impression que plus je tirerais sur le voile, plus il y aurait de tissu. M. Dargent trouvait l'idée si amusante qu'il avait prévu dans le script de me faire réapparaître dans plusieurs scènes suivantes – dont une scène intime entre Shéhérazade et le shah –, toujours en train d'essayer de défaire mon voile.

« Au début, tu dois ressembler à une danseuse comme les autres, Suzanne, m'expliqua Gilles. Mais ensuite… ton regard et ta bouche tordue vont indiquer que quelque chose cloche. »

Gilles dansa le shimmy et virevolta selon la chorégraphie convenue en s'arrêtant de temps à autre pour indiquer ce qui était important. « Si tu roules les épaules tout en ondulant les bras, ce n'est pas sensuel. » Il avait l'air féminin quand il dansait, même si sa poitrine glabre et son dos étaient musclés.

« Bien, maintenant, à toi d'essayer : je te regarde », dit-il en essuyant la sueur sur son front du revers de la main. Il adressa un signe de tête à Mme Dauphin, qui attaqua une mélodie orientale sur le piano de répétition au son métallique.

Nous évoluâmes au rythme de la musique. Gilles papillonnait au milieu de nous, donnant des instructions et corrigeant nos positions. J'imaginai à quoi ressemblerait l'air joué par les chalumeaux et les tambours d'un orchestre arabe et je laissai mon corps se mouvoir en cadence, selon les arabesques suggérées par la mélodie.

« Joli, me chuchota Gilles à l'oreille. Tu es née pour danser. »

Si seulement Mme Baroux pouvait l'entendre ! me dis-je.

Soudain, les portes de la salle de spectacle s'ouvrirent avec fracas, ce qui fit frémir les murs et tomber une fine poudre de plâtre du plafond. Mme Dauphin se pétrifia sur un dernier accord et les danseuses s'immobilisèrent au milieu d'une pirouette. La silhouette de M. Dargent se profila, spectre menaçant, dans la lumière de la salle. Même de l'endroit où je me trouvais, je pouvais voir que sa figure était cramoisie.

« Scandale ! » hurla-t-il, et sa voix résonna. Il brandissait un journal dans son poing. « SCANDALE ! »

Claire me lança un regard noir. Je ne baissai pas les yeux. J'avais peut-être transmis la lettre de Camille, mais je n'étais mêlée à aucun scandale. Et pourtant une sensation insidieuse et viscérale me soufflait que si quelque chose de terrible ne m'arrivait pas à moi, cela tomberait sur une autre.

« Suzanne Fleurier ! cria M. Dargent. Sors du rang que je te voie ! »

Je me figeai en entendant mon nom. La troupe s'écarta dans un bruissement, si bien que M. Dargent me toisa, isolée au bout d'un couloir humain, comme Moïse face à la mer Rouge retirée.

« Tu as lu ceci ? » demanda-t-il en brandissant un exemplaire du *Petit Provençal*. Je secouai la tête. Il déplia le journal pour me montrer les gros titres :

L'HÉRITIER D'UNE FORTUNE DU SAVON S'ENFUIT AVEC UNE MENEUSE DE REVUE.

BIJOUX DE FAMILLE DÉROBÉS.

LES AMANTS ONT BÉNÉFICIÉ DE LA COMPLICITÉ D'UNE COMÉDIENNE DE MUSIC-HALL.

« Je n'ai rien fait de la sorte ! protestai-je.

— Silence ! » fit M. Dargent. Il se mit à lire l'article d'une voix théâtrale.

« Non content d'avoir retiré de l'argent de son fidéicommis, M. Gosling a dérobé une rivière de diamants, un bracelet et une tiare incrustés de pierres précieuses appartenant à la collection de bijoux de sa mère, en prétendant dans sa lettre d'adieu qu'il les détruirait si sa famille cherchait à l'arrêter. Il semble que l'héritier des Savons de Marseille nourrisse le projet de consacrer le

138

plus gros de sa fortune à lancer la carrière de Mlle Casal à Paris. Selon les dires de clients qui dînaient au très sélect restaurant le Nevers, le couple n'agissait pas seul. Une jeune fille, probablement Suzanne Fleurier, comédienne et danseuse au music-hall le Chat espiègle, semble avoir aidé le couple à s'enfuir. On les surnomme déjà les "Roméo et Juliette de Marseille", car ils ont défié la famille Gosling pour trouver l'amour dans les bras l'un de l'autre. »

Des rires s'élevèrent dans la salle de spectacle. Une boule serrait ma gorge et quand bien même j'aurais trouvé quelque chose à dire, j'étais incapable de parler. Les Roméo et Juliette de Marseille ? Camille manipulait M. Gosling !

« Il faut la renvoyer ! hurla Claire. Avant qu'elle ne cause la perte de toute la troupe.

— Bon débarras, acquiesça Paulette. Elle ne nous cause que des ennuis depuis le début ! »

M. Dargent fronça les sourcils. « La renvoyer ? Vous êtes folles ? C'est un SCANDALE ! Et vous savez ce que ça signifie, un scandale ? De la PUBLICITÉ ! »

6

C'est une chose d'avoir son nom à l'affiche grâce à son talent – mais l'y voir parce qu'on a été impliquée dans un scandale, c'est tout autre chose. Chaque fois que je lisais mon nom sur le panneau du Chat espiègle, j'avais un mouvement de recul. M. Dargent avait conçu un nouveau rôle pour moi : je jouais une jeune suivante qui aidait la sœur cadette de Shéhérazade et le frère du shah à s'enfuir ensemble. Ces personnages, interprétés par Fabienne et Gilles, risquaient leur vie par amour dans l'atmosphère de terreur et de misogynie que faisait régner le shah au palais, et ils se tournaient vers la servante afin qu'elle les aide à s'échapper. « Comme elle a aidé les "Roméo et Juliette de Marseille" dans la vraie vie », clamait la publicité. Je fus interviewée pour *Le Petit Provençal* et M. Dargent me tordit le bras pour que je raconte la scène du rendez-vous galant auquel j'avais assisté.

Cette publicité imméritée renforça ma détermination à réclamer un rôle chanté à M. Dargent. Après la première répétition du sketch muet avec Gilles et Fabienne, je le rattrapai au seuil de la salle de spectacle.

« Puis-je vous parler ? » chuchotai-je en regardant par-dessus mon épaule.

Fabienne et Gilles étaient encore sur scène, en train de discuter de changements à apporter aux péripéties de leur fuite. Paulette et Madeleine se trouvaient près des coulisses, têtes rapprochées, à cancaner. On n'avait pas besoin d'elles pour le sketch, mais elles s'étaient attardées après la répétition des danseuses de revue. Paulette leva les yeux et me lança un regard noir. Je me retournai vers M. Dargent. J'aurais préféré attendre que tout le monde soit parti, seulement comme la mise en scène du spectacle progressait, il fallait que je lui parle au plus vite.

« Qu'est-ce qu'il y a ? demanda-t-il.

— Avez-vous déjà trouvé une Shéhérazade ? »

Il cala ses notes sous son bras et se mit à tripoter sa cravate. « Je vais auditionner quelqu'un à Nice demain. Pourquoi ? Tu as des nouvelles de Camille ? »

Je retins mon souffle. « Non, j'aimerais passer une audition pour le rôle. »

M. Dargent secoua la tête. « Je ne prends pas de doublures pour ce spectacle, je n'en ai pas les moyens. Et tout le monde est bien occupé.

— Je parlais du *rôle*. »

M. Dargent fronça les sourcils et se caressa l'aile du nez. Je tentais ma chance en espérant qu'il m'auditionnerait au moins pour me faire plaisir. Je ne comptais pas interpréter Shéhérazade ; je cherchais simplement une occasion de lui montrer de quoi j'étais capable et peut-être obtiendrais-je un rôle de soliste. S'il aimait ma voix, il me donnerait peut-être celui de Fabienne et la laisserait jouer Shéhérazade, mais j'étais devenue assez futée pour savoir que si je demandais directement son rôle, cela ne me causerait que des ennuis.

M. Dargent mit la main dans sa poche et jeta un coup d'œil à sa montre. « Va chercher Mme Dauphin ! dit-il. Choisis une ou deux chansons, je reviendrai t'auditionner à quatre heures. »

J'essuyai les paumes de mes mains sur ma tunique. « Merci, monsieur Dargent, m'écriai-je. Merci ! »

La nouvelle de ma démarche pour obtenir le rôle vedette fit le tour de la troupe en quelques minutes. En allant trouver Mme Dauphin, je passai devant la loge des danseuses et j'entendis Claire dire aux autres : « Suzanne commence à avoir la grosse tête. J'ai envie de la remettre à sa place. » Je détestais la perfidie des conversations de coulisses. Depuis que mon nom était à l'affiche, même Jeanne ne me parlait plus. Ainsi régnaient la jalousie et l'incertitude de nos vies d'artistes. Seule Marie, avec ses joues roses et son charme expansif, se montrait toujours amicale.

« Bonne chance ! souffla-t-elle, en sortant furtivement dans le couloir quand elle m'entendit descendre l'escalier. Je ne pourrai pas rester après la répétition, mais je sais que tu t'en tireras bien. »

Mme Dauphin m'attendait dans une salle sous la scène. Elle ouvrit une sacoche et laissa tomber une pile de partitions par terre. « Fais ton choix, dit-elle. Prends ce que tu sais bien chanter. »

Je me baissai pour examiner le tas de partitions. « Je ne sais pas lire les notes, avouai-je en chassant un scarabée qui était tombé en même temps que le fatras de papiers. Vous pourriez peut-être m'aider à choisir ? »

— Oh ! » fit Mme Dauphin en m'examinant, les yeux plissés, par-dessus son pince-nez. Je ne laissai pas son ton désapprobateur me décourager. Fabienne et Marcel ne savaient pas lire la musique non plus, et ils jouaient tout à l'oreille. Mme Dauphin prit une chemise sur le piano et feuilleta les partitions des chansons. « Dans ce cas, je vais choisir un extrait du spectacle, dit-elle en tournant les pages de la musique de *Shéhérazade*. On va essayer deux morceaux. Une chanson enlevée et une mélodie plus lente, pour que tu puisses montrer tous tes talents. »

142

J'écoutai le premier morceau et le chantai à l'unisson dès que j'en eus saisi la mélodie. Ma voix résonna dans les dessous du théâtre déserts, claire et agréable à l'oreille. Mais Mme Dauphin ne me fit aucun compliment ; en fait, elle resta impassible pendant toute la répétition.

Quelle importance ? pensai-je. Je ne vais pas me laisser décourager.

J'étais contente de ma prestation et au bout d'une heure de répétition de danse avec Gilles, je ne doutais pas que j'allais impressionner M. Dargent à l'audition. Je m'efforçai de ne pas laisser vagabonder mes pensées pendant que Gilles nous faisait répéter la chorégraphie du harem jusqu'à ce qu'il juge nos déhanchements et notre danse du ventre satisfaisants. « Tu es raide comme un cadavre », dit-il à Claire, qui plissa le nez pour lui faire la grimace dès qu'il eut le dos tourné.

À quatre heures, la répétition prit fin et M. Dargent entra dans la salle de spectacle avec M. Vaimber. Ils se glissèrent dans des sièges au deuxième rang. Mme Dauphin leur adressa un signe de tête. Elle tourna les pages du carnet posé sur le piano, déplia la partition de la première chanson que nous avions répétée l'après-midi. M. Dargent sortit sa montre et la posa sur son genou. Je regardai autour de moi. À ma consternation, les autres filles ne semblaient pas du tout sur le point de partir. Madeleine, Ginette et Paulette prirent place dans les premiers rangs derrière M. Dargent en chuchotant, la bouche cachée derrière leurs mains. Pourquoi M. Dargent ne les renvoyait-il pas ? Peut-être voulait-il voir comment je chantais devant un public ?

« Vas-y dès que tu es prête, Suzanne », lança-t-il.

Même le premier soir, quand on m'avait poussée sur scène pour le numéro hawaiien, je ne m'étais pas sentie aussi nerveuse qu'à cet instant. Je n'avais rien à perdre alors. L'enjeu était bien plus important aujourd'hui : si j'échouais à l'audition, il était peu probable que l'on me donne une seconde chance.

Mme Dauphin attaqua l'introduction de la chanson sans attendre de savoir si j'étais prête. Elle la jouait une octave plus haut qu'à la répétition et je n'eus d'autre choix que de me mettre à chanter :

À moi de jouer – n'ayons pas peur
À moi de jouer – je vais l'envoûter
À moi de jouer – j'y arriverai...

Un ton plus haut, ma voix semblait fluette. Je fis un effort pour la pousser. Moi qui voulais donner à la chanson une tonalité chaleureuse et douce, au lieu de cela, je chantais comme un oiseau qui pépie à tue-tête. Mais M. Dargent ne sembla pas mécontent. Il se penchait en avant et m'examinait attentivement. Si j'arrive au bout, me dis-je, il me laissera peut-être réessayer une octave plus bas.

Madeleine et Paulette se renfoncèrent dans leurs fauteuils en gloussant. Je fis de mon mieux pour ne pas me laisser intimider. M. Vaimber avait les yeux rivés au plafond. Mais ce n'était pas mauvais signe : s'il n'avait pas aimé, il m'aurait déjà arrêtée. Mon corps se détendit et ma confiance grandit.

D'autres sont parties à la mort – mais pas moi !
Je suis plus vaillante !

144

D'autres ont connu une fin funeste – pas moi !
Je suis plus rusée !
C'est peut-être lui le maître
Mais je suis une femme.

Près de moi, le rideau des coulisses s'agita. Je crus que c'était la brise, puis je me déconcentrai une seconde en voyant Claire m'épier par l'ouverture. Elle était parfaitement visible pour moi mais cachée de la salle. « Tu n'auras pas le rôle, murmura-t-elle juste assez fort pour que je l'entende. Tu es nulle et maigre comme un clou ! »

La colère me submergea, pourtant je résolus de continuer. Si je m'interrompais, Claire aurait peut-être des ennuis mais ce serait aussi la fin de mon audition. M. Vaimber était très à cheval sur l'idée qu'il fallait continuer à chanter quoi qu'il arrive. « Les artistes doivent savoir retenir l'attention d'un public hostile aussi bien que celle d'un public amical », répétait-il souvent. Indéniablement, le Chat espiègle avait son lot de spectateurs hostiles. Jusqu'à la fin, quand *Sur les mers* faisait salle comble, le succès du spectacle n'empêchait pas les chahuteurs et autres amateurs de tapage de lancer des mégots de cigarette et des programmes roulés en boule aux danseuses de revue. Mais M. Vaimber insistait : nous devions continuer malgré les sifflets et les huées.

Une sensation de brûlure irradia soudain ma gorge et j'eus des larmes plein les yeux. J'essayai de les chasser en clignant des paupières. Une vapeur âcre emplit l'atmosphère. Malgré ma vision embuée, je vis Claire verser une fiole de liquide sur le sol. La

145

substance s'écoulait vers mes pieds en une ligne huileuse. Dans la chaleur ambiante, l'odeur était très agressive : de l'ammoniaque. Ma main se porta à mes lèvres et je pris un temps de retard sur la mélodie. J'essayai d'inspirer assez d'air pour aller jusqu'au bout de la chanson, en vain. Ma voix dérailla. M. Vaimber secoua la tête et M. Dargent fronça les sourcils. Je m'efforçai de continuer coûte que coûte. Le sang battait si fort à mes oreilles que j'entendais à peine la musique.

Arrivée à l'accord final, j'étais au bord des larmes. Et avant que j'aie pu reprendre mon souffle, Mme Dauphin entama le second morceau. M. Dargent leva la main. « Je pense que ça suffira pour aujourd'hui.

— Mais, M. Dargent, fis-je en hoquetant. Ce n'est pas juste… je peux faire mieux. C'est que…

— Un bon début, c'est une chose, mais il faut aussi savoir bien terminer la chanson, coupa-t-il. Sinon, comment veux-tu chanter toute une comédie musicale ? »

C'était dit sans méchanceté, mais il n'avait pas besoin d'aller plus loin.

Le lendemain matin, le ciel avait viré au gris. L'eau gargouillait dans les gouttières. La pluie, qui alternait entre grosses averses et bruine, éclaboussait les maisons et transformait les rues en ruisseaux de boue nauséabonds. Les giboulées du printemps avaient été si brèves qu'elles étaient presque passées inaperçues et l'été avait été sec. Je n'avais pas vu une pluie pareille depuis le jour où mon père était mort et, l'espace d'un instant, je me crus de retour à la ferme. Une traînée de lumière terne tombait sur Bonbon, qui somnolait encore contre ma jambe. Je passai la main sur sa fourrure soyeuse. Les longues répétitions et les soirées prolongées avaient fait de moi une grosse dormeuse, pourtant j'étais éveillée tôt ce matin-là. Je tirai les couvertures autour de moi et écoutai l'eau dégouliner des tuiles. Je repensai à la lettre que j'avais reçue de tante Yvette en revenant du théâtre après mon audition désastreuse.

Chère Suzanne,
Je suis très inquiète de savoir que tu travailles dans un music-hall… Je sais que tu es une jeune fille de bonne volonté, mais j'ai entendu dire du mal de ce genre d'endroits et je me fais du souci pour toi… Bernard viendra te voir dès qu'il le pourra. Il pense pouvoir te trouver du travail dans une usine à Grasse.

P.-S. J'ai aussi joint un message de ta mère.

Je ne doutais pas que le travail proposé par Bernard n'était ni pénible si salissant – sans doute un emploi dans la parfumerie –, mais la lettre de tante Yvette n'aurait pas pu arriver à pire moment. J'avais besoin qu'elle ait confiance en moi car j'avais moi-même perdu cette confiance.

Le message de ma mère était un croquis, elle avait dessiné un chat noir. Cela m'avait fait sourire à travers les larmes qui me piquaient les yeux. Elle me disait : « Bonne chance ! » J'avais toujours été plus proche de mon père que de ma mère, même si je les aimais l'un et l'autre. Maintenant que mon père

147

avait disparu, les messages sibyllins de ma mère signifiaient encore plus à mes yeux que par le passé.

« Tu n'as pas hérité de mes dons, Suzanne, m'avait-elle confié un soir qu'elle lisait des présages dans le feu. Tu as l'esprit trop logique. Mais, mazette ! Quels talents merveilleux tu as reçus ! Et quel incroyable embrasement tu susciteras quand tu seras prête à en faire usage ! »

Je fermai les yeux de toutes mes forces et me demandai quel stratagème j'allais trouver pour sauver la face, me forcer à retourner au Chat espiègle et terminer la série de représentations. Quel espoir y avait-il pour moi d'avoir un jour une vie meilleure si je restais une danseuse de revue qui lève la jambe pour gagner soixante-dix francs par semaine afin de payer le loyer d'une chambre avec robinet d'eau froide et toilettes communes au bout du couloir ?

« Tu t'en serais très bien sortie si Claire ne s'en était pas mêlée, me chuchota Marie pendant que nous attendions la répétition de la danse du harem dans les coulisses cet après-midi-là. C'est elle qui a gâché ta chance. Tu peux encore y croire.

— Non, dis-je en secouant la tête. Si j'étais vraiment douée, je l'aurais ignorée.

— Tu es trop dure envers toi-même, répliqua Marie en me touchant le bras. Attends un peu ! Tu es encore jeune. Tu auras une seconde chance. »

J'affichai un sourire enjoué pour rouler des hanches et agiter les bras comme si j'étais la plus insouciante des filles, mais la répétition fut une torture. Quand Gilles lançait des instructions, soit il évitait mon regard, soit il braquait ses yeux trop longtemps dans les miens. À un moment, je le vis tiquer en me regardant. Sa compassion me blessa plus que s'il m'avait ignorée. Quand je répétai mon numéro de soliste, les autres filles s'assirent au premier rang. Claire bâilla ostensiblement jusqu'à ce qu'elle soit sûre d'avoir attiré mon attention, puis elle sourit. Je fis comme si elle n'existait pas. Mais mon attitude endurcie avait un jour de retard.

M. Vaimber supervisait les répétitions pendant que M. Dargent était à Nice pour négocier le contrat de la nouvelle vedette. Un après-midi, quelques jours après mon audition, il nous fit jouer la scène finale. Tous les artistes étaient en scène, y compris la famille Zo-Zo, qui devait incarner des oiseaux géants plongeant en piqué dans les airs au moment où Shéhérazade et le shah se déclaraient leur amour. Le couple devait disparaître sur un tapis volant grâce à un artifice d'illusionniste, jeu de cordes et de miroirs conçu par Claude. La scène devait se clore sur une danse frénétique menée par les filles, une chanson interprétée par Fabienne, et moi qui arrivais enfin à détacher mon voile. Mme Baroux doublait le rôle de Shéhérazade. La plupart du temps, elle faisait office de figurante, mais pour la scène finale elle fit l'effort, malgré sa canne, de descendre majestueusement l'escalier sur ses jambes décharnées, son axe vertical si parfaitement droit que je pouvais presque voir le « fil imaginaire » dont elle parlait si souvent monter du sommet de son crâne jusqu'au plafond. Soudain, la porte de la salle s'ouvrit et alla claquer contre le mur. Nous nous retournâmes tous pour voir M. Dargent debout dans l'allée centrale à côté d'une femme aux cheveux jaunes.

« Mesdames et messieurs, veuillez approcher »,

lança-t-il avec un signe de la main. Nous nous épongeâmes le visage et le cou avec des mouchoirs et avançâmes lentement jusqu'au bord de la scène.

« Je voudrais vous présenter mademoiselle Zéphora Farcy, la nouvelle meneuse de revue. » M. Dargent saisit la main de la dame avec une courtoisie exagérée.

Il fallut quelques secondes à la troupe pour se remettre du choc et la saluer. Le front de Zéphora était si lisse qu'elle ne pouvait pas avoir plus de trente ans, mais les bourrelets de graisse sur sa poitrine et sur le haut de ses bras lui donnaient l'air d'une matrone, si bien qu'elle aurait pu être la mère, voire la grand-mère, de chacun d'entre nous. Ses seins ressemblaient à deux sacs de sable sur sa poitrine et son corset retenait à peine son ventre rebondi.

« Ce doit être une bonne chanteuse », chuchota Gérard.

L'éclairage de scène se posa sur le duvet des joues de Zéphora. Encadrées par ses lèvres carmin, ses dents mal rangées étaient sensuelles et une étincelle brillait dans ses yeux au léger strabisme. Le sourire qu'elle lança à M. Vaimber et aux autres hommes de l'assemblée était plein d'un charme féminin ; toutefois son visage devint de marbre et sa bouche se pinça en une moue sévère quand elle promena son regard sur le reste d'entre nous.

« Elle n'a rien d'une Camille », murmura Fabienne à Marcel, qui ne l'entendit pas. À voir ses yeux briller, on devinait qu'il était aussi fasciné par la nouvelle vedette que M. Dargent.

C'est aussi bien comme ça, songeai-je. Il joue le shah. Il va devoir l'embrasser.

Sans voir nos airs stupéfaits, M. Dargent frappa dans ses mains et annonça que Mlle Farcy venait de terminer une série de spectacles au théâtre de Mme Lamare, à Nice, et qu'avant cela elle s'était produite à la Scala de Paris.

Madeleine et Paulette échangèrent des regards. L'allusion à Paris aidait à comprendre pourquoi M. Dargent avait choisi Zéphora pour remplacer Camille. Avoir joué à Paris lui donnait du prestige. Il suffirait à M. Dargent de mentionner une « vedette parisienne » pour attirer les foules. Et peu importait, au début, qu'elle soit bonne ou pas.

Plus tard dans l'après-midi, nous répétâmes une scène de l'acte II, qui rassemblait Zéphora, Marcel, Fabienne et moi. Ceux qui ne jouaient pas se pressaient dans les coulisses, curieux de voir la nouvelle recrue. « Qu'est-ce qu'elle fait ici alors qu'elle pourrait être à Paris ? demanda Claude à Luisa. Pour moi, il y a anguille sous roche.

— On n'a plus besoin de danseuses pour ce numéro, lança M. Dargent depuis sa place au premier rang.

— Quoi ? s'étonna Claire.

— Mlle Farcy ne danse pas, alors on n'a pas besoin de vous pour cette scène. Le numéro de Suzanne suffira. »

Les autres filles s'en fichaient éperdument. Elles haussèrent les épaules et quittèrent la scène. Seule Claire resta, les poings serrés de part et d'autre de ses hanches. C'était la scène où elle faisait la roue et dansait de la toile de fond jusqu'au-devant de la scène, quasiment un numéro en solo. Elle se mordit la lèvre et avança le menton. L'espace d'un instant, je crus qu'elle allait pleurer. Mais elle laissa retomber ses épaules et sembla se raviser. Après tout, elle avait un loyer à payer et le changement de rôle n'affecterait pas son salaire, seulement son ego. Elle me lança un regard noir et quitta la scène avec fracas. Je l'écoutai monter l'escalier d'un pas rageur vers les loges. Que lui avaient apporté tous ses mauvais tours ? J'avais un numéro dansé, Fabienne aussi. Si l'une d'entre nous avait joué Shéhérazade, elle aurait pu garder son rôle.

Zéphora fut indifférente au départ des danseuses de revue. Assise sur un banc, elle lisait la partition du tour de chant, sans se soucier de nous.

Marcel lui jeta un regard prudent avant de s'avancer vers elle. « Bonjour, mademoiselle Farcy, dit-il en s'inclinant. Nous n'avons pas été présentés comme il se doit. Je suis Marcel Sorel, le premier rôle masculin, votre partenaire. Ravi de vous rencontrer. »

Zéphora leva les yeux sur lui sans sourire. « Je pense que nous devrions nous en tenir aux répliques du script, vous ne croyez pas ? » répondit-elle.

Marcel ouvrit la bouche, en se demandant s'il venait d'essuyer un affront. Zéphora reprit sa partition comme si elle avait oublié son existence. Il s'éloigna, le dos rond, avec un air de chien battu.

En voyant la façon hautaine dont Zéphora me regardait, je décidai de ne pas m'adresser directement à elle. Je pris toutes mes instructions auprès de M. Dargent. Cependant il me fallait bel et bien lui donner la réplique et je fus surprise d'entendre sa voix aiguë et son élocution confuse. Jusqu'alors, j'avais été gênée de me trouver sur scène avec une artiste dont j'avais essayé – bien lamentablement – d'obtenir le rôle. Mais tout sentiment de supériorité de ma part fut détruit au moment où Zéphora se mit à chanter. Marcel et Fabienne en restèrent bouche bée de respect et d'admiration.

Zéphora avait une voix impérieuse, un rien agressive, et son trémolo était si exagéré que le plancher tremblait chaque fois qu'elle roulait les *r*, mais lorsqu'elle chantait, on se trouvait attiré vers elle comme un poisson au bout d'une ligne. Et même si l'embonpoint faisait trembler ses hanches quand elle déplaçait son poids d'une jambe sur l'autre, elle dégageait une aura charismatique malgré sa stature imposante. Zéphora était une ruche pleine de miel. Je savais qu'elle remporterait un vif succès auprès du public masculin. Et comme quatre-vingt-dix pour cent des spectateurs du Chat espiègle étaient des hommes, c'était le plus important.

Le lendemain, j'avais rendez-vous avec Mme Tarasova qui devait prendre mes mesures pour le costume.

« Pourquoi cette grise mine ? » s'enquit-elle en levant les yeux de sa machine à coudre. Ses cheveux étaient tressés et ramenés en torsades sur le haut de sa tête, coiffure plus seyante que son habituel chignon serré. Je n'avais pas envie de parler de mon audition ratée, alors j'essayai de changer de sujet en lui faisant des compliments sur sa coiffure. Mais elle vit clair dans mon jeu et insista. « Qui est mort ? »

À l'aide d'une perche, Véra suspendait les

153

costumes à un rail situé en hauteur. « Elle est déçue à cause de l'audition », dit-elle.

Mme Tarasova pouffa dédaigneusement. « C'était ta première audition et tu as été assez bête pour y aller sans préparation. Tu es sans doute capable de te lever pour chanter à un mariage, mais au théâtre ce n'est pas la même chose. Il faut répéter, répéter et encore répéter. »

Elle se leva de sa machine et prit le mètre de couturière qu'elle avait autour du cou. « Et si on ajustait le costume que devait porter Camille ? La nouvelle vedette aura besoin d'une tout autre taille.

— Comment est-ce que j'aurais dû préparer mon audition ? demandai-je à Mme Tarasova, tandis qu'elle se baissait pour mesurer mes jambes.

— J'ai été costumière à l'Opéra de Saint-Pétersbourg, répondit-elle. Crois-moi, les artistes répètent pendant des heures pour donner une impression de facilité. Il ne suffit pas d'entrer en scène pour devenir une star, même si c'est ce qu'on veut faire croire. »

Véra tendit une écharpe à la hauteur de mes cheveux. « Tu ferais une bien meilleure Shéhérazade que Zéphora en travaillant ta voix, ajouta-t-elle.

— Tu crois ? m'étonnai-je, ma bonne humeur soudain revenue.

— Tu chantes juste, opina-t-elle, mais tu n'as pas assez travaillé. Jamais tu n'arriverais à tenir la durée. » Elle inspira et modula une phrase d'une chanson de *Shéhérazade* en tenant la dernière note avant de la laisser mourir. La note était régulière et agréable à l'oreille.

Véra rit de mon étonnement. « J'avais pour projet

154

de devenir chanteuse, moi aussi, mais les bolcheviks ne pensaient pas de même.

— Tu pourrais aider Suzanne à développer sa voix, lui dit Mme Tarasova, qui glissait son mètre autour de ma taille. Bien sûr, il faudra qu'elle finisse par suivre de vrais cours de chant.

— Nous pourrions utiliser le piano du sous-sol, acquiesça Véra. Et travailler les chansons de *Shéhérazade* avant que les autres arrivent pour les répétitions. »

Je me réprimandai de m'être si facilement laissé décourager. Ce n'était pas moi le problème ; c'était le manque d'expérience. Mme Tarasova et Véra semblaient penser qu'en travaillant je pouvais devenir une bonne chanteuse.

Shéhérazade fut le spectacle le plus populaire du Chat espiègle. À la fin de la deuxième semaine, la nouvelle avait couru et la file d'attente à la caisse se prolongeait dans le hall et dans l'escalier jusque sur la place. Les clients ne se décourageaient pas, même quand les nuages se déchiraient au-dessus de leurs têtes. Ils se contentaient alors d'ouvrir leur parapluie et continuaient à bavarder à l'abri en attendant leurs billets. Outre notre clientèle habituelle de marins et d'ouvriers, la publicité avait attiré des commis, des instituteurs, des docteurs, des coiffeurs, des notables et autres Marseillais respectables. M. Dargent rayonnait de bonheur face à son premier vrai succès. L'aspect décharné qu'avait pris son visage depuis le départ de Camille disparut en quelques jours. Il nous donnait des claques dans le dos, nous pinçait la joue et se mit à fumer le cigare comme un véritable imprésario.

Le succès du spectacle ne mit pas fin aux médisances, cependant. Au contraire, cela empira. Gérard regardait depuis les coulisses en frottant les articulations de ses mains velues et en vociférant à voix basse sur les défauts des uns et des autres. Et bien que le numéro dansé de Claire eût été réintroduit dans le spectacle, cela n'empêchait pas cette dernière de faire la tête à M. Dargent et de m'adresser des propos persifleurs. La rumeur courait que Paulette avait remplacé la colle à postiche de Madeleine par du miel, raison pour laquelle cette dernière avait perdu son cache-sexe lors de la représentation de mercredi soir et avait dû être sortie de scène par M. Vaimber. En guise de représailles, Madeleine avait mélangé le cold-cream de Paulette avec du sable, si bien que Paulette avait les joues et le menton couverts d'égratignures. Mais d'une façon ou d'une autre, la lutte entre tous ces ego qui se disputaient les feux de la rampe contribuait à améliorer le jeu des acteurs.

Zéphora gardait ses distances et sa froideur s'étendit à M. Dargent. Avant et après le spectacle, elle se retirait dans sa loge en refusant les visites. Un soir, M. Dargent la supplia de se montrer aux admirateurs qui attendaient à l'entrée des artistes ; il reçut pour toute réponse un « Laissez-moi ! Je suis trop fatiguée ! » lancé sèchement.

Fabienne et moi fûmes envoyées en bas pour faire la conversation aux admirateurs avides à la place de Zéphora, même si je me demandais bien de quoi j'allais discuter avec la multitude d'hommes

156

volubiles massés devant l'entrée des artistes. L'adulation constituait le quotidien de Fabienne, aussi me vint-elle en aide. « Oh, ne la harcelez pas ! Elle est bien trop jeune pour vous. Venez par ici, je vous écoute. »

Malgré le tourbillon dans lequel nous étions emportées, Véra ne perdit pas de temps pour commencer à travailler ma voix. Quelle que fût l'heure à laquelle nous terminions la veille au soir, nous avions rendez-vous tous les matins à onze heures dans les dessous du théâtre. Elle jouait des notes au piano et je devais les chanter, elle montait aussi haut que ma voix pouvait aller.

« Tu as une très belle voix de mezzo-soprano, m'annonça-t-elle la première fois. Et tu la projettes bien. Je ne comprends pas ce qui s'est passé à l'audition. La nervosité, peut-être. »

Véra m'expliqua que je pourrais maîtriser ma nervosité en respirant correctement. « N'inspire pas plus que ce qu'il faut pour humer le parfum d'une rose, ensuite, laisse ta voix glisser sur ce coussin d'air. » Nous chantâmes tout le répertoire de *Shéhérazade* et elle me montra comment bien déclamer les chansons en mettant juste ce qu'il fallait d'émotion dans chacune.

J'aimais tant mes cours et le chant qu'au lieu de jalouser Zéphora je m'efforçai d'apprendre d'elle. Je l'étudiais chaque fois que j'en avais l'occasion dans les coulisses ou pendant les répétitions. Bien que son timbre fût différent du mien, je mémorisai son phrasé et l'imitais quand je me retrouvais seule. Ensuite, lorsque je rejoignais Véra, nous adaptions les chansons à mon style.

Lors d'une matinée, je fus surprise de constater que Zéphora interprétait son tour de chant sans aucune conviction. Sa voix rendait un son rauque et, malgré son maquillage, elle avait les yeux cernés et la fièvre lui rosissait les joues.

L'espace d'un instant, je crus qu'elle avait oublié son texte et j'essayai de l'articuler en silence pour l'aider, mais elle ne réagit pas. « Emmenez-moi avec vous au palais du shah, je vous prie », soufflai-je. Elle se raidit. Fabienne tenta d'attirer son attention en tapant du pied ; cela ne marcha pas non plus. Le chef d'orchestre leva les bras et entraîna les musiciens dans les premières mesures de la chanson, puis il recommença du début. Le stratagème fonctionna : Zéphora sortit de sa rêverie et se mit à chanter. Fabienne et moi poussâmes un soupir, mais le morceau de bravoure de Zéphora, la chanson de Shéhérazade qui va au palais opposer son intelligence au pouvoir du roi, s'échappait de ses lèvres telle une plainte.

« Si tu veux mon avis, elle prend de l'opium, décréta Fabienne dans la loge. J'espère qu'elle va se ressaisir d'ici à ce soir. Cela s'annonce comme notre plus grosse représentation jusqu'ici.

— Ah, soupira Luisa, il ne lui arrivera rien de bon si elle se drogue. Quand nous nous sommes produits à Rome, une des danseuses prisait de la cocaïne. Un soir, elle s'est endormie sur les voies ferrées.

— Qu'est-ce qui lui est arrivé ? demandai-je.

— Écrasée comme une tomate ! » répondit Luisa en tapant des mains.

Fabienne grimaça, moi aussi. J'avais entendu dire

que, dans les clubs plus luxueux, on servait parfois de la drogue aux spectateurs sur un plateau, et aussi que de temps à autre une danseuse du Chat espiègle recevait un sachet de poudre de cristal d'un admirateur. Il arrivait souvent que pour échapper à la chaleur de ma loge je descende dans la ruelle, et j'y trouvais parfois des hommes serrés les uns contre les autres ou les yeux au ciel, des traînées blanches sur le nez. Un soir, à l'entracte, j'y vis un homme hurlant que des cafards lui couraient sous la peau. Ses pupilles étaient deux fois plus dilatées qu'à la normale, il suait et grelottait. Albert lui lança un seau d'eau et lui ordonna de partir. Pour toute réponse, l'homme nous vomit sur les pieds.

Les danseuses qui prenaient de la cocaïne affirmaient que, grâce à cela, elles avaient l'impression d'être « au septième ciel ». Pour ma part, entrer en scène était déjà bien assez exaltant.

« Zéphora triche certainement pour pouvoir jouer les vamps, déclara Fabienne, qui enlevait son maquillage de scène à l'aide d'un morceau de tissu. Mais je le ferais aussi si j'avais des cuisses pareilles ! »

Je découpai une pêche en quartiers. Elle était amère, mais j'avais trop faim pour que cela me décourage. Dénigrer Zéphora ne m'intéressait pas ; je me demandais avec inquiétude ce qu'il adviendrait du spectacle si elle nous faisait faux bond comme Camille.

« Je suis sûre qu'on l'a fichue à la porte, à Paris, reprit Fabienne. Sans cela, qui voudrait se produire dans notre théâtre au lieu de se pavaner devant des millionnaires à la Scala ?

— Il y aura quelques journalistes dans le public, ce soir, dis-je pour essayer de changer de sujet. J'espère que les critiques seront bonnes.

— J'espère qu'il se trouvera quelques richards dans le public, répliqua Fabienne en riant ; elle agrippa ses seins et les souleva. Et j'espère que je serai à leur goût, à ceux-là aussi ! »

Assise devant ma glace, je regardais ma main trembler. Je me maquillai un œil, le démaquillai puis recommençai. Le trait de crayon noir partait encore de travers et les courbes étaient trop arrondies. Mon fard à paupières et le noir faisaient comme des bleus sur mes paupières. Je soupirai, pris mon gant de toilette et mon crayon khôl et me préparai à tout recommencer.

J'avais reçu un télégramme de Bernard, qui disait qu'il assisterait à la représentation de ce soir. Dans la dernière lettre que j'avais envoyée à la maison, j'avais annoncé que je travaillais comme couturière. Je n'avais pas fait allusion à mes apparitions sur scène. J'étais sûre que Bernard venait pour s'assurer que le Chat espiègle était un établissement respectable et dissiper certaines craintes de tante Yvette. Quel choc l'attendait !

« Qu'est-ce que tu fais là de si bonne heure ? demanda Mme Tarasova en s'engouffrant dans la loge d'un pas pressé avec les costumes des sœurs Zo-Zo.

— Je ne tenais plus en place, chez moi. Regardez ! » Je tendis la main.

« Tu as le trac. Ce n'est rien, dit-elle en accrochant

160

les costumes à une patère. Ça veut dire que ton jeu sera bon ce soir. »

Elle m'adressa un sourire rassurant avant de filer vers la porte. Je fermai les yeux. *Inspire lentement, expire lentement. Inspire lentement, expire lentement.* Je les rouvris. Mes mains tremblaient toujours et, en plus, j'avais le tournis. « Ça ne sert à rien », marmonnai-je en contemplant mon gant de toilette tout sale. Il fallait que je le mouille encore une fois si je voulais enlever le mascara étalé sur mes joues. Drapant mon kimono autour de mes épaules, je pris le chemin de la salle de bains.

En passant devant la loge de Zéphora, j'entendis un bruit de chute. La porte s'ouvrit d'un coup et Zéphora sortit d'un pas chancelant, les mains crispées sur son ventre. Elle fit deux pas, se plia en deux et tomba à genoux.

« Zéphora ! » Je me précipitai vers elle. Son visage était tout pâle. « Je vais chercher Mme Tarasova », dis-je.

Elle agrippa mon bras en enfonçant ses ongles dans ma peau. « Non ! cracha-t-elle. Je n'ai pas besoin que tu te mêles de ça. Je vais très bien. C'est juste… quelque chose que j'ai de temps en temps. » Elle lâcha un petit rire sec et mauvais.

Son attitude était plus désagréable que sa brusquerie habituelle. Elle frissonnait, pourtant il faisait très chaud dans le théâtre. Je l'examinai en me demandant quoi faire. Je ne pouvais pas la laisser dans cet état. Je me précipitai dans la salle de bains et mouillai mon gant de toilette avec l'intention de le donner à Zéphora afin qu'elle se le mette sur le front. Quand je retournai dans le couloir, elle était étendue de tout son long sur le plancher, le visage couvert d'un voile de sueur.

« Oh, Seigneur ! » gémit-elle entre ses lèvres gercées.

Je m'agenouillai pour lui essuyer la figure. Elle me regarda fixement, les dents serrées. Une lueur effrayante brillait dans ses yeux.

« Je vais chercher de l'aide », dis-je.

Mme Tarasova était dans les coulisses, elle époussetait les costumes avec Véra et Martine, la nouvelle assistante costumière. « Il est arrivé quelque chose à Zéphora ! » leur annonçai-je.

Toutes les trois me suivirent dans l'escalier, mais Zéphora n'était plus dans le couloir. « Elle est là ! » s'écria Véra, le doigt tendu vers la porte de la loge ouverte. Dieu sait comment, Zéphora avait réussi à se traîner à l'intérieur et elle gisait par terre, les mains agrippées aux pieds d'un fauteuil. Les yeux de Mme Tarasova s'écarquillèrent. Elle s'accroupit à côté de Zéphora. La chanteuse roula sur le dos, les mains crispées sur son ventre.

« C'est quelque chose qu'elle a mangé, avança Martine en faisant un pas vers elle. Mon frère et moi, on a eu mal au ventre comme ça en arrivant à Marseille. C'était atroce. »

Mme Tarasova fronça les sourcils et appuya la main sur l'abdomen de Zéphora. Elle releva les yeux, l'air alarmé. « Vite ! Aidez-moi à tirer le canapé qui est contre le mur, il faut l'allonger dessus ! »

Martine et moi traînâmes le divan au centre de la loge, puis Mme Tarasova et sa fille posèrent Zéphora dessus. Ce ne fut pas chose aisée, car Zéphora pesait quelques kilos de plus qu'elles et semblait incapable

162

de mobiliser la moindre énergie. Elle se recroquevilla sur le canapé, le poing enfoncé dans sa bouche pour étouffer un autre grognement.

« Zéphora, murmura Mme Tarasova en lui secouant l'épaule. C'est bien ce que je pense ? »

Les muscles du visage de Zéphora se crispèrent et elle poussa un gémissement, noyé par la musique retentissante qui jaillit de la salle de répétition. Le spasme passa et elle hocha la tête. « C'est pour bientôt. »

Véra et moi échangeâmes un regard. Mme Tarasova souffla et se prépara à agir. « Véra, va chercher un docteur ! Vite ! »

Martine me saisit le bras. « Qu'est-ce que c'est ? demanda-t-elle. L'appendicite ?

— Non, déclara Mme Tarasova en calant un oreiller sous la tête de Zéphora. Notre vedette va bientôt accoucher. »

Debout devant la porte du bureau de M. Dargent, je nouais et dénouais le nœud de mon kimono. Sans raison particulière, dans le chaos qui avait suivi la déclaration de Mme Tarasova, il avait été décidé que ce serait moi qui annoncerais la nouvelle de l'imminente maternité de Zéphora à M. Dargent. Je frappai.

« Entrez ! » cria-t-il.

Je fus accueillie par une brume de fumée de cigare. M. Vaimber et deux hommes que je n'avais jamais vus étaient assis avec M. Dargent. À voir l'expression détendue de ce dernier, j'en déduisis que les messieurs n'étaient pas des créanciers venus réclamer leur dû et n'avaient rien à voir avec la mafia.

M. Dargent sauta sur ses pieds et m'escorta dans la pièce. « Ah, Suzanne, entre ! Laisse-moi te présenter M. Ferriol et M. Rey. Ils ont fait le voyage depuis Nice pour assister au spectacle.

— Enchanté », dit M. Ferriol en quittant sa chaise pour me baiser la main. M. Rey l'imita.

« S'ils apprécient le spectacle, ils investiront de l'argent chez nous », me chuchota M. Dargent.

Mon estomac se noua ; je fis de mon mieux pour feindre le plaisir. « Monsieur Dargent, avançai-je, souriante, il faut que je vous parle un instant. »

M. Dargent me lança un regard interloqué mais n'eut pas l'air alarmé. Son insouciance me rendit encore plus désolée de ce que je m'apprêtais à lui annoncer. Il me suivit dans la cabine de la caissière, qui était vide.

« Des investisseurs, Suzanne ! Tu imagines un peu ? dit-il dès que nous fûmes trop loin pour être entendus. Personne n'avait jamais investi dans le Chat espiègle… j'étais le seul.

— Monsieur Dargent, je dois… » Mes orteils se recroquevillèrent dans mes souliers. Comment diable allais-je pouvoir lui annoncer pareille nouvelle ? Je cherchai fébrilement les mots, mais il ne me laissa même pas le temps de parler.

« Mon heure de gloire est arrivée ! s'écria-t-il en me serrant le bras. Le jour où mon père m'a jeté dehors, il a prédit que je mourrais sans le sou dans le ruisseau. Que crois-tu qu'il va dire, maintenant ?

— Oh, mon Dieu ! Monsieur Dargent… j'ai une terrible nouvelle à vous annoncer ! » Voilà, c'était lâché. Il me regarda en coin, les lèvres pincées par un début de contrariété.

« Mme Zéphora va avoir un bébé. »

Les yeux de M. Dargent lui sortirent de la tête et il fit un pas en arrière. D'abord, il n'eut pas l'air de me croire ; puis son visage s'éclaira sous l'effet d'une illumination : « Pas étonnant qu'elle ait quitté ce théâtre de Nice. Elle croyait probablement échapper à la publicité dans un music-hall plus petit. J'ai déjà eu des artistes enceintes, mais si elle prend encore du poids, il faudra que je la renvoie.

— Vous ne comprenez pas. Elle va accoucher *d'un moment à l'autre* ! »

À cet instant, Véra s'engouffra dans le hall avec le docteur. « Elles sont toujours dans la loge ? » demanda-t-elle. J'acquiesçai. Véra fit signe au médecin de la suivre.

Le visage de M. Dargent devint livide. Il sortit sa montre et la consulta, le regard fixe. « Il reste une heure avant le spectacle. Elle ne peut pas attendre qu'il soit terminé ?

— Ça ne se passe pas comme ça. »

Il ferma les yeux de toutes ses forces et s'effondra dans le fauteuil de l'ouvreuse. « Nous sommes ruinés », gémit-il en se tapant la tête contre le bureau.

M. Vaimber entra dans le réduit. « Qu'est-ce qui vous retient si longtemps ? siffla-t-il. J'ai pris congé de ces messieurs. Ils reviendront pour le spectacle. »

Je lui expliquai de quoi il retournait et fus soulagée de constater qu'il prenait la nouvelle plus calmement que M. Dargent. « Nous allons être obligés d'annuler la représentation de ce soir, décida-t-il. Il n'y a rien d'autre à faire.

— On ne peut pas annuler ! s'écria M. Dargent,

165

qui tirait sur ses cheveux avec une telle fureur qu'il faillit se les arracher. Ces investisseurs rentreront aussitôt à Nice. Ils n'attendront pas à Marseille qu'on trouve une remplaçante.

— Vous n'avez pas besoin d'une remplaçante. »

Nous fîmes volte-face et vîmes Mme Tarasova debout derrière nous. « Vous avez quelqu'un qui peut tenir le rôle ici même », continua-t-elle en me désignant.

Le regard de M. Dargent passa de Mme Tarasova à ma personne et retour. Il secoua la tête. « Elle ne peut pas tenir la longueur. »

Mme Tarasova croisa les bras. « Elle en est capable. Je le sais. Véra lui a donné des cours. Marie peut reprendre celui de la servante. »

M. Vaimber sortit son mouchoir de sa poche et s'essuya le front. « Il est impossible de…

— Vous n'avez pas le choix, l'interrompit Mme Tarasova. Soit vous prenez ce risque, soit vous pouvez dire adieu à vos investisseurs. »

M. Dargent cessa de s'arracher les cheveux et leva les yeux. « D'accord ! s'exclama-t-il, et il se redressa en chancelant. D'accord ! Elle nous a déjà sauvé la mise : peut-être pourra-t-elle refaire un miracle. On la prend. »

Aussi longtemps que je vivrai, je n'oublierai jamais ce soir-là, au Chat espiègle. Debout dans les coulisses, alors même que j'entendais l'orchestre jouer les premières mesures de l'ouverture, avant ma première chanson, je n'arrivais pas à y croire. Moi qui avais voulu un rôle chanté, j'en avais un – mais sans avoir été prévenue. Une fois de plus, j'allais jouer à froid.

166

M. Dargent attendait avec moi le moment de mon entrée en scène. La sueur lui coulait sur le front et la façon dont ses mains tremblaient ne faisait rien pour me calmer.

« Voilà, souffla-t-il. C'est à toi. »

Je rassemblai mon courage et m'élançai sur scène. La foule eut un soupir, puis elle applaudit. J'ouvris les bras et elle applaudit encore. C'était bon signe, mais peut-être n'était-ce dû qu'au magnifique costume que je portais, parce que j'avais laissé passer la première mesure sans chanter une seule note. Par chance, le chef d'orchestre avait l'habitude de couvrir les erreurs et il fit reprendre l'introduction aux musiciens. J'avançai d'un pas glissé vers le proscenium, au milieu de deux rangées de danseuses qui tournoyaient : c'était la danse du harem. Marie me lança un clin d'œil et Jeanne sourit. Claire m'adressa un signe de tête. L'avais-je vraiment vu ? Peut-être m'était-elle reconnaissante car elle comprenait que je prenais tous les risques pour sauver la troupe entière.

Les projecteurs déversaient un torrent de chaleur blanche sur mon visage et sur mes épaules. Je ne voyais que les premiers rangs de visages souriants, mais je sentais la présence de Bernard, quelque part dans le public. Oh, mon Dieu ! priai-je, les jambes en coton.

D'autres sont parties à la mort – mais pas moi
Je suis plus vaillante
D'autres ont connu une fin funeste – pas moi
Je suis plus rusée
C'est peut-être lui le maître
Mais je suis une femme.

167

Les spectateurs applaudirent encore. Ma voix couvrait le bruit, claire et forte. Je n'avais aucun mal à maîtriser mon souffle. Mes jambes cessèrent de trembler, je me mis à me trémousser et à virevolter pour improviser une danse sur les paroles de la chanson. Quelque chose tomba à mes pieds, mon talon l'écrasa. Oh, non ! me dis-je, ils me lancent déjà des fruits. Je baissai les yeux mais au lieu d'une tomate – et j'en avais déjà reçu même quand on aimait mon numéro – je vis une rose. Je me baissai pour la ramasser. Sans cesser de chanter, je portai la fleur à mon nez, comme si j'en appréciais le parfum, puis la passai à Claire avec un geste théâtral. Sans manquer une seule note. Les acclamations s'accrurent.

« Mademoiselle Fleurier ! » cria un homme dans le public. D'autres voix se joignirent à la sienne. *« D'autres sont parties à la mort – mais pas moi / Je suis plus vaillante. »* La chanson qui m'avait causé tant de chagrin quelques semaines plus tôt était devenue mon chant de guerre. Arrivée à la dernière note, sur laquelle ma voix ne trembla pas, je levai courageusement les bras pour le final, et la clameur du public me confirma que j'avais gagné.

Le reste du spectacle se déroula dans un brouillard : les deux heures et demie me parurent deux minutes. Chaque fois que je montai l'escalier au pas de course pour changer de costume, Véra m'attendait avec les dernières nouvelles de l'accouchement de Zéphora : « Elle n'en a plus pour longtemps. Ça ne sera pas trop dur pour elle. Elle a une solide charpente. »

J'essayais de rester calmement assise pendant que Martine épinglait ma coiffe de mariée. « Le médecin

168

t'a écoutée entre deux contractions, m'annonça-t-elle. Il dit que tu es très bonne et qu'avec une voix pareille tu pourrais chanter n'importe où. »

Je restai debout pour que Mme Tarasova et Martine puissent vérifier les crochets et les épingles de mon costume. Il y avait tant de strass et de paillettes sur la robe de mariée qu'il me fallait toute ma concentration pour garder mon équilibre. Au moment où je franchis la porte, j'entendis un long gémissement provenant de la loge de Zéphora et, quelques secondes plus tard, un bébé criait. « Deux personnes sont nées ce soir », commenta Martine.

Le rideau se ferma après le neuvième rappel. L'adrénaline qui m'avait portée pendant le spectacle retomba. Mon cœur battait la chamade, j'avais des fourmillements dans les pieds et au bout des doigts. Marcel me prit le bras et le serra. Il avait été stupéfié d'apprendre que j'allais lui donner la réplique, mais la surprise avait amélioré son jeu. Je m'efforçai de retrouver mes esprits. Le reste de la troupe se pressait autour de nous.

« Bien joué, Suzanne ! s'écria Claude.

— Tu es magnifique », renchérit Marie avec effusion.

M. Vaimber et les machinistes crièrent « Bravo ! » depuis les coulisses et même la clique de Claire fit preuve de sollicitude. « Tu es tellement changée ! Je n'arrive pas à croire que c'est toi, dit Paulette. C'est incroyable ce qu'un beau costume peut faire ! »

M. Dargent apparut dans les coulisses et les autres s'écartèrent pour le laisser passer. « Suzanne, s'exclama-t-il en jetant ses bras autour de mon cou et en m'embrassant sur les joues. Qui l'aurait cru ? Tu as endossé le rôle vedette comme si tu avais fait ça toute ta vie. »

Il m'escorta jusqu'à la loge, à l'étage. Le couloir était bondé d'admirateurs et de spectateurs venus témoigner leur sympathie. Des femmes vêtues de robes au décolleté plongeant se pavanaient au bras de messieurs à fines moustaches. Ils semblaient chatoyer et lancer des étincelles sous mes yeux comme une rivière au soleil. Ils commentaient le spectacle dans un flot précipité de paroles, mais ils se turent en me voyant.

« Bonsoir, mademoiselle Fleurier ! » cria quelqu'un. Ce fut comme un signal pour tous les autres. « Bravo, mademoiselle Fleurier ! clamèrent-ils. Quelle prestation ! »

Je cherchai Bernard parmi leurs visages, sans résultat. M. Dargent avait beau dire que j'avais endossé le rôle de star avec naturel, j'étais paralysée par l'intérêt que cette foule me portait. J'aurais préféré m'enfuir, mais je ne voulais pas laisser tomber M. Dargent. Je signai des autographes dans un brouillard, embrassai des joues et serrai des mains, en m'efforçant de continuer à faire bonne figure alors que je n'avais qu'une envie : m'allonger.

« Je ne vois pas Bernard », chuchotai-je à M. Dargent. Je lui avais annoncé un peu plus tôt qu'un ami de la famille serait dans le public ce soir.

Il me tapota le bras. « Va dans ta loge, je vais voir si je peux le trouver. »

M. Dargent se tourna vers les admirateurs et frappa dans ses mains. « Mlle Fleurier a besoin de se reposer. Elle vous retrouvera demain soir. » La foule commença à s'éloigner. Plusieurs personnes crièrent qu'elles reviendraient. Trois hommes en smoking et chapeaux haut de forme s'attardèrent encore un peu ; le plus grand d'entre eux me lançait des œillades. J'ignore ce qu'il voulait me dire, mais ce fut en vain. Je ne tenais presque plus sur mes pieds.

Je fermai la porte de ma loge et tombai à genoux, trop épuisée pour penser à enlever mes chaussures et ma perruque. Fabienne et les sœurs Zo-Zo étaient encore en bas et je fus heureuse de disposer de quelques minutes de tranquillité avant leur retour. La pièce sentait le citron, la menthe et quelque chose d'autre... le tabac ? J'ouvris les yeux et sursautai en apercevant un homme assis sur mon fauteuil de maquillage. D'abord, je crus que c'était Bernard, mais cet homme avait quelques années de plus, même si sa mise était impeccable.

Il se leva. « Je suis désolé de vous surprendre ainsi, mademoiselle Fleurier. Il fallait que j'échappe à la frénésie pour vous parler. Je m'appelle Michel Étienne. »

Cette façon de s'annoncer impliquait qu'il ne m'était peut-être pas inconnu. Il avait certainement l'air autocratique d'un homme dont on recherche les faveurs. Mais qui était-il ? Je n'en avais aucune idée. De taille moyenne, c'était un homme sec, aux cheveux blonds et fins et au front dégarni. Il parlait d'un ton doucereux et nasal, un accent que j'avais déjà entendu souvent à Marseille. Un Parisien.

« Vos débuts sont impressionnants pour une jeune fille, reprit-il. Si vous avez la possibilité de venir à Paris, je pourrai peut-être vous aider dans votre carrière. »

171

Il mit la main dans la poche de sa veste et en sortit une carte. Je la pris.

Michel Étienne
Agent artistique
Rue Saint-Dominique, Paris

J'étais à la fois étourdie et intriguée. « Paris ? » bredouillai-je.

M. Étienne me lança un bref sourire et me fit signe de le laisser passer. Je me hissai sur mes pieds, puis m'écartai. Il m'adressa un signe de tête avant de refermer la porte derrière lui.

Paris ? J'étudiai la carte jaune pâle et ses dorures, imaginant des cafés élégants comme ceux que j'avais vus dans les magazines que Bernard apportait à tante Yvette. Je me figurai les lumières scintillant sur la Seine, l'amour romantique et des intrigues à tous les coins de rue. « Si seulement je pouvais », soupirai-je en glissant la carte sous mon plateau à maquillage. Le billet de train à lui seul me coûterait plus que je ne pourrais économiser en six mois.

Un coup frappé à la porte me fit sursauter. Je l'ouvris sur le visage rayonnant de Bernard.

« Bernard ! »

Il s'engouffra dans la pièce et jeta ses bras autour de mon cou. « Quelle surprise, Suzanne ! dit-il en riant. Qu'est-ce que c'est que cette histoire de couturière ? Tu es la vedette du spectacle !

— J'ai été couturière. C'est une longue histoire.

— Ton père aurait été fier de toi. Le public était ébloui. »

Je lui pris la main et le conduisis au divan du côté

de Fabienne. Les événements de la soirée se bousculaient encore dans ma tête et j'avais du mal à me
concentrer, mais que Bernard eût apprécié le spectacle me procura une grande joie. J'avais redouté
qu'il ne le désapprouve, et il me disait que mon père
aurait été fier de moi ! Si c'était vrai, alors j'étais
sûre que ma mère et ma tante verraient les choses du
même œil. J'étais sur le point de lui parler de l'agent
artistique de Paris quand je regardai son visage de
plus près. Son sourire était tendu et il avait les yeux
cernés.

« Bernard ! Qu'y a-t-il ? Qu'est-ce qui ne va pas ?

— J'ai une nouvelle à t'annoncer, murmura-t-il
en me prenant les mains et en baissant la voix. Il est
arrivé un malheur à la ferme. Il faut que tu viennes
dès que possible. »

7

Lorsque j'annonçai à M. Dargent que je devais
quitter le spectacle parce que oncle Jérôme avait eu
une attaque, il reçut la nouvelle plus calmement que
je ne m'y attendais.

« Que veux-tu que je te dise ? Tu t'es proposée à la
dernière minute pour deux de mes spectacles et tu
nous as sauvé la mise. Maintenant, j'ai des investisseurs, et c'est grâce à toi. Je peux te garder le rôle
pendant une semaine si tu reviens sans tarder. »

D'après la description de l'état d'oncle Jérôme que
m'avait faite Bernard, je me doutais que je n'étais

173

pas près de revenir à Marseille, aussi acceptai-je de jouer Shéhérazade deux soirs de plus pour laisser à Fabienne le temps de se préparer à tenir le rôle.

Mme Tarasova organisa une fête en mon honneur dans les coulisses, avec des gâteaux russes et du vin. La nouvelle de la maladie d'oncle Jérôme m'avait causé un choc et avait éveillé des sentiments contradictoires en moi. Je ne l'avais jamais aimé. Il avait escroqué ma famille et ensuite, à la mort de mon père, il m'avait envoyée loin de chez moi, quand j'avais tant besoin de ma mère et de ma tante. Et pourtant, je me sentais tenue de retourner en pays de Sault par des sentiments plus profonds que le sens du devoir. Je m'inquiétais pour ma mère et pour ma tante, et puis je savais ce que mon père aurait attendu de moi... mais à ma grande surprise, j'éprouvais aussi du chagrin pour mon oncle. Je me rappelai l'expression de douleur sur son visage au moment où j'avais quitté la ferme pour aller à Marseille. C'était un homme à l'âme déchirée. Et pourtant, en voyant les sourires de ceux qui s'étaient montrés si gentils envers moi au Chat espiègle – Mme Tarasova et Véra, Albert, M. Dargent et Marie –, ma compassion se teintait de culpabilité. Ma vie était ici désormais. Comment pouvais-je partir ainsi ?

« Ton oncle est vraiment très diminué, m'expliqua Bernard dans la voiture, en route pour le pays de Sault. Ta mère et ta tante prennent soin de lui, mais c'est un lourd fardeau pour elles. » Bernard conduisait la même voiture que le jour où il était venu pour la récolte de la lavande ; son costume n'était cependant pas aussi élégant que celui qu'il portait à

174

l'époque. L'habit avait quelque chose de rustique et je crus d'abord qu'il s'agissait du costume du dimanche de mon père, puis je me rappelai que c'était impossible : nous avions enterré mon père dans cette tenue.

« Qu'est-il arrivé à oncle Jérôme au juste ? demandai-je.

— Il était au village, il jouait à la pétanque. Il y avait Albert Poulard, et aussi Jean Grimaud et Pierre Chabert. Ils ont raconté qu'il était debout, en train de viser, et la seconde d'après il était à genoux. Il ne pouvait plus ni bouger les jambes ni parler. »

Nous arrivâmes au pays de Sault le lendemain en début d'après-midi, n'ayant dormi que quelques heures dans la voiture. Bonbon était assise sur mes genoux, elle regardait de tous les côtés, embrassant les champs et les montagnes du regard. Dès que j'aperçus les pinèdes et les ravines de part et d'autre de la route, je sus où se trouvait la ferme comme si j'avais eu une boussole dans le cœur. Les deux fermes jumelles apparurent et je me mordis la lèvre pour résister à l'envie de pleurer. Bien que mon père ne fût plus là, je sentais sa présence dans le soleil et la brise qui agitait les cimes des arbres.

Bernard gara la voiture dans la cour. Un chien aboya. Chocolat, les poils des oreilles et de la queue roussis par le soleil, bondit vers nous. Bonbon se tortilla pour se dégager d'entre mes bras et les deux chiens se touchèrent le museau avant de se tourner autour en agitant la queue. Je cherchai Olive du regard, mais connaissant ses habitudes, je le soupçonnais de faire une bonne sieste digestive dans un coin.

Des nuages d'insectes bourdonnaient dans les arbres. La terre était brûlée et craquelée par le soleil. L'été avait été sec. J'avais peine à croire qu'il avait été un temps où la ferme et moi avions vécu au rythme du même calendrier, où ma vie quotidienne avait été dictée par le changement des saisons. Ces derniers mois, mes journées avaient été rythmées par les répétitions, les spectacles et les essayages.

« Suzanne ! » appela tante Yvette depuis le pas de porte de la cuisine. Je courus à elle et nous nous étreignîmes. L'os de sa clavicule était saillant sous ma main. « Comment vas-tu ? m'enquis-je. J'espère que tu ne travailles pas dur au point d'en oublier de manger. »

Ma mère sortit de la distillerie et gravit la colline en courant pour nous rejoindre. Bonbon s'éloigna de Chocolat et fila vers elle. Elle s'arrêta pour examiner le petit chien, puis elle se tourna vers moi.

« C'est Bonbon », annonçai-je.

Ma mère s'accroupit et se tapota les cuisses. Bonbon s'élança vers elle, sauta sur ses genoux et se mit à lui lécher le menton.

« Ce n'est pas un chien, dit ma mère. C'est un renardeau. » Elle reposa le chien par terre et me prit dans ses bras. Ses cheveux me chatouillèrent la joue quand elle m'embrassa.

Tante Yvette passa son bras sous le mien. « C'était la volonté de Dieu, ce qui lui est arrivé, murmura-t-elle. C'était la volonté de Dieu. »

Je contemplai mes mains, déconcertée de voir tante Yvette compatir pour un homme qui l'avait si mal traitée.

« Allez, fit Bernard en nous faisant entrer dans la

176

cuisine. On discutera en mangeant. Suzanne et moi, nous sommes morts de faim. »

Tante Yvette souleva le loquet qui retenait les volets et les ouvrit en grand dans l'air de l'après-midi. Ils allèrent heurter les murs extérieurs dans un bruit sourd. Olive apparut sur le rebord de la fenêtre. Je glissai mes mains sous son dos et le pris dans mes bras. Après avoir manipulé ce poids plume de Bonbon pendant si longtemps, Olive me sembla un sac de pommes de terre. Il ronronna et se frotta contre moi avec une telle vigueur que des touffes de poils s'envolèrent. Je lui grattai le ventre puis le reposai sur les tommettes. Chocolat et Bonbon s'endormirent à côté d'un pot de géranium, le tout petit chien niché au creux du ventre de l'autre.

Ma mère versa des figues séchées, des amandes et des biscuits au lait sur une assiette.

« D'après le notaire, si Jérôme ne se remet pas, les deux fermes t'appartiendront, déclara Bernard en poussant un verre de vin vers moi. Mais même s'il survit, il ne sera plus jamais le même. »

Je pris la main de ma mère quand elle vint s'asseoir près de moi. Un jour qu'oncle Jérôme avait adressé des paroles particulièrement cruelles à tante Yvette, j'avais demandé à ma mère pourquoi elle ne lui jetait pas un sort.

« Je suis guérisseuse, Suzanne, avait-elle répondu. Je dois faire mon possible pour restaurer la vie, pas causer le mal. Si Jérôme est ainsi, eh bien, son comportement recèle un message. »

Je me demandai quel message l'attaque avait envoyé à oncle Jérôme.

Je regardai ma mère, qui me détaillait avec fierté.

177

Je m'étais un peu remplumée à Marseille et j'avais appris à prendre soin de moi. L'idée qu'elle admirait ma féminité naissante me réchauffa le cœur, mais cela me gêna aussi. Je lorgnai autour de moi dans la cuisine. Le silence de la maison était déroutant. Aucun craquement du plancher, ni toux ni éternuement. Où était oncle Jérôme ?

« Comment allons-nous faire tourner la ferme ? questionnai-je. Vous savez bien que je ne suis bonne à aucun travail agricole.

— Bernard va venir s'installer ici, répondit tante Yvette. Il s'occupera de gérer la ferme et sera aussi le courtier en lavande du village. »

Je fus incapable de cacher ma surprise et Bernard rougit jusqu'aux oreilles. « Je ne suis nulle part aussi heureux qu'ici, dit-il avec un effort pour ne pas regarder du côté de tante Yvette. Vous êtes comme des sœurs pour moi. »

Une écharpe nouée autour du cou et les cheveux lissés en arrière, Bernard incarnait la version cinématographique du fermier provençal, mais je ne doutais pas qu'il rendrait la ferme très rentable. Depuis la mort de mon père, il avait quitté son indolence. Maintenant qu'oncle Jérôme était malade, Bernard voulait nous prendre sous son aile et je ne l'en aimais que plus. Et puis il était intelligent et possédait une bonne connaissance des techniques agricoles modernes, ma mère le seconderait avantageusement avec sa science des saisons et des plantes. Quand nous avions traversé le village un peu plus tôt, les hommes l'avaient salué de la tête. Même si Bernard ne s'intéressait pas aux femmes, son travail acharné et ses efforts pour améliorer la production de lavande dans notre région l'avaient aidé à se faire des amis. Il n'empêche, on avait du mal à l'imaginer en train de jouer à la pétanque avec les hommes du village ou de boire de la liqueur avec Albert Poulard et Jean Grimaud sur la place, à l'ombre des platanes.

« Nous embaucherons de la main-d'œuvre pour les gros travaux, expliqua tante Yvette. Il y a assez d'argent pour ça. Jérôme en cache dans la cheminée depuis des années. J'ai besoin d'aide à la cuisine parce que m'occuper de ton oncle prend énormément de temps. Il ne peut rien faire seul. Ce sera bien de t'avoir à nouveau parmi nous, Suzanne. »

Je vis le rideau rouge du Chat espiègle se refermer et j'en eus le cœur lourd. Autrefois, je n'aurais rien imaginé de mieux que de passer mon temps à cuisiner avec ma tante dans sa maison. Que m'était-il arrivé ?

Bonbon se réveilla, s'étira et sauta sur les genoux de ma mère. « Elle a vu le vaste monde, fit ma mère en ébouriffant le pelage de Bonbon, le regard fixé sur moi. Elle est promise à de plus grandes choses. » Je ne comprenais pas ce qu'elle voulait dire.

« Puis-je voir oncle Jérôme ? » demandai-je à ma tante.

Tante Yvette hésita. « Je ne sais pas s'il te reconnaîtra.

— J'aimerais tout de même le voir. »

Je suivis tante Yvette à l'étage, dans la chambre du bout du couloir. Elle poussa la porte et me fit signe d'entrer. Oncle Jérôme était allongé sur le lit, soutenu par une montagne d'oreillers et couvert jusqu'à la taille par un édredon. Le plancher grinça sous mes pieds. Je regardai par-dessus mon épaule, m'attendant à voir tante Yvette derrière moi. Mais elle était repartie en laissant la porte entrouverte. Je l'entendis rejoindre ma mère et Bernard en bas.

Je m'approchai du lit, pensant qu'oncle Jérôme allait bouger ou tourner les yeux vers moi. Il ne fit pas un geste. Il y avait un crucifix au-dessus du lit et une photographie de mon père sur la table de chevet. Il me fallut quelques secondes pour trouver le courage de regarder la figure de mon oncle. Il était rasé de frais, mais même avec sa moustache, je ne crois pas que je l'aurais reconnu. Il gisait prostré comme un cadavre, toute couleur avait quitté son visage et ses yeux étaient rivés au plafond. Les seuls signes de vie étaient sa poitrine qui se soulevait et ses yeux qui clignaient. Le côté gauche de son corps avait été paralysé. Sa bouche était tordue comme si un fil invisible tirait sur ses lèvres. Les muscles autour de son œil gauche s'étaient affaissés. Son genou gauche était plié vers l'extérieur et son poing serré était posé à côté. Je chancelai, les mains soudain glacées. Sa ressemblance avec mon père était frappante. Je dus faire un effort pour respirer calmement avant de faire un autre pas vers lui.

« Oncle Jérôme », chuchotai-je.

Son regard vacillant se posa sur moi, mais je ne pus rien lire dans son expression. Les tendons de son cou étaient raides, ses bras et ses mains squelettiques. J'ignorais s'il était content ou horrifié de me voir et même s'il savait qui j'étais.

Un raclement monta de sa gorge, comme s'il essayait de parler. Une serviette de bain était coincée autour de son cou pour étancher la salive qui lui coulait sur le menton.

« Oncle Jérôme », répétai-je, sans avoir la moindre idée de ce que je voulais lui dire.

Le raclement s'amplifia. L'homme allongé sur ce lit n'était plus violent. Il était fragile. L'attaque avait fait l'effet d'une bombe qui l'avait dévasté de l'intérieur. À voir son corps tordu et déformé, on aurait cru un homme dont on avait retourné l'enveloppe charnelle. Ce que je voyais n'était peut-être que son âme torturée, ramenée à la surface.

Le lendemain après-midi, je me rendis sur la tombe de mon père au cimetière du village. Sa pierre était la plus récente parmi les tombes abîmées par les intempéries et les caveaux asymétriques. Un lézard qui se dorait au soleil sur un rocher voisin détala quand je m'accroupis dans l'herbe sèche.

Je humai les parfums du cimetière – un mélange d'odeurs de moisi, de romarin et de thym – en songeant que mon père avait été tout près de réaliser son rêve et que la vie lui avait été arrachée trop vite. Bien que ravie de revoir ma famille, j'étais désespérée à l'idée de rester à la ferme pour de bon. La vie au Chat espiègle avait tout changé et voir oncle Jérôme m'avait aidée à comprendre que si on ne saisissait pas les occasions qui s'offrent à vous, on n'avait peut-être jamais de seconde chance.

Je fermai les yeux, imaginant le sourire de mon père. « Paris », murmurai-je. *Va*, l'entendis-je me souffler. *Va, saisis l'occasion de réaliser ton rêve !*

J'ouvris les yeux et regardai autour de moi. Personne en vue, et pourtant j'avais distinctement

181

perçu une voix. Je fis glisser mon doigt sur le nom de mon père gravé – Pierre Gustave Fleurier –, puis je laissai mes regards errer sur les tombes environnantes, humbles pour certaines, imposantes pour d'autres. J'étais venue chercher une réponse au cimetière, et je l'avais trouvée.

Je regardais ma mère couper les artichauts pour le dîner. Ma tante était la cuisinière et l'artiste de la cuisine, mais ma mère était la fée. Elle chantonnait à faire bouillir l'eau sur le feu et ensorcelait les légumes pour qu'ils soient cuits à la perfection. Elle avait le don d'introduire la magie jusque dans les choses les plus prosaïques.

De temps à autre, ma mère se retournait pour dire à Bonbon quelques mots en patois, sur la ferme, la récolte de la lavande ou son occupation. « Voilà comment j'épluche les artichauts et ensuite je les découpe aussi régulièrement que possible, tu vois ? » dit-elle en tendant un quartier au chien. Elle parlait à Bonbon plus que je l'avais jamais vue parler à quiconque.

« Maman, Bernard t'a raconté ma prestation au music-hall de Marseille, n'est-ce pas ? »

Ma mère me jeta un coup d'œil par-dessus son épaule. « Il m'a dit que tu étais très bonne. » Il n'y avait aucun jugement dans sa voix. Elle, qui avait pourtant passé toute sa vie à la campagne, trouvait peu d'occasions de juger, en bien ou en mal. Elle semblait accepter toutes choses pour elles-mêmes.

Je lui racontai comment j'en étais venue à travailler dans un music-hall, lui parlai de Bonbon et de Camille, de M. Dargent, de Mme Tarasova et de

Zéphora. Puis je mentionnai Michel Étienne et sa proposition d'être mon agent si j'allais à Paris.

« Je suis comme Bernard, fis-je en baissant les yeux sur mes mains. Mais à l'opposé. Je ne suis pas d'ici. Ma place est en ville. »

Ma mère eut un mouvement de tête vers les champs de lavande. « Mais si, tu es d'ici, Suzanne. C'est chez toi. La terre d'où tu viens. Tu seras toujours d'ici et tu y seras toujours la bienvenue. Mais je sais ce que ton père aurait voulu, alors je vais te dire la même chose. Va à Paris, va, saisis l'occasion de réaliser ton rêve. Il reste assez d'argent de la dernière récolte pour un billet de train et pour t'aider à payer un loyer à Paris pendant quelques semaines. Mais si ça ne marche pas, je veux que tu me promettes de revenir ici. »

Je jetai mes bras autour de son cou et enfouis mon visage au creux de son épaule. Elle avait prononcé exactement les paroles que j'avais entendues au cimetière. Elle connaissait si bien mon père que cela en devenait insolite.

« Mais qu'en penseront Bernard et tante Yvette ? demandai-je. Comment fera tante Yvette sans moi ?

— Reste jusqu'à la fin de l'hiver, si tu peux, répondit ma mère. Après, il y aura plein d'ouvrières en quête de travail. Nous engagerons quelqu'un pour nous aider à la cuisine si c'est nécessaire. Ne gâche pas ta vie pour oncle Jérôme ; tu ne lui dois rien. »

Ce soir-là au dîner, ma mère annonça que j'irais à Paris au début du printemps. Tante Yvette commença par être choquée, mais elle eut tôt fait de changer d'avis quand Bernard lui décrivit ma prestation à Marseille.

« Bon, dans ce cas, soupira tante Yvette en secouant la tête et en s'efforçant d'assimiler la nouvelle, j'ai des habits de ville dont je n'ai pas besoin, je peux les donner à Suzanne pour le voyage. »

J'embrassai ma tante. En d'autres circonstances, j'aurais pu la plaindre. Elle n'avait jamais voulu vivre dans une ferme. Pourtant ces jours-ci elle avait semblé heureuse en compagnie de Bernard et de ma mère.

Je ressentis bel et bien un pincement au cœur pour ma mère, cependant. Alors même que nous nous sentions plus proches, j'allais partir.

Bonbon lâcha un jappement. Ma mère lui sourit et la chatouilla derrière les oreilles. « Bonbon dit que tu peux monter à Paris à une seule condition, affirmat-elle, et une lueur malicieuse dansait dans ses yeux.

— Laquelle ?

— Bonbon veut rester. Elle se plaît ici. »

Ces paroles furent saluées par un éclat de rire général.

Deuxième partie

8

J'arrivai à Paris en février 1924, accueillie par un ciel gris et un air humide qui ne suffirent pas à me désenchanter. Je m'attardai sur le quai de la gare de Lyon, à suivre du regard les porteurs qui couraient de-ci de-là et chargeaient sur leurs chariots les bagages de dames portant des étoles en fourrure de renard argenté et de messieurs en chapeaux et gants en daim. La suie me brûlait les narines et les voix excitées des amants qui s'enlaçaient, des familles qui se retrouvaient et des hommes d'affaires qui se serraient la main me bourdonnaient aux oreilles. À part M. Étienne, qui avait répondu à la lettre de Bernard en me conseillant de venir avec assez d'argent pour tenir un mois, je ne connaissais personne dans cette ville. Cependant, la certitude que ma vie était sur le point de changer dilatait mon cœur.

Je consultai rapidement les indications griffonnées par M. Étienne pour me rendre en métro jusqu'à son bureau, sur la rive gauche. Mais un seul coup d'œil à la file d'attente qui serpentait devant le guichet et aux hordes de gens qui se bousculaient aux portes me découragea. Dans le tramway marseillais, je voyais au moins où j'allais. Il me faudrait du temps pour m'habituer à l'idée de voyager dans

187

un labyrinthe souterrain comme une taupe fouissant sous terre. J'ouvris mon porte-monnaie et refis le compte de mes billets, bien que je sache parfaitement combien j'en avais, puis je cherchai la file de taxis. Paris méritait une première visite en taxi, quand bien même devrais-je sauter quatre repas pour me l'offrir. Un contrôleur m'indiqua l'entrée principale de la gare. Ma petite « folie » en l'honneur de mon arrivée ne comprenait pas le prix d'un porteur, aussi traînai-je ma malle par les courroies jusqu'à la sortie. En quittant la ferme pour Marseille, je n'avais emporté que des vêtements. Mais là, tante Yvette avait insisté pour que je prenne des couvertures et des ustensiles ménagers. Elle ne voulait pas que je dépense trop d'argent, seulement mes bras et mes épaules, endoloris à force de tirer la malle, me firent comprendre que le sens de l'économie peut parfois peser !

Seuls deux hommes et un jeune couple se tenaient dans la file d'attente pour les taxis et il ne fallut pas longtemps avant qu'une voiture s'arrête devant moi.

« Rue Saint-Dominique », lançai-je au chauffeur qui sortit pour m'aider à charger mon bagage. Il souleva ma malle afin de la déposer dans le coffre et fit la moue. « Pardon, mademoiselle ? »

Je répétai ma demande et, voyant qu'il ne comprenait toujours pas, je lui indiquai l'adresse.

« Ah, oui ! dit-il en touchant sa casquette. Vous devez venir du Sud. Je n'avais pas compris ce que vous disiez. »

Pourtant je l'avais compris, moi.

La chaleur du taxi constituait un cocon dans lequel je pouvais regarder le monde défiler à l'extérieur.

Je me tordis le cou pour admirer les bâtisses chargées, leurs lourdes grilles en fer forgé et leurs toits en
pente. Paris était plus sombre que Marseille, mais
aussi plus élégante. Marseille irradiait dans mon
souvenir, avec ses teintes turquoise et jaune tourne-
sol, alors que Paris miroitait dans les tons nacre et
gris perle. Avec ses platanes dénudés qui s'alignaient
le long des boulevards et ses pavés lisses et brillants,
la ville avait un air funèbre. Et de fait, nous passâmes devant plus de magasins d'urnes, de pierres
tombales et d'anges en marbre blanc que j'en avais
jamais vus dans le Sud. Mais bientôt mon attention
fut captivée par le côté plus éblouissant de la ville.
Nous longeâmes des rues bordées de boutiques. Un
épicier sortit de son magasin et parcourut la rue
d'un regard plein d'espoir. Il souffla dans ses mains
et héla un groupe de femmes qui passaient, vêtues
d'écharpes et de manteaux. Elles lui rendirent son
salut puis s'arrêtèrent pour inspecter ses poireaux et
ses pommes de terre. Dans la boutique voisine, une
fleuriste arrangeait ses fleurs derrière la vitrine. Les
jacinthes et les bleuets avaient un aspect aussi éclatant et juteux que les carottes et les épinards de l'étal
voisin. Le spectacle de ces deux commerçants qui
vaquaient à leurs occupations quotidiennes me
réjouit autant que des éclaircies dans une journée de
grisaille.

Mon plaisir redoubla quand nous passâmes
devant le palais du Louvre et aussi, quelques
minutes plus tard, quand nous traversâmes les eaux
brunâtres de la Seine. L'excitation me fit monter le
sang au visage. Paris ! J'y étais enfin !

Les Parisiens étaient sortis en force sur la rive

189

gauche. Les hommes déambulaient deux par deux le long du trottoir en pardessus bleus et écharpes beiges, leurs chaussures si bien cirées que leur lustre était éclatant. Les femmes portaient des manteaux fermés sur les hanches par des ceintures avec des cols châles ou dont les manches étaient ornées de manchons à la russe. Moi qui m'étais trouvée élégante dans la jupe plissée et le manteau en laine de tante Yvette, comparée à ces passants, j'étais aussi terne qu'un pigeon au milieu des paons.

Malgré le froid, à une terrasse de café, des hommes attablés autour d'un brasero dégustaient leurs cafés crème comme s'ils buvaient le meilleur des cognacs. La manche vide de l'un d'eux était épinglée à son épaule, les béquilles d'un autre, appuyées à sa chaise. Même le serveur qui leur apportait leurs boissons n'avait qu'une oreille. J'avais vu beaucoup de blessés de guerre à Marseille, mais j'allais en voir par centaines à Paris. À mes yeux, ils évoquaient le souvenir de mon père ; à d'autres ils rappelaient les horreurs de la guerre dans un pays qui voulait tout oublier.

« Rue Saint-Dominique », annonça le chauffeur en s'arrêtant devant un bâtiment avec de hautes fenêtres aux châssis sculptés et au toit d'ardoise bleue. Je ne rechignai pas à payer la course, même si elle était deux fois plus chère que ce que j'avais prévu, et je donnai un généreux pourboire au chauffeur. Je gagnerai bientôt de l'argent, me dis-je en sortant dans la rue et en prenant ma première bouffée d'air parisien.

La porte d'entrée était en chêne et son aspect, aussi massif que celui d'un cercueil présidentiel. Il n'y avait ni cloche ni sonnette à tirer, aussi poussai-je la porte d'une main en tirant ma malle de l'autre. Il fallut quelques instants pour que mes yeux s'accoutument à la pénombre du hall. Au fond, occupée à son tricot, se tenait la concierge. Malgré le bruit de ma malle que je traînais et la porte qui claqua, elle ne leva pas les yeux de son ouvrage.

« Pardon, madame, l'interpellai-je en lissant ma jupe et mon manteau. Je cherche M. Étienne. »

La femme leva les yeux par-dessus ses lunettes. « Appartement trois, cinquième étage », marmonna-t-elle avant de reporter son attention sur son tricot.

Sa réponse avait été si laconique – ni « mademoiselle » ni « bonjour » – que j'hésitai. Je voulais lui demander d'avoir l'amabilité de surveiller ma malle pour m'éviter de la hisser jusque là-haut. « Puis-je laisser ceci en bas ? »

Cette fois-ci, il n'y eut aucune interruption dans le cliquetis des aiguilles. « Gardez-la, dit-elle. On n'est pas à l'hôtel ici. »

Dans le hall, il y avait un ascenseur avec un bout de tapis rouge sur le sol de la cabine. Je tirai la porte et me débattis pour la maintenir ouverte tout en traînant mon coffre derrière moi. J'appuyai sur le bouton du cinquième. Rien. Redoutant de m'adresser encore à la concierge, j'assénai un bon coup au bouton. L'ascenseur eut un à-coup, je perdis l'équilibre et m'affalai sur ma malle en trouant mon bas. La cage frémit et, dans un bruit de ferraille, entama son ascension poussive jusqu'au cinquième étage, où j'ouvris la porte et poussai mon coffre hors de la cabine avant de m'y trouver bloquée.

Il n'y avait que trois appartements sur le palier et

le bureau de M. Étienne fut facile à trouver. Je m'attardai quelques instants devant la porte pour tirer mes bas et rajuster mes cheveux avant d'appuyer sur le bouton. Une jeune femme aux cheveux blonds tirés en arrière vint m'ouvrir, elle portait une robe en jacquard ornée de plumes d'autruche. Un parfum de fleur d'oranger flottait autour d'elle.

« Bonjour, mademoiselle », dit-elle.

Cette dame était si chic que je la pris pour une des clientes parisiennes de M. Étienne s'apprêtant à quitter le bureau. À ma surprise, elle se présenta comme Mlle Franck, sa secrétaire.

Elle m'aida à tirer ma malle à l'intérieur puis me précéda le long d'un petit corridor jusqu'à la réception. La pièce n'était pas beaucoup plus grande qu'un compartiment de train, mais meublée avec goût de deux chaises Louis XIV et de rideaux bleus à glands dorés. Je m'assis près de la fenêtre et Mlle Franck me tendit un formulaire avant de retourner à son bureau. Pendant qu'elle tapait à la machine, je lus les questions. Le formulaire comportait une partie consacrée à la couleur des cheveux, aux mensurations, à la pointure de chaussures et autres caractéristiques physiques, et une autre partie concernant les détails personnels tels que les maladies connues et le nom des proches. Chaque fois que Mlle Franck s'interrompait pour relire ce qu'elle avait tapé, j'entendais la voix de M. Étienne résonner derrière une porte, celle de son bureau, supposai-je. « C'est comme ça, Henri. C'est comme ça », disait-il.

Je remplis le formulaire et attendis pendant que Mlle Franck prenait un appel de la Scala au sujet d'une audition. « Oui, nous avons plusieurs bons magiciens, répondit-elle. Je peux vous en envoyer deux cet après-midi si vous voulez. » Elle reposa le combiné et, quelques minutes plus tard, le téléphone se remit à sonner. À la façon dont ses joues s'empourprèrent et dont sa voix céda à un fou rire puéril, je devinai que l'appel n'était pas strictement professionnel. « Alors, vous apportez le bureau cet après-midi ? Il est beau ? M. Étienne sera très content. »

En me sentant encore plus mal à l'aise, j'examinai les photographies signées de femmes toutes de plumes et de paillettes qui ornaient les murs. Je me promis que dès que j'en aurais les moyens, je m'achèterais une robe aussi jolie que celle de Mlle Franck.

Au bout d'environ une demi-heure, M. Étienne sortit de son bureau. Il tendit un paquet de dossiers à Mlle Franck et m'aperçut. Il me dévisagea un moment, puis il frappa dans ses mains en s'exclamant : « Ah, oui ! La jeune fille de Marseille. Entrez, entrez ! »

Je suivis M. Étienne dans son bureau, plus petit que la réception et un peu moins élégant. Il ôta une pile de papiers d'une chaise en cuir fatigué et me fit signe de m'asseoir avant d'aller prendre sa place derrière un secrétaire encombré de dossiers et de photos. Son aspect était moins imposant que dans ma loge au Chat espiègle ; en costume de travail, il ressemblait plus à un comptable surmené qu'à un Pygmalion. Mais à voir son air surpris à la réception, j'avais deviné qu'il avait dû penser la même chose de moi. Dans les vêtements de seconde main de ma tante, je n'avais rien d'une future vedette.

M. Étienne alluma une lampe et chercha quelque chose dans son secrétaire, soulevant des papiers et remuant des chemises cartonnées. Il appela Mlle Franck pour lui dire qu'il ne trouvait pas mon dossier, à quoi elle répondit qu'il se trouvait à côté du téléphone.

« Ah ! » fit-il en prenant une chemise cartonnée qui portait mon nom dans le coin. Il l'ouvrit, feuilleta les deux ou trois pages qui s'y trouvaient et me tendit un programme. « Voilà, c'est tout ce que j'ai pour vous ce mois-ci. Je ne vous facture rien tant que vous n'êtes pas engagée, à part les photographies, mais après je prendrai vingt pour cent de tous vos cachets. »

Je parcourus le programme. C'était une liste d'auditions dans divers music-halls et cabarets, avec les horaires et les rôles proposés. Tous étaient des rôles de chanteuse de revue ou des tours de chant prévus en toute fin de soirée, quand les night-clubs avaient déjà été désertés par la plupart de leurs clients. Je fus instantanément démoralisée.

« M. Étienne, balbutiai-je. Il n'y a pas de premiers rôles. »

Il se racla la gorge et s'assit au fond de la chaise. « Quel âge avez-vous, mademoiselle Fleurier ? Seize ans ? » s'enquit-il en jetant un coup d'œil au formulaire que j'avais rempli. Son doigt tapota ma date de naissance. « Non, tout juste quinze. Vous aurez des premiers rôles, mais il faut travailler pour les obtenir. Ce n'est pas comme si vous aviez joué à l'Alcazar ou à l'Odéon, à Marseille. Sans la critique dans *Le Petit Provençal*, je n'aurais même pas fait le déplacement pour vous voir.

— Je ne suis pas venue à Paris pour faire partie d'une troupe », répliquai-je en m'efforçant d'empêcher ma voix de trembler. N'étais-je pas assez douée pour être autre chose qu'une danseuse de revue ? Ma prestation dans *Shéhérazade* ne suffisait-elle pas ?

M. Étienne sourit. « Mademoiselle Fleurier, à Paris, mieux vaut être ouvreuse à l'Adriana ou aux Folies-Bergère que faire dix saisons comme vedette d'un vaudeville de troisième catégorie. Contrairement à beaucoup de personnages douteux dans cette ville, je suis un agent artistique honnête. Je ne vais pas éloigner une jeune fille de sa famille et la faire monter à Paris si je ne pense pas qu'elle a un potentiel. Mais pour que ce potentiel devienne réalité, il faut travailler dur et acquérir de l'expérience. »

J'étudiai son visage. Il avait l'air hâve et sévère, mais pas fourbe. Je devinai qu'il me disait la vérité.

Estimant que la question était réglée, M. Étienne poursuivit. « J'ai un appartement pour vous à Montparnasse. Il vient d'être libéré par un de mes autres clients qui est en tournée à Londres. Le loyer est modeste et vous pourrez prendre le métro pour aller aux auditions. Vous trouverez quelque chose de mieux quand vous aurez commencé à travailler. »

Il se leva, me signifiant que notre conversation était terminée, puis il me serra la main et m'accompagna à la porte. « Faites savoir à Mlle Franck quand vous serez disponible pour les photographies », conclut-il. Le téléphone sonna et il s'empressa de retourner dans son bureau pour répondre, m'adressant un dernier signe de la main avant que Mlle Franck ne referme la porte.

195

Cette dernière ouvrit son agenda pour réserver le photographe et inscrivit l'adresse de son atelier sur une carte. « C'est un photographe respectable, vous n'aurez aucun problème », m'assura-t-elle en me tendant la carte. Puis, avec un regard par-dessus son épaule à la porte fermée du bureau de M. Étienne, elle ajouta : « S'il dit que vous avez un potentiel, mademoiselle Fleurier, il le pense vraiment. Je le sais : c'est mon oncle. »

Je montai dans un autobus bondé pour me rendre boulevard Raspail – l'adresse à Montparnasse que m'avait donnée M. Étienne. Par bonheur, les Parisiens étaient galants, et je reçus de l'aide au début et à la fin de mon voyage : d'abord celle un homme d'âge mûr qui hissa ma malle dans le bus ; puis celle de deux étudiants aux joues roses qui la déchargèrent à mon arrêt, à l'intersection du boulevard et de la rue de Rennes. « On va vous aider, mademoiselle », dirent-ils en soulevant le coffre sur leurs épaules ; puis ils insistèrent pour le porter jusqu'à la grille en fer forgé de l'immeuble.

« On peut vous le monter », proposa un des étudiants. Son compagnon acquiesça, mais j'étais trop gênée pour réclamer toute aide supplémentaire, aussi leur mentis-je en leur racontant que j'avais un ami dans l'immeuble qui pouvait me prêter main-forte.

« Alors au revoir, firent-ils avec un signe de la main en se dirigeant vers la rue. Bonne chance à Paris !

— Merci beaucoup ! C'est très gentil de votre part ! »

196

La grille en fer, qui n'était pas fermée à clé, pivota sur ses gonds en vacillant quand je la poussai. Après avoir essuyé la rouille de mes mains, je traînai ma malle derrière moi. La cour était assombrie par les immeubles qui l'entouraient et encombrée de vieilles chaussures et de pots cassés. Les parterres étaient une masse confuse de plantes flétries et de vignes pitoyables, si atrophiées que je ne pouvais même pas imaginer à quoi elles avaient ressemblé. Je me couvris le nez pour ne pas sentir la puanteur des crottes de chien et des égouts. Je fus tentée de laisser ma malle dans la cour pendant que je cherchais ma chambre, mais un regard aux carreaux cassés et aux habits loqueteux qui séchaient aux fenêtres suffit à me faire changer d'avis.

Les numéros des studios étaient peints en chiffres irréguliers sur chacun des bâtiments qui cernaient la cour. Les appartements sept à quatorze se trouvaient au fond. Je traversai la cour et entrai dans l'immeuble par un porche. Le hall était mal éclairé et sentait encore plus fort le moisi et les crottes de chien, à quoi s'ajoutait l'odeur du vin aigre. J'examinai la cage d'escalier et rassemblai mes forces pour hisser ma malle en haut des marches étroites en espérant que personne n'allait descendre. Quelqu'un chantait, et je sentis mon courage revenir au son de cette voix mélodieuse. Puis j'eus un mouvement de recul en comprenant les paroles :

Ah, que j'aime rester à ma fenêtre jour après jour
Ici à Paris, la ville joyeuse, cité des amours,
Et regarder les filles courir les rues tout le jour.

Oh, j'ai envie de leur offrir de petites gâteries,
Allons, venez, venez mes jolies,
Montrer vos petits tétons à Papy !

La porte de l'appartement numéro neuf était assez délabrée, le bois en était entamé à la base. Je cherchai à tâtons dans la poche de mon manteau la clé que m'avait donnée M. Étienne, puis je l'insérai dans la serrure. La porte résista, aussi je dus pousser de tout mon poids pour la faire céder, si bien que je tombai en entrant dans la chambre. La première chose que je vis fut les coulées déversées par les pigeons sur la fenêtre.

La pièce était à la fois mieux et pire que ce à quoi je m'attendais. Mieux, car comparée à ma chambre sordide dans le quartier du Panier, elle était inondée de lumière par deux hautes fenêtres ; pire à cause du froid qui traversait les murs. J'avais espéré un endroit confortable où me reposer, mais il y faisait encore plus glacial que dehors. Au moins, les relents de la cour ne montaient pas jusqu'ici ; au lieu de cela, il flottait une légère odeur d'eau croupie et de camphre.

Quand je traînai mon coffre jusqu'au châlit en fer, les grains de poussière crissèrent sous mes pieds. Il n'y avait aucun autre meuble que le lit, à part l'évier. M. Étienne m'avait expliqué qu'il y avait des toilettes à chaque étage mais pas de salle de bains. Pour me laver, je devrais aller à trois pâtés de maisons de là, aux bains publics, et payer quelques francs le droit de me baigner vingt minutes. Mais je savais déjà que les Parisiennes étaient réputées pour sortir de leurs appartements fraîches et impeccablement pomponnées après s'être débarbouillées avec un morceau de flanelle trempé dans un seau d'eau. Un brin de toilette, comme elles disaient. Cela me suffirait, mais comment allais-je chauffer l'eau ? Un long tuyau descendait du plafond jusque par terre entre les deux fenêtres. Je le touchai ; il était tiède. Je me résignai à avoir ce tuyau pour unique chauffage et priai pour qu'il donne un peu plus de chaleur quand viendrait le soir.

Je m'étendis sur le lit bien qu'il fût dépourvu de matelas. Les ressorts grincèrent sous mon poids quand je me tournai sur le côté, en chien de fusil. Je n'étais à Paris que depuis quelques heures mais déjà j'étais épuisée. Je ramassai une poussière et la laissai flotter dans le vide. Elle tourbillonna un moment avant de retomber doucement par terre. La solitude m'envahit. Je pensai à ma mère, à tante Yvette et à Bernard. Ils étaient à des kilomètres de moi désormais. Je fermai les yeux, sentant encore les mouvements du train me bercer. Moi qui avais eu l'intention de m'allonger un petit moment, je m'endormis aussitôt.

Je fus réveillée par une douleur aiguë dans le bras droit, écrasé sur les ressorts. La température de la pièce avait baissé de plusieurs degrés. Je me frottai les yeux, m'assis puis posai les jambes par terre avec un gémissement. Le soleil se couchait sur les toits et les cheminées. J'avais prévu de faire le ménage et d'acheter un matelas, mais il était trop tard maintenant. Mon estomac grogna. La meilleure chose à faire pour le moment était de me trouver à manger.

La circulation trépidante de la rue raviva mon excitation d'être à Paris. Je déambulai le long du boulevard Raspail, humant le parfum des marrons grillés que des marchands ambulants vendaient dans des cônes en papier. Je continuai ma route vers le boulevard du Montparnasse, où les cafés étaient bondés au point que la clientèle envahissait les terrasses, où elle éclusait des liqueurs de prune en se réchauffant autour de braseros. Le carrefour résonnait des conversations et des tintements des verres de vin. En passant devant le café le Dôme, je sentis l'arôme des moules cuites à la vapeur et du beurre fondu. Avisant les beaux habits des clients, je supposai que même un café crème ne serait pas dans mes moyens.

Je repris mon chemin d'un pas tranquille, les mains au fond des poches et la tête remplie de visions de soupe au potiron avec une demi-carafe de vin rouge pour me requinquer. J'avais l'eau à la bouche à l'idée du plaisir qu'allait me procurer la douceur grumeleuse du potiron. Je me retrouvai devant un café qui affichait un menu à prix raisonnable. L'intérieur était plein à craquer d'étudiants, leurs commandes de boissons et de frites fusaient dans la salle. Il faisait très chaud ; était-ce dû au chauffage ou aux corps serrés les uns contre les autres ? Je n'aurais su le dire. Les manteaux en laine et les bérets s'entassaient sur les patères près de la porte. Je déboutonnai mon manteau mais décidai de ne pas l'enlever tant que je ne serais pas dégelée.

Un serveur au type espagnol me conduisit à une table dans le coin, près des journaux et des périodiques. Il n'y avait pas de soupe au potiron au menu, aussi me suggéra-t-il plutôt une soupe à l'oignon et du pâté pour accompagner mon pain. Je suivis son conseil et regardai autour de moi. L'étage inférieur du café était meublé d'un comptoir en zinc, de tabourets et de quelques tables. Sur la mezzanine se trouvaient des tables de couvent et des bancs. Je me tordis le cou pour voir jusqu'où allait le deuxième étage et, à ma surprise, je vis un groupe d'étudiants serrés les uns contre les autres, des livres et des notes calés devant eux. Je me demandai comment ils arrivaient à se concentrer en dépit du bruit de la foule, en bas. Peut-être vivaient-ils dans des chambres aussi froides que la mienne, si bien qu'ils trouvaient plus facile d'étudier dans un café bruyant que de grelotter au calme.

Mon repas arriva. Même si j'avais faim, je mangeai lentement, pour laisser la chaleur de la soupe se répandre jusque dans mes doigts et mes orteils. Je restai dans le café aussi longtemps que je pus faire durer mon repas, car je redoutais le moment de ressortir dans l'air glacial. D'autres clients se bousculaient à la porte et certains élurent domicile dans l'escalier. Mais même quand j'eus nettoyé mon assiette, le serveur ne me pressa pas de partir. Ce ne fut que lorsque trois jeunes hommes vinrent s'asseoir à la table voisine et se mirent à lancer des œillades dans ma direction que je décidai qu'il était temps de rentrer chez moi. J'avais beau être jeune, j'étais trop sérieuse pour avoir des idées romantiques. J'avais d'autres projets.

Ma première audition était pour la revue des Folies-Bergère. Je passai la matinée à répéter une chanson de *Shéhérazade* et à lire *Le Figaro*. L'audition était pour le spectacle de la prochaine saison,

201

Cœurs en folie, dans lequel les danseuses de la troupe John Tiller allaient lever la jambe vêtues de costumes dessinés par le Russe Erté. Selon *Le Figaro*, la quantité de tissu utilisé pour la revue suffirait à couvrir la distance de Paris à Lyon, et Paul Derval, le propriétaire du théâtre, était si superstitieux que tous les titres de ses spectacles devaient comporter treize lettres. Je reposai le journal et comptai les lettres de mon nom. Quinze. Je me demandai, avec une angoisse grandissante, si la même règle s'appliquait à leurs danseuses.

Je me laissai le temps de surmonter l'épreuve du métro. Il me fallut quelques minutes pour trouver le courage de m'aventurer au bas de l'escalier qui plongeait dans les ténèbres de la station. Finalement, j'emboîtai le pas à un groupe d'étudiants. Après avoir acheté mon ticket au guichet, je me retrouvai entraînée par la foule dans un tunnel. Sur le quai, j'étudiai le plan et m'embrouillai dans le fouillis de lignes colorées qui s'entrecroisaient pour aboutir dans de lointaines banlieues. Une vieille dame m'expliqua que je devrais changer à Châtelet pour aller à la station Cadet.

Je plongeai mon regard dans l'abîme du tunnel jusqu'à ce que deux phares, qui ressemblaient aux naseaux rougeoyants d'un dragon antique, jaillissent des ténèbres alors qu'un train approchait du quai dans un fracas métallique. La foule me poussa dans le wagon et j'allai m'asseoir aussi près de la porte que possible, terrifiée à l'idée de rater mon arrêt et de me retrouver perdue dans le labyrinthe des tunnels. Les portes se refermèrent bruyamment, une cloche retentit et le train démarra. Dans d'autres circonstances, j'aurais sans doute apprécié mon premier voyage dans le nouveau métropolitain, mais j'étais trop inquiète pour mon audition. À chaque arrêt, il montait toujours plus de gens et je finis par m'efforcer de lire le nom des stations au milieu de la masse de leurs têtes et de leurs bras. Saint-Germain-des-Prés. Saint-Michel. Châtelet !

Je suivis la foule hors du wagon et finis par trouver le quai des métros qui allaient vers le nord. La rame suivante était tout aussi bondée que la première, et cette fois-ci je ne parvins pas à trouver une place assise. On pouvait à peine bouger, je n'aurais pas pu enlever mon manteau même si j'avais essayé. Le métro était peut-être moderne, mais je voyais bien que cette façon de voyager n'avait rien de naturel : ainsi brimbalée dans l'obscurité d'un tunnel, je perdais tout sens de l'orientation. Le train s'arrêta et j'aperçus le panneau « Cadet ». Je me dirigeai vers la porte, reconnaissante d'avoir quelqu'un devant moi. Si j'avais été seule, je serais restée plantée là pendant que la rame repartait, sans avoir compris que si les portes se refermaient automatiquement, il fallait soulever le loquet pour les ouvrir.

J'émergeai de la station dans la lumière de l'après-midi avec autant de soulagement qu'un animal qui échappe à un piège. L'assortiment de cafés, de boucheries, d'épiceries, de magasins de babioles, de restaurants et de bars délabrés était plus anarchique qu'à Montparnasse. J'ouvris mon sac et relus les indications pour me rendre aux Folies-Bergère. Encore désorientée par mon voyage en métro, je me mis à remonter une rue dans la mauvaise direction. J'admirai les maisons roses et vertes couvertes de branches de lierre dénudées. Le quartier aurait pu avoir un air de village sans les personnages louches empestant l'alcool et la cigarette qui rôdaient sous les porches. En arrivant dans la foule qui se pressait sur le boulevard Rochechouart, je m'aperçus que j'étais perdue. Un agent m'indiqua comment retourner rue Richer. Je passai devant plusieurs artistes de rue, dont un contorsionniste indien qui se tordait et s'enroulait sur un tapis au grand amusement des clients d'un café voisin. Il arrivait à croiser les jambes sur sa nuque, mais je frémis en entendant craquer ses articulations. Il faisait trop froid pour les exploits de souplesse.

J'atteignis la rue Richer et inspirai un grand coup devant les portes vitrées des Folies-Bergère, éblouie par l'épaisse moquette, les lambris et les lustres étincelants. Un portier aux épaulettes ornées de cordelettes dorées m'annonça qu'il fallait emprunter l'entrée des artistes, rue Saulnier, pour se rendre à l'audition.

Je tournai le coin de la rue et mon cœur fit un bond. Une cinquantaine de femmes se pressait autour de l'entrée. La direction ne cherchait que trois danseuses de revue pour remplacer celles qui partiraient après le spectacle en cours. Pourquoi en auditionner autant ? Certaines avaient lié conversation, mais la plupart étaient assises sur les marches ou debout, seules, occupées à repasser les paroles de leur chanson, à fumer ou les yeux dans le vide. Je m'adossai à un lampadaire et réfléchis à ma tactique pour l'audition. Obtenir un rôle dans la troupe d'un des music-halls les plus prestigieux ne serait déjà pas chose facile, mais en plus je n'avais pas escompté une telle concurrence. Je m'étais retrouvée sur les planches du Chat espiègle par accident et, là-bas, je connaissais l'imprésario et la plupart de la troupe. À Paris, j'allais devoir travailler dur et m'habituer à jouer à froid. Tandis que je me remettais du choc, une blonde aux yeux dorés jeta un coup d'œil dans ma direction et bâilla. J'examinai les femmes qui m'entouraient. La plupart étaient blondes et presque toutes avaient les cheveux courts, coupés au carré comme le voulait la mode. Seules quelques-unes étaient très grandes et en tout cas aucune n'était aussi brune de peau que moi.

Au bout d'un moment, une femme au regard sévère apparut sur le seuil. « Bonjour, mesdemoiselles, dit-elle en frappant dans ses mains. Celles qui se déshabillent à gauche. Celles qui chantent à droite. »

Comme les autres filles, je sautai sur mes pieds. Nous nous rangeâmes en deux files. Je fus soulagée de voir la fille aux yeux dorés rejoindre la file du rôle déshabillé, mais il restait encore dix-huit autres candidates pour le rôle chanté. « Paraît-il que c'est Raoul qui va nous faire répéter la chorégraphie, souffla une fille à l'accent russe à sa compagne. Il est sévère mais juste. » Son commentaire me donna l'impression d'être encore plus isolée et inexpérimentée. Étais-je la seule à ignorer comment se déroulait une véritable audition ?

Quand nous eûmes donné nos partitions, la femme nous conduisit dans une pièce où nous pourrions nous changer et passer nos costumes de répétition. Au fur et à mesure que nous nous débarrassions de nos vêtements pour enfiler bas, combinaisons et tuniques, l'air se chargea d'une odeur aigre de sueur et de nervosité. Les doigts tremblants, j'essayai mes chaussons de danse, tout en me forçant à me rappeler que les auditions faisaient partie de la vraie vie d'artiste.

« Dépêchons, par ici ! » lança la femme quand elle vit que nous étions prêtes. En nous houspillant, elle nous fit entrer dans une salle de répétition au plancher éraflé et aux murs recouverts de miroirs. Un homme noir en collant et maillot de corps se tenait devant nous, les bras croisés sur la poitrine. La femme prit place au piano. Quand nous fûmes toutes entrées, l'homme alla refermer la porte. « Je m'appelle Raoul, dit-il d'une voix de fausset qui tranchait avec sa carrure et ses muscles. Répartissez-vous par couples pour la danse. Vous allez être auditionnées deux par deux. Ça ira plus vite. »

Nous fîmes ce qu'il nous demandait. Je pris pour partenaire une fille tout en jambes qui avait la moitié de la figure cachée par son casque de cheveux, car à côté d'une fille de petite taille j'aurais eu l'air encore plus grande.

Raoul vint se placer au milieu de nous. « Bon, je ne vous montrerai la chorégraphie que deux fois. Ça fait aussi partie de votre audition, parce que si vous ne savez pas apprendre les pas rapidement, vous n'avez pas votre place aux Folies-Bergère. Compris ? »

À ce stade, toutes les mines encore réjouies s'allongèrent. Mon cœur battait si fort dans ma poitrine que je n'allais pas entendre ce que disait Raoul, pensai-je. Il nous montra rapidement un pas croisé, probablement la seule chose utile que j'avais apprise de Mme Baroux, avec des ports de bras à l'égyptienne

206

et quelques battements pour finir. Je fus étonnée de mémoriser la chorégraphie plus vite que toutes les autres, y compris ma partenaire, qui traînait les pieds et dont les jambes tremblantes n'esquissaient que très vaguement les pas. J'aurais été heureuse de l'aider, mais nous n'avions pas le droit de nous parler. Heureusement pour elle, on nous accorda dix minutes pour nous entraîner seules, et après ce laps de temps la plupart des filles avaient mémorisé l'enchaînement.

Une fois l'entraînement terminé, on nous conduisit dans la salle de spectacle où, sur une scène éclairée par les projecteurs de travail, un homme assis au piano de répétition triait les partitions à l'aide d'une liste de noms. Raoul nous indiqua les coulisses et nous intima le silence. Comme nous avancions en file indienne devant le premier rang, je remarquai que deux hommes y étaient assis ; il s'agissait sans doute de M. Derval, le propriétaire, et de M. Lemarchand, le producteur. Les voir n'eut aucun effet calmant sur mes nerfs ! Leur mise, à l'un et l'autre, était impeccable : M. Derval portait une veste noire sur un pantalon à fines rayures et M. Lemarchand avait tout l'air d'un bon vivant dans son costume croisé avec son mouchoir dans sa poche de poitrine.

Je plaignis les deux danseuses qui furent appelées les premières. L'une était une fille sculpturale aux cheveux blond vénitien qui formait un couple incongru avec une petite rousse vêtue d'une minuscule combinaison. J'épiai la réaction des juges à travers les rideaux. Quand Raoul les eut présentées et que M. Lemarchand eut noté leurs noms, le pianiste attaqua un morceau. La plus grande était une danseuse-

207

née ; son corps ondulait au son de la musique. Son sourire n'était pas forcé, pourtant elle devait être loin de s'amuser, vu la nature de l'audition. Sa partenaire était une bonne danseuse, elle aussi, seulement son style était un tantinet trop osé. Elle ajoutait des déhanchements là où il n'y en avait pas et lançait la jambe un peu trop loin pour que cela reste décent. M. Derval le remarqua, mais son expression ne trahit ni plaisir ni dégoût. M. Lemarchand gardait les yeux rivés sur la première.

La chorégraphie imposée s'achevait sur une pose gracieuse, mais la plus grande glissa et faillit dégringoler de la scène. Si elle put reprendre rapidement son équilibre, elle ne retrouva pas son calme pour autant. Sa compagne fut congédiée sur un « Merci, ce sera tout, mademoiselle Duhamel », et on demanda à la grande blonde d'interpréter sa chanson. Bien qu'on l'eût priée de continuer, elle ne parvenait pas à surmonter son erreur. Sa voix était juste, cependant elle battait des paupières comme si quelque chose était coincé dans ses cils et elle évitait le regard des deux hommes. Ma voisine sourit, contente de voir la grande blonde se décomposer ; quant à moi, cela me rendit nerveuse. J'étais meilleure quand les artistes autour de moi donnaient aussi le meilleur d'eux-mêmes.

« C'était bien, mais ça n'ira pas pour ce spectacle », laissa tomber M. Lemarchand. La fille remercia les deux hommes et sortit de scène. Je sentis ses jambes trembler quand elle me frôla. J'en eus le cœur au bord des lèvres.

La paire de danseuses suivante réussit mieux. Elles terminèrent leur enchaînement de pas avec la classe des vraies girls, en prenant la pose : le ventre rentré, les orteils en pointes, une main sur la hanche et l'autre tendue avec grâce vers le plafond. M. Derval était enchanté. Une fois leur tour de chant fini, on leur demanda de rester. Les deux filles suivantes étaient aussi de bonnes danseuses, mais si l'une possédait une beauté classique et un sourire lumineux, l'autre avait les jambes épaisses. Cette dernière était la meilleure des deux : elle suivait la musique, alors que la première battait des jambes de façon mécanique. Pourtant c'est à la plus jolie qu'on demanda de rester pour la phase suivante de l'audition tandis que l'on congédiait l'autre.

Mon cœur se souleva quand on m'appela. Ma partenaire et moi prîmes place sur scène mais le pianiste ne commença pas à jouer, car M. Derval et M. Lemarchand discutaient, têtes inclinées l'une vers l'autre. On nous laissa plantées là avec nos sourires figés, les bras en l'air. La pièce se mit à vaciller et les lumières à me brûler les yeux. Si nous ne nous mettions pas en mouvement très bientôt, j'allais m'évanouir.

M. Derval chuchota quelque chose à Raoul, qui acquiesça avant de se tourner vers nous. « Comme les rôles chantés sont les plus difficiles, nous avons décidé de modifier le déroulement de l'audition. Nous allons entendre les chansons d'abord et voir la chorégraphie ensuite », annonça-t-il. Il fit signe à ma partenaire de s'avancer pour interpréter sa chanson. Je dus faire de très gros efforts pour rester immobile. Sa voix était trop aiguë et enfantine, mais au lieu d'être horrifié par ces sons stridents, M. Derval eut l'air charmé. On pria la fille d'attendre pour la chorégraphie.

Bon, nous y voici ! me dis-je quand on me demanda d'avancer. J'essayai de me rappeler la sensation que j'avais éprouvée le soir où j'avais chanté au Chat espiègle. Je fus ravie de constater que ma voix résonnait avec confiance et que ses vibrations résonnaient dans la salle. Je me forçai à balayer les fauteuils des yeux comme si je chantais pour un vrai public, et en particulier les deux hommes. M. Lemarchand me rendit mon sourire, mais M. Derval ne regardait pas, il ramassait un fil égaré sur son costume. Bien qu'on ne nous eût demandé de chanter que quelques mesures pour le premier tour de sélection, aucun d'eux ne m'interrompit, aussi continuai-je jusqu'au refrain. Ce n'est que lorsque les paroles se répétèrent que M. Derval leva la main.

« Merci, mademoiselle Fleurier, dit Raoul. Veuillez reculer, nous verrons comment vous dansez. »

J'étais encore nerveuse d'avoir chanté, mais je me jetai à corps perdu dans la chorégraphie à côté de ma partenaire. Peine perdue : M. Lemarchand et M. Derval ne nous regardaient pas. Ils se chamaillaient derrière le dossier de leurs fauteuils pour ne pas être entendus, et leur conflit se jouait tout en gestes de la main et mouvements de la tête. Même quand ma partenaire et moi prîmes la pose finale, ces messieurs poursuivirent leur discussion. M. Lemarchand jeta un coup d'œil dans ma direction et je compris qu'ils parlaient de moi. Ma partenaire et moi fûmes bien obligées de tenir la pose. Raoul croisa les bras et arpenta la scène de long en large devant nous pour détourner notre attention de la conversation, mais j'entendis les phrases significatives.

M. Lemarchand disait : « Elle est charmante. Différente. Et quelle voix ! » À quoi M. Derval répondait : « Elle n'est pas assez belle pour les Folies-Bergère. »

La discussion prit fin et M. Derval se retourna vers nous avec un sourire. « Merci, mademoiselle Fleurier, ce sera tout », lâcha-t-il.

Pas assez belle pour les Folies-Bergère ! Les voix des autres passagers du métro s'évanouirent tandis que je me repassais l'audition, une scène que je me dépeignis sous un jour plus horrible que la réalité. Les filles en costumes de répétition se transformèrent en silhouettes rayées d'un rose et noir criard ; la musique du piano devenait grêle et déformée ; Raoul prit les traits d'un géant malveillant et les figures de MM. Derval et Lemarchand se rapprochèrent jusqu'à former une seule et même bouche grotesque qui criait : « Pas assez belle ! »

Je toussai et regardai par la fenêtre les parois noires qui défilaient. Tante Augustine ne m'avait-elle pas prévenue ? Je n'avais pas le physique de vedette d'une Camille. La faim me tordit l'estomac et je songeai à la chambre glaciale qui m'attendait à Montparnasse. Puis j'imaginai ma mère et Bernard attablés dans la cuisine, à la ferme. Tante Yvette faisait rôtir des pommes de terre dans l'âtre. La lumière des flammes dansait sur les murs et se reflétait dans les verres de vin sur la table. Ne serait-il pas plus simple de rentrer ?

Je chassai cette idée avec un haussement d'épaules. Oui, il serait plus simple de rentrer à la maison, d'être entourée de gens qui m'aimaient, de dormir au chaud et d'avoir le ventre plein. Mais la fille qui n'avait eu d'autre souhait que se promener de par les collines du pays de Sault et rêver de récolte de lavande n'existait plus. Je voulais monter sur les planches.

Le temps d'arriver à Châtelet pour prendre ma correspondance, je m'étais épuisée à force de ruminer des pensées dramatiques, puis je m'étais érigée en modèle de stoïcisme. J'avais décidé d'oublier l'audition des Folies-Bergère. N'avais-je pas échoué à mon audition du Chat espiègle pour finir par obtenir le rôle malgré tout ? Et M. Lemarchand, un des plus grands directeurs artistiques de Paris, n'avait-il pas fait l'éloge de ma voix ?

La rame pour Vavin entra en gare. En plus, me dis-je en allant m'asseoir au milieu du wagon, je ne veux pas me pavaner sur scène affublée de plumes comme un oiseau, et tant pis si M. Étienne trouve l'emploi prestigieux ! J'ouvris mon sac et en sortis le programme des auditions. La prochaine était prévue pour le lendemain soir dans un cabaret de Pigalle.

Voilà, pensai-je en lisant le nombre de chanteuses dans le spectacle. Il n'y a que trois choristes, pas seize. C'est presque un rôle de soliste !

9

Le lendemain soir, j'étais de bonne humeur au moment de me mettre en route pour me rendre à mon audition. J'avais passé la matinée à récurer les murs et le plancher de ma chambre. J'avais ensuite pris le métro pour aller à Ménilmontant acheter des couvertures au marché et un fin matelas en coton sur lequel j'en mettrais un second quand j'aurais plus d'argent. Je m'étais reposée pendant l'après-midi : en guise de mise en condition pour l'audition, j'avais répété les ballades choisies dans *Shéhérazade*. Un endroit moins grand imposait à mon avis une prestation plus intime.

Il était près de dix heures quand je sortis du métro à Pigalle. Je fus étonnée de voir combien l'ambiance villageoise du quartier des music-halls de la rive droite se transformait le soir venu. Les rues délabrées palpitaient au rythme de la musique : accordéons, violons, guitares, voix de soprano et de contralto ; chansons en français et en anglais. La musique retentissait dans les cafés et résonnait dans les cabarets. Les étrangers encombraient les rues – Scandinaves, Allemands et Britanniques. Mais, plus nombreux que toutes ces nationalités réunies, il y avait les Américains. Un homme, trop jeune pour la canne sur laquelle il s'appuyait, parlait à un groupe de messieurs et de dames en tenue de soirée. Il commençait ses phrases par « *Yeah !* » et eux terminaient les leurs par « *Sure* ».

« *Yeah. Sure* », me répétais-je en remontant le boulevard de Clichy. Les filles de la nuit étaient de sortie, en jupes courtes malgré le froid. Je passai devant un bar dont l'enseigne annonçait *Café des Américains* au-dessus de la porte. Les clients étaient assis sur le bord des fenêtres et se déversaient sur le trottoir. La musique jaillissait des portes. Je fus frappée par l'énergie et le dynamisme qui s'en dégageaient – un piano, une batterie, une trompette et un trombone. La musique du petit orchestre ressemblait à celle d'une fanfare, quoique plus désordonnée. Le chanteur se fit entendre : « *Boo-boobly-boo-boo.* » J'étais incapable de dire s'il chantait dans une langue étrangère ou si les sons étaient dénués de sens. Mais j'aimais la façon dont sa voix plongeait dans les graves pour ensuite remonter dans les aigus.

Le music-hall que je cherchais était en retrait de l'artère principale, au fond d'une ruelle qui empestait le pipi de chat. J'eus du mal à trouver la porte, et quand j'y arrivai je m'aperçus qu'il n'y avait pas de poignée. Je frappai et attendis. Rien. Je me demandai s'il existait une entrée principale donnant sur la rue. J'allai vérifier : il n'y en avait pas. Je revins sur mes pas et cette fois-ci je tambourinai à la porte. Au bout d'une minute, elle s'ouvrit et je me retrouvai face à face avec une femme qui avait les cheveux ramassés en chignon au sommet du crâne et un double menton.

« Je viens pour l'audition », dis-je.

La femme tendit le pouce par-dessus son épaule. « Entrez ! »

Je la suivis le long d'un couloir jusqu'à la salle du cabaret. Un nuage de fumée me piqua les yeux et il me fallut quelques secondes pour y voir mieux. Le club était plein d'hommes, seuls ou par petits

214

groupes, penchés sur leur verre ou sur leur jeu de cartes. L'un d'eux lorgna par-dessus son épaule et me considéra d'un air maussade. Je me détournai et mon regard se posa sur ce qui devait faire office de scène : quelques planches calées sur deux tréteaux d'aspect bancal. Le creux au centre n'était guère rassurant.

« Hé, René ! cria la femme à un homme qui lavait les verres derrière le comptoir. Ta chanteuse est là. »

L'homme rabattit le comptoir et s'approcha de nous. Je fis de mon mieux pour ne pas fixer son ventre, qui gonflait sa chemise à en faire craquer les boutons. « Le caveau, indiqua-t-il d'une voix chuintante en me soufflant son haleine fétide dans la figure. L'audition se passera en bas. »

Il désigna un escalier qui descendait vers une pièce mal éclairée. Si je n'avais pas si désespérément cherché un travail et si je n'avais pas été si désorientée par Paris, j'aurais peut-être eu le bon sens de partir à ce moment-là. Mais au lieu de cela, je descendis l'escalier à tâtons, les mains sur les murs humides. Arrivée à la dernière marche, je vis des tonneaux alignés dans la pièce. Je crus m'être trompée d'escalier, puis j'entendis une voix d'homme derrière moi. « Ah, vous voilà ! »

Je me retournai. Assis devant un piano droit se tenait un vieil homme d'aspect aussi poussiéreux que le décor alentour. « Deirdre va bientôt arriver, dit-il en souriant entre ses dents tachées. Vous êtes la seule à tenter sa chance, ce soir. »

La figure translucide de l'homme et ses lèvres livides lui donnaient l'air irréel : un fantôme enfermé dans la cave avec son piano. Sans le bruit d'une table renversée à l'étage et des éclats de voix masculines pour me ramener à moi, j'aurais peut-être été incapable d'émettre le moindre son.

« J'ai choisi ma musique », balbutiai-je en lui tendant mes chansons.

Il prit les papiers et les feuilleta. Il tenait les partitions à l'envers, mais cela ne semblait pas le déranger.

« Merde ! » entendis-je crier le propriétaire à l'étage supérieur.

« Très bien, fit le vieil homme en me rendant les partitions. Mais nous avons notre propre répertoire ici. Je vais vous chanter la chanson et ensuite vous reprendrez après moi, d'accord ? »

J'acquiesçai.

Les doigts de l'homme errèrent une minute au-dessus des touches avant de commencer à jouer. Le piano était désaccordé.

La queue de mon toutou s'balance
Tra-la-la-la
Et ma logeuse, elle m'relance,
Tra-la-la-la
Au pied de la tour Eiffel,
Tra-la-la-la
Ah, Paris, que tu es belle !

L'homme leva les mains du clavier. « Alors, vous pensez pouvoir chanter ça ? demanda-t-il en essuyant la salive qui coulait au coin de ses lèvres. Essayons. Reprenez avec moi. »

Il rejoua la mélodie. Je chantai à l'unisson du

mieux que je pus, en me tordant les mains dans le dos. Mon désarroi perçait dans ma voix tremblante.

« Joli. Très joli, dit le vieil homme avec un sourire. Mais si vous chantiez avec un peu plus d'entrain ? Nos clients aiment s'amuser. »

Une bouteille s'écrasa au-dessus de nous. Quelque chose de lourd tomba par terre. Des pas pesants se firent entendre dans l'escalier. Quelques secondes plus tard, la femme au chignon, Deirdre, supposai-je, entra dans le caveau.

« Elle est prête ? » s'enquit-elle.

Il hocha la tête. « Elle a une belle voix. Gentille. »

Deirdre rejeta la tête en arrière et me lança un regard furieux. « Tu as l'intention de rester habillée comme ça ? »

Ma main retomba sur la robe que m'avait donnée Camille. « Oui », bredouillai-je, abasourdie de voir ma belle robe rencontrer une telle désapprobation. Elle était plus jolie que la tunique de Deirdre.

Elle plongea la main dans sa manche et en sortit une carte. « Si tu décroches ce boulot, tu devras porter une robe noire. Voilà le nom de notre costumier. »

Je pris la carte et acquiesçai, trop inexpérimentée pour savoir que les cafés-concerts douteux avaient leur petit racket. Les jeunes artistes naïfs arrivant avec des étoiles plein les yeux étaient envoyés chez des costumiers qui leur vendaient des vêtements de scène au prix fort et versaient sa quote-part au gérant.

« Tu sais ta chanson ? » grommela Deirdre.

Le vieil homme laissa échapper un rire effrayant. « Oui. Elle la sait assez bien.

— Alors viens, dit Deirdre en me faisant signe de

la suivre. Si tu es prise après l'audition, tu pourras garder tous les pourboires que tu recevras ce soir. N'oublie pas, tu dois attendre que j'aie quitté la scène pour y entrer, que ce soit toi ou les autres. C'est moi la vedette.

— Les autres ? » demandai-je en suivant l'épais buste de Deirdre dans l'escalier. J'avais cru comprendre qu'il n'y avait que trois chanteurs dans ce cabaret.

Quand nous fûmes en haut de l'escalier, Deirdre se retourna vers moi. « Si les filles sont occupées à faire la conversation aux clients, tu montes là-dessus et tu chantes. Sinon, tu les laisses y aller. Elles étaient là avant. Pigé ? »

Je hochai la tête même si je n'étais pas sûre d'avoir « pigé » quoi que ce soit. Mon cœur battait à tout rompre, si fort que j'en avais la nausée. Je venais de comprendre que mon audition aurait lieu en public.

Deirdre désigna les quatre tabourets disposés sur la scène et m'ordonna d'aller m'asseoir sur celui de gauche. J'obtempérai et glissai mon sac et mon manteau sous le siège, avant de regarder le public. Parmi les hommes, il se trouvait des femmes à présent, qui les regardaient jouer aux cartes en sirotant leurs boissons. L'odeur des corps mal lavés et des habits rances était suffocante. Un homme avec une balafre sur la joue hurla au serveur de lui apporter à boire. Quand son verre lui fut servi, il reporta son attention sur moi, ses yeux remontèrent de mes pieds jusqu'à mes seins. À mon soulagement, deux autres filles entrèrent en scène et prirent place sur leurs tabourets, l'homme à la balafre reporta son attention sur elles. L'une des deux était brune et avait des fossettes au menton. Ses yeux étaient gonflés, on aurait dit qu'elle venait de pleurer. L'autre était une blonde décolorée dont les sourcils noirs ressortaient comme deux rayures sur son front. Le pianiste spectral s'extirpa de la cave et vint s'asseoir au piano à côté de la scène. Il laissa courir ses doigts sur les touches. À mon soulagement, l'instrument était accordé.

Deirdre remonta sa robe et fit trembler son imposant derrière. Mon cœur se serra dès qu'elle attaqua la première note. Sa voix ressemblait à la fois à celle d'un perroquet et à celle d'une chèvre, et pendant presque toute la chanson elle eut quelques mesures d'avance sur le piano. Elle agita les jambes et ondula les hanches pour danser le shimmy. Personne ne lui prêtait la moindre attention, sauf le balafré qui continuait à reluquer du côté de la scène.

Une dispute éclata à l'une des tables. Un homme dont la chemise était tachée sur le devant se tourna et hurla à Deirdre : « Ta gueule, la matrone ! J'entends pas les joueurs. » Un autre client, assis seul à une table vers l'avant, cracha un noyau d'olive dans sa direction. Le noyau la manqua et vint s'écraser sur mon menton. Je m'essuyai sans parvenir tout à fait à cacher mon dégoût. Mais si Deirdre était choquée par le manque de respect témoigné à sa position de vedette, elle n'en montra rien. Elle poursuivit, chanta encore trois rengaines, dont une version suraiguë de *Valencia* sur laquelle elle se mit à tressauter, une drôle de danse qui me fit penser à un pigeon qui picore, puis elle salua et sortit de scène.

Je fus soulagée de voir que les autres filles n'avaient pas quitté leur siège. La brune se leva et chanta *Mon Paris* d'une voix gutturale, assez jolie mais sans puissance. Elle était au goût des joueurs de cartes et le reste de la salle l'ignora ou cria : « La ferme ! » L'homme à la balafre reluquait une prostituée aux larges épaules. La brune termina sa chanson et descendit de scène pour aller s'asseoir à côté du client qui avait craché le noyau d'olive. Il lui sourit, découvrant un trou à la place de sa dent de devant, et lui passa le bras autour du cou comme s'il avait voulu immobiliser un chien méchant.

Je me retournai vers la scène et m'aperçus que la blonde n'y était pas – elle était assise sur les genoux d'un joueur de cartes – et que le pianiste me faisait signe de la tête. Je quittai prestement mon tabouret et m'approchai. Je lissai ma robe et m'éclaircis la voix. « La queue d'mon toutou s'balance / Tra-la-la-la. » J'étais si terrifiée que mes bras et mes jambes se raidirent, et je chantai toute la chanson figée sur place. Mais il s'agissait d'une audition, peu importe si j'échouais ; tout ce que je voulais, c'était sortir vivante de cet endroit.

Arrivée à la fin de ma ritournelle, je cherchai mon tabouret à tâtons, mais le pianiste reprit la mélodie encore une fois et je fus bien obligée de continuer. Je m'aperçus avec horreur que tous ceux qui ne jouaient pas aux cartes avaient interrompu leurs conversations et s'étaient retournés pour me regarder. « Au pied de la tour Eiffel / Tra-la-la-la / Ah, Paris, que tu es belle ! » J'avais l'impression d'entendre la voix d'une autre, tant elle était déformée par la nervosité. Pourtant, comparée à celles des autres filles, elle était indéniablement belle. L'homme à la balafre applaudit. « Encore ! » cria-t-il.

Une tablée de gens qui partageaient une bouteille de vin se joignit aux applaudissements. L'un des hommes s'avança pour jeter quelques pièces dans un pot sur le piano. Ses compagnons de table suivirent son exemple. René leva les yeux du bar et fit un clin d'œil. Le pianiste chuchota : « Ils vous aiment bien. Vous êtes vraiment douée. » Pendant un moment, j'eus l'impression que tout irait bien. Je ne voulais plus jamais remettre les pieds dans cet endroit, mais ce soir au moins, j'allais gagner de quoi m'offrir une nouvelle robe et un tapis pour ma chambre. Je repris la chansonnette avec plus d'audace cette fois-ci, en haussant le ton afin que ma voix porte dans la salle.

Un homme au nez cassé qui jouait aux cartes fit alors volte-face et cria : « Quelqu'un peut faire taire cette traînée ? Je m'entends pas penser !

— Ouais, renchérit sa compagne d'une voix pâteuse en levant la tête de l'épaule de son beau. Elle pue !

— Toi-même, la mégère ! rétorqua le balafré à pleins poumons. Tu pues le poisson pourri. »

Quelques-uns rirent dans la salle. L'homme au nez cassé se précipita vers le bar et saisit le balafré à la gorge. Mais sa proie était trop rapide : avant qu'il ait eu le temps de l'étrangler, l'autre l'étendit par terre d'un coup à l'estomac. D'autres coups de poing suivirent. Les amis de l'homme au nez cassé vinrent à sa rescousse. Le propriétaire du bar ramassa les bouteilles qui se trouvaient sur le comptoir ; juste à temps. Les joueurs de cartes ramassèrent le balafré et le projetèrent par-dessus le bar dans le miroir. Ses amis répondirent en prenant des chaises pour les briser sur le dos des amateurs de cartes.

Le pianiste me sourit et continua à jouer ma mélodie. Je restai sur le devant de la scène, trop effrayée pour bouger. Soudain, quelque chose de pointu appuya sur mon ventre. Je baissai les yeux : le cracheur d'olive me pointait un couteau entre les côtes. Il avait les yeux injectés de sang. Je contemplai sa bouche caverneuse, ses lèvres rouge sombre. Il allait me tuer sans autre forme de procès.

« Dégage, salope ! cracha-t-il. Tu piailles comme un moineau en train de crever et ça plaît à personne. »

Je poussai un cri et tentai de descendre de la scène, mais mes pieds refusèrent de bouger. L'homme fit un grand geste avec son couteau. Le mouvement me sortit de ma torpeur, j'attrapai mon sac et mon manteau, sautai par terre et courus à travers la foule en esquivant les bouteilles et les chaises qui volaient. Je m'élançai vers la porte et remontai le boulevard en courant, manquant renverser les gens dans ma fuite paniquée. Ce ne fut qu'arrivée dans la station de métro vivement éclairée que je m'arrêtai pour reprendre mon souffle.

De retour dans mon appartement glacial de Montparnasse, je me jetai sur mon lit, enfouis ma tête sous un oreiller et me mis à pleurer.

Le lendemain matin, cependant, les événements de la veille commencèrent à m'apparaître comme les bribes d'un rêve délirant. Des figures grotesques et balafrées, des nez cassés, des bouches édentées et des doubles mentons flottaient devant mes yeux et je sentais la pointe acérée d'une lame contre ma peau. Tout cela était-il vraiment arrivé ? J'avais du mal à croire qu'un agent artistique respectable ait pu envoyer quiconque dans un bouge aussi malfamé, et je fis tout le chemin jusqu'à la rue Saint-Dominique, bien décidée à le dire à M. Étienne.

À ma surprise, ce fut ce dernier, et non pas Mlle Franck, qui répondit à mon impatient coup de sonnette.

« Eh bien, qu'est-ce qui ne va pas ? demanda-t-il en m'emmenant à l'accueil. Quelque chose vous chiffonne… je le vois à votre figure. Et vous n'êtes pas allée à votre audition hier soir.

— Comment ça, je n'y suis pas allée ? »

M. Étienne leva les sourcils et me fit signe de prendre une chaise. « Que se passe-t-il, mademoiselle Fleurier ? s'enquit-il en croisant les bras. Vous n'êtes pas allée à votre audition au café des Singes alors que je vous avais recommandée à la gérante. Elle m'a appelé ce matin pour m'en demander la raison.

— Mais j'y suis allée ! » insistai-je.

Je décrivis mon audition, sans oublier les tabourets qui volaient et le fait que nous recevions les pourboires pour tout salaire. Le visage de M. Étienne devint livide lorsque je lui racontai qu'on m'avait pointé un couteau entre les côtes.

« Je n'ai jamais rien entendu de pareil, dit-il en me dévisageant comme pour s'assurer que je n'avais pas perdu la tête. Jamais je n'enverrais un de mes clients dans un tel endroit ! »

Il fut interrompu par le bruit d'une clé dans la porte. Mlle Franck entra d'un pas nonchalant, un paquet de courrier calé sous le bras. Elle était encore plus chic que la première fois, dans sa robe en crêpe georgette et ses chaussures en croco.

« Que se passe-t-il ? » Elle nous regardait tour à tour.

M. Étienne lui répéta mon récit de l'audition de la veille au soir et elle en resta bouche bée. « Mademoiselle Fleurier, objecta-t-elle en agitant la main, ce qui fit flotter un parfum de fleur d'oranger dans la pièce, l'endroit que vous décrivez ne ressemble pas du tout au café des Singes. M. Étienne et moi connaissons la gérante depuis des années. Elle possède un bar chic. C'est pour cela que nous pensions qu'avec votre voix, vous auriez du succès là-bas.

— Une gérante ? Dans le cabaret où j'étais hier soir, il y avait un gérant et un pianiste. À moins que vous ne parliez de Deirdre, bien sûr.

— Deirdre ? » Mlle Franck plissa le front et se tourna vers M. Étienne. « La gérante s'appelle Mme Baquet. »

Je sortis de mon sac le planning des auditions. « Regardez, voilà où j'étais hier soir à dix heures. Le gérant de cet endroit-là était un homme. Il s'appelait René. »

Mlle Franck me prit le papier des mains. « Numéro douze ? » marmonna-t-elle en rejoignant son bureau à grandes enjambées pour feuilleter un fichier cartonné. Elle trouva ce qu'elle cherchait et poussa un cri, les joues soudain cramoisies. « Oh non ! s'exclama-t-elle en brandissant la fiche cartonnée. Le numéro du café des Singes est le vingt et un. Les chiffres ont été inversés. Une faute de frappe !

— Le numéro vingt et un est de l'autre côté du boulevard de Clichy, précisa M. Étienne, la main sur le front. On dirait que vous vous êtes retrouvée dans un café-concert. »

224

Nous restâmes plantés là, à nous regarder. Le visage de Mlle Franck devint encore plus rouge. Je repensai au pianiste fantomatique, à Deirdre qui se prenait pour une vedette, à la clientèle calamiteuse et aux yeux du psychopathe qui m'avait appuyé une lame sur le ventre. Je n'étais pas censée me retrouver là. J'avais sans doute été auditionnée à la place d'une artiste qui n'était jamais venue. Une coïncidence si horrible qu'elle en devenait drôle ; je fus prise d'un fou rire irrépressible. L'espace d'un instant, mes angoisses à propos de l'argent et du froid devinrent absurdes. J'essayai de parler, mais M. Étienne avait l'air si perplexe que mon hilarité redoubla et je me pliai en deux.

« Ah ! soupira-t-il en rajustant sa veste pour essayer de reprendre un peu d'aplomb. Mademoiselle Fleurier, si seulement tout le monde réagissait à des erreurs pareilles avec autant de bonne humeur. » Un sourire joua au coin de ses lèvres. « Je ne sais quoi dire, ni comment me faire pardonner. Peut-être ma nièce et moi pourrions-nous vous inviter à déjeuner pour réparer notre faute ? »

M. Étienne et Mlle Franck habitaient un appartement situé deux immeubles plus loin dans la rue Saint-Dominique. Leur bonne vint nous ouvrir la porte.

« Nous avons une invitée à déjeuner, Lucie, lui annonça M. Étienne. J'espère que ça ne vous cause pas trop de tracas ? »

Elle secoua la tête et tendit la main pour prendre nos manteaux et nos écharpes. Elle était jeune, à

225

peine dix-neuf ans peut-être, mais elle avait les épaules potelées et le ventre rond d'une matrone.

Comme l'accueil de son bureau, l'appartement de M. Étienne était élégant quoique exigu. Nous nous lavâmes les mains à tour de rôle dans un cabinet de toilette grand comme un placard, avec un papier peint et des finitions dans les mauves à motifs de jacinthes bleues. Ensuite, nous traversâmes un petit salon où, en m'apercevant dans un miroir, je désespérai de la tignasse que le vent avait fait de mes cheveux, pour déboucher dans une salle à manger où les rideaux donnaient un peu de douceur à la vue : un mur défiguré par des descentes de gouttière.

« Il fait trop chaud ici », dit M. Étienne en entrouvrant la fenêtre. Entre les radiateurs, la cheminée et les plats fumants que Lucie posa sur la table, la température était effectivement très élevée dans la pièce, mais cela me convenait. C'était la première fois depuis des jours que j'étais correctement chauffée.

M. Étienne nous fit signe de nous asseoir pendant que Lucie nous servait de la soupe. Un tableau derrière lui attira mon attention parce qu'il tranchait avec le décor sobre et classique de l'appartement. Il représentait un groupe de spectateurs qui sortaient du Moulin-Rouge. Les lignes n'étaient pas régulières, les visages caricaturaux et les couleurs peu réalistes. Je ne m'y connaissais pas assez en peinture pour comprendre grand-chose aux règles des proportions et des perspectives, mais les spectateurs avaient l'air de bouger. Je pouvais presque les entendre discuter du spectacle. M. Étienne remarqua mon regard.

« C'est un des tableaux d'Odette, précisa-t-il en

indiquant Mlle Franck. Ses parents vivent à Saint-Germain-en-Laye, trop loin pour qu'elle fasse l'aller-retour et assiste à ses cours de dessin, alors je la loge et elle m'aide au bureau.

— Je l'aime bien, dis-je.

— J'ai conseillé à Odette d'aller voir un marchand d'art de ma connaissance, opina M. Étienne. Elle a du talent. »

Mlle Franck avala une cuillerée de soupe. « Ça m'est égal de voir mes tableaux accrochés dans des galeries, dit-elle. Tout ce que j'aime, c'est peindre.

— L'ambition de ma nièce est de se marier, soupira M. Étienne.

— Et celle de mon oncle, de m'en empêcher ! » répliqua Mlle Franck.

Ils rirent de bon cœur en se regardant.

Le plat principal était un poulet rôti. La sauce au beurre fondait comme le miel sur ma langue. C'était mon premier vrai repas à Paris.

« Et aux Folies-Bergère, comment ça s'est passé ? s'enquit M. Étienne quand Lucie eut débarrassé les assiettes. Je sais que vous n'avez pas obtenu de rôle, mais comment s'est déroulée l'audition ? »

Je lui racontai que M. Derval avait décrété que je n'étais pas assez jolie pour les Folies-Bergère.

M. Étienne alluma une cigarette et se rencogna dans son fauteuil. « Non, fit-il au bout de quelques minutes de réflexion. Vous êtes une jolie jeune fille, bien tournée. M. Derval apprécie les filles typées et vous avez l'air exotique qu'il aime voir ici et là au milieu de ses blondes et de ses rouquines. Je pense que cette fois-ci, sa décision était liée à son spectacle où apparaissent des danseuses de revue anglaises

227

avec un type bien particulier. Nous vous enverrons passer des auditions pour le prochain spectacle et on verra ce qu'il en ressort. En attendant, il faut vous trouver un travail, pas vrai ?

— Je pense que le café des Singes vous conviendra tout à fait, dit Mlle Franck en me passant la crème pour mon café. Vous aimerez Mme Baquet. Tout le monde l'apprécie.

— Elle cherche quelqu'un pour le tour de chant de deux heures du matin, une ou deux fois par semaine, précisa M. Étienne. Cela paiera votre loyer et vous pourrez continuer même si vous décrochez un rôle dans un music-hall. Beaucoup de chanteuses le font et cumulent de bons cachets. Malheureusement, elles le dépensent tout aussi vite. »

Mlle Franck roula des yeux. « Oncle Étienne dit toujours à ses clients d'économiser un tiers de leurs gains. Et il me le dit à moi aussi. Seulement, je ne vois même pas la couleur de mon tiers avant qu'il le dépose sur un compte en Suisse. »

M. Étienne haussa les épaules. « Si vous avez de la jugeote, vous ferez la même chose, mademoiselle Fleurier. La jeunesse, la beauté et la popularité ne durent pas. J'ai vu trop de femmes usées par les hommes et par la vie finir leurs jours dans des hôtels miteux. »

Je me rappelai la première fois que j'avais vu M. Étienne, dans ma loge à Marseille. Il m'avait intimidée alors, mais je m'apercevais à présent que l'opinion que j'avais eue de lui était erronée. Assis dans sa salle à manger, il n'était ni autoritaire ni arrogant. Il avait tout d'un oncle bienveillant : prosaïque, la tête sur les épaules et gentil. Mlle Franck avait bien de la chance.

« Que prévoyez-vous de chanter pour votre audition ? » questionna-t-il.

Je fis allusion aux ballades de *Shéhérazade* et il secoua la tête. « Ça fait trop music-hall pour Mme Baquet. Elle voudra quelque chose de plus personnel. Qu'avez-vous d'autre ? »

Je lui expliquai que je n'avais aucune partition. Il me demanda comment j'avais obtenu le rôle de Shéhérazade et quand je lui racontai l'histoire de Zéphora, il ouvrit les yeux, tout étonné. « Je n'avais aucune idée de votre manque d'expérience s'agissant des auditions. Odette et moi, nous viendrons vous entendre au café des Singes quand on aura organisé la prochaine. En attendant, Odette pourra vous emmener acheter quelques partitions. Ne vous inquiétez pas pour l'argent. Nous verrons ça plus tard, quand vous aurez commencé à travailler. »

Je compris que M. Étienne ne se liait pas d'amitié avec tous ses clients ; il était trop professionnel pour cela. Et pourtant, quand il me sourit et me serra la main, avant que Mlle Franck et moi franchissions la porte, je sentis qu'il était bel et bien devenu un ami.

Mlle Franck m'emmena dans un magasin de musique rue de l'Odéon. Nous achetâmes deux chansons populaires à trois francs, quelques standards de cabaret et un troisième qui se trouvait dans le casier des partitions soldées, à l'arrière du magasin. Je tournai les pages jaunissantes. La chanson avait pour titre *C'est lui que j'aime.*

« Vous pourrez modifier les arrangements et en faire votre chanson phare », suggéra Mlle Franck en tendant les partitions au vendeur et en ouvrant son porte-monnaie.

C'est lui que j'aime
Et tant pis s'il est loin
C'est lui que j'aime
Mais demain est trop loin.

Les fioritures du style lyrique de *Shéhérazade* m'étaient venues facilement, mais je me demandai si je serais capable d'interpréter de façon convaincante des chansons parlant de chagrins d'amour, moi qui n'avais jamais connu ni la passion ni la déception amoureuse.

« D'ici combien de temps pensez-vous pouvoir les apprendre ? interrogea Mlle Franck quand nous nous retrouvâmes dans la rue.

— Je peux apprendre les paroles aujourd'hui, mais comment vais-je faire pour les mélodies ? Je ne sais pas lire les notes.

— La plupart de nos chanteurs ne connaissent pas le solfège, rétorqua Mlle Franck en ajustant son écharpe et en tirant sur ses gants. Il y a un professeur de piano qui habite en dessous de chez nous. Nous ne nous plaignons pas du bruit que font ses élèves et, en échange, il aide nos clients à répéter sans leur demander trop cher. Je vais prendre rendez-vous avec lui demain matin si vous voulez. »

Mlle Franck suggéra d'avaler un chocolat chaud dans le café à côté du magasin de musique. Le café était bondé et nous dûmes nous frayer un chemin à travers une forêt de jambes et de coudes jusqu'à une table près du comptoir. Je remarquai la façon dont les hommes regardaient Mlle Franck : non pas avec le désir que suscitait Camille, mais avec admiration. Elle était adorable, sa démarche était adorable, sa voix adorable, sa compagnie me donnait envie d'être adorable moi aussi.

C'était un café sans prétention avec ses murs blancs et son plancher ciré. Les seuls éléments de décoration étaient les cloches en verre gravé qui recouvraient les gâteaux et deux lustres en cuivre suspendus au plafond.

« Il y a différents motifs incrustés dans les globes en verre, fit observer Mlle Franck en plissant les yeux pour mieux les voir. Celui qui est au-dessus de nous a un motif d'oliviers et l'autre a des guirlandes.

— C'est vrai », reconnus-je, impressionnée par son sens de l'observation. Je ne l'aurais pas remarqué si elle ne l'avait pas signalé.

Je repensai à la chanson que nous avions achetée. *C'est lui que j'aime / Et tant pis s'il est loin / C'est lui que j'aime / Mais demain est trop loin.* « Vous avez déjà été amoureuse, mademoiselle Franck ? » demandai-je.

Son visage s'empourpra. « Je *suis* amoureuse, dit-elle en appuyant ses mains sur ses joues pour les rafraîchir. Il s'appelle Joseph. Il travaille dans un magasin de beaux meubles. Antiquités, bois rares, ce genre de choses. »

Je repensai à la conversation téléphonique que j'avais entendue le premier jour où j'étais venue au bureau et je souris : « Donc il a du flair pour les objets d'art, comme vous ? »

Elle baissa les yeux, un sourire lui chatouillait le coin des lèvres. « Nous aimons tous deux les belles choses, même si Joseph n'a pas d'argent. Nous devrons attendre qu'il ait ouvert son propre commerce pour nous marier. » Elle leva les yeux,

231

l'inquiétude commença à lui plisser le front. « Vous devez me promettre de ne rien dire à oncle Étienne, mademoiselle Fleurier, supplia-t-elle, en attrapant ma main. Joseph est un gentil garçon, juif, et il n'y a aucune raison de désapprouver cette relation. Mais parfois mon oncle se comporte comme un intello un peu snob, et Joseph n'a rien d'un intellectuel. Nous devons attendre le bon moment, sinon il va se mettre mes parents à dos. »

Voilà un amour sincère, pensai-je : voir les défauts de l'autre sans pour autant moins l'aimer. Je serrai sa main dans la mienne. « Je n'en parlerai pas avant que vous l'ayez annoncé », promis-je.

Le serveur prit notre commande et, quelques minutes plus tard, nos chocolats chauds arrivèrent. Je humai la bonne odeur d'amande qui émanait de la crème et me délectai du liquide velouté avec autant de plaisir qu'un chat lape une coupelle de lait.

« Je suis sûre que vous aurez du succès au café des Singes, annonça Mlle Franck, en remuant sa cuiller dans son chocolat. Mon oncle est bon juge quand il s'agit de repérer les vedettes en puissance. Je jurerais qu'il le fait de façon plus intuitive que logique, même s'il affirme le contraire. Selon lui, l'important n'est pas l'éclat superficiel de la personne ni la qualité exceptionnelle de sa voix, mais le travail : au fond, elle doit être sérieuse et travailleuse. C'est ainsi qu'il vous a résumée, en tout cas. »

Je souris. On ne m'avait jamais décrite comme sérieuse et « travailleuse » quand je vivais à la ferme. Peut-être avais-je trouvé ma vocation.

« Le public du café des Singes est sophistiqué, poursuivit Mlle Franck. Quelques Français et

232

beaucoup d'étrangers. Mais pas des touristes. Surtout des écrivains américains, des photographes allemands, des peintres russes. Ils se montreront exigeants, mais en échange ils vous soutiendront. »

Je lui expliquai que je n'avais connu que deux sortes de public : les ouvriers tapageurs de Marseille et les spectateurs de la veille au soir. « Je ne suis pas sûre d'être assez raffinée pour le café des Singes, confessai-je.

— Oh, bien sûr que si ! s'exclama Mlle Franck en reposant son verre. Bien plus que vous ne croyez. Mais je voudrais vous faire une suggestion, si ça ne vous ennuie pas.

— Pas du tout, l'assurai-je.

— Vos yeux et vos pommettes sont magnifiques, mais ils sont mangés par vos cheveux longs. Je pense que vous devriez les couper court. Ce serait beaucoup plus chic et Mme Baquet adorerait ça ! »

Des conseils en coiffure prodigués par une personne aussi soignée que Mlle Franck ne pouvaient pas être ignorés. « Je voudrais bien, répondis-je, mais je n'ai personne pour me les couper, ici. C'était ma mère qui le faisait à la maison. »

Mlle Franck secoua la tête. « Vous devez les faire couper par un professionnel. Il ne faut pas que vous ressembliez à un garçon. Je peux vous emmener chez mon coiffeur, si vous voulez. Et si on y allait tout de suite ? »

Nous prîmes alors le métro à Tuileries et traversâmes la place Vendôme parce que, malgré le vent devenu glacial, Mlle Franck insistait pour que je la voie. Elle m'indiqua les noms des voitures garées autour de la colonne Vendôme au milieu de la place.

« Ça, c'est une Rolls-Royce, et ça, une Voisin. Et voici une Bugatti. » Puis elle me tira par le bras et me montra la vitrine d'une bijouterie. « Regardez ! » s'écria-t-elle.

Les yeux faillirent me sortir de la tête quand je vis le buste en velours paré de diamants : de vrais diamants ! De minuscules projecteurs se réverbéraient dans un miroir placé derrière le buste et ajoutaient à l'effet fabuleux des pierres. À côté de la bijouterie se trouvait un couturier. Les mannequins dans les vitrines étaient drapés dans des robes en crêpe de Chine à manches ajustées et boutons dorés.

« C'est le Ritz, par là-bas », m'informa Mlle Franck en désignant un palace sur la gauche.

La débauche de luxe qui nous entourait me fit paniquer. « Mademoiselle Franck, je ne crois pas que votre coiffeur sera dans mes moyens.

— Appelez-moi Odette, je vous en prie, répondit-elle en passant son bras sous le mien pour m'entraîner. Je vous offre le coiffeur. Je voulais vous faire voir Vendôme parce que c'est ici que vous ferez vos emplettes quand vous serez riche et célèbre. Quand vous vous produirez au Casino de Paris, vous pourrez me rendre la pareille. »

Le salon de coiffure de Mme Chardin se trouvait rue Vivienne. Si ce n'était certes pas la place Vendôme, un seul regard aux éléments de décoration en or et au comptoir en marbre suffit à me faire comprendre pourquoi M. Étienne mettait de côté un tiers des gains d'Odette. Les clients n'étaient pas serrés les uns contre les autres, comme dans le salon d'un barbier. Chaque cliente était installée dans une cabine individuelle délimitée par des paravents en soie japonaise. J'entr'aperçus une dame en bigoudis avec un pékinois sur les genoux. Dans la cabine voisine, une autre se faisait faire une coiffure haute et bouffante par une jeune fille en blouse blanche.

« Bonjour, mademoiselle Franck ! » s'écria une femme vêtue d'une robe taupe ornée d'une broche en nacre en forme de paon. Elle traversa le salon carrelé à grandes enjambées pour venir accueillir Odette en l'embrassant. La dame avait la quarantaine, ses cheveux châtains étaient coupés au carré, en dégradé de sa nuque jusqu'à son menton, avec une frange sur le front.

« Bonjour, madame Chardin, répondit Odette. Je voudrais que vous fassiez une coupe originale aux cheveux de mon amie. »

Mme Chardin me jeta un bref coup d'œil. À côté d'Odette, je devais avoir l'air misérable dans ma robe de paysanne et mon manteau usé, mais si elle le remarqua, Mme Chardin eut assez d'éducation pour n'en rien montrer.

« Bien sûr ! Je peux même m'en charger tout de suite, je suis libre. »

Mme Chardin nous escorta jusqu'à une cabine au fond du salon. Elle enfila une blouse blanche d'esthéticienne et disposa des flacons et des peignes sur un plateau. Je la détaillai non sans curiosité. La plupart des femmes de son âge devenaient corpulentes, mais elle, avec sa silhouette élancée et son effervescence, avait encore une allure un peu gamine. Odette s'assit non loin et Mme Chardin me percha sur un tabouret. Elle saisit un peigne, qu'elle passa dans ma chevelure emmêlée. Loin d'être horrifiée par mes

235

boucles épaisses, elle semblait de plus en plus excitée chaque fois qu'elle arrivait à démêler une autre mèche. Peut-être ne rencontrait-elle pas souvent de tels défis. Je devais représenter pour elle ce qu'est l'Afrique pour un explorateur.

Quand elle eut terminé de me peigner, Mme Chardin rejeta mes cheveux en arrière et esquissa une forme du bout du doigt sur le miroir. « Des pommettes bien dessinées, murmura-t-elle. Une jolie bouche et des mâchoires saillantes. Ne pas couper trop court. Ce qu'il nous faut, c'est une frange pas trop agressive et des boucles qui encadrent le visage.

— Exactement ! » acquiesça Odette, qui se pencha en avant sur sa chaise en attrapant ses genoux.

Mme Chardin prit des ciseaux et se mit à couper des mèches d'environ vingt-cinq centimètres, qu'elle laissait tomber dans un panier à mes pieds. Je fus soudain frappée par la réalité de ce qui m'arrivait et ma gorge se serra. Je ne me rappelais pas avoir jamais eu les cheveux courts. Si la coiffure se révélait un désastre, combien de temps faudrait-il pour qu'ils repoussent ?

« C'est une couleur profonde, commenta Mme Chardin. Mon mari avait un cheval…

— Racontez plutôt votre rencontre avec Mlle Chanel », la pressa Odette.

Mme Chardin déployait mes cheveux entre ses doigts. « Quand mon mari et moi sommes arrivés de Biarritz pour ouvrir mon salon à Paris, je redoutais le regard des Parisiennes et je voulais désespérément leur plaire. Mlle Chanel, la couturière qui a son salon au coin de la rue Cambon, fut une de mes

236

premières clientes. La première à sc faire couper les cheveux court ; et elle est venue chez moi parce qu'elle avait entendu dire par ses clientes de Biarritz que j'étais une bonne coiffeuse.

» Un jour, elle est arrivée de très méchante humeur car elle venait de se disputer avec une de ses acheteuses. Elle n'était pas contente de la cabine que je lui avais attribuée, elle se plaignait que mes mains étaient trop froides, que la chaise trop basse lui faisait mal au dos. Pendant que sa coiffure reposait, j'ai dû m'éclipser une minute pour aller boire une gorgée de fine à l'eau, afin d'empêcher mes mains de trembler. À mon retour, elle était intarissable sur le manque de goût vestimentaire des Américaines et sur leur refus d'apprendre à s'habiller. "La France est un pays de retenue, gémissait-elle. Et elles se complaisent dans l'excès."

» Ce jour-là, sachant que Mlle Chanel allait venir, j'avais mis ma plus belle robe et je me trouvais très chic. Je n'avais pas enfilé ma blouse blanche comme à l'accoutumée parce que je voulais lui faire bonne impression. Dans sa mauvaise humeur, elle n'avait rien remarqué, alors j'ai essayé de lui faire plaisir en lui demandant : "Et comment habilleriez-vous une Américaine, mademoiselle Chanel ?"

» Elle s'est levée d'un bond et s'est emparée de mes ciseaux, le regard enflammé. Pendant un instant atroce, j'ai cru qu'elle était devenue folle et allait me trancher la gorge. Mais elle a dirigé ses ciseaux vers moi pour découper les festons de mon col. Puis, avant que je réalise ce qu'elle faisait, elle a coupé la dentelle qui me ceignait la taille ainsi que celle de mes manchettes. L'unique élément qu'elle a épargné, c'était le petit bouquet de gardénias que je portais au corsage. Elle avait massacré ma robe à quatre mille francs.

» "Voilà, a-t-elle dit, indifférente à mes larmes. Toujours plus sobre, toujours plus dépouillé. Ne jamais surcharger ! Les Américaines ajoutent beaucoup trop de choses."

— C'est horrible ! m'exclamai-je, bien que j'eusse du mal à imaginer à quoi ressemblait une robe à quatre mille francs. Quelle méchante femme ! Vous lui avez fait rembourser la robe ?

— Ma chérie, répliqua Mme Chardin en riant, c'est la meilleure leçon de vie que j'aie jamais reçue. Les arts décoratifs ne doivent viser rien d'autre que le retour à la simplicité. »

J'ouvris de grands yeux. Ces mots étaient du chinois pour moi. «Je pensais que le but des décorations était de rendre les choses jolies.

— Regardez ça », dit Mme Chardin. Elle recula d'un pas et ouvrit sa blouse, révélant sa robe et une broche sophistiquée. «La ligne de la robe doit être simple et parfaite. Ensuite on peut choisir un objet décoratif, comme un diamant ou un morceau de velours, pour la mettre en valeur. Les Américaines sont incapables de choisir entre la paire de chaussures rouges, le collier africain et le bracelet de jade. *Elles portent les trois !* Mais pour avoir du style, il faut savoir poser des limites. Choisir un élément de décoration et un seul. Voilà le secret de l'élégance. »

Quand Mme Chardin eut fini de me couper les cheveux, elle fit chauffer un fer à friser et ondula les mèches. Je contemplai mon reflet, les yeux écarquillés, sans arriver à croire à une telle métamorphose. J'étais sidérée mais ravie. Je m'imaginai en train de prendre un café à la Rotonde. Avec une coiffure pareille, je pouvais aller partout dans Paris.

« Mon Dieu ! décida Odette. Vous êtes sensationnelle ! Attendez un peu que mon oncle vous voie ! »

Dehors, le ciel était devenu gris et une neige mouillée commençait à tomber. « Prenons un taxi ! » dit Odette, qui en héla un. La voiture s'arrêta à notre hauteur et je montai derrière Odette.

« Aux Galeries Lafayette, lança-t-elle au chauffeur.

— Pourquoi allons-nous aux Galeries Lafayette ? » demandai-je.

Odette roula des yeux. « Pour acheter la robe dont vous avez besoin pour aller avec votre nouvelle coiffure ! »

Si une chose apparut clairement ce jour-là, c'est qu'Odette et moi avions aussi peu de sens pratique l'une que l'autre. Je vivais dans une chambre sans chauffage avec un seul petit matelas. J'avais besoin d'un tapis et de rideaux pour l'isoler du froid, sans quoi je risquais de mourir très bientôt d'une pneumonie. Au lieu de cela, je donnai tout ce que j'avais pour acheter une petite robe noire, consciente que si je l'avais montrée à ma mère et à tante Yvette, elles auraient regardé ses lignes pures, son col en V et le velours qui ornait les manchettes taillées dans un délicat crêpe de Chine, avant de demander : « Qui enterre-t-on ? »

10

On accédait au café des Singes par une porte située en sous-sol, sous un magasin de literie. J'appuyai sur la sonnette et attendis en vérifiant ma coiffure dans le reflet de la plaque en cuivre. Personne ne répondit : je sonnai encore une fois. Comme je ne recevais toujours pas de réponse, je tournai la poignée de la porte, qui, à ma surprise, n'était pas verrouillée.

« Bonjour ? » lançai-je en la poussant et en scrutant la pénombre.

J'hésitai près d'un palmier en pot et plissai le nez : l'atmosphère était chargée des odeurs rances de tabac, de menthe et d'anisette. La seule source de lumière naturelle provenait de panneaux en verre dépoli de part et d'autre de la porte, et le décor du club, moquette brune, fauteuils en cuir et murs lambrissés, conspirait à absorber le peu de clarté qu'ils donnaient. Le club était ce qu'on appelle une boîte de nuit ; serré au fond de la petite salle, il y avait un bar sans tabourets et, derrière, un miroir courait sur toute la longueur du mur. Dans le coin opposé à la porte se trouvaient une estrade et un piano. Ici et là devant la scène étaient disposées deux tables pour six et une dizaine de tables pour deux. Derrière les tables, il y avait une porte à double battant, je supposai qu'elle menait à la cuisine. Je lançai dans cette direction :

« Bonjour ! »

Un panneau informait les clients que l'on pouvait consommer boissons et plats pendant le spectacle mais qu'ils ne pouvaient être commandés que pendant les entractes. Manifestement, il s'agissait d'un club qui prenait ses artistes au sérieux. Je me passai la langue sur les lèvres, satisfaite et nerveuse. M. Étienne devait lui aussi me prendre au sérieux pour suggérer que je passe une audition ici. J'espérais que je n'allais pas le décevoir.

Un menu était posé sur une table. J'y jetai un coup d'œil. « Cassoulet – 15 francs. » J'en restai bouche bée. J'avais payé trois francs un repas complet, composé de pain, de cassoulet de mouton et de vin au café pour étudiants ! Je passai la main sur ma robe, contente qu'Odette m'ait convaincue de l'acheter, et frissonnai à l'idée que j'aurais pu venir vêtue de ma vieille robe dans un endroit où les clients payaient leur repas quinze francs.

J'étudiai encore le menu : « Pâté de foie gras truffé – 25 francs ; coq au riesling – 20 francs. » Mon estomac grogna. J'ouvris le rabat et trouvai un second menu glissé à l'intérieur. « Menu américain. Cornedbeef – 15 francs ; poulet frit – 16 francs. »

Une voix tonitruante de femme se fit entendre dans la pénombre : « Z'avez faim ? »

Je levai les yeux. Elle se tenait près de la porte de la cuisine, affublée d'une jupe fourreau à paillettes. Campée sur ses jambes épaisses, elle portait des talons aussi hauts que ses pieds étaient longs. Ses cheveux roux, coupés court autour de ses lourdes bajoues, étaient rehaussés par un bandeau orné de perles.

« Oui. Euh, non, je veux dire ! » bafouillai-je en lâchant le menu.

La femme me fit un sourire en coin. « On vous

nourrira bien assez tôt, dit-elle avec un dédain amical. Quand Eugène aura fini de s'empiffrer dans la cuisine, on entendra votre chanson. »

Son rire rauque et son aura m'indiquaient qu'il s'agissait bien de Mme Baquet. Elle me proposa d'enlever mon manteau et de m'asseoir à une table. Quand elle prit place en face de moi, la chaise grinça sous son poids.

« Z'avez vu quelque chose qui vous tente ? » demanda-t-elle en désignant le menu.

Je n'en avais jamais vu de plus luxueux, mais je sus me dominer. Je me contentai de répondre qu'une omelette me conviendrait.

Rejetant la tête en arrière, elle partit d'un gros rire qui résonna dans toute la salle. « On serait obligés d'aller en commander une au café du coin ! Quel âge avez-vous ? Je ne m'attendais pas à quelqu'un d'aussi jeune. »

L'espace d'un instant, je songeai à mentir, puis je me ravisai. Elle était trop perspicace. Il valait mieux jouer cartes sur table. « Bientôt seize ans.

— Une petite fille, c'est bien ce que je pensais. » Elle fit claquer sa langue. « Mes seize ans sont bien loin. Il n'empêche, M. Étienne a dit que vous étiez une chanteuse exceptionnelle, et si quelqu'un sait ce qu'exceptionnel signifie, c'est bien lui. »

Un fracas de casseroles jaillit de la cuisine. Mme Baquet pivota sur sa chaise et cria : « Eugène ! Tu viens ou tu saccages la cuisine ?

— J'arrive ! » beugla une voix masculine derrière la porte à double battant.

La sonnette retentit et Mme Baquet se leva pour

aller ouvrir. C'est avec soulagement que je vis M. Étienne et Odette sur le pas de la porte.

« Bonjour, lança Mme Baquet. J'étais justement en train de bavarder avec votre chanteuse. Eugène fait tout ce qu'il faut pour attraper une indigestion, mais il sera là d'une minute à l'autre. »

À peine M. Étienne et Odette m'avaient-ils saluée que la porte de la cuisine s'ouvrit et un Noir, encore en train de s'essuyer la bouche avec une serviette, s'engouffra dans la salle. « Bonjour, fit-il en tendant une main poisseuse pour attraper la mienne. Quelle charmante jeune dame ! Votre figure respire la joie ! »

Il saisit la main de M. Étienne, à qui il tint des propos que je ne compris pas, car il ajoutait des mots inconnus à ses phrases. D'après la tessiture cristalline de sa voix, je le pris pour un Américain.

« Parlez-vous anglais ? » me demanda-t-il en français, devinant mon erreur.

Bien sûr, je ne parlais pas cette langue, mais tous les autres semblaient la comprendre, et j'étais si désireuse de plaire que je répondis : « Un peu. Je connais *Yeah* et *Sure*. » Je fis de mon mieux pour imiter les inflexions américaines que j'avais entendues le premier soir où j'étais venue à Pigalle.

Mme Baquet hurla de rire en assenant de grandes claques sur la table. Eugène me lança un sourire espiègle et roula des yeux.

« Elle est très drôle, monsieur Étienne, déclara Mme Baquet. Je les aime mignonnes et rigolotes, et puisqu'elle a amené sa partition, je pense qu'on ferait mieux de l'écouter maintenant. »

Je suivis Eugène jusqu'au piano. Il essuya ses

243

doigts sur son pantalon et me prit mes partitions. « Rien que des chansons françaises ? remarqua-t-il en les feuilletant. Joli. *Yep*, maintenant on a une artiste qui chante en anglais, une en allemand et une en français. On devrait prendre le nom de Café international des Singes. » Cette fois-ci, je saisis la plaisanterie et éclatai de rire. Je commençais à comprendre qu'on s'amusait bien au café des Singes.

Eugène choisit la partition de *C'est lui que j'aime*. J'étais contente, c'était la chanson que le pianiste-répétiteur et moi avions le plus travaillée. Le pianiste avait souligné que pour une boîte de nuit, l'interprétation était aussi importante que les qualités techniques. J'avais résolu le problème de mon manque d'expérience amoureuse en pensant à mon père pendant que je chantais. Je ne connaissais peut-être rien à l'amour, mais je savais ce que perdre un être cher signifiait.

> *C'est lui que j'aime*
> *Et tant pis s'il est loin*
> *C'est lui que j'aime*
> *Mais demain est trop loin.*

Les mains d'Eugène s'élancèrent sur les touches. L'espace d'un instant, je restai fascinée par leur dextérité ; les mouvements en étaient si fluides, son doigté si agile et léger ! Par bonheur, ma concentration revint assez vite pour m'éviter de rater le début de la chanson. À l'instant où j'entonnai la première note, je sus que j'avais conquis Mme Baquet. Pendant que je chantais, elle ne tenait pas en place. Elle s'agitait sur sa chaise, battait du pied, ses yeux

244

embués de larmes rivés à moi, pleins d'admiration. À la fin, tout le monde applaudit. M. Étienne et Odette rayonnaient de fierté.

« Une autre ! lança Mme Baquet. Chantez *La bouteille est vide* ! » C'était l'histoire d'un homme qui aime tellement le champagne qu'il cause sa propre ruine, les paroles cyniques contrastaient avec le rythme enlevé. Eugène la joua plus vite que je ne l'avais répétée, mais je m'efforçai de tenir la cadence. Mme Baquet commença par fredonner la mélodie, puis, quand elle sut les paroles, elle se mit à chanter d'une voix enrouée. Progressivement, elle passa de la chanson à la négociation des termes de mon contrat avec M. Étienne, puis elle se remit à chanter sans transition.

« Monsieur Étienne, rédigez-moi le contrat cet après-midi. Je ne veux pas qu'un autre club me la chipe, cette fille. Pour commencer, je suis prête à la payer quatre-vingts francs pour deux prestations par semaine, plus les pourboires. Et je lui servirai un bon repas après chaque tour de chant, histoire qu'elle se remplume. »

Je continuais à chanter, pourtant j'étais sur le point de m'évanouir. Quatre-vingts francs pour deux soirs *plus* les pourboires ? J'avais estimé qu'en vivant de peu, il me faudrait au moins quatre cents francs par mois pour le loyer, les repas et les tickets de métro. En supposant que j'arrive à doubler le salaire payé par Mme Baquet avec les pourboires et en déduisant la commission de M. Étienne, je gagnerais près de cinq cents francs pour seulement deux soirs par semaine ! Je poursuivis ma chanson, étourdie à l'idée de tout ce que j'allais pouvoir acheter

245

avec cet argent, sans rien comprendre à l'ironie des paroles ou à la mise en garde qu'elles contenaient : « Et plus on en a / Et plus on en veut / Encore et encore / Jusqu'à la misère. »

Même si, d'ordinaire, on ne me demanderait pas d'arriver au café des Singes avant une heure et demie, Mme Baquet me suggéra de venir plus tôt le premier soir. « Tu pourras regarder Florence et Anke chanter et te familiariser avec les lieux. »

Je hélai un taxi sur le boulevard Montparnasse, avec la satisfaction de ne pas avoir à prendre le métro seulement pour faire des économies. Quand le chauffeur s'arrêta devant le café des Singes, je fus frappée par le contraste entre l'atmosphère du club la nuit et celle qui y régnait quand je l'avais vu de jour. Le rideau grillagé du magasin de literie était baissé et des spots éclairaient l'entrée. Un homme en manteau et chapeau de velours travaillait à l'entrée.

« Ils sont serrés comme des sardines, là-dedans, mademoiselle, dit-il avec un accent russe qui faisait rouler ses *r* encore plus fort que les trémolos de Zéphora. Vous êtes seule ? »

Je lui expliquai qui j'étais et il me fit signe d'entrer. D'abord, je ne distinguai rien d'autre que les dos des gens qui, agglutinés dans l'entrée, attendaient qu'une table ou simplement un peu de place se libère. « Pardon », fis-je à un homme encore emmitouflé dans son manteau et ses gants. Il grimaça. Je crus qu'il était contrarié, puis je compris qu'il essayait simplement de lever le bras dans la foule compacte pour me laisser passer. Le club était plein et la plupart des clients, debout. Une femme menue se trouvait sur scène, elle chantait le blues en anglais. Sa voix chatoyait comme sa peau noire dans la lumière des spots. Mme Baquet, vêtue d'une robe faite de franges blanches, une plume dans les cheveux, flirtait avec un jeune homme à monocle. Elle croisa mon regard et m'adressa un signe de la main, bien qu'il nous fût impossible de nous rejoindre dans la salle bondée. Elle désigna un tabouret près du piano et je compris que je devais y prendre place. Je me frayai un chemin en zigzaguant dans la foule et poussai un soupir victorieux en arrivant devant le siège, sur lequel je me laissai tomber. À ma surprise, je vis que le pianiste – je m'attendais à trouver Eugène – était quelqu'un d'autre. Noir et mince, il avait les mêmes yeux protubérants, mais il était plus jeune.

La chanteuse, ce devait être Florence, chantait les paupières mi-closes et les lèvres serrées, mais elle terminait chaque chanson et introduisait la suivante avec un sourire qui découvrait ses dents éclatantes. Je ne comprenais pas un mot des paroles, mais les murs renvoyaient le son de sa voix qui me faisait vibrer à l'unisson.

Une fois son tour de chant terminé, les spectateurs applaudirent et témoignèrent leur satisfaction en entassant des billets dans son pot. Une partie de la foule convergea vers le bar pour y commander la prochaine tournée de boissons. Du français, remarquai-je en écoutant leurs bavardages enjoués. Ils sont presque tous français. Je me demandais où étaient les Américains.

Eugène sortit de la cuisine, un plateau en équilibre sur l'épaule, et alla déposer des plats, foie gras et crevettes sauce cocktail, sur une table près du piano. Il m'aperçut et me fit un clin d'œil. « C'est mon frère Charlie, dit-il avec un geste du menton vers le jeune pianiste. On se relaie pour servir et accompagner les chanteuses. Ça nous repose. Tu veux quelque chose ? »

Je secouai la tête. « Je n'aime pas manger juste avant de chanter. »

Il acquiesça en se tapotant le ventre. « Ce qui est bien, quand on est au piano, c'est qu'on peut toujours manger. »

Mme Tarasova m'avait raconté qu'une chanteuse ne doit jamais entrer en scène le ventre plein, mais mon refus de manger était surtout lié à ma nervosité. J'avais été à l'aise pour l'audition, seulement dès que j'étais montée dans le taxi pour aller au club, j'avais été prise de tremblements et de sueurs froides. Voir ce public sophistiqué de près n'arrangeait rien. Chantais-je assez bien pour eux ? Quelles étaient leurs attentes ? En tout cas, je n'étais pas aussi douée que Florence, dont la voix ensorcelante savait moduler une note sans dérailler. Pas encore, du moins. Peut-être mon estomac noué, la nausée et ma gorge serrée disparaîtraient-ils quand je serais une artiste chevronnée. Ou faudrait-il m'en accommoder pour le restant de mes jours ?

Mme Baquet interpréta une chanson farfelue, l'histoire d'un homme surpris par son amante en train d'essayer de séduire la mère de cette dernière, puis elle annonça aux clients qu'ils devaient prendre leurs boissons et s'installer car le moment était venu où la « fabuleuse Anke » entrait en scène.

Un homme en queue-de-pie et chapeau haut de

forme se fraya un chemin dans la foule jusqu'à l'estrade. Le projecteur se braqua sur son dos. Charlie attaqua la première note et l'homme fit volte-face. Je clignai des yeux. Il avait un visage glabre et des yeux bleus lourdement maquillés de noir. Le chanteur était une femme. Elle s'était donné une apparence masculine en brossant ses cheveux courts en arrière et en adoptant une démarche arrogante. Le silence se fit soudain dans la salle et la femme se mit à chanter. Sa voix était aussi androgyne que son allure, étrange et discordante. Elle mit ses mains en corolle sous son visage et déploya ses ongles au vernis vert comme des griffes. Je fis la grimace. Son numéro était dérangeant. Les paroles en allemand me couraient sur la peau comme des araignées. *Vernichtung. Warnung. Todesfall*. À la troisième chanson, j'avais des fourmillements partout et je tenais à peine sur mon tabouret. Pourtant, les autres spectateurs étaient captivés – pas un verre ne tintait, aucun murmure et personne ne toussait.

Quand Anke eut terminé, elle ne salua pas, ne remercia pas son public. Elle s'éclipsa rapidement et joua des coudes dans la foule pour gagner la porte, comme si les spectateurs l'avaient irritée. Elle ne revenait pas prendre ses pourboires, alors les spectateurs se levèrent et applaudirent à tout rompre, et je me demandai comment je pourrais égaler un tel succès.

Ce fut soudain l'effervescence autour de la préposée aux vestiaires, qui s'activait dans une cabine à peine plus grande qu'un placard. Les tables se vidèrent ainsi que l'espace situé devant la scène. Personne ne restait pour écouter mon numéro. Je ne pouvais pas le prendre personnellement. J'étais inconnue à Paris et les spectateurs se dépêchaient sans doute d'aller à un autre spectacle ou de retrouver des amis pour dîner ou boire un verre. C'était Paris. Il y avait tant de restaurants, de music-halls, de cafés, de bars et de théâtres, tant de distractions dans cette ville que passer toute la soirée au même endroit n'était pas envisageable.

Mais à peine le café se fut-il vidé qu'il se remplit une nouvelle fois. Les nouveaux spectateurs s'empressèrent d'aller au bar, ils se hélaient de loin et faisaient passer les verres par-dessus la forêt de têtes. Mme Baquet les accueillait en anglais et s'arrêta un moment pour saluer une jeune fille vêtue d'une robe pourpre ornée de roses autour du décolleté et des manches. Eugène prit la place de Charlie au piano et chauffa la salle avec un riff de jazz. Les Américains étaient arrivés.

Eugène se pencha par-dessus le piano. « Tu as un bon public ce soir. C'est Scott Fitzgerald et sa femme Zelda », dit-il en désignant du menton un homme et une femme enlacés. Ils essayaient de danser dans la salle bondée, en renversant leurs verres de whisky. Les traits de l'homme étaient fins et ses lèvres si délicates qu'elles lui donnaient presque l'air féminin. Le visage de sa partenaire était plus sévère. Sa robe saumon, retenue par des bretelles argentées et croisées dans le dos, s'évasait à partir des hanches pour former une ample jupe en cloche. Était-ce à cela que ressemblait une robe à quatre mille francs ?

« Ils fréquentent toujours les gens à la mode, reprit Eugène sans pour autant manquer une seule note de son morceau de jazz. S'ils t'apprécient, ils parleront de toi autour d'eux. »

Je passai les mains sur ma robe comme pour en effacer des plis imaginaires. Le tremblement de mes jambes s'accentua. « En scène ! » fit Eugène, et je souris. Je dus m'y reprendre à deux fois pour me lever. Je contemplai les visages éclairés. Sans raison particulière, je pensais que les dîneurs seraient plus calmes, mais cette foule-là ressemblait à un sapin de Noël illuminé.

En grimpant sur l'estrade, je faillis perdre l'équilibre. Je risquai un œil du côté d'une table au fond de la salle où six clients étaient assis en me demandant pourquoi je ne les avais pas remarqués plus tôt. Tout chez eux – les œillets aux boutonnières des hommes, les yeux des femmes, soulignés au crayon khôl, et la retenue avec laquelle ils sirotaient leurs boissons – les distinguait des autres : c'était des Parisiens. L'homme assis en bout de table attira mon attention. Sa peau avait une teinte dorée que l'on ne rencontre pas souvent chez les citadins et qui évoquait le miel ; ses cheveux et ses yeux étaient couleur de sable. Sa voisine avait un grain de beauté près de la narine. Elle me fit penser à un élégant chat siamois ; fine, elle avait des formes parfaites, des traits réguliers et une carnation laiteuse. Moi qui m'étais trouvée élégante dans ma robe, comparée à elle, j'étais aussi négligée qu'un chat de gouttière.

L'homme aux yeux dorés se tourna vers moi et nos regards se croisèrent pour ne plus se quitter. Mon cœur bondit comme si j'avais saisi un commutateur et touché un fil dénudé. Le connaissais-je ? Non, je ne l'avais jamais vu, pourtant quelque chose en moi le *reconnut*. J'oubliai ce qui m'entourait, et je serais restée plantée là pour toujours si Mme Baquet

251

ne s'était penchée en travers de la table pour les saluer en soustrayant l'homme à ma vue. Je profitai de la pause pour me rappeler un conseil que m'avait donné le pianiste-répétiteur afin de capter l'attention d'un public agité. « Chantez pour ceux qui vous sont chers », avait-il dit. Il entendait par là que je devais m'adresser au visage le plus amical du public, pour ensuite attirer progressivement tous les autres dans le cercle.

L'homme aux yeux mordorés était-il mon « visage amical » ? Mme Baquet se fondit à nouveau dans la foule et je vis qu'il s'était penché par-dessus la table pour admirer le bracelet que lui tendait une de ses compagnes. Mes chansons ne seraient peut-être pas assez raffinées pour lui. Les Américains, quant à eux, étaient prêts à s'amuser. *Mais pour qui devais-je chanter ?* Eugène leva les yeux vers moi, attendant le signal. Je déglutis sans parvenir à chasser la boule que j'avais dans la gorge. J'aperçus Zelda Fitzgerald. Pendue au cou de son mari, son fume-cigarettes suspendu à sa lèvre inférieure, elle flirtait avec un autre homme assis à côté de lui. Quelque chose dans ses bras frêles et dans ses lèvres tordues par un rictus mauvais indiquait qu'elle n'en avait plus pour longtemps à vivre.

« *La bouteille est vide*, annonçai-je à Eugène. Commençons par la chanson qui parle de champagne. »

Eugène me présenta et j'entamai ma chanson avec entrain, mais mes efforts se heurtèrent à de l'indifférence. Je plissai les yeux pour y voir dans la pénombre. Personne ne me prêtait attention, pas même l'homme aux yeux dorés. Pour qui étais-je censée chanter afin de capter ensuite l'écoute des autres si *tout le monde* s'en fichait ? La tablée de Français s'extasiait à n'en plus finir sur ses hors-d'œuvre variés, les Américains s'allumaient mutuellement des cigarettes et échangeaient leurs tables. Mme Baquet allait des uns aux autres en s'efforçant d'attirer l'attention sur moi, seulement c'était à l'artiste de captiver son public, pas à la maîtresse des lieux. Son rôle consistait à s'assurer que ses hôtes passaient un bon moment, sans se soucier de moi. Je t'en prie, regarde-moi ! implorai-je l'homme aux yeux de sable, qui continua à manger son artichaut avec délectation. J'avais du mal à me faire entendre dans le brouhaha. J'aurais pu chanter n'importe quoi dans n'importe quelle langue sans que personne s'en aperçoive. Je jetai un coup d'œil à Eugène, mais il était trop absorbé par sa musique pour s'apercevoir de mes difficultés.

À moi de jouer ! Les paroles de *Shéhérazade* me vinrent soudain à l'esprit. *À moi de jouer !* Je me rappelai combien j'avais été terrifiée le jour où l'on m'avait propulsée dans le rôle vedette au Chat espiègle.

Je me mis à chanter le numéro d'ouverture de la comédie musicale, laissant Eugène continuer à jouer *La bouteille est vide*. Une bande d'Américains tapageurs pouvait noyer la voix d'une chanteuse de night-club, mais ils auraient du mal à concurrencer les capacités vocales d'une artiste de music-hall. J'inspirai un grand coup et leur montrai que je pouvais donner de la puissance. En quelques instants, les conversations cessèrent, les spectateurs posèrent couteaux et fourchettes, les verres s'immobilisèrent et tous les yeux convergèrent vers moi.

D'abord, le passage soudain du brouhaha au silence me rendit nerveuse. Eugène, imperturbable face à mon changement de répertoire, continua à jouer la chanson de la bouteille. L'espace de quelques mesures, nos mélodies furent discordantes, mais ensuite, je repensai à la façon dont Mme Baquet avait chanté avec moi et enchaîné sur la négociation de mon contrat avec M. Étienne, et je repris la chanson sur le champagne tout en douceur comme si telle avait été mon intention depuis le début. Je terminai mon numéro avec le sentiment d'avoir ou gâché ma chance au café des Singes ou fait forte impression. Mon cœur bondit quand je m'aperçus que ce n'était plus le sang qui battait à mes oreilles mais le bruit des applaudissements. « Elle est incroyable ! » cria quelqu'un.

Je terminai mon répertoire en vacillant, submergée par l'accueil chaleureux des spectateurs. Ils se levèrent après m'avoir rappelée pour une dernière chanson et applaudirent encore plus fort en lançant des « Bravo ! ». Ma première prestation parisienne n'était pas simplement un succès : c'était un triomphe. Les Américains se précipitèrent vers moi pour me serrer la main en me parlant dans leur français décontracté. « Tu es magnifique ! » Ils fourraient tellement de billets dans notre pot à pourboires qu'Eugène dut y enfoncer le poing pour les tasser. Zelda Fitzgerald y laissa tomber une bague ornée d'une perle. « Pour vous porter chance », susurra-t-elle en effleurant ma joue d'un doigt glacé.

Soudain, j'eus l'impression d'être observée et, me

retournant, je trouvai l'homme aux yeux dorés debout derrière moi. « Une prestation inoubliable, mademoiselle ! » fit-il en souriant avant de glisser un rouleau de billets dans mon pot.

C'était comme si on m'avait cassé une bouteille de champagne sur la tête et que j'essayais d'y voir à travers les bulles. J'ouvris la bouche pour parler, mais aucun son n'en sortit. Il dit autre chose qui m'échappa car ses paroles furent noyées par un éclat de rire général : les Américains commandaient encore une tournée au bar bien que l'heure de la fermeture approchât.

« Au revoir, reprit-il, toujours souriant. J'espère vous entendre à nouveau. »

Incapable de détacher mes yeux de son dos, je le regardai rejoindre ses compagnes occupées à récupérer leurs manteaux. Quand il se retourna et me lança encore un regard avant de franchir la porte et de disparaître dans la nuit, je sentis que je venais de rencontrer un homme susceptible de changer le cours de mon existence.

11

Ce soir-là, je récoltai trois fois plus de pourboires que je n'avais escompté au café des Singes. N'ayant encore jamais gagné autant d'argent, je ne savais qu'en faire à part le dépenser. Le lendemain, inspirée par le sens de l'élégance d'Odette, j'allai courir les boutiques. Je déambulai dans les rayons robes, chaussures et produits de beauté des Galeries Lafayette, les jambes vacillantes et l'esprit agité par des idées contradictoires. Mais ces sentiments n'étaient pas dus à l'argent ni aux boutiques. Je savourais le souvenir du sourire de l'homme aux yeux dorés. Était-il possible que quelques mots échangés avec un inconnu me rendent si… quoi… ? Vivante ?

Je ne rentrai dans ma chambre qu'à la nuit tombée, laissant un bon pourboire au chauffeur de taxi qui avait porté mes sacs et mes paquets jusqu'à ma porte. Il observa le bric-à-brac de balais, de seaux et de déchets de l'autre côté du couloir. Toute à mes achats, je n'avais pas songé à avoir honte de l'état de délabrement de l'immeuble. Le chauffeur dut se demander pourquoi une jeune femme qui rapportait autant d'emplettes des Galeries Lafayette vivait dans un tel taudis. Je le regardai descendre l'escalier en pinçant le nez à cause de la forte odeur de moisi et de crottes de chien.

Je déposai mes trésors sur le lit, impressionnée à l'idée que cette robe émeraude dont les manches s'arrêtaient aux coudes m'appartenait et que je l'avais achetée avec l'argent gagné en chantant. Mon achat le plus coûteux était un manteau en jacquard. Le jeter sur mes épaules suffisait à me réchauffer. J'enfilai tous mes nouveaux habits, même la chemise en lin que j'avais achetée pour remplacer ma vieille chemise effilochée, puis j'ouvris la boîte qui contenait le miroir en argent et le pupitre. Ayant calé le miroir sur le lit, je m'éloignai autant que je pus pour essayer – sans succès – d'apercevoir mon reflet en entier.

J'avais prévu de dîner à la crémerie italienne de la rue Campagne où j'avais mangé la veille après mon numéro. La propriétaire, ancien modèle d'un artiste peintre, y servait des soupes pour seulement quelques sous. Les artistes désargentés pouvaient payer en accrochant leurs toiles aux murs. Mais en passant devant les lampes dorées de la Rotonde, je décidai d'y fêter mon succès.

Les rires et l'arôme de liqueur au café m'enveloppèrent dès que j'entrai. Au bar, deux hommes me détaillèrent. Un serveur me conduisit à une table près de la porte, même si, à en juger par les bavardages provenant de l'arrière-salle, c'était là-bas qu'il fallait dîner. Une virulente dispute s'y déroulait, si animée que j'en saisis des bribes malgré le bruit des verres et des couverts qui s'entrechoquaient.

« Les surréalistes ! La révolution ! » cria une voix. Un rire de dérision fusa. « On verra bien ! »

Deux femmes étaient adossées au mur près de la porte de cette salle. L'une tirait sur un fume-cigarettes. Son visage était aussi peint qu'un tableau : elle avait des demi-lunes d'un vert éclatant au-dessus des paupières et ses lèvres rouge vif tranchaient avec la pâleur de sa peau et ses cheveux noirs. Quand elle se mit à rire, le bout de son nez parut plus fin et rendit son visage encore plus saisissant.

« Kiki ! Kiki ! dit sa compagne blonde en se tamponnant les yeux avec un mouchoir chinois. Tu me fais pleurer de rire. »

Je commandai un Pernod et sirotai l'alcool laiteux en essayant de me décider pour une assiette d'huîtres ou des moules. J'optai pour les moules marinière. En mangeant, j'observais les gens qui, toujours plus nombreux, passaient la porte : des hommes en costumes dépenaillés avec des manchettes maculées de peinture et des couples en tenue de soirée. Il y avait des Français, des Allemands, des Espagnols, des Italiens et des Américains. Les Américaines continuaient à allumer des cigarettes dans la brasserie malgré le panneau, posé sur le comptoir, qui interdisait aux dames de fumer dans le café. Odette m'avait raconté qu'à Paris de nombreux artistes et comiques connus se retrouvaient à la Rotonde ou au Dôme, en face, mais je ne savais pas du tout si ces visages sous mes yeux étaient ceux de célébrités ou non. Je terminai mon repas et payai l'addition. Redoutant d'utiliser les toilettes glaciales de mon immeuble, je décidai de me rendre à celles de la brasserie avant de partir.

Après avoir donné la pièce à la gardienne, je m'arrêtai pour vérifier mon apparence dans la glace. L'éclairage était plus fort que dans ma chambre. Je sortis mon poudrier et appliquai quelques touches sur mon nez avant de m'apercevoir que quelqu'un se tenait à côté de moi.

« Il a été très fâché quand tu lui as annoncé la nouvelle ? » questionna la femme. Elle semblait parler à son reflet. Peut-être était-elle ivre.

« Tu m'en veux de t'avoir chargée de la commission, Suzanne ? »

Je fis volte-face, reconnaissant ce profil : ces pommettes délicates, ce nez parfaitement droit. « Camille ? » Avec tout ce qui s'était passé depuis que je l'avais vue pour la dernière fois, j'avais oublié

258

ma colère. Mais le souvenir de la façon dont elle m'avait abusée me revint.

« Je peux peut-être me racheter, poursuivit Camille, sans cesser de sourire au miroir. Veux-tu te joindre à mes compagnons et à moi pour dîner ? Je suis avec certains des hommes les plus riches de Paris. »

Quelque chose dans son enjouement penaud me prit par surprise et j'acceptai l'invitation sans réfléchir.

Je suivis Camille jusqu'à une table dans la salle du fond. Trois hommes en smoking se levèrent. Le premier se présenta : David Bentley, un Anglais solidement charpenté qui parlait un bon français. Les deux autres étaient parisiens. Avec leurs visages étroits et leur regard opaque, ils auraient pu être frères. Mais ils ne l'étaient pas : ils se présentèrent comme François Duvernoy et Antoine Marchais.

Une fois tous assis, David Bentley – qui insista pour que je l'appelle Bentley parce que c'était son « nom pour les amis » – me demanda comment je connaissais Camille. Je lui expliquai que nous nous étions produites dans le même spectacle à Marseille, sans faire allusion à la façon dont Camille nous avait fait faux bond. Bentley enroula deux doigts autour du poignet de cette dernière et caressa sa peau translucide. Elle portait un bracelet en diamant ; beaucoup plus gros et plus ouvragé que celui que lui avait offert M. Gosling. Un coup d'œil à la robe de perles argentées de Camille et à son étole en renard me suffit pour deviner qu'elle avait remplacé ce dernier par un homme plus riche.

« Tu ne m'as pas raconté comment a réagi

M. Dargent quand je suis partie, s'enquit-elle en soustrayant son poignet aux explorations de Bentley. Et tu ne m'as pas dit si tu m'avais pardonné pour t'avoir fait transmettre la nouvelle. »

Il n'était pas facile de déchiffrer le ton de sa voix, pourtant je devinai qu'elle s'intéressait plus à ce qu'avait dit M. Dargent qu'à ma propre réaction. Je lui répondis qu'elle n'avait pas à s'inquiéter. Le scandale nous avait profité et le spectacle avait bien marché. En la voyant faire la moue, je compris que ce n'était pas la réponse qu'elle attendait. Sans doute croyait-elle qu'en son absence le spectacle avait fait un flop.

« Mais la saison aurait été meilleure si tu avais incarné Shéhérazade… », commençai-je, puis je m'interrompis. Le spectacle avait remporté un vif succès quand *moi*, j'avais repris le rôle de Shéhérazade, mais sans savoir pourquoi je ne pus me résoudre à révéler à Camille que j'avais joué ce rôle. Qu'est-ce qui me rendait si servile, chez elle ?

Bentley nous demanda si nous voulions du champagne. « Oui, opina Camille, puis, se retournant vers moi : Mais qu'est-ce que tu fais à Paris ?

— Je chante au café des Singes. Deux soirs par semaine. Je cherche d'autres contrats. »

Le champagne arriva et Bentley pria le serveur de nous servir une coupe à chacun. « Nous sommes ici pour célébrer le triomphe de Camille, dit-il en poussant une coupe vers moi. Elle va se produire au Casino de Paris.

— Au Casino de Paris ! m'écriai-je. C'est aussi bien que les Folies-Bergère !

— Mieux, précisa Bentley, penché vers moi. Le

niveau des chants et des danses est supérieur au Casino. Aux Folies-Bergère, tout est dans le spectacle et les nus. »

J'eus pitié de lui. Il était amoureux de Camille, mais à voir le détachement avec lequel elle s'adressait à lui, je devinai qu'il serait remplacé dès qu'un homme plus riche se présenterait, comme c'était arrivé à M. Gosling.

« Portons un toast, proposa François en levant son verre. À Camille ! »

Camille se tourna vers moi. « Ils n'ont encore trouvé personne pour reprendre la première partie dans laquelle je chantais. Je pourrais parler de toi au gérant pour une audition. C'est juste le temps d'une chanson et d'un numéro de danse, mais c'est au Casino de Paris ! »

Je lui fus reconnaissante de son offre, seulement après ce qui s'était passé à l'audition des Folies-Bergère, je n'étais pas sûre de réussir.

Le Casino était peut-être moins frivole que les Folies-Bergère, mais leurs critères de beauté seraient exactement les mêmes.

« Il est temps de passer au dîner, lança Antoine en faisant signe au serveur de lui apporter l'addition. Que dites-vous du Bœuf sur le toit ? Il y a du bon jazz là-bas.

— Non, dit François. C'est trop bruyant. Allons au Fouquet's. »

Bentley secoua la tête. « On y retrouvera la même foule qu'ici. Moi, je suis pour la Tour d'argent.

— J'ai déjà dîné », fis-je remarquer aussi aimablement que possible. La Rotonde avait été une folie pour moi. Bien que nouvelle venue à Paris, j'étais

261

assez informée pour savoir qu'ils mentionnaient les restaurants les plus chers de la ville, et mes rêves de grandeur avaient beau prendre forme, j'avais encore des limites.

« Eh bien, dînez une deuxième fois ! s'exclama François dans un éclat de rire. Forcir un peu ne vous ferait pas de mal.

— C'est Bentley qui paie, me chuchota Camille.

— Je pense tout de même que nous devrions aller dans un endroit où il y a de la musique, insista Antoine.

— Le Bœuf sur le toit est plein de play-boys sud-américains. Je vous préviens : ils vont nous chiper Mlle Fleurier », affirma Bentley.

Cette remarque suscita l'hilarité générale. Je souris aussi, sans comprendre la plaisanterie.

Nous nous entassâmes dans un taxi : Camille et Bentley à l'avant, moi derrière entre Antoine et François. Avec nos pardessus, nos écharpes, nos manteaux et nos gants, nous étions serrés les uns contre les autres comme un gros ballot de vêtements dans le coffre d'une costumière. Le taxi traversa la Seine vers la rive droite. Nous passâmes devant l'obélisque égyptien de la place de la Concorde.

« C'est ici que Louis XVI a été exécuté, commenta Antoine en frappant la vitre de son doigt replié. Et plus tard, Marie-Antoinette et Robespierre.

— On n'imagine pas que cela ait pu se passer dans un tel endroit », dis-je. Je me figurai une foule révolutionnaire massée sur les pavés qui agitait le poing en criant : « Qu'on lui coupe la tête ! »

« Non, en effet, acquiesça Bentley. Quand on

regarde la ville et ses lumières, on oublie facilement l'histoire sanglante de Paris. »

Nous arrivâmes rue Boissy-d'Anglas et pénétrâmes dans le Bœuf sur le toit en file indienne. Le night-club était tellement bondé qu'on pouvait à peine bouger. Je pensais que nous allions rester coincés près de la porte toute la nuit, mais le serveur parvint à nous trouver une table. Le sommelier apporta du champagne dans un seau à glace. Le jazz palpitait à mes oreilles. De l'endroit où nous étions, nous pouvions voir la scène et l'orchestre avec ses trombones, ses clarinettes et ses saxophones étincelants.

« Tout Paris est là, ce soir, fit observer Camille. Regardez, c'est Coco Chanel ! » Je suivis le regard de Camille, posé sur une femme aux cheveux sombres qui avait une grande bouche sensuelle. Elle portait une robe au drapé aussi ondulé que la surface d'un coquillage. Elle ne ressemblait pas à ce que la description de Mme Chardin m'avait fait imaginer. Sa robe sobre flottait autour d'elle à chaque mouvement de son bras quand elle portait son verre à ses lèvres. Mais elle avait de grosses boucles d'oreilles et des colliers de perles baroques autour du cou.

« Je croyais que sa théorie, c'était le minimalisme, fis-je. Un seul bijou décoratif à la fois. »

Bentley me lança un coup d'œil. « C'est une créatrice, répliqua-t-il avec un petit rire. Elle gagne sa vie en lançant des modes puis en les changeant.

— Voilà votre ami », dit Antoine à Camille en inclinant la tête vers un homme au sourire asymétrique.

Camille se tourna vers moi. « C'est Maurice Chevalier. Il chantait dans le dernier spectacle du Casino de Paris et gagnait deux mille francs par soir.

— Deux mille francs ! Qu'est-ce qu'il fait ? demandai-je.

— Il danse sur scène, coiffé d'un chapeau de paille, il raconte des histoires drôles et chante des chansons pleines de sous-entendus. Hollywood va sans doute nous le chiper.

— Hollywood ?

— En Amérique. Les films ! insista Camille, amusée par mon ignorance.

— Il paraît qu'il n'a pas de cœur, dit Bentley en coupant le bout d'un cigare avec un petit coupe-ongles. Il a laissé tomber Mistinguett alors qu'elle venait de risquer sa vie pour le sauver d'un camp de prisonniers de guerre. »

Mistinguett, je le savais, était la « Reine du music-hall parisien » et la chanteuse la plus célèbre de France.

« Mais il faut être insensible pour réussir », commenta Camille.

Bentley sourit, je ne compris pas très bien pourquoi. À mon avis, il ne lui arriverait rien de bon s'il aimait Camille.

Je me tournai vers la piste de danse pour observer les couples qui y évoluaient dans un tourbillon animé.

« Voulez-vous danser ? me proposa François en posant son verre.

— J'aimerais bien, opinai-je, plus tentée par la musique que par l'invite, qui se voulait charmeuse. Seulement je ne connais pas cette danse.

— Si vous savez marcher, vous savez danser le fox-trot », dit-il en tendant la main pour m'escorter. Il y avait tout juste assez de place pour nous entre les autres couples, mais François parvint tout de même à me montrer les pas. La danse était étonnamment facile à mémoriser, avec son rythme lent-lent, rapide-rapide. La phase lente était gracieuse et langoureuse, la phase rapide, saccadée et animée. Nous glissions sur la piste, nous cognant parfois à d'autres couples trop amoureux ou trop éméchés pour le remarquer. Nous passâmes près d'un homme élégamment vêtu qui avait des poches sous les yeux. « C'est le prince de Galles, me chuchota François à l'oreille. Son grand-père était amoureux de Paris et de ses femmes. Quand il a dû renoncer à la vie parisienne pour devenir roi, ça lui a brisé le cœur. Je me demande si ce prince-là ressentira la même chose. »

Le tempo changea. La moitié des couples s'empressa de quitter la piste et fut bien vite remplacée par d'autres danseurs. « Je ne sais pas danser ça, dit François. Il faut être un bon danseur. » Autour de nous, les gens faisaient claquer leurs talons et battaient des bras comme des oiseaux au rythme syncopé de la musique. Je n'avais jamais vu de danse aussi dynamique, elle débordait d'une telle joie de vivre que cela me fit rire. François s'éclipsa ; moi, je restai au milieu de cette débauche d'énergie. Cela ne se dansait pas à deux, mais six ou sept couples s'agitaient, chaque partenaire de son côté. Les pas ne me posèrent aucun problème. J'avais le don de décomposer les séquences dansées assez rapidement et je ne pus résister à l'envie de m'amuser. Sans même m'en rendre compte, je me retrouvai bientôt en train d'esquisser des mouvements de shimmy et de croiser les genoux avec tous les autres. J'allai jusqu'à improviser quelques claques sur les hanches et des mouvements de la tête de mon invention.

Après quelques morceaux rapides, les danseurs ralentirent leur rythme ou quittèrent la piste et l'orchestre repassa au fox-trot. Je revins à notre table au moment où le serveur arrivait avec son plateau chargé d'assiettes.

« Nous ne savions pas ce que vous vouliez manger, m'expliqua Antoine, alors nous vous avons commandé du poisson avec une sauce au champagne. »

Le serveur déposa devant moi un filet de cabillaud des plus appétissants.

« Votre charleston était époustouflant, mademoiselle Fleurier ! dit Bentley. Toute la salle n'avait d'yeux que pour vous.

— Le charleston... c'est comme ça que ça s'appelle ? »

François leva les sourcils. « Cela vient des États-Unis. C'est la première fois que vous le dansez ? »

Je hochai la tête.

« Encore plus étonnant, rit Bentley. Je n'ai toujours pas saisi le truc, et pourtant j'ai pris des cours. La mode du charleston fait rage ici, à tel point qu'aucun serveur ne peut se faire embaucher s'il ne sait pas le danser. Il faut être capable de l'apprendre aux clients qui le demandent. »

Camille se pencha vers moi. « Il y a un homme qui ne t'a pas quittée des yeux de toute la soirée, me souffla-t-elle.

— Lequel ? »

Elle se tourna vers une table au bord de la piste de danse. J'aperçus l'homme aux yeux couleur sable qui me regardait. Je souris, mais il ne me rendit pas la pareille. Il dînait en compagnie des mêmes personnes qu'au café des Singes. La femme aux allures de chat siamois lui effleura l'épaule et lui chuchota quelque chose à l'oreille. Il me jeta encore un coup d'œil et rit avant de se détourner. Se moquaient-ils de moi ?

« Tu le connais ? s'enquit Camille.

— Le champagne me monte à la tête », dis-je. Je me sentais trop bête pour parler d'une amourette vieille de vingt-quatre heures. Pourquoi n'avait-il même pas eu la courtoisie de me rendre mon sourire ? Ne m'avait-il pas complimentée pour ma prestation de la veille ?

Camille haussa les épaules et se tourna vers Bentley pour lui dire quelque chose. Je mangeai mon poisson, les yeux rivés à mon assiette. Manifestement, la chatte siamoise avait plus de pouvoir sur cet homme que j'avais escompté. Et comment en aurait-il été autrement ? Elle avait un regard sensuel et d'épais cils noirs. Elle était menue, avec des mains et des pieds minuscules. Même à distance, elle me donnait l'allure d'une géante. J'eus envie de lancer à l'homme de mes rêves un regard noir qui signifierait que je n'aurais plus jamais une seule pensée pour lui. Mais quand je rassemblai enfin le courage de me retourner, ce fut pour me retrouver nez à nez avec une poitrine. Levant la tête, je rencontrai le regard de l'homme aux yeux dorés.

« Bonsoir. J'espère que vous allez mieux ce soir », dit-il à Antoine. La siamoise était accrochée à son bras, pesant de tout son poids sur lui. Le regard de son compagnon alla d'Antoine à moi, avant de revenir à lui. « J'espérais que vous nous présenteriez votre amie. Nous l'avons vue chanter au café des Singes hier soir. Elle était magnifique. »

Ces fameux yeux éclairaient un très beau visage. Il avait des pommettes anguleuses et un nez épais mais droit.

Antoine fronça les sourcils. « Mademoiselle Fleurier, s'exécuta-t-il. Voici Mlle Marielle Canier et M. André Blanchard.

— Enchanté », dit André en prenant ma main pour la baiser. Je lui retournai le compliment et jetai un coup d'œil à Mlle Canier. Elle murmura quelques paroles de salutation en regardant par-dessus mon épaule. Manifestement, ces présentations n'étaient pas dues à son initiative. Un frisson me parcourut à nouveau.

« Voudriez-vous nous donner des leçons de charleston ? demanda André, les yeux braqués sur moi. Mlle Canier et moi avons été invités à une croisière de jazz, mais il semble que nous ne sachions pas nous y prendre pour le danser. »

Le frisson disparut comme une fusée magique sous la pluie. Mlle Canier retira sa main de sous le bras d'André et l'enfouit dans la sienne. Je fis de mon mieux pour ignorer leurs doigts entrelacés, malgré mon envie de disparaître.

« Pourquoi ne vous adressez-vous pas à Ada Bricktop ? suggéra François. Si ses cours sont assez bons pour le prince Édouard, ils feront bien l'affaire pour vous. Mlle Fleurier est une artiste, pas un professeur de danse ! »

André éclata de rire. Un bon rire, à gorge déployée. Qui fit pétiller son regard et découvrit ses dents bien rangées. « Tout à fait exact. Veuillez

268

m'excuser, mademoiselle Fleurier. C'est juste que, quand vous dansez, on dirait que le monde vous appartient. »

Je remarquai un changement presque imperceptible dans ses yeux : quelque chose en eux reflétait une déception que je partageais. Il s'attarda un instant en lorgnant ses pieds, puis il s'excusa d'avoir interrompu notre dîner et escorta Mlle Canier jusqu'à leur table.

« Qui c'était ? » demanda Camille à Antoine.

Ce dernier attendit que Bentley se soit tourné pour appeler un serveur avant de répondre. « André Blanchard, de la fortune Blanchard. Une des familles qui contrôlent l'économie française. Ne rêve pas, Camille ! Il est l'unique héritier. Crois-moi, son père ne le laissera pas commettre la moindre erreur.

— Et elle ?

— Mlle Canier ? Juste une mondaine. Choyée, dorlotée et bien habillée. Elle n'a rien d'extraordinaire à part son physique. »

Le regard de Camille s'attarda sur la tablée d'André avant de se reporter sur moi. « Elle aura bien de la chance, celle qui l'attrapera », murmura-t-elle.

Fidèle à sa promesse, Camille m'obtint une audition au Casino de Paris avant la fin de la semaine. Elle remplaçait une chanteuse anglaise qui avait rompu son contrat pour aller tourner un film en Amérique, et comme ils avaient besoin de quelqu'un pour la première partie que Camille avait occupée, ce n'était pas une audition publique. Cette fois encore, j'avais les visages amicaux d'Odette et de M. Étienne au premier rang pour m'encourager. Léon Volterra, le propriétaire du Casino de Paris, était assis près d'eux. C'était un curieux personnage, avec une lueur malicieuse dans les yeux. Il me demanda si je connaissais le charleston et je lui expliquai que je l'avais appris toute seule.

« Exactement ce que nous cherchons ! » s'écriat-il, les bras levés vers le plafond. Il se tourna vers la chorégraphe, une femme à la silhouette émaciée caractéristique des danseuses d'un certain âge, et ajouta : « Le Casino de Paris a besoin de danseuses captivantes, pas d'automates de la technicité ! N'estce pas, madame Piège ? »

Mme Piège répondit qu'elle était tout à fait d'accord et lui tapota le bras. Comme si elle avait cherché à l'empêcher d'en dire plus.

« Magnifique ! Magnifique ! » La voix de stentor de M. Volterra résonna dans l'obscurité quand j'eus fini de danser et interprété *La bouteille est vide*. Les applaudissements des éclairagistes me parvinrent aussi des coulisses. Je jetai un coup d'œil du côté de M. Étienne, qui m'adressa un hochement de tête satisfait.

M. Volterra se leva de son fauteuil et s'accouda au bord de la scène. « Revenez cet après-midi à deux heures pour les répétitions. Vous êtes embauchée. »

Une fois devant le théâtre, avec M. Étienne et Odette, je ne pus contenir mon excitation. « Je n'arrive pas à y croire ! Le Casino de Paris !

— Bien joué, commenta M. Étienne. Votre voix est meilleure chaque fois que je vous entends.

— Et puis Suzanne est si jolie, renchérit Odette en m'adressant un sourire en cachette.

— M. Volterra est un sacré personnage, n'est-ce

pas ? fit M. Étienne en hélant un taxi. Vous savez qu'il est analphabète ?

— Il ne sait pas lire ? m'écriai-je. N'aviez-vous pas dit que c'était l'imprésario le plus doué de tout Paris ? »

Odette et M. Étienne montèrent en voiture après moi. « Chut, pas un mot de tout ça ! Son associé lui a appris à dessiner sa signature sur les contrats, souffla M. Étienne.

— Difficile à croire, n'est-ce pas ? fit Odette. L'homme qui, au cours de sa carrière, a dirigé les Ambassadeurs, les Folies-Bergère et maintenant le Casino de Paris ne sait même pas écrire son nom.

— Il était orphelin. Il n'est jamais allé à l'école, expliqua M. Étienne.

— Ce qu'il doit être intelligent ! » dis-je.

M. Étienne sourit. « C'est un entrepreneur-né. Il m'a un jour raconté qu'à sept ans il ramassait les journaux que les gens avaient laissés sur les bancs dans les parcs et près des stations de métro. Ensuite, le lendemain matin, il allait se poster au coin de la rue en hurlant des gros titres fictifs mais très alléchants. Au moment où ses clients innocents ouvraient leur journal, le petit sacripant avait pris ses jambes à son cou et il était déjà loin.

— Mon Dieu ! J'espère qu'il ne m'escroquera pas », m'inquiétai-je.

M. Étienne hocha la tête. « Bien sûr qu'il le fera. Volterra spolie tout le monde, gros poissons et menu fretin. Il est bien connu pour ça. Mais heureusement, vous m'avez ! »

Je retournai au Casino de Paris l'après-midi même, d'excellente humeur. Mon nom ne serait pas à

271

l'affiche, mais cela ne m'empêchait pas de rêver à mon triomphe et à mes critiques dithyrambiques. Pourtant, mes illusions de gloire furent dissipées à l'instant où j'entrai dans la salle de spectacle. Mme Piège et le pianiste-répétiteur m'y attendaient.

« Je crois que vous êtes comédienne, dit Mme Piège, les joues toutes plissées par son sourire. Nous allons exploiter ça. »

Comédienne ? Un rôle comique, je ne m'étais pas attendue à cela. Moi qui croyais avoir laissé ce genre de numéros derrière moi en quittant Marseille. Maintenant que j'étais à Paris, je voulais devenir une artiste distinguée.

« Mlle Casal nous a vanté vos mérites et M. Volterra affirme que vous avez un sens inné du rythme. »

Camille ne m'avait jamais vue chanter dans *Shéhérazade* ni au café des Singes. Sa seule connaissance de mes talents se limitait à mon rôle satirique de danseuse de revue. Je compris ce qui s'était passé : elle avait convaincu M. Volterra de me donner un rôle comique par méprise. Elle pensait sans doute que je n'avais pas de ressource pour un répertoire sérieux.

« J'interprète un autre genre de numéro, maintenant, madame Piège, dis-je. Je chante dans un night-club. »

Mais elle ne m'entendit pas. Elle farfouilla dans les partitions puis en tendit une au pianiste. « Nous allons prendre ça. »

Le pianiste attaqua la mélodie et je me mis à tourner et à retourner des idées dans ma tête. J'allais téléphoner à M. Étienne tout de suite après la répétition, décidai-je, pour lui demander d'expliquer la situation à M. Volterra, qui à son tour donnerait de nouvelles instructions à Mme Piège sur ma chorégraphie. Ce serait une répétition de perdue, mais la sensibilité de chacun serait épargnée. M. Étienne s'était montré intraitable : toutes les négociations avec le Casino de Paris devaient passer par lui.

« J'ai aimé votre charleston, reprit Mme Piège en me tendant une partition de la chanson. C'est incroyable la vitesse à laquelle vous apprenez ! Un signe de talent. »

Je soupirai. J'avais le sentiment que, dans d'autres circonstances, j'aurais aimé travailler avec Mme Piège. Elle alla s'asseoir au premier rang, d'où elle se mit à lancer des instructions auxquelles je me conformai. « Accentuez un peu votre shimmy à ce moment-là et faites-nous un joli sourire, ma chérie. Ensuite, prolongez ces pas glissés un peu plus longtemps qu'il ne le faudrait, comme si vous dérapiez sur une peau de banane. » J'obtempérai. « Continuez jusqu'à ce que le public saisisse l'effet comique », gloussa-t-elle, une lueur de gaieté dans les yeux. Plus elle avait l'air contente, plus je me sentais mal à l'aise. Je commençais à me sentir coupable de n'avoir aucune intention de jouer ce numéro.

Après le charleston, Mme Piège voulut que je me pavane sur scène en balançant une canne ; je devais interpréter une chanson moins drôle que niaise, et je ne l'en détestai que plus :

La ! La ! Boum ! C'est Jean qui s'en vient
Dans sa nouvelle Voisin.
La ! La ! Boum ! C'est Jean qui m'demande
Mais que fais-tu donc là ?

273

La ! La ! Boum ! Mon Dieu, oh, mon Dieu !
Que vais-je donc lui dire ?
La ! La ! Boum ! Si j'suis dans le jardin
C'est que j'étends le linge, pardi !

« Bon, chaque fois que vous chantez *Boum !*, frappez le sol de votre canne et rattrapez-la au vol. Le tambour vous donnera la cadence. Et quand vous la rattraperez, les cymbales retentiront », dit Mme Piège en se levant de son fauteuil. Je n'avais plus le courage de la regarder dans les yeux. Elle prenait trop de plaisir à concevoir ce numéro.

J'appris la chanson et la chorégraphie en une demi-heure, mais nous répétâmes le numéro deux heures de plus pour peaufiner le timing des *Boum !* et ajouter de nouveaux éléments comiques. L'orchestre se joignit à nous pour une répétition générale. Je m'efforçai de rester animée tout du long même si mon ventre se nouait de plus en plus.

Un messager vint informer à Mme Piège que les danseuses de revue avaient besoin d'elle pour rectifier un défaut dans la chorégraphie. Elle se tourna vers moi. « Nous avons fait tout ce qu'il fallait avec vous, mademoiselle Fleurier. C'est parfait. Vous êtes prête pour ce soir.

— Ce soir ? » glapis-je d'une voix rauque.

« Hmmm, fit M. Étienne quand je l'appelai du bureau du théâtre. Cela me surprend moi aussi. Camille Casal ne jouait pas un numéro comique à ma connaissance et je ne m'attendais pas non plus qu'on vous en confie un. Je pensais que vous reprendriez son ancienne chanson.

— Ils veulent que je commence ce soir !

274

— Hmmm, répéta M. Étienne. Dans ce cas-là, vous n'avez pas le choix, vous devrez y aller. Ils vous remplaceront si vous faites trop d'histoires.

— Mais je hais ce numéro ! protestai-je.

— Vous n'êtes pas assez célèbre pour avoir des exigences, dit M. Étienne. Faites de votre mieux et nous verrons ce que nous pourrons négocier la prochaine fois. Pensez au cachet ! C'est plus qu'au café des Singes, rien que pour une chanson et une danse ! »

En raccrochant, je savais qu'il avait raison ; moi qui avais été si excitée lorsque j'avais réussi l'audition ! Maintenant, je me sentais ridicule. « Quand je serai célèbre, je ferai des histoires pour un rien et personne ne me dictera ma conduite. » Telle fut la promesse que je me fis en boutonnant mon manteau et en mettant mon chapeau pour rentrer chez moi me reposer avant le spectacle.

Pour le numéro du Casino de Paris, je devais porter un costume à pois avec des volants autour du col et au bas de la jupe. L'élastique des chaussons de danse blancs était surmonté d'un nœud papillon. Mme Chardin se serait étranglée en me voyant. Dans la loge que je partageais avec la dresseuse de chiens et ses caniches, je jetai un coup d'œil au programme. Mon numéro servait de bouche-trou le temps que les danseuses passent un costume plus élaboré et que les machinistes changent de décor.

Quand j'entrai en scène pour danser le charleston, j'eus beau m'agiter avec entrain, le cœur n'y était pas. Je distinguais clairement le public, et par chance pour moi, les spectateurs souriaient. Je dansai le shimmy, me trémoussai aux bons moments et chantai ma chanson sans cesser de sourire moi aussi. Quant à eux, ils se mirent à rire et à applaudir tant et si bien que je rejoignis les coulisses, convaincue que les riches Parisiens étaient plus faciles à divertir que les Marseillais des classes populaires.

Mais derrière la scène, il n'y avait ni Mme Tarasova, ni M. Dargent, ni Albert pour me féliciter de ma prestation. Quand je croisai M. Volterra dans l'escalier, il me tapota l'épaule comme s'il ne savait plus très bien qui j'étais. J'eus envie de rester assister au numéro de Camille en deuxième partie, mais le régisseur m'informa que les « seconds rôles » n'étaient pas autorisés à s'attarder dans le théâtre après leur passage ; ainsi, ce soir-là, je me retrouvai dans ma chambre glaciale de Montparnasse à neuf heures sans personne à qui parler. C'est ainsi que je fis mes débuts au Casino de Paris.

12

Le spectacle du Casino de Paris fit un triomphe, et il semblait devoir se prolonger jusqu'à l'été. Camille était en passe de devenir une star. Les critiques ne tarissaient pas d'éloges : « Camille Casal irradie la beauté : des frissons vous courent sur l'épiderme dès qu'elle entre en scène. »

Je réussis à la voir en achetant un billet de matinée, ce qui me permit d'aller m'asseoir dans la salle après mon numéro. Camille était plus sophistiquée ici qu'à Marseille. Elle avait mis un bémol à ses soupirs lascifs et à sa démarche suggestive pour devenir plus lointaine... et encore plus belle. Les spectateurs retenaient leur souffle au moment où les projecteurs croisaient leurs feux sur la scène et où l'orchestre entamait les premières notes de sa chanson phare : *Quand je reviens*. Camille se glissait entre les rideaux, vêtue d'une robe moulante dont les gerbes de perles et de paillettes déployaient leurs éventails sous ses seins et sur ses hanches ; elle portait une cape assortie, rehaussée de plumes d'autruche. Tout en s'avançant vers le public, elle laissait la cape glisser de ses épaules et tomber par terre tel un nuage d'un blanc neigeux. Du haut de ses longues jambes galbées, elle toisait le public et se figeait jusqu'à être sûre que chaque spectateur était conscient de sa beauté sublime. Quand le public avait fait le silence complet, elle commençait à chanter. Sa voix était toujours fluette, mais après une entrée aussi inoubliable, personne ne s'en apercevait.

Mon propre numéro ne fut mentionné nulle part, hormis dans un obscur journal des spectacles :

« *Le programme du Casino de Paris sert de tremplin à de nouveaux talents, comme la pétulante Suzanne Fleurier, une brune délicieuse qui danse de façon charmante et dont la voix ne manque pas de personnalité.* »

Mais je ne me laissai pas aigrir par ce manque d'attention. J'envoyai des roses à Camille pour la féliciter de son succès et la remercier de m'avoir obtenu une audition.

Malgré l'ajout de rideaux et de tapis, ma chambre

à Montparnasse était toujours aussi froide et Odette me suggéra d'emménager dans un hôtel doté d'un chauffage fiable. J'en trouvai un, rue des Écoles, dans le Quartier latin. La gérante était Mme Lombard, une veuve de guerre. Elle vérifia deux fois ma date de naissance sur la lettre de référence que m'avait fournie M. Étienne. J'avais la moyenne d'âge des danseuses de revue parisiennes, mais j'avais l'air plus jeune.

« Par ici. » Elle me tendit la lettre et me précéda le long d'un couloir.

La chambre du rez-de-chaussée était meublée d'un lit simple, d'un bureau et d'un portemanteau où se balançaient des cintres en fer tout tordus. Bien que les rideaux et les murs fussent miteux, il y avait un radiateur sous la fenêtre et une salle de bains commune à l'étage. Ce dont j'avais vraiment besoin, c'était d'un endroit bien chauffé où dormir et me changer, et aussi où suspendre ma garde-robe, de plus en plus vaste. Le montant exigé ne dépassait que de deux cents francs par mois mon loyer actuel et j'étais sur le point d'accepter quand Mme Lombard mentionna une chambre plus jolie à l'étage.

Celle-ci était mansardée et sa lucarne donnait sur la rue ; en plus du lit et du chauffage, elle comportait une commode et une armoire. Bien que le loyer fût deux fois plus élevé que celui de la chambre du rez-de-chaussée – et bien au-dessus de mon budget –, je déclarai que je la prenais.

« Bien », opina Mme Lombard, satisfaite mais sans sourire. Son regard se posa sur mes chaussures en croco et mes bas de soie. « Pas d'hommes dans votre chambre quelle que soit l'heure. Vous retrouverez vos visiteurs à la réception.

— Oui », bredouillai-je. J'étais toujours surprise de voir les gens supposer que parce que je travaillais dans un music-hall, j'étais une fille légère.

Un soir, Camille m'envoya un petit mot : « Rejoins-nous au théâtre après le spectacle. Bentley nous emmène dîner. »

Bien que Camille m'eût rendu service plusieurs fois, je ne pouvais pas dire que je trouvais en elle une amie particulièrement chaleureuse. Pourtant j'acceptais toujours ses invitations avec l'obéissance dévouée d'une jeune sœur un peu terne. Camille me fascinait et m'attirait parce qu'elle possédait ce que je n'aurais jamais : le pouvoir que confère une beauté parfaite. En plus, j'étais seule, perdue sans ma famille et prête à me raccrocher à n'importe qui pour avoir un peu de compagnie.

J'arrivai au Casino de Paris au moment où Camille, Bentley et François en sortaient par l'entrée des artistes. À ma surprise, Antoine n'était pas avec eux ; j'avais eu l'impression, lors de notre dernière rencontre, que François et Antoine étaient inséparables. Le chauffeur de Bentley sortit de la Rolls-Royce pour nous ouvrir la portière. Il y avait beaucoup de place à l'arrière, pas comme dans les taxis.

Bentley avait réservé une table au Fouquet's, sur les Champs-Élysées. Un sourire du maître d'hôtel en smoking et un coup d'œil aux tables, avec leurs nappes blanches baignées de lumière ambrée sous les lustres, suffirent à me convaincre qu'il avait été ridicule de qualifier la Rotonde de grand restaurant.

La structure hiérarchique du personnel évoquait la chorégraphie parfaite d'un ballet : la préposée au vestiaire nous débarrassa prestement de nos manteaux et de nos couvre-chefs ; le maître d'hôtel navigua entre les autres invités en tenue de soirée et parés de diamants pour nous emmener à notre table, avant de nous réciter un menu qui incluait de la ratatouille, de la terrine de saumon et du sanglier sauvage servi avec une sauce au poivre ; quand il repartit, le sommelier arriva pour prendre notre commande d'apéritifs ; le chef de rang apparut ensuite pour savoir si nous avions décidé ce que nous voulions commander ; quand nous eûmes choisi, un serveur s'empressa de remplir nos verres d'eau et de nous distribuer des petits pains ; puis le sommelier revint nous recommander des vins pour accompagner nos plats ; après, le chef de rang réapparut avec de nouveaux couverts à ajouter à l'impressionnante panoplie de couteaux, de fourchettes et de cuillers dont nos assiettes étaient déjà entourées ; enfin, le sommelier, accompagné de son second, nous servit le champagne. Et pourtant, malgré toute cette activité, le niveau sonore dans le restaurant restait moins élevé de plusieurs décibels qu'à la Rotonde. Les autres clients bavardaient tranquillement ou se taisaient.

Je contemplai le nouveau couteau que le serveur avait placé devant moi. Il ressemblait à un coupe-papier et recelait autant de mystère à mes yeux que la petite fourchette à ma gauche. Je supposai que les deux verres à pied à ma droite étaient destinés au vin rouge et au vin blanc. J'aurais été troublée de voir quatre verres si deux d'entre eux n'avaient pas déjà été remplis d'eau et de champagne. Le soir où nous avions dîné au Bœuf sur le toit, j'avais appris à distinguer la fourchette à salade de la fourchette à viande, la cuiller à soupe de la cuiller à dessert, le couteau à beurre du couteau à fromage en jetant des regards furtifs sur François et sur Antoine. Mais la panoplie de couverts du Fouquet's était impressionnante.

Je sentis le regard de François sur moi. Levant les yeux, je souris, bien décidée à lui montrer que j'étais à mon aise dans un cadre aussi opulent. Mme Piège n'avait-elle pas dit que j'apprenais vite ? Les yeux de François se posèrent sur mon collier en strass. Je m'agitai sur ma chaise, croisai et décroisai les jambes. Bien sûr, ce n'étaient pas de vrais diamants comme ceux du bracelet de Camille. Mais pourquoi fallait-il qu'il les regarde aussi fixement ?

Par chance, les hors-d'œuvre arrivèrent et François reporta son attention sur son assiette d'escargots. En le voyant les extraire de leurs coquilles à l'aide d'une paire de pincettes miniature et d'une petite fourchette, je fus heureuse d'avoir commandé le foie gras.

« Tu as vu ? Il y avait Cocteau dans la salle, ce soir », dit Camille à Bentley en chipotant dans son assiette de crevettes. Elle mangeait avec toutes sortes de précautions alors que Bentley, lui, s'attaquait à son plat de viandes froides avec classe. Elle est aussi peu à sa place ici que moi, pensai-je.

Après le restaurant, nous allâmes danser au Claridge, où nous bûmes encore du champagne avant de nous rendre à l'appartement de François écouter ses disques de jazz et partager un dernier verre. J'avais été impressionnée par le luxe qu'offrait le Fouquet's, cependant je le fus encore plus par l'endroit où habitait François. Son appartement se trouvait sur l'avenue Foch, près de l'Arc de Triomphe. L'immeuble en pierre de taille datait du dix-neuvième siècle, avec ses balcons en fer forgé, ses toits incurvés et son ascenseur tout de dorures qui nous emmena au cinquième étage. Une bonne vint nous ouvrir la porte et nous précéda dans un hall aussi vaste que la salle de restaurant du Dôme. Les murs rose bonbon et les appliques en chrome offraient un contraste frappant avec les éléments décoratifs de l'extérieur. Il y avait un sarcophage en or dans un coin. Voici donc comment vivent les riches, me dis-je en regardant une réplique de sphinx en pierre polie perchée sur une fontaine au milieu du hall et les motifs égyptiens sur le carrelage. Moi qui avais cru accéder à un meilleur statut social en louant une chambre chauffée avec salle de bains commune !

Je suivis les autres dans un salon où, à côté d'un piano en ébène luisant, étaient disposées des chaises longues en cuir. Des tableaux représentant des tigres et des éléphants étaient accrochés aux murs. François ouvrit une série de portes-fenêtres qui donnaient sur un balcon meublé de tables sculptées, de chaises et de haies ciselées dans des jardinières. « De jour, on aperçoit le bois de Boulogne d'ici », commenta-t-il en esquissant un geste vers une tache sombre au milieu de l'océan de lumières. Ce commentaire s'adressait à Camille, mais les yeux de François glissèrent vers moi. Était-ce moi qu'il essayait d'impressionner ? Je chassai cette idée. Il était trop riche et moi, bien trop facile à éblouir pour que cela représente le moindre défi.

« Il ne fait pas si froid dehors, ce soir », fit observer Bentley, qui passa à côté de François pour sortir sur le balcon. Camille lui emboîta le pas. Je m'apprêtai à sortir aussi quand François posa la main sur mon épaule et laissa la porte se refermer. « Et si vous m'aidiez, pour la sélection musicale ? »

Il ouvrit en grand les portes d'un placard et tira une étagère coulissante sur laquelle était installé un gramophone. Lorsqu'il eut posé l'aiguille sur le disque, le jazz emplit la pièce. Puis il s'approcha de moi et m'attira à lui, en position pour un fox-trot, nos doigts entremêlés et son pied droit glissé entre les miens. Nous commençâmes à danser et il me serra plus fort contre lui. Au Claridge, nous étions un couple parmi tant d'autres. Mais danser avec François dans son salon était inconfortablement intime.

Il approcha son visage du mien. « Vous étiez distraite toute la soirée », murmura-t-il. Sa main glissa de mon épaule au creux de mon dos, laissé nu par la coupe de ma robe. Je me raidis et il ramena sa main sur ma taille. Le disque se termina, mais François ne fit pas le moindre geste pour en mettre un autre. Ses yeux étaient rivés à mes lèvres et les siennes tremblaient. J'essayai de me dégager, et alors il m'attrapa par les épaules et pressa sa bouche contre la mienne. Cela arriva si vite que je restai pétrifiée. Sa langue s'enfonça dans ma bouche. J'eus un mouvement de recul quand nos dents s'entrechoquèrent mais je fus incapable de bouger, jusqu'au moment où il glissa sa main dans mon décolleté et me caressa le sein. Je me détournai et allai me réfugier derrière une table basse.

« Maintenant, vous savez quelles sont mes intentions, dit-il. Il n'est pas trop tard pour rentrer chez vous. Sinon, vous pouvez rester admirer mes tableaux pendant que je vais me changer. »

Il tourna les talons et quitta la pièce. Je m'élançai vers les portes-fenêtres et faillis atterrir sur les genoux de Bentley. Assis à une table, Camille et lui envoyaient des bouffées de fumée vers le ciel.

« Où est François ? demanda Bentley. Vous ne dansez plus ?

— Il se change », répondis-je. Mon cœur cognait dans ma poitrine et les pensées défilaient dans ma tête. Avais-je donné le moindre signe d'encouragement à François ?

« Eh bien, quel genre d'hôte est-il ? s'étonna Bentley en écrasant sa cigarette dans une coupelle. Qu'est-ce qu'il fabrique, il se met en pyjama ou quoi ? » Il se leva de sa chaise. « Je vais chercher la bonne et nous faire préparer à boire. C'est François qui nous a suggéré de venir prendre un dernier verre. Il peut au moins nous offrir un porto, maintenant. »

Une fois Bentley parti, Camille jeta un coup d'œil à ma robe. En baissant les yeux, je m'aperçus que ma jupe s'était enroulée autour de ma taille et qu'une de mes bretelles avait glissé de mon épaule.

« François est fou de toi, dit-elle d'un air pensif. Il te trouve très belle.

— Mais il me connaît à peine ! »

Il ne m'était pas venu à l'esprit que je pouvais tout simplement partir. Sans trop savoir pourquoi, quand

284

j'étais avec Camille, je croyais avoir besoin de sa permission pour tout.

Camille souffla un panache de fumée. « Il est vraiment très riche, tu sais. Ça, c'est son appartement de ville. Il a aussi un hôtel particulier à Neuilly. Il pourrait faire beaucoup pour ta carrière. »

Le tourbillon de mes pensées ralentit suffisamment pour me laisser le temps d'examiner Camille. Elle avait les yeux injectés de sang. Nous avions bu la même quantité de vin au dîner et autant de champagne l'une que l'autre au Claridge, mais Camille était ivre. Je repensai au moment où je l'avais retrouvée, elle et les autres, à l'entrée des artistes. Peut-être avaient-ils commencé à boire tout de suite après le spectacle.

« Tu es vierge, n'est-ce pas, Suzanne ? s'enquit Camille en écrasant sa cigarette. Eh bien, tu vas devoir décider si tu veux rester une jeune fille vertueuse ou devenir une vedette. Tu ne peux pas être l'une et l'autre. »

Je jetai un regard par-dessus mon épaule ; je me sentais plus en sécurité en présence de Bentley. « Qu'est-ce que tu veux dire ? »

Camille s'adossa à sa chaise et me regarda en plissant les yeux. « Tu crois que je serais ici sans Bentley ? Et sans M. Gosling, tant que nous y sommes ? Tu crois que les filles de notre milieu peuvent devenir quelqu'un sans aide ? »

Je ne répondis pas, surprise par le ton qu'elle employait. La façon dont elle avait craché les noms de Bentley et de M. Gosling donnait l'impression qu'ils la dégoûtaient. Elle les manipulait, je le savais bien, mais je ne voyais pas ce qu'elle leur trouvait de si abject.

285

« J'ai été découverte par un agent artistique. Je suis venue à Paris par mes propres moyens et j'ai deux tours de chant dans des music-halls prestigieux, avançai-je. J'ai fait tout ça sans aucun homme. »

Camille s'alluma une autre cigarette et me considéra d'un air grave. « Oui, mais tu n'as à t'occuper de personne d'autre que toi. Tu crois que je fais tout ça pour moi seule ? Je dois penser à ma fille. »

Cette nouvelle me laissa abasourdie. Je dévisageai Camille, attendant une explication.

« Elle est dans un couvent. À Aubagne », soufflat-elle. Sa voix débordait d'une telle émotion contenue que j'en eus moi aussi la gorge nouée. « Ses chances dans la vie en tant que fille illégitime seront aussi réduites que les miennes si je ne gagne pas une fortune. »

J'eus soudain une autre vision du mode de vie de Camille. Je rougis de honte de l'avoir prise pour une arriviste.

« Son père était négociant en café, il n'est même pas resté jusqu'à sa naissance.

— Mais Bentley ? Il a l'air épris de toi. Il ne veut pas t'épouser ? »

Camille leva les sourcils et se mit à rire. Elle semblait s'amuser de ma naïveté. « Suzanne, les hommes comme eux n'épousent pas des filles comme nous ! Nous devons en tirer ce que nous pouvons et vivre notre vie. Et puis je ne pense pas que sa femme verrait notre mariage d'un bon œil.

— Bentley est marié ? » J'avais supposé qu'il était célibataire et menait la belle vie à Paris. Et qu'il y cherchait l'amour aussi bien que l'animation.

« Bien sûr, ricana Camille. Sa femme est à Londres, où elle organise des bals de charité, se rend à des clubs de vieilles rentières et fait tout ce qui sied à une bonne épouse. »

Elle allait ajouter autre chose lorsque Bentley réapparut, accompagné de la bonne qui portait un plateau de boissons. François les suivait d'un pas traînant, à présent vêtu d'une veste de smoking et d'une cravate. Son humeur entreprenante semblait oubliée et il me sourit avant de prendre un petit sachet dans sa poche. « Laissez-nous le plateau, ordonna-t-il à la bonne quand celle-ci nous eut servi à boire.

— Ah, une petite dose de poudre ! fit Bentley en riant. Tu es meilleur hôte que je le pensais, François. » Il mit la main dans sa poche et ouvrit un boîtier en argent, dont il sortit une carte de visite qu'il tendit à François.

« Voilà qui convient parfaitement », dit François en utilisant la carte pour séparer la poudre en quatre lignes. Quand il eut terminé, il tira de sa poche quatre pailles, qu'il nous tendit.

Bentley poussa le plateau vers moi. « Le premier à voir l'aube se lever aura gagné.

— Commence, répliqua Camille en faisant glisser le plateau vers lui sur la table. Je suis sûre que c'est la première fois pour Suzanne.

— Vraiment ? s'étonna Bentley, qui se pencha vers le plateau. Alors, elle n'a pas encore vécu. »

Il introduisit la paille dans une de ses narines et, se bouchant l'autre, renifla la poudre comme un fourmilier qui aspire des insectes. Puis il se rassit et cligna des yeux. Camille fut la suivante à priser, puis

287

François. Elle se mit à rire mais ferma les poings si fort que le sang perla où ses ongles s'étaient enfoncés dans ses paumes. François gémit et fit glisser le plateau vers moi, seulement la seule pensée qui me vint fut celle du drogué, devant le Chat espiègle, qui criait que des cafards lui couraient sous la peau. Je quittai ma chaise et ouvris la porte du salon.

La bonne m'aida à enfiler mon étole et mes gants dans le hall. « Mademoiselle souhaite-t-elle laisser un message à M. Duvernoy ? » demanda-t-elle. Je secouai la tête.

Dehors, sur l'avenue, le jour pointait déjà. Le soleil faisait luire les toits des immeubles et les plus hautes branches de certains arbres. Il n'y avait pas de taxi en vue, aussi je me mis à marcher vers l'Arc de Triomphe, à la recherche d'une station de métro.

13

Quand M. Volterra commença à préparer le spectacle suivant, M. Étienne me négocia un meilleur tour de chant et de danse – plus moderne que comique. La plupart des théâtres parisiens, y compris le Casino de Paris, fermaient au mois d'août et les répétitions pour la nouvelle saison ne commençaient qu'en septembre. J'aurais pu me joindre à une des troupes qui partent en tournée en province pendant l'été ou chanter plus souvent au café des Singes. Je choisis de ne faire ni l'un ni l'autre et renonçai à mon tour de chant dans le night-club de Mme Baquet.

J'avais envie de rentrer à la ferme pour l'été. Je me sentais seule. De par mon âge et mon métier, j'étais coupée de la vie normale et même des autres artistes qui m'entouraient. Les danseuses de revue n'avaient pas envie de me connaître mieux et je n'étais pas assez célèbre pour fréquenter les vedettes. Comme ma nuit à l'appartement de François l'avait démontré, Camille et moi ne vivions pas dans le même monde. Odette était ma seule véritable amie, mais entre son travail, ses cours de dessin et mes horaires décalés, nous nous voyions rarement. Même si j'adorais Paris, il était temps de retourner un peu chez moi.

Je pris le train de nuit pour le pays de Sault, m'offrant le luxe d'une couchette en seconde classe afin de ne pas avoir à passer une nuit inconfortablement assise. Bernard vint me chercher à la gare, non pas en voiture de sport mais avec une camionnette.

« Bonjour, Suzanne. Bienvenue à la maison », dit-il avec un grand sourire. Il déposa mes bagages sur le plateau arrière puis m'ouvrit la portière avant de s'installer sur le siège du conducteur et de faire vrombir le moteur. Le soleil méridional – aveuglant après la lumière anémique de Paris – dardait ses rayons brûlants sur le pare-brise. Les pins miroitaient sous le ciel bleu et les hirondelles chantaient. La route était si cahoteuse que j'imaginai le verre de lait que j'avais bu dans le train se transformer en beurre dans mon estomac !

Je racontai à Bernard Montparnasse, le café des Singes, mon tour de chant au Casino de Paris et mon dîner au Fouquet's.

« Nous avons échangé nos vies, commenta-t-il, et un sourire éclaira son visage hâlé. Toi tu t'es civilisée et moi, je suis devenu un sauvage. »

Mon regard remonta de ses souliers à clous jusqu'à sa casquette. Une pellicule de sueur faisait luire ses joues et son front. C'était un agriculteur à présent, mais il n'avait rien d'un sauvage. Son pantalon de travail était repassé avec un pli au milieu, et la forte odeur de cuir chauffé au soleil de la camionnette était dissipée par le parfum d'eau de Cologne qui émanait du col de sa chemise.

La récolte de la lavande était terminée. Bernard me raconta qu'elle avait été très bonne et qu'ils avaient prévu d'acquérir une autre distillerie l'année suivante. Ils espéraient aussi pouvoir acheter la ferme abandonnée des Rucart à l'unique héritier qui vivait à Digne. On ne pouvait plus remettre la vieille maison en état, mais ils voulaient défricher le verger et préparer les champs à la culture de la lavande.

« Un contact à Grasse dit que leurs scientifiques développent une plante hybride encore plus résistante que la lavande sauvage ; et qui permet de produire dix fois plus d'huile essentielle, expliqua Bernard, qui me rappela mon père quand il partait dans ses grands projets. Si ça marche, nous aurons besoin d'encore plus de terres. »

Nous arrivâmes à la ferme dans l'après-midi. Les cyprès projetaient leur ombre sur la route crépitante de chaleur. Ma mère se tenait dans la cour, la main en visière, Bonbon en faction à ses pieds. Même à une telle distance, je remarquai que la petite chienne avait pris du poids ; elle devait profiter de la cuisine de tante Yvette. Quand nous ressortîmes du bosquet, ma mère nous héla. Tante Yvette jaillit de derrière le rideau de perles de la cuisine, une poêle à la main. Chocolat et Olive gambadaient sur ses talons.

Bernard s'arrêta dans la cour. Je sautai hors de la camionnette et courus vers ma mère. Elle s'élança à ma rencontre et prit ma tête entre ses mains pour plaquer de gros baisers sur mes joues. Ses yeux débordaient de tendresse – avec aussi une pointe de surprise dans son regard, comme si j'étais une apparition venue de la forêt.

« C'est bon de te revoir, Suzanne. Mais tu ne resteras pas longtemps, n'est-ce pas ? Pas encore, ajouta-t-elle en me lançant un de ses sourires mystérieux.

— Suzanne ! C'est toi ? » s'écria tante Yvette, qui posa la poêle sur le rebord de la fenêtre et chercha ses lunettes à tâtons dans sa poche. Elle les chaussa et plissa les yeux pour mieux me voir : « Regardez ces cheveux ! Qu'as-tu fait à tes cheveux ? »

J'avais oublié qu'elle pourrait être choquée. Les femmes de mon village gardaient leurs cheveux longs de l'enfance jusqu'à la tombe et les portaient noués.

« Alors, la récolte de lavande a été bonne cette année ? demandai-je en essayant de détourner leur attention de ma coiffure.

— Encore meilleure que l'an dernier, fit tante Yvette, rayonnante.

— Où est Jérôme ? s'enquit Bernard en prenant mes valises dans la camionnette pour aller les déposer sur le pas de la porte. Il aimerait sans doute voir Suzanne.

— Il fait la sieste », dit tante Yvette. Puis, se tournant vers moi, elle expliqua : « Nous avons transformé le petit salon en chambre pour lui. Comme ça, il peut participer aux repas et regarder les gens travailler à la ferme sans que nous ayons besoin de le porter dans les escaliers.

— Il va mieux, alors ? » questionnai-je en prenant le verre de vin bien frais que me tendait ma mère pour aller m'asseoir sur le banc de la cour. Le treillis ployait sous le poids de la glycine, qui descendait en grappes fleuries au-dessus de ma tête. Leur parfum suave attirait des nuées d'abeilles. L'une d'elles atterrit sur ma jupe, ivre de nectar sucré. Elle se prélassa un moment sur le tissu, battant des ailes et des pattes, puis reprit son envol.

« Il a fait des progrès, répondit tante Yvette. Il peut s'asseoir tout seul sur son lit et dit même quelques mots de temps en temps. Nous n'avons pas eu besoin d'aide, finalement. Ta mère et moi, nous arrivons à nous occuper de lui. »

Ma mère me passa une tranche de melon et plongea son regard dans le mien. « Va t'allonger un peu avant le dîner, proposa-t-elle. Tu as l'air fatigué. Nous pourrons parler quand tu seras reposée. »

Je m'étendis dans une des chambres de la maison de tante Yvette, si épuisée par le voyage que je ne pris pas la peine d'ôter ma robe. Bonbon sauta sur le lit et se blottit contre moi. Je passai les doigts dans son pelage. Elle me considéra un instant avant de bâiller à se décrocher la mâchoire. C'était la compagne de ma mère à présent, mais j'étais contente de la revoir. Je dormis d'un sommeil léger et agité, la chaleur provoqua une série de rêves incohérents où je dansais au Casino de Paris au son des freins hurlants d'un train.

« Suzanne ! » fit la voix de ma mère en bas. Je m'assis brusquement dans mon lit, le cœur battant, le dos en sueur. Bonbon avait disparu. Dehors, le soleil s'était couché et une teinte bleutée miroitait dans le ciel. J'avais dû dormir pendant plusieurs heures.

Je descendis l'escalier en me dirigeant vers le bruit des assiettes que l'on posait sur la table et vers la bonne odeur de poulet au romarin. Quand j'ouvris la porte de la cuisine, la flamme de la lampe-tempête me fit cligner des yeux. Oncle Jérôme était assis en bout de table. L'expression de son visage était moins torturée que la dernière fois, mais un de ses yeux était encore fermé et ses cheveux, jadis poivre et sel, étaient d'un blanc sidérant.

Ma mère découpait le poulet sur l'établi. Tante Yvette, qui servait la soupe dans des bols, s'interrompit, la louche en suspens. « Ça va, Suzanne ? Tu es si pâle.

— Ce n'est rien, répondis-je. La chaleur. J'avais oublié qu'elle était si forte. »

Bernard versa du vin dans un verre et le porta aux lèvres d'oncle Jérôme. Je me raclai la gorge. « Bonjour », dis-je. J'avais passé l'essentiel de ma vie à craindre ou à haïr oncle Jérôme, mais le spectacle de son corps déformé me plongea dans la confusion des sentiments. J'eus envie de pleurer.

Oncle Jérôme pencha la tête. Des ruisselets de vin lui coulèrent sur le menton. Son regard était vitreux et il était impossible de deviner s'il m'avait comprise ou pas.

293

« Pourquoi a-t-il le bras en écharpe ? demandai-je à Bernard en prenant ma place à table.

— Il n'a plus aucune sensation dans ce bras, m'expliqua Bernard après avoir essuyé le menton d'oncle Jérôme avec une serviette. Il oublie parfois jusqu'à son existence, alors on doit l'attacher pour empêcher qu'il s'accroche et se déboîte. »

Oncle Jérôme poussa un grognement et marmotta : « Pierre ? »

— Non, c'est Suzanne, corrigea Bernard. Votre nièce.

— Pierre ? répéta oncle Jérôme. Pierre ? » Il se mit à sangloter. Le ton suppliant de sa voix me déchira le cœur. Je lançai un regard à ma mère et à tante Yvette. Elles éminçaient des tomates et des gousses d'ail comme si de rien n'était. Comment faisaient-elles pour ne pas être troublées par ce chagrin bruyant et pitoyable ?

« Ne sois pas triste, Suzanne, me chuchota Bernard. Il n'est pas malheureux. Le docteur affirme que c'est normal, chez ceux qui ont eu une attaque, de pleurer sans raison. »

J'eus un sursaut de révolte. Bernard et moi savions l'un comme l'autre que ce n'était pas vrai. Nous entendions l'appel d'un homme enterré vivant dans le cercueil de son propre corps. Ce qu'endurait oncle Jérôme était pire que la mort. Il ne jouissait pas de la paix de l'inconscience. Il réalisait tout ce qu'il avait perdu : ses regrets défilaient devant lui chaque jour et il était dans l'incapacité totale d'y changer quelque chose.

Ma mère et tante Yvette servirent le repas. Tante Yvette donna sa soupe à oncle Jérôme, une cuillerée après l'autre, et il se calma. Après dîncr, il resta les yeux rivés sur ses mains et ne prononça plus une parole du reste de la soirée.

Mes deux semaines en pays de Sault passèrent lentement d'abord, mais à la fin, j'eus l'impression que le temps avait filé trop vite. Au début, sans l'agitation ni aucune des distractions parisiennes, j'avais dû réapprendre à faire les choses lentement et dans un but bien précis. L'eau devait être cherchée au puits chaque jour, les légumes ramassés au jardin, les distances couvertes à pied ou à vélo plutôt qu'en taxi. Mon corps devait reprendre le rythme de la vie à la ferme, lui aussi : se réhabituer à se lever tôt le matin pour se coucher avec le soleil. J'aidai à la cuisine et m'occupai des animaux, mais chaque fois que je proposais de participer aux travaux de la ferme, tout le monde éclatait de rire.

« Tu n'étais déjà pas douée pour ça à l'époque, me dit Bernard, un jour, avec une petite tape dans le dos. J'ai du mal à imaginer que tu aies fait le moindre progrès à Paris. » Sa propre adaptation à la vie rurale relevait du miracle, mais que pouvais-je dire pour ma défense ?

Je me rendis sur la tombe de mon père chaque jour en fin d'après-midi. Bonbon m'accompagnait, c'était le seul moment où elle acceptait de quitter ma mère. Un jour, comme je plantais de la lavande près de la pierre tombale, les paroles de *La bouteille est vide* me vinrent à l'esprit. Plus on en a, plus on en veut, c'était bien vrai. Si quelqu'un m'avait raconté qu'un jour je porterais des vêtements achetés dans les grands magasins au lieu de vieux habits cousus à la main, que j'habiterais Paris et gagnerais ma vie, j'aurais imaginé une existence extraordinairement fabuleuse. Mais soudain je m'aperçus que je voulais davantage. J'avais envie de vêtements de haute couture tels ceux de Camille ; je voulais un appartement comme celui de François ; et je ne désirais plus être simplement chanteuse : je voulais devenir une vedette. Plus encore : je voulais obtenir tout cela selon mes conditions.

Je pris la décision de risquer le tout pour le tout en faisant carrière seule. Je ne compterais pas sur l'aide des hommes, comme Camille. Le visage d'André Blanchard me revint en mémoire. Si je devais être avec un homme, ce serait par amour.

Au matin du jour où Bernard devait me ramener à Carpentras, où je devais reprendre le train pour Paris, je compris que ma visite avait été plus qu'un séjour de repos après les exigences de la vie de la capitale. Elle m'avait permis d'avaler une grande bouffée d'air avant d'entamer mon ascension vers le succès.

Tante Yvette et ma mère calèrent oncle Jérôme dans un fauteuil près de la porte afin qu'il puisse assister à la scène de mon départ : Bernard et moi qui montions et descendions l'escalier quatre à quatre pour porter mes valises en bas, et moi qui remontais en toute hâte chercher des affaires oubliées. Quand tout fut chargé dans la camionnette, je déposai un baiser sur les deux joues d'oncle Jérôme.

« Bien », lâcha-t-il en fixant son œil sur moi avant de se perdre à nouveau dans ses pensées.

Tante Yvette passa son bras autour de mes épaules et m'embrassa avant de me conduire à la camionnette. « Dépêche-toi, dit-elle, ou tu vas rater ton train. Je ne veux pas que Bernard soit obligé de négocier cette route comme un pilote de course. »

Je caressai Olive, Bonbon et Chocolat tour à tour. Bonbon leva sur moi des yeux coupables ; peut-être devinait-elle que je me sentais seule à Paris. Mais Chocolat l'avait adoptée, ma mère l'adorait et il n'était pas question pour moi de les séparer. Je lui grattai les oreilles pour lui faire comprendre que j'avais compris : « Tu es exactement comme Bernard. Tu es tombée amoureuse de la campagne. »

Bernard démarra la camionnette. « Allez, Suzanne ! C'était ton dernier rappel. »

Je ris et embrassai ma mère. Elle saisit mes mains dans les siennes et les serra. Il y avait de la terre incrustée dans les plis autour des jointures et sa peau était calleuse ; c'était des mains honnêtes, endurcies par un travail honnête. Les voir me remplit d'amour.

Quand j'arrivai à Paris, Mme Lombard me tendit une lettre qui réduisit mes projets à néant. Mon numéro dans le spectacle de la nouvelle saison au Casino de Paris avait été annulé. Non parce qu'il n'était pas assez bon, écrivait l'assistante de M. Volterra avec tact, mais parce que le spectacle était trop long et que M. Volterra ne pouvait couper aucun des numéros de la star comique, Jacques Noir.

Je m'effondrai sur mon lit. Qu'allais-je faire maintenant ? Avec les sommes folles que j'avais dépensées pour apporter des cadeaux à ma famille, il ne me restait plus que deux cents francs et je devais payer mon loyer la semaine suivante. Je ne pouvais même plus me rabattre sur mon créneau de deux soirs au café des Singes.

La situation était ironique, au vu de la résolution que j'avais prise au pays de Sault. Au lieu d'obtenir davantage, j'étais sur le point de perdre le peu que je possédais. Mon rêve de devenir une vedette était plus inaccessible que jamais.

Le lendemain après-midi, Mme Lombard me demanda de descendre prendre un appel téléphonique. C'était M. Étienne. Il m'ordonna d'aller au Casino de Paris sur-le-champ.

« Il est arrivé quelque chose ? » demandai-je, soucieuse de ne pas élever la voix, car Mme Lombard rôdait à la réception, arrangeant un bouquet de tulipes dans un vase et redonnant du volume aux cousins du divan.

« La femme de Miguel Rivarola l'a quitté hier soir. Ils doivent lui trouver une autre partenaire de tango aujourd'hui même, sinon il menace de retourner à Buenos Aires. »

J'enroulai le cordon du téléphone autour de mon poignet et le laissai se dérouler de lui-même. Le tango était populaire à Paris depuis que Rudolph Valentino l'avait dansé dans *Les Quatre Cavaliers de l'Apocalypse*, et j'avais vu des gens le pratiquer dans des cafés et à des bals musette. Mais il n'y avait aucune comparaison possible entre celui que dansaient les couples dans les cafés et le tango que pratiquaient Rivarola et sa femme devant leurs spectateurs. Je les avais admirés un jour à la Scala et j'avais été fascinée par la sensualité de leurs mouvements, par leurs bras et leurs jambes musclés. Ils ressemblaient à deux flammes qui se consumaient sur scène.

« Rivarola doit plutôt se soucier de retrouver sa femme, à l'heure qu'il est, non ? demandai-je.

— Non, fit M. Étienne en riant. C'est un vrai professionnel. Quoi qu'il arrive, il ne veut pas laisser tomber son numéro. N'oubliez pas que la saison commence dans trois semaines. »

Qui pourrait égaler Maria ? L'étroite intimité requise pour le tango ne s'apprenait pas en un jour. Le fait que le Casino de Paris me demande d'essayer prouvait à quel point M. Volterra était désespéré.

Mme Lombard me frôla pour aller s'asseoir à son bureau, où elle se mit à trier le courrier du jour. Je dis à M. Étienne que je serais au Casino dans moins d'une demi-heure. Si M. Volterra me proposait le rôle, je ne discuterais pas ; j'avais besoin de cet argent.

En arrivant au Casino de Paris, je constatai avec dépit que je n'étais pas la seule à être auditionnée par M. Volterra : il y avait là toutes les danseuses de la revue ainsi que quelques seconds rôles féminins. Les trois premiers rangs étaient pleins de femmes en robes amples et chaussures de danse. Sophie, la meneuse de revue, était assise à côté de M. Volterra, une rose entre les dents. J'étais à deux doigts de tourner les talons quand ce dernier m'aperçut et me fit signe de la main. Je lui répondis par un sourire et allai m'asseoir. Pour préserver de bonnes relations futures, il me semblait préférable de rester.

Sur la scène, Rivarola essayait une figure de tango

299

avec une des danseuses de revue. Il se déplaçait comme un chat, avec des mouvements faciles et mesurés. Soudain il bondit. « Non, non, non ! marmonna-t-il en s'écartant de sa partenaire, puis il s'adressa à M. Volterra : *Esta chirusa no me sigue !* »

Comme le français de Rivarola était limité et que M. Volterra ne parlait pas espagnol, cette remarque fut traduite par l'assistant éclairagiste, originaire de Madrid. « Il dit qu'elle n'arrive pas à le suivre, expliqua le garçon.

— Mais elle est ravissante ! protesta M. Volterra, qui sortit un mouchoir de sa poche pour se tamponner le front. Elle y arrivera sûrement s'il lui apprend. Ce n'est pas comme si on pouvait lui sortir une danseuse argentine d'un chapeau. Et après tout, nous avons signé un contrat. »

Il fallut attendre un peu, le temps que l'assistant traduise ces propos à Rivarola. Le danseur croisa les bras sur sa poitrine et secoua la tête. « *Esta mina salta como un conejo*, grogna-t-il en secouant le poing en direction des coulisses. *Yo quiero una piba que sepa deslizarse como un cisne.* »

L'assistant éclairagiste se déplaça d'un pied sur l'autre et ramassa un fil qui traînait autour d'un des spots de la rampe. Manifestement, il cherchait à éviter de traduire ce dernier commentaire.

Voyant qu'il ne servait à rien de poursuivre cette discussion, M. Volterra renvoya la danseuse à sa place et en appela une autre, qui avança à pas lents sur la scène comme une vierge qui va au sacrifice. « Pas étonnant que sa femme l'ait quitté, chuchota une des filles à sa voisine. Il n'est jamais content. »

Même si je m'étais résignée à ce que cette audition

soit une perte de temps, la méthode de Rivarola pour sélectionner ses partenaires potentielles m'intriguait. Il commençait par montrer une figure de tango, que la fille devait imiter. Une fois sûr qu'elle avait mémorisé la chorégraphie, il adressait un signe de tête à un machiniste posté juste derrière le rideau des coulisses. Ce dernier déposait l'aiguille du gramophone sur un disque et la musique nous enveloppait. Alors Rivarola s'avançait et enlaçait sa partenaire, une main nichée au creux de ses reins, le torse plaqué contre sa poitrine. L'étreinte était suggestive, mais le visage de marbre de Rivarola ne laissait pas supposer la moindre intimité. Il gardait la position, sans ciller ni bouger un seul muscle pendant au moins une minute. Si la fille se mettait à frétiller, à glousser, ou si elle déplaçait ses pieds, il la renvoyait.

Je me penchai en avant pour examiner Rivarola. Il devait au moins approcher la cinquantaine ; bien que son corps fût aussi leste que celui d'un jeune homme, son visage trahissait son âge. Il avait des poches sous les yeux et la peau de son cou, encore ferme sous le menton, était fripée. Et pourtant, de manière inexplicable, ces défauts étaient transcendés par le clignement de ses lourdes paupières et la courbe de ses lèvres boudeuses. Le moindre port de tête, le moindre pas qu'il esquissait irradiaient la sensualité. Je commençai à suspecter que son étreinte si ferme était destinée à tester sa partenaire pour savoir si elle se brûlerait à la flamme qui couvait sous la peau du danseur ou si elle saurait se fondre dans cette union. Après ce qu'avait dit Camille sur mon côté si ouvertement vertueux, je savais que je ne serais pas choisie. Cependant, j'étais curieuse de voir qui serait l'élue.

Si sa partenaire potentielle réussissait le test de l'étreinte, Rivarola exécutait la figure de tango avec elle, propulsant la jeune fille ici et là sur la scène en changeant souvent de direction. Je remarquai que les danseuses n'étaient pas éliminées pour s'être trompées dans les pas ; Rivarola ne semblait pas chercher la perfection. J'étais intriguée par sa façon de guider ses partenaires – il planait au-dessus d'elles, parfois il s'en écartait brusquement ou leur reniflait le sommet du crâne – comme s'il choisissait des fleurs à leur parfum sur un marché. Mais après plus d'une heure d'essais, aucune ne lui convenait.

« *Estoes como bailar con troncos !* » cracha Rivarola juste avant que M. Volterra ne m'appelle sur scène. Je n'avais pas la moindre idée de ce qu'il avait dit, cependant je devinai à son ton que ce n'était pas gentil. Ses insultes n'étaient pas justifiées : il choisissait parmi les meilleures danseuses de revue de Paris, et beaucoup d'entre elles avaient pratiqué la danse classique. J'allai me placer en face de lui et, pour me donner du courage avant le test, j'imaginai l'éclair au chocolat que j'avais l'intention de dévorer sitôt ce cauchemar terminé.

Rivarola examina mes chevilles et se pencha pour les caresser comme un homme en train de choisir un cheval. Leur forme semblait l'intriguer, pourtant personne ne m'avait encore fait de remarque sur mes pieds. Il en effleura les contours avant de glisser ses doigts sous leurs voûtes. Je résistai au fou rire qui me chatouillait le larynx, bien décidée à arriver au moins au deuxième test avant que Rivarola me

302

renvoie. J'étais curieuse de savoir comment il prenait sa décision.

Le machiniste posa le saphir sur le gramophone et Rivarola me plaqua contre sa poitrine. J'étouffai un cri. Une décharge électrique aussi puissante que celle d'un éclair passa instantanément de sa poitrine à la mienne. Sa puissance me fit frémir, mais je ne quittai pas ma position. Rivarola plongea ses yeux dans les miens. Je ne sais comment je parvins à soutenir son regard. Voilà ce qu'on doit ressentir en tombant sous le charme d'un gitan, me dis-je, même si, bien sûr, Rivarola n'avait rien d'un gitan. C'était un Argentin de pure souche.

Quand il me fit faire quelques pas en arrière, la puissance de ses jambes me donna l'impression qu'on me projetait dans le vide. Cela me prit par surprise, mais je ne résistai pas. Puis les forces de gravité qui s'exerçaient sur mon corps semblèrent s'anéantir ; mes jambes évoluaient comme en apesanteur. Je ne m'attendais pas que le tango ressemble à cela, je me l'étais imaginé lourd de drame et de désespoir. Maria avait toujours dansé les bras enroulés autour du cou de Rivarola, telle la victime d'un naufrage s'accrochant à un morceau de bois. Je me demandais à présent si elle n'essayait pas tout simplement d'éviter d'être emportée. Rivarola pesait chacun de ses pas comme s'il testait l'eau du bain du bout de l'orteil. Et pourtant chaque mouvement était fluide. Plusieurs fils mélodiques se superposaient et il dansait sur chacun d'eux. Nous évoluions tantôt sur la mélodie du piano, tantôt sur la voix nostalgique du chanteur, tantôt sur la musique des violons. Jamais je n'avais été aussi attentive aux détails

303

de la musique en dansant, en général je n'écoutais que son rythme et son tempo. Moi qui avais vu la musique comme accompagnement de ma danse, je compris avec Rivarola qu'elle en était l'essence.

Soudain, il s'arrêta et me repoussa. En pensant à la musique, j'avais cessé de me concentrer sur mes mouvements. Le visage de Rivarola se tordit et il se précipita vers M. Volterra si brusquement que je crus qu'il allait lui donner un coup de poing dans la figure. L'imprésario dut penser la même chose car il recula dans son fauteuil.

« *Esta piba acaricia la música como una diosa bailando sobre las nubes !* » cria Rivarola.

Bouche bée, M. Volterra regarda le danseur argentin, puis l'assistant éclairagiste. Le visage du jeune homme pâlit et il chancela. L'aiguille du gramophone arriva à la fin du disque ; la salle fut plongée dans un silence de mort. Tout le monde semblait retenir son souffle en attendant que l'assistant traduise les mots de Rivarola. Le jeune garçon s'avança lentement vers le devant de la scène :

« Rivarola dit qu'elle est parfaite, annonça-t-il à M. Volterra, qui était devenu blanc comme un linge. Il dit qu'elle effleure la musique comme une déesse danse sur les nuages. »

En une seule journée, moi qui n'avais aucun contrat, je fus engagée pour former un duo avec le danseur de tango le plus célèbre du monde. Rivarola et moi avions même nos noms à l'affiche, parce que nous dansions dans plusieurs scènes et que notre numéro formait l'intrigue secondaire du spectacle dont le thème était l'amour interdit. C'était la première fois depuis Marseille que je voyais mon nom illuminé par les néons, et cette fois-ci c'était au Casino de Paris ! Mais je dus travailler dur et en mériter chaque lettre. À seulement trois semaines de la première, le programme de répétitions était éprouvant : trois heures de leçons de tango tous les matins et une véritable répétition de deux à six heures tous les après-midi.

« *Necesitas mas disciplina pa' ser una bailarina seria que pa' ser una cantante de comedia !* » me criait Rivarola au moins trois ou quatre fois par séance. Devenir une vraie danseuse demande plus de discipline qu'être une chanteuse comique.

Ayant glané des bribes d'anglais en travaillant au café des Singes, j'étais en passe de devenir très bonne en espagnol aussi – un effort nécessaire quand on passe plusieurs heures par jour en compagnie d'un Argentin qui refuse de parler français – et je comprenais ce que voulait Rivarola bien mieux qu'il ne le croyait. Il était facile de se cacher derrière de jolies chansonnettes, mais bien plus difficile d'aller chercher au fond de soi l'émotion avec laquelle je devais danser sur scène. Si je voulais laisser les chansons puériles et les costumes un peu kitsch derrière moi, je devais faire tout mon possible pour que ce numéro soit un succès. M. Volterra était allé jusqu'à faire peindre notre portrait sur le mur faisant face à l'affiche où figuraient Camille et Jacques Noir !

« *Che, prestame mas atención. No bailes pa' la gente !* » L'assistant éclairagiste, qui faisait office d'interprète pendant les répétitions, m'avait écrit cette remarque sur un morceau de papier que j'avais accroché au miroir de ma loge : « Concentre-toi

toujours sur Rivarola. Ne danse pas pour le public. »
L'instruction allait à l'encontre de tout ce qu'on
m'avait enseigné comme chanteuse, toutefois c'était
la seule méthode pour qu'un duo de danseurs captive l'attention du public. Ceux qui nous voyaient
danser devaient croire qu'ils assistaient à une véritable scène d'amour.

Rivarola savait-il que je suivais scrupuleusement
ses instructions ? Je l'ignorais. Je n'enlevais jamais
mes chaussons de danse avant d'être rentrée dans
ma chambre, et quand je finissais par les ôter, je
devais décoller la semelle intérieure de mes pieds
couverts de bleus et de contusions, que je plongeais
ensuite dans une bassine d'eau froide avec un cri de
soulagement. Souvent, après une répétition, je
contemplais mon visage dans une glace. Sous les cris
incessants de Rivarola, mes yeux devenaient hautains et mes lèvres esquissaient une moue rebelle.
Mes pommettes et mes joues étaient plus anguleuses
qu'à mon arrivée à Paris. C'était comme si Rivarola
me transmettait un peu de lui-même. D'ordinaire,
nous dansions joue contre joue, mais pendant les
répétitions il lui arrivait d'appuyer son front contre
le mien. « *Asi podemos leer la mente del otro* », disait-
il. Cela devait nous permettre de lire dans les
pensées l'un de l'autre.

La première fois que M. Rivarola m'avait enlacée
si étroitement que j'avais eu l'impression d'avoir ma
poitrine écrasée contre ses côtes, j'avais sursauté
sans pourtant laisser échapper la moindre protesta-
tion. Je ne dis rien non plus quand, pour esquisser
telle ou telle figure, il frottait sa jambe entre les
miennes tout en me faisant reculer. Peut-être y

voyais-je l'occasion de me débarrasser de ma virginité tout en restant fidèle à mon art. Il était infiniment préférable de perdre mon innocence sur scène que de la monnayer avec des hommes comme François. La pureté ne correspondait pas à l'esprit du tango. Si je voulais être fidèle à cet esprit, je devais au moins suggérer le désir ou le plaisir charnel, et c'était cela, aussi bien que l'art de la danse, que m'enseignait Rivarola.

Quand le public et les échotiers nous virent danser, ils supposèrent que nous étions amants à la ville. Mais ceux qui nous observaient en coulisses savaient qu'il faut se méfier des apparences. Pendant les longues minutes où nous dansions ensemble, Rivarola et moi nous consumions de désir dans les bras l'un de l'autre. Mais dès que le rideau tombait et que nous courions dans les coulisses, il me lâchait comme la chemise trempée de sueur qu'il lançait à l'habilleuse. Entre les numéros, il se cachait dans sa loge où il buvait du whisky et fumait le cigare. L'intérêt qu'il me portait se limitait à l'importance que je prenais sur scène à ses yeux. Il ne retint mon prénom qu'au bout de plusieurs semaines de spectacle. Pourtant, dès le premier soir, notre manière de danser le tango avait tant ému le public qu'il s'était levé pour nous acclamer, et les critiques s'étaient montrés très admiratifs. Celui de *Paris Soir* écrivit :

« *Le couple sublime que forme Rivarola avec une jeune inconnue, Suzanne Fleurier, est un des clous du spectacle. L'extraordinaire tango de Rivarola suffit à faire bouillir le sang de chaque spectateur et sa partenaire forme avec lui une harmonie parfaite de par sa grâce et sa précision.* »

M. Étienne était ravi de mon succès, et pour le fêter il nous invita, Odette et moi, à dîner à la Tour d'argent.

« Être une grande chanteuse est une chose, dit-il. Mais savoir danser comme vous le faites en est une autre.

— Je crois que personne à Paris n'a un tel talent pour l'un et l'autre », renchérit Odette avec effusion.

M. Étienne leva sa coupe de champagne. « Paris est votre partenaire de tango, Suzanne. Vous n'avez qu'à tendre la main ! »

Jusqu'alors, les commentaires de M. Étienne sur ma personne avaient été positifs mais mesurés. L'entendre se répandre ainsi en éloges me donna toute la confiance dont j'avais besoin. Venant de lui, je pouvais être sûre qu'il ne s'agissait pas de flatterie. Mais j'avais beau être sur le point de conquérir Paris, tout le monde ne me portait pas dans son cœur.

14

Le principal avantage à passer d'un rôle mineur à celui de danseuse de premier plan, c'était que j'apparaissais dans la scène finale du spectacle. Le décor figurait une villa espagnole avec ses pots débordants de géraniums, une cour de style mauresque et une fontaine à l'arrière-plan. Le public poussait un soupir d'admiration quand Camille entrait en scène : elle descendait des coulisses sur un lustre, comme une déesse tombée du ciel. Elle atterrissait dans les bras du premier danseur masculin, vêtu d'un costume de matador avec un collant assez moulant pour faire monter la température de toute femme. Le costume de Camille était osé, lui aussi : c'était une robe espagnole dont l'avant était découpé de façon à révéler son corset et sa culotte, avec une mantille en dentelle qui jaillissait d'un peigne sur sa tête et se déployait sur ses épaules. Les danseuses de la revue, qui portaient pour tout costume un sombrero et quelques paillettes aux endroits stratégiques, tourbillonnaient autour du couple en agitant leurs éventails de plumes. Les clowns, qui jouaient les *banderilleros* du matador, pourchassaient deux autres pitres déguisés en taureau qui leur donnaient la chasse à leur tour. Juste avant que Camille ne fasse son apparition, je dansais une sorte de flamenco à la mode française, auquel Rivarola avait refusé de participer car cela n'avait rien à voir avec l'Argentine, mais que toutes les danseuses de revue reprenaient derrière moi. Au moment de faire ma sortie, j'étais emportée par un *picador* – qui montait un *vrai* cheval. La monture, qui s'appelait Roi, était issue d'un des pur-sang de course de M. Volterra. Après que Camille et son amant avaient dansé et chanté leur numéro final, les filles y allaient de leur french cancan. Cette danse n'avait aucun rapport avec l'Espagne, mais le public l'adorait.

Bien qu'elle fût une vedette, Camille n'avait pas son nom en haut de l'affiche pour cette saison. La place revenait au comédien Jacques Noir, la « coqueluche de tout Paris ». Coqueluche, c'était bien le mot : dès qu'il paraissait sur scène, ma loge tremblait sous le tonnerre des applaudissements. Un jour, ma photo de Fernandel – il y avait apposé son autographe un soir où j'étais allée le voir aux Folies-Bergère – s'était décrochée à cause des violentes vibrations et était tombée par terre. Le verre brisé barrait le sourire niais du comédien. Pauvre Fernandel ! avais-je pensé. Il avait beau être un des comédiens et chanteurs les plus doués de Paris, avec ses cernes et sa figure chevaline, je doutais qu'on le décrive un jour comme la « coqueluche du public ».

Quand Rivarola et moi fûmes bien rodés, je demandai au régisseur la permission de regarder le premier numéro de Noir depuis les coulisses. La programmation du spectacle ne m'avait encore jamais permis de le voir. Dans l'apothéose du spectacle, il entrait en scène après moi, alors que les machinistes étaient bien trop occupés à nous faire sortir rapidement, le *picador* et moi, de peur que le cheval ne déverse son crottin là où les autres artistes le piétineraient en arrivant. Même si on évitait de le nourrir six heures avant le spectacle, d'ordinaire, en réaction à l'euphorie provoquée par la scène, Roi soulageait ses intestins.

« La femme de Noir est la seule qui ait le droit d'aller s'asseoir en coulisses pendant son numéro, m'expliqua le régisseur. Il n'aime pas qu'on le déconcentre.

— Je serai discrète, promis-je. Je ne le vois jamais pendant ses répétitions. Elles sont toujours entourées de secret.

— C'est pour éviter qu'on lui vole ses idées avant la première.

— Il y a peu de chances que je le fasse, fis-je

remarquer. Rivarola et moi n'avons aucun avenir dans la comédie, vous ne croyez pas ? »

Le régisseur céda et me conduisit dans un recoin des coulisses, à gauche de la scène, où se trouvait un tabouret en bois. Le siège était hérissé d'échardes qui me piquaient les jambes, mais je souris comme si tout allait pour le mieux.

Le régisseur porta son doigt à ses lèvres. « Je ne veux même pas vous entendre respirer. »

En scrutant la pénombre, j'aperçus une femme assise dans les coulisses d'en face, et un cercle de lumière lui tombait sur les genoux, projeté par une lampe de table posée sur une étagère au-dessus d'elle. La femme de Noir, sans doute, me dis-je, déconcertée par son apparence. Alors qu'elle était l'épouse d'un des comédiens les plus riches de Paris, elle portait une robe grise peu élégante. À part l'alliance à son doigt, aucun bijou ne brillait sur sa personne. Et si le régisseur s'inquiétait tant de m'entendre respirer, je me demandais bien ce qu'il pensait du tricot de Mme Noir ! Le cliquetis de ses aiguilles était audible même de l'endroit où je me tenais. Avec son cou d'oiseau et ses rides sur le front, elle ressemblait plus à la mère de Noir qu'à sa femme. J'avais entendu dire que ce dernier n'avait que trente-deux ans.

Les filles de la revue commencèrent par danser sur un air de jazz en se déplaçant sur un échiquier où des figurants étaient déguisés en rois, reines, fous et cavaliers. En quittant la scène par l'escalier, l'un d'eux fit basculer le couvercle d'une tour géante. La pièce d'échecs s'ouvrit et il en sortit un homme en queue-de-pie et chapeau haut de forme. Il ressemblait à un hippopotame, avec son triple menton et ses yeux de fouine qui vous regardaient par-dessus un gros nez porcin. Malgré son costume anglais coûteux camouflant mal son obésité, c'était l'homme le plus repoussant que j'aie jamais vu. J'étais persuadée qu'il s'agissait d'un des clowns, maquillé et affublé d'un costume rembourré, jusqu'à ce que la foule se déchaîne et que les femmes se mettent à crier : « Jacques ! Jacques ! »

Je cessai de respirer. Si j'avais été surprise par l'apparence de sa femme, celle de Noir me choqua. Il ressemblait à cela, ce comédien qui était la coqueluche de tout Paris ? Maurice Chevalier était bien plus séduisant. Même Fernandel ne semblait plus si disgracieux comparé à Noir ! Je repensai à l'affiche dans le hall du théâtre : l'artiste avait pris quelques libertés et amélioré le physique de Noir. Mais à en juger par la réaction des spectateurs, il leur faisait beaucoup plus d'effet qu'à moi.

« Mesdames ! Mesdames ! lança-t-il. Je vous en prie ! Que vont penser ces messieurs ? »

Les femmes, qui ne tenaient pas en place, gloussèrent et se calmèrent.

« Au moins, vous avez eu le bon goût de venir au Casino de Paris, ce soir, reprit-il en souriant et en se pavanant de long en large. Vous n'êtes pas allés voir Mistinguett au Moulin-Rouge. » Il s'arrêta, jeta un coup d'œil à la foule et tourna sa langue dans sa bouche. « Vous savez quel est le point commun entre Mistinguett et un piranha ? »

Le public, tendu, attendit la réponse.

« Le rouge à lèvres ! »

Les spectateurs hurlèrent de rire et applaudirent.

Noir enchaîna sans attendre : « Quelle est la première chose que fait Mistinguett en se levant le matin ? » et, après une pause théâtrale, il répondit lui-même : « Elle se rhabille et rentre chez elle ! »

Cette plaisanterie provoqua d'autres rires et d'autres applaudissements. Je me demandai si je rêvais. Cet obèse pouvait-il vraiment être Jacques Noir ? Celui qu'on payait plus de deux mille francs par soirée ? Il était à pleurer.

Je regardai sa femme de l'autre côté de la scène. Elle n'avait pas l'air de suivre le numéro de son mari ; elle s'occupait de ses mailles et de ses points de tricot comme si elle attendait un train au lieu d'être assise dans les coulisses d'un music-hall. Pendant ce temps, Noir avait cessé de railler Mistinguett pour s'en prendre à Maurice Chevalier, dont le nom était apparu dans la presse à cancan cette semaine-là : la rumeur courait qu'il avait fait une tentative de suicide. « On raconte que c'est à cause de ses horribles souvenirs de guerre. Ha ! C'est plutôt à cause de ses souvenirs de New York. Il a essayé de se faire passer pour une grande star sur Broadway mais un gamin et sa mère se sont approchés de lui ; le gamin lui demande : "Monsieur Chevalier, vous voulez bien me donner un autographe pour ma collection ? – Bien sûr, petit", répond Chevalier assez fort pour que tout le monde l'entende à un kilomètre à la ronde et sache que *quelqu'un* l'avait reconnu. Bon, alors le gamin sort son minuscule calepin, qui doit faire cinq centimètres sur cinq tout au plus et qu'il a acheté dans un bazar quelconque. "Dis donc, petit, fait Chevalier, il n'y a pas beaucoup de place, là-dedans. Qu'est-ce que tu veux que j'écrive ?" Le

313

gamin réfléchit une minute et ses yeux s'éclairent. "Dites, monsieur Chevalier, vous pourriez m'écrire tout votre répertoire ?" »

Cette histoire-là fit crouler la salle de rire. La relation entre Noir et le public me laissait perplexe. Quelque chose devait m'échapper. Travailler avec Rivarola m'avait-il coûté mon sens de l'humour ? Comment M. Volterra prenait-il les piques que Noir lançait à Mistinguett et à Chevalier ? Après tout, c'était deux de ses plus grandes vedettes au Casino de Paris. Je me demandais si, après ce soir, ils accepteraient à nouveau de monter sur scène dans ce cabaret. Mais Noir réservait aussi quelques railleries à M. Volterra.

« À quoi devine-t-on qu'un imprésario est bien mort ? demanda-t-il au public. Il ne réagit pas quand on lui agite un billet de mille francs sous le nez ! »

À ces mots, l'orchestre se mit à jouer et Noir se lança dans une chanson. L'atmosphère du numéro changea et je finis par comprendre ce qu'il avait de si attirant. Tantôt Noir fredonnait, tantôt il parlait et tantôt il chantait les paroles de sa chanson d'une voix sans doute la plus belle de tous les chanteurs de Paris. Elle était plus vibrante que celle, pleine de gouaille, de Chevalier et plus agile dans ses variations que celle de Fernandel. En fermant les yeux, on oubliait que la chanson était interprétée par quelqu'un d'aussi laid. Cette voix-là appartenait à un homme fringant. Mais même quand je gardais les yeux ouverts, l'apparence de Noir s'améliorait lorsqu'il chantait. Il avait quelque chose de magnétique. J'essayai de définir ce que c'était, car je redoutais qu'il ne s'agît de cette indéfinissable qualité propre aux véritables vedettes et que je recherchais moi aussi. Peut-être était-ce la confiance irradiée par chacun des pores de son corps aux proportions généreuses. Il chantait bien et il le savait.

Je fus tellement transportée par sa chanson – qui racontait comment un dandy tombait amoureux de la femme de chambre de sa maîtresse – que j'en oubliai le tabouret aux esquilles et la cruauté de ses plaisanteries de tout à l'heure. La voix de Noir adoucissait ses côtés abrupts comme la mer polit les galets. Cependant l'instant d'après, je tombai des nues. Noir avait pris une canne et s'était mis à sautiller sur scène ; il fit rebondir la canne au rythme d'un air que je reconnus :

La ! La ! Boum ! C'est Jeanne qui s'en vient
Admirer ma nouvelle Voisin.
La ! La ! Boum ! C'est Jeanne qui m'demande
Mais que fais-tu donc là ?
La ! La ! Boum ! Mon Dieu, oh, mon Dieu !
Que vais-je donc lui dire ?
La ! La ! Boum ! Je chauffe mon engin…

Noir parodiait la chanson que j'avais chantée dans le spectacle de la saison précédente, et sa version à lui était pleine de sous-entendus. Il y avait pire encore : il me tournait en ridicule en sautillant, en faisant de petits bonds et en frétillant du derrière comme Mme Piège me l'avait demandé autrefois. Mes yeux passèrent de Noir aux spectateurs ; ils riaient, leurs bouches ouvertes semblaient des cavernes obscures. J'avais détesté ce numéro, mais cela n'enleva rien à mon humiliation. Noir avait

315

transformé une prestation mineure de mon répertoire en souvenir vraiment embarrassant.

S'il s'en était tenu là, cela aurait déjà été bien assez mortifiant. Mais pour comble d'insulte, il termina par une pose de tango, envoya un baiser au public et roucoula d'une voix qui se voulait sexy avec les inflexions de l'accent méridional : « J'en ai fait du chemin, pas vrai, mes chéris ? Regardez un peu ! »

Le rideau tomba et le public se déchaîna. Complètement horrifiée, je fus incapable de bouger. Après trois rappels, Noir sortit de scène et le régisseur me fit quitter le tabouret pour laisser la place aux machinistes qui devaient changer le décor. Je le dévisageai, mais il ne pensait déjà plus à moi. Était-il insensible au point de ne pas avoir fait le lien entre mon ancien numéro et celui de Noir, quand il m'avait autorisée à regarder ? Je me réfugiai dans ma loge, aveuglée par une fureur telle que les artistes qui se hâtaient le long des couloirs m'apparurent comme des taches floues. Je claquai la porte. Bouton et Rubis, les caniches, tressaillirent. Rubis poussa un jappement. Mme Ossard, leur dresseuse, se retourna.

Je me jetai sur ma coiffeuse et commençai à me peigner vigoureusement, sans aucune envie de retourner sur scène pour la scène finale. Tout ce que je voulais, c'était rentrer chez moi.

« Qu'est-ce qui se passe ? » demanda Mme Ossard en arrangeant la dentelle sur son cerceau.

J'évitai de croiser son regard et, posant le peigne, m'emparai de ma houppette que j'appliquai par touches furieuses sur mon front.

316

« Ah ! Tu as vu le numéro de Noir, c'est ça ? »

Je jetai la houppette sur la table et haussai les épaules. Les autres artistes étaient donc au courant de la parodie depuis le début ! Pourquoi personne ne m'avait-il prévenue ?

Mme Ossard fit claquer sa langue. « C'est vache de sa part, un coup pareil à une débutante. Et surtout à une autre artiste du Casino.

— Comment a-t-on pu le laisser faire ? bredouillai-je d'une voix chevrotante. Ce n'est pas juste ! »

Mme Ossard extirpa un mouchoir de son décolleté et me le tendit. Le tissu sentait le savon de toilette de ses chiens. « Prends-le comme un compliment, dit-elle. Ça n'empêche pas le public d'apprécier ton numéro, si ? Au contraire, il te fait de la publicité.

— Il me donne l'air ridicule plutôt ! » protestai-je. C'était ce qui m'avait le plus affectée. En se moquant de moi, Noir m'avait rétrogradée au rôle de chanteuse comique. Il y aurait toujours des gens pour me rappeler ce que j'avais accepté à mes débuts.

Mme Ossard m'attrapa le menton et le leva pour me forcer à la regarder dans les yeux. « Suzanne, l'attention que tu attires fait des envieux au Casino. Mais être parodiée par le comique le plus célèbre de Paris n'est pas forcément une mauvaise chose. »

Un soir, à quelques semaines des fêtes de Noël, la femme de Rivarola revint. Je l'aperçus en allant voir la costumière pour lui demander de recoudre une déchirure à l'ourlet de ma jupe. Elle était debout à l'entrée des artistes, les mains jointes, et regardait droit devant elle. Malgré le chauffage, un courant

317

d'air froid circula et mon cuir chevelu se hérissa. C'était comme voir rôder le fantôme de l'Opéra. J'avais secrètement redouté ce retour, pourtant la dernière fois que j'avais entendu parler d'elle, Maria se trouvait à Lisbonne en compagnie d'un play-boy allemand. À voir le sourire carnassier qui étira ses lèvres écarlates et ses yeux étrécis fixés sur la robe que je tenais à la main, je devinai que c'en était fini de mon duo avec Rivarola.

Au moment de notre première apparition sur scène, malgré trois appels, les machinistes avaient eu beau chercher partout, Rivarola restait introuvable. Le régisseur et un de ses assistants enfoncèrent la porte de sa loge, mais il n'y restait plus qu'une légère odeur de tabac dans l'air poussiéreux et un disque cassé en mille morceaux, éparpillés sur le sol.

« Je ne vais pas vous laisser partir, mademoiselle Fleurier, dit M. Volterra. Le public et les critiques vous adorent – encore plus qu'ils n'aimaient Rivarola. » Il s'adossa à sa chaise, qui grinça sous son poids, et se tapota le menton avec son stylo. « Donnez-moi une semaine. Je vais voir ce que je peux trouver. »

Évidemment, connaissant M. Volterra, ce serait une semaine sans cachet, mais je n'avais guère le choix. Tous les grands cabarets avaient déjà entamé leur saison et aucun n'organiserait d'audition avant longtemps.

« Il discute avec Mme Piège de la chorégraphie d'un nouveau numéro, m'annonça M. Étienne après dix jours sans nouvelles de M. Volterra.

— Fantastique ! marmonnai-je. Encore un tour de chant et de danse en costume à pois. »

Quand on m'invita à retourner au Casino de Paris quelques jours plus tard, j'eus tout de suite l'occasion de regretter mon cynisme. M. Volterra avait engagé, à grands frais, un parolier pour m'écrire des chansons. « Il nous faut quelque chose de sensationnel pour remplacer le tango comme intrigue secondaire dans le spectacle », m'expliqua-t-il en m'invitant à entrer dans son bureau.

Quand je reconnus l'homme en costume sombre et à fine moustache qui nous attendait, j'en restai bouche bée. Vincent Scotto se leva de sa chaise et s'avança : « Ce sera un plaisir de travailler avec vous, mademoiselle Fleurier, dit-il, ses yeux mélancoliques posés sur mon visage. J'ai quelques idées qui conviendraient à votre superbe voix. »

Son ton empreint de déférence me surprit. Cet homme avait écrit des chansons pour certaines des plus grandes vedettes parisiennes : Polin, Chevalier et Mistinguett. Et M. Volterra l'avait engagé pour m'en écrire, à moi !

Une surprise plus grande encore m'attendait dans la section des costumes, où je devais aller essayer le mien. Erté, le costumier russe, m'avait dessiné une robe. Malgré le contrat que ce dernier avait signé avec les Folies-Bergère et sa récente collaboration avec Hollywood pour les studios MGM, M. Volterra avait réussi à le persuader de créer un unique costume pour ce spectacle. Quand la costumière écarta les pans de la housse en organza, je fus charmée par la fantaisie de la robe. Elle était taillée dans un tissu lamé étincelant où étaient découpés des trous de serrure à hauteur de la taille et des hanches. Les coutures étaient doublées de perles. Le costume tombait en cascade sur le mannequin, sans falbalas. Il brillait de tous ses feux, simple et superbe. Je devais aussi porter une paire d'ailes duveteuses hautes de plus d'un mètre et une coiffe de perles surmontée d'un panache.

« Il a fallu cinq jours et cinq nuits de travail à trois couturières pour terminer ce costume aussi vite, m'expliqua l'habilleuse.

— Je n'arrive pas à y croire ! » bégayai-je. Je tendis mon manteau à l'une de ses assistantes et enlevai mes souliers de deux coups de pied. J'avais hâte de tout essayer.

L'aide de deux habilleuses se révéla indispensable pour enfiler le costume, et dès que j'en sentis le poids, je compris pourquoi les danseuses de revue du Casino de Paris se déplaçaient avec la majesté des statues. Il fallait de la force et du maintien pour porter une coiffe aussi haute et se déplacer avec un minimum de grâce. J'essayai de faire quelques tours à droite et à gauche et faillis tomber. Mais j'étais bien décidée à avoir le dessus même si je devais endurer des courbatures dans la nuque et des maux de tête. Un seul regard m'avait suffi pour comprendre que c'était un costume de star.

Moi qui avais travaillé à en avoir les pieds en sang pour Rivarola, je n'épargnai ni ma voix ni mes poumons pour Scotto. Je sentais que j'avançais le long d'un couloir magique où toutes les portes s'ouvraient devant moi. Je pouvais choisir n'importe quelle voie. Interpréter les chansons populaires du jour, c'était une chose, mais chanter des paroles et des mélodies composées pour vous en était une autre. Et aucun imprésario, surtout pas M. Volterra, ne serait prêt à payer un compositeur et à avancer cinq mille francs pour un costume s'il ne m'avait pas considérée comme un bon investissement.

« C'est la chance de ta vie, Suzanne ! me répétais-je chaque jour en arrivant au Casino. Si, avec tout ça, tu n'arrives pas à te lancer, tu n'y arriveras jamais. »

Cette pensée me glaçait, pourtant elle m'aiguillonnait et me poussait à travailler dur.

Scotto écrivit et peaufina les chansons à la vitesse de l'éclair. À mesure qu'elles étaient terminées et les chorégraphies conçues, je devais répéter les numéros jusqu'à ce que M. Volterra leur donne son approbation. Ils étaient alors immédiatement insérés dans le spectacle, car le départ de Rivarola avait laissé des créneaux vides dans la programmation et il s'agissait de les combler au plus vite.

Dès ma première apparition sur scène, les critiques furent enthousiastes. Jacques Patin, le journaliste du *Figaro*, écrivit :

« Lancée il y a quelques mois par le Casino de Paris comme danseuse de premier plan, elle est aujourd'hui une des principales chanteuses du spectacle. Suzanne Fleurier ne nous déçoit pas. Elle met plus d'émotion dans chaque couplet que la plupart des chanteurs dans le répertoire de toute une carrière. Sa voix est remarquable et, si l'on considère son âge, on peut espérer qu'elle la développera encore. Voici une jeune fille promise au plus brillant avenir. »

J'achetai plusieurs exemplaires du journal pour envoyer l'article à ma famille, ainsi qu'à

Mme Tarasova et à Véra. J'en gardai un exemplaire sous mon oreiller, que je lisais tous les matins en me levant et tous les soirs au coucher. « Promise au plus brillant avenir ! » Jacques Patin ne disait pas cela du premier venu. Il avait éreinté Jacques Noir ; mais cela n'avait pas entamé le moins du monde la popularité du comique : le spectacle faisait salle comble tous les soirs. Je n'étais plus considérée comme une gentille fille en robe à volants qui interprétait des chansonnettes, ni comme le faire-valoir de Rivarola. Une énergie extraordinaire m'emplissait tout entière. Je gagnai en maîtrise de moi, et quand je marchais et dansais, j'étais comme la chenille sortie de son cocon – une métamorphose qui en surprenait plus d'un.

À Noël, toutes mes chansons avaient été intégrées au spectacle. Un après-midi après Nouvel An, j'arrivai au Casino de Paris pour ma répétition et, tandis que je m'approchais de l'entrée des artistes, Jacques Noir sortit avec sa femme, qui trottinait sur ses talons.

« Bonjour, monsieur Noir », dis-je. Dans l'étourdissante euphorie provoquée par mon succès, pleine de bons sentiments pour tout le monde, j'avais oublié que Noir m'avait parodiée en public. Je ne le saluais pas parce qu'il était la vedette du spectacle ; j'étais si joyeuse que j'aurais été ravie de rencontrer n'importe qui.

Je n'essayai pas d'engager la conversation ni de le harceler de quelque manière que ce fût. J'allai jusqu'à m'effacer pour les laisser passer, sa femme et lui. Ils ne me répondirent pas. En haussant les épaules, j'entrai dans le théâtre, à peine consciente de la mine revêche du couple Noir. J'étais trop enthousiaste à l'idée de répéter mes chansons pour le spectacle de ce soir-là.

Mais l'après-midi suivant, quand j'arrivai au Casino pour les répétitions, il y avait de la tension dans l'air. Je le sentis au bonjour grincheux du portier et au ton irritable sur lequel le régisseur m'informa des changements apportés au programme. Devant les loges, je trouvai les danseuses et deux des clowns attroupés autour du panneau d'affichage.

Sophie, une des meneuses de revue, secoua la tête. « Je ne sais pas qui c'est, mais il ou elle aurait mieux fait de s'abstenir. Maintenant, on va tous devoir marcher sur la pointe des pieds. »

Je ne pus résister à la tentation de savoir de quoi il retournait. J'attendis dans ma loge jusqu'au moment où les danseuses eurent dévalé l'escalier pour aller répéter, puis je jetai un coup d'œil dans le couloir afin de vérifier que la voie était libre. Il n'y avait pas grand-chose sur le panneau : quelques modifications apportées aux programmes de répétition et des annonces pour des chambres à louer. Le message était imprimé en lettres capitales. Le texte me sauta à la figure :

RAPPEL À TOUS LES ARTISTES
IL EST INUTILE QUE LES SECONDS RÔLES ET LES FIGURANTS SALUENT M. NOIR ; VEUILLEZ ÉVITER DE LE FAIRE. M. NOIR TROUVE CELA AGAÇANT ET GROSSIER.

LA DIRECTION

Je restai plantée dans le couloir, bouche bée. Il me fallut quelques secondes pour enregistrer le message. Des exigences de mégalomane ; toutefois la formulation du mémo, les lettres martelées plutôt qu'imprimées sur la page et le fait que la coupable – moi – n'avait pas été directement prévenue donnaient l'impression qu'un crime abominable avait été commis. J'étais mortifiée.

Je fis de mon mieux pour ne plus y penser, mais cela se révéla de plus en plus difficile au cours de l'après-midi. Je ne tardai pas à m'apercevoir que le message n'avait pas été accroché seulement sur le panneau d'affichage. Il y en avait partout dans le théâtre : dans les salles de répétition, dans toutes les coulisses, même derrière les portes des toilettes. Pour couronner le tout, je n'arrêtais pas d'entendre les autres artistes en parler à voix basse. Le message était la nouvelle du jour et on en discutait avec autant de passion que s'il se fût agi d'un scandale. « Qui crois-tu que c'était ? Je suis sûre que c'était cette ballerine, la sournoise… Non, c'était Mathilde. Elle n'arrête pas d'essayer de se pousser en rampant devant les vedettes. »

À un moment, pendant que nous répétions la scène finale, je fus tentée de demander de silence et d'avouer ma faute devant toute la troupe. Mais je n'en eus pas le courage.

Une fois la répétition terminée, je me consolai en invitant Odette à se joindre à moi pour faire des emplettes. Je voulais meubler ma nouvelle chambre. Une des premières choses que j'avais faites après la critique élogieuse du *Figaro* avait été de déménager du Quartier latin pour m'installer dans un autre hôtel, dans le quartier de l'Étoile, où je disposais de deux pièces et d'une salle de bains à moi. L'hôtel lui-même n'était pas beaucoup plus chic, mais sa situation convenait mieux à une future vedette. Les rues du huitième arrondissement étaient bordées d'hôtels prestigieux, d'imposants immeubles blancs et de cafés où le champagne était servi dans des coupes en cristal. Camille habitait sur la rive droite, elle aussi, dans un appartement du luxueux hôtel Crillon payé par son nouvel amant, le play-boy Yves de Dominici.

Quand M. Étienne apprit que j'avais changé d'adresse, il ne me réprimanda pas ouvertement pour avoir dilapidé mon argent. Il me fit remarquer que je suivais les traces de Picasso, qui venait d'emménager dans le même quartier avec sa femme, Olga Khoklova.

« Comment ça ? » demandai-je.

Il eut un sourire narquois. « Eh bien, il a commencé par vivre à Montmartre et maintenant il habite le quartier de l'Étoile. Apparemment, cela correspond aux aspirations sociales de sa femme.

— Non, monsieur Étienne, vous vous trompez, répondis-je avec un sourire impertinent. Je n'ai jamais habité à Montmartre. »

Il me tendit une lettre de recommandation pour son banquier. « M. Lemke sera heureux de vous aider à investir votre argent, si vous décidez un jour de le faire. »

Je m'abstins de raconter à M. Étienne que j'avais rencontré Picasso. Quand il s'était présenté dans ma loge, avec sa femme qui s'agitait nerveusement derrière lui, j'étais trop ignorante pour saisir l'importance de cet Espagnol à la silhouette noueuse. Son regard intense et son français approximatif m'avaient rappelé Rivarola, même si, bien sûr, ce dernier ne parlait pas du tout français. L'artiste portait une tenue de soirée avec large ceinture, qui ne lui allait pas du tout. Il m'avait dit qu'il aimerait me peindre et m'avait tendu sa carte. Je l'en avais remercié puis sitôt la porte de ma loge refermée, je l'avais oublié. M. Étienne aurait été ravi d'apprendre qu'un peintre qui ne faisait jamais de portraits se proposait de peindre le mien. Lui qui ne cessait de répéter : « Pensez un peu à la publicité ! » Tout ce que je savais, c'est que le jour même où *Le Figaro* avait publié ma critique, le journal avait aussi annoncé que Picasso avait découvert le surréalisme, et voir un portrait de ma personne avec le nez déformé et les intestins sur les genoux dans une galerie ne me semblait guère attrayant.

Après avoir acheté des draps en soie aux Galeries Lafayette, Odette et moi nous rendîmes au magasin de meubles sur le boulevard Haussmann dont Joseph venait d'être promu gérant. Il n'était pas aussi beau garçon que je m'y attendais, mais il avait du charme. Son visage poupin s'éclaira à notre entrée, et il m'accueillit avec une chaleureuse poignée de main et trois bises. Le regard qu'il échangea avec Odette était plein d'amour et me fit sourire.

« Je suis heureux de faire enfin votre connaissance, mademoiselle Fleurier, dit-il en remontant ses lunettes à monture d'acier sur son nez et en nous guidant parmi des sculptures en bronze et des tables de jeu en acajou de style Empire. Odette ne tarit pas d'éloges à votre égard et j'ai l'intention d'aller vous voir au Casino de Paris dès que j'aurai un jour de congé. »

Joseph nous conduisit dans une arrière-salle et poussa une caisse d'emballage. « J'ai mis ces quelques meubles de côté pour vous, ajouta-t-il en désignant deux chaises Louis XV rembourrées en peau de léopard. La première fois que je les ai montrées à Odette, elle a déclaré qu'elles vous conviendraient parfaitement. »

Je caressai la douce fourrure qui recouvrait les chaises. Je n'avais jamais rien vu d'aussi joli. Je jetai un coup d'œil à l'étiquette. Leur prix était exorbitant, même avec la remise la plus généreuse de Joseph, mais il me les fallait. Quand nous fûmes convenus du prix, Joseph sortit un paravent de style oriental.

« Il couvrira le gris terne des murs de ta chambre, admira Odette, en s'approchant pour examiner la feuille d'or et les estampes nacrées représentant des ormeaux.

— Je le prends. » La tête me tournait à l'idée de tout l'argent que je dépensais pour des objets de luxe.

Une fois l'affaire conclue, que nous fêtâmes tous les trois en buvant du champagne, Odette et moi retournâmes à ma chambre d'hôtel. Odette donna des instructions aux livreurs concernant l'emplacement des chaises et du paravent : elle changea plusieurs fois d'avis avant de décider où ils étaient exactement à la bonne place dans la pièce.

« Si ton oncle te voyait faire, tu aurais beaucoup d'ennuis, l'avertis-je. Il pense que je ne devrais pas dépenser autant d'argent. »

Odette secoua la tête. « Si tu veux devenir une vedette, il faut que tu aies le train de vie correspondant.

— Je ne sais pas lequel de vous deux je dois écouter, mais on a plutôt envie de suivre tes conseils !

— Je viendrai voir le spectacle, ce soir, dit-elle. Je n'y ai pas encore assisté depuis que tes chansons en font partie. »

Je me réjouissais de son amitié. Les artistes du Casino de Paris étaient très extraverties à la scène, mais à la ville c'était ou des garces ou des despotes. Dès qu'on laissait les rôles mineurs derrière soi, il n'y avait plus aucune camaraderie dans le monde du spectacle semblait-il – rien que des rivalités.

15

Le spectacle du Casino de Paris connut un tel triomphe qu'il fut prolongé jusqu'au mois de mai de l'année suivante. Mais en dépit du succès, ma vie était bien solitaire. À part Odette, j'avais les applaudissements enthousiastes du public pour seuls compagnons. Projeter mon regard, par-delà les feux de la rampe, vers les rangées de visages ravis, soir après soir, c'était comme retrouver des amis – illusion que je pouvais maintenir tant que les spectateurs restaient anonymes. En retournant à ma loge après mon numéro, je la trouvais envahie de fleurs et de bouteilles d'Amour-Amour. Il y avait toujours des cartes, on ne manquait jamais d'y exprimer l'estime de l'expéditeur et de me demander des rendez-vous. Si j'étais soucieuse de me montrer agréable et polie avec mes admirateurs, je n'ignorais pas que les hommes – pas plus que certaines femmes – n'étaient pas là pour m'offrir quelque chose. Au contraire, ils espéraient me *prendre* quelque chose.

« Les hommes sont sans pitié, me dit Camille, un soir où elle m'avait invitée à dîner dans son appartement. C'est pour cela que, si tu es intelligente, tu leur prendras ce que tu peux quand tu en auras l'occasion. Il n'y a que les idiotes qui pleurent sur le sort des hommes. Comme si la morale leur dictait leur conduite ! Quand un homme décide de se débarrasser d'une femme, tu peux être sûr qu'il n'aura pas pitié d'elle, lui ! »

Je me coupai une tranche de neufchâtel et étalai ce fromage crémeux sur un morceau de pain. J'avais d'abord été flattée par l'invitation de Camille – après tout, c'était une vraie vedette – mais tandis que la soirée avançait, j'eus l'impression grandissante de n'être là que pour entendre ses considérations philosophiques sur la vie et les hommes. Moi ou une autre, quelle différence ? Et pourtant, je continuais à l'écouter, fascinée, parce que je voulais qu'elle m'aime. Ou du moins qu'elle m'approuve. J'avais trop peu d'expérience pour être d'accord ou non avec Camille sur ce sujet. Ma connaissance des hommes – autres que mon père, oncle Jérôme et Bernard – était quasi nulle. Et de ces trois-là, oncle Jérôme était le seul que l'on pût décrire comme impitoyable.

« Leurs décisions ne viennent pas du cœur, si amoureux semblent-ils », poursuivit Camille en

329

rompant un morceau de pain avant de se servir du fromage. Elles ne se prennent même pas *sous la ceinture*, comme disent les danseuses de la revue. Quand une idée leur vient, elle se forme dans un cerveau impassible en fonction de leur seul intérêt. »

Camille appela sa bonne et lui demanda de nous apporter une autre bouteille de vin. J'examinai la pièce. La tapisserie d'Aubusson et le lustre en bronze doré appartenaient à l'hôtel, mais la chaise longue en bois doré aux accoudoirs sculptés de têtes de lions était à Camille. Elle amassait certainement deux ou trois choses pour elle-même grâce à sa liaison avec Yves de Dominici. Une rumeur circulait même selon laquelle il projetait de lui acheter une villa sur les bords de Seine, à Garches, près de Paris.

Quand la bonne nous eut servi le vin, Camille reporta son attention sur la découpe du fromage. J'étudiai ses mains à la pâleur délicate et, lorsqu'elle releva les yeux, je jetai un regard dérobé à leur saphir. Pensait-elle vraiment que tous les hommes étaient impitoyables ? Je me posais des questions sur sa fille, mais quand j'avais essayé d'en parler en début de soirée, Camille m'avait demandé de ne pas mentionner l'enfant devant la bonne, qui se mêlait de tout, car elle voulait garder son existence secrète. Était-ce parce qu'elle avait dû assumer seule la responsabilité d'un enfant que Camille était devenue aussi blasée ?

Si j'évitais mes admirateurs, ce n'était pas parce que je les jugeais impitoyables, mais plutôt parce que je ne voyais pas ce qu'ils pourraient m'offrir de plus excitant que le music-hall. Je trouvais le monde réel moins beau qu'un décor conçu par Gordon Conway ou Georges Barbier. Et même si mes admirateurs m'achetaient des robes de grande valeur, il n'y avait que sur scène que je pouvais porter des ailes d'ange et une immense coiffe incrustée de perles. À chaque répétition, je m'efforçais d'améliorer un aspect de ma danse ou de ma voix, et je constatais avec ravissement que ma performance était meilleure de jour en jour. Cela avait bien plus d'attrait que de bons repas au restaurant ou des sorties mondaines. Et puis je gagnais ma vie et pouvais m'offrir le luxe dont j'avais envie. Il aurait certes été agréable d'habiter l'hôtel Crillon, cependant je n'étais pas prête à le payer de ma liberté.

Il existait une exception à mon manque d'intérêt pour le sexe opposé : André Blanchard. Même si je ne l'avais plus revu depuis la soirée au Bœuf sur le toit, cela ne m'empêchait pas de penser à lui. Parfois, quand il y avait une pause dans les répétitions ou quand, en rentrant chez moi, je ne trouvais pas le sommeil après avoir passé toute la journée enfermée, j'imaginais nos conversations. Nous parlions de music-hall, de nos endroits préférés dans Paris, des plats que nous aimions. C'était un peu étrange, si l'on considérait que nous n'avions jamais échangé plus de quelques mots. Mais j'avais trop peu d'expérience pour comprendre les sentiments qu'il m'inspirait et l'alchimie de l'attraction. Je m'efforçais de ne pas penser à Mlle Canier, en qui je voyais un obstacle à mes rêves. Je me rappelais le sermon du curé, au pays de Sault ; il avait insisté sur le fait que « penser à mal est aussi répréhensible que passer à l'acte ». Je ne voyais pas en quoi cela pouvait être vrai. Je ne pouvais pas contrôler les pensées qui me passaient par la tête à chaque instant, mais j'étais maîtresse de mes actes. Une idée que ma mère m'avait souvent répétée se révéla vraie : si on pense très fort à une chose, elle finit toujours par se concrétiser.

Un soir pendant l'entracte, en ouvrant la porte de ma loge avec l'intention d'appeler Blandine, mon habilleuse, je vis qu'André Blanchard s'était bel et bien matérialisé dans le couloir.

« Bonsoir », dit-il en me tendant un bouquet de roses.

Je restai plantée sur le pas de ma porte, bouche bée.

Il regarda par-dessus mon épaule et toussota. Je sortis de ma torpeur et l'invitai à entrer dans ma loge, dont il fut le premier visiteur à franchir le seuil depuis que je l'occupais. N'ayant pas l'habitude de recevoir, je repoussai une petite culotte sous la table d'un coup de pied et ôtai des bas d'une chaise pour lui laisser place. La chaise grinça et oscilla sous son poids. Comme je n'avais pas de vase pour les fleurs, je les mis dans une cruche.

« Vous voici donc au Casino de Paris, mademoiselle Fleurier », dit-il en se perchant tout au bord de la chaise afin qu'elle cesse d'émettre ces grincements gênants. Son regard se posa sur mon bustier incrusté de faux diamants suspendu au bras d'un fauteuil, et sur ses bonnets rembourrés avec du papier de soie. Il détourna les yeux, cherchant autre chose à observer que mon visage. « Votre nouveau numéro vous va à merveille. »

Je m'assis en face de lui, décontenancée par son apparition si soudaine. Je ne l'avais pas vu depuis des semaines. Ma loge était minuscule et nos genoux se cognèrent. Je fus surprise de sentir les siens trembler. Les miens se mirent à vaciller eux aussi, par solidarité. J'avais une boîte de cigarettes dans mon tiroir, je la sortis et lui en offris une. André secoua la tête. « Je n'en fume qu'une par jour. Et le besoin de la suivante ne se fait pas sentir avant le lendemain. »

J'ouvris alors un paquet de noix de pécan épicées, le seul aliment disponible dans ma loge, et les versai dans un bol. Ces noix, ainsi que des chocolats, m'avaient été offertes par un admirateur, mais je n'y avais jamais touché. Les noix sont un anathème pour les cordes vocales d'une chanteuse.

Je me demandai quel était l'âge d'André. Il n'y avait pas une ride sur sa peau dorée, il ne devait pas avoir plus de vingt ans. Pour un homme au statut social aussi élevé, il ne semblait pas très conscient de son importance. Mais il parlait avec maturité et pesait chacun de ses mots, il pouvait donc être plus vieux qu'il n'en avait l'air. Peut-être vingt-cinq ans.

Mes pensées furent interrompues par un bruit. André avait pris une poignée de noix et les laissait tomber l'une après l'autre dans sa bouche, comme un chien qui attrape les friandises de son maître. Des manières peu raffinées. Ce n'est pas ainsi qu'Antoine ou François auraient mangé des noix. André avait dû s'oublier un instant et je fis tout mon possible pour ne pas éclater de rire. J'étais éblouie par sa richesse et sa présence, toutefois sa petite infraction aux bonnes manières nous mit sur un pied d'égalité.

« Quel est votre agent artistique ?

— Michel Étienne. »

André hocha la tête. « Ah, bien. Conservateur, mais expérimenté et consciencieux.

— Vous connaissez bien le monde du music-hall ?

— Je m'intéresse au milieu des affaires, et le monde du spectacle, c'est aussi des affaires, répondit-il en souriant. Je donnerais un million pour chanter comme vous, mais il y a peu de chances que j'y arrive. J'aurais aimé être acteur, seulement mes parents trouvaient ce rêve ridicule. Donc, pour moi, ce sont les usines et l'import-export, comme pour mon père.

— Le métier d'entrepreneur vous plaît ? »

Il rejeta la tête en arrière et eut ce rire merveilleux, puis il posa sur moi un regard pétillant. « Je l'adore, mademoiselle Fleurier. Avoir une idée et en faire un succès commercial m'enthousiasmait. Mais dans l'ombre d'un entrepreneur tel que mon père, je me sens forcément un extraordinaire potentiel à accomplir. »

Je devinai qu'à l'occasion de nos rencontres précédentes, André s'était caché derrière une façade, un personnage public. Aujourd'hui, il semblait baisser la garde.

« Vous avez des frères et sœurs ? » demandai-je. Étant fille unique, j'étais fascinée par les fratries.

Le visage d'André se rembrunit. « Mon frère aîné a été tué à la guerre, je suis le seul héritier mâle.

— Je suis désolée.

— Oh, ma famille n'est pas la seule à avoir perdu l'un des siens dans la Grande Guerre. J'ai aussi une sœur qui est mariée et se comporte avec moi plutôt comme une tante. Et une cadette, Véronique. C'est la rebelle de la famille, un vrai garçon manqué. Elle préfère les grenouilles aux poupées.

— À chacun – ou chacune – ses goûts, fis-je avec un sourire.

— Malheureusement, les rebelles sont mal vus dans notre famille, dit André en reprenant une poignée de noix. Véronique va se faire expédier dans un pensionnat si elle continue. »

Sa voix était tendue quand il parlait de sa famille. Il semblait plus heureux de discuter de ses affaires, aussi lui posai-je des questions sur les entreprises Blanchard.

« Mon grand-père a commencé par vendre des rubans et il a fini par devenir le plus grand propriétaire d'usines textiles à Lyon, raconta-t-il. Mais il ne jurait que par la diversification, et il attendait de ses fils qu'ils développent des commerces correspondant à leurs propres centres d'intérêt, ce qu'ils ont fait : dans les journaux, le gaz, les chemins de fer et l'import. »

André s'interrompit pour me lancer un sourire désarmant. À entendre toutes ces confidences, je me sentis si proche de lui que je cédai à la tentation et lâchai la question fatidique : « Et comment va Mlle Canier ?

— Mlle Canier va bien, merci, répondit André en rougissant jusqu'aux oreilles. Elle est avec sa mère sur la Côte d'Azur en ce moment. Je dois les rejoindre la semaine prochaine. »

Je me serais giflée. Notre échange avait été si facile et amical jusque-là ; pourquoi avais-je tout gâché en faisant allusion à la féline Mlle Canier ?

335

André allait ajouter quelque chose lorsque Blandine fit irruption dans la pièce. Elle écarquilla les yeux : elle n'avait pas l'habitude de me voir en compagnie de visiteurs. « Pardon », fit-elle en reculant.

André se leva. La chaise y alla de son grincement.

« Je vous en prie, dit-il. Mlle Fleurier est sans doute attendue sur scène incessamment, je ferais mieux de partir. »

Il se tourna vers moi. « Je dois aller en voyage d'affaires à Rome et à Venise avec mon père. Pourrais-je revenir vous rendre visite à mon retour ? »

J'acquiesçai en me demandant ce que signifiait cette visite, si Mlle Canier faisait toujours partie de sa vie.

Quand André fut parti, Blandine se tourna vers moi. « C'était André Blanchard ? Pourquoi vous rend-il visite ?

— Je n'en ai aucune idée. »

Un soir, à la mi-mars, le régisseur vint frapper à la porte de ma loge. « Mademoiselle Fleurier, il faut que vous alliez voir la costumière avant votre prochaine entrée en scène. Votre coiffe n'était pas assez stable dans le dernier numéro, et elles veulent la resserrer pour la fin du spectacle.

— Bien sûr, lançai-je à travers la porte. Je n'avais pas remarqué. J'y vais tout de suite. »

J'écoutai ses pas s'éloigner dans le couloir. Il me restait quarante minutes avant ma prochaine apparition sur scène, seulement je savais qu'il ne fallait pas faire attendre la costumière. Ce n'était pas une figure maternelle comme Mme Tarasova, mais une femme despotique qui n'hésitait pas vous à coller

336

une amende si un poil de chien traînait sur votre collant ou si vous aviez perdu une paillette. Et puis je ne voulais pas que ses assistantes, toujours très bousculées pendant l'entracte et juste après, le soient encore plus par ma faute.

En allant rejoindre les habilleuses, je tombai sur les machinistes qui s'échinaient à réparer un décor dont les charnières s'étaient dévissées. C'était le décor du numéro du lanceur de couteau, qui commençait juste après celui de Jacques Noir, aussi étaient-ils pressés par le temps. Ils m'empêchaient de passer, mais je devinai à leurs figures toutes rouges et aux jurons exaspérés du menuisier que je ferais mieux de ne pas les déranger. Je décidai de faire le tour par les coulisses. Les filles de la revue venaient d'entrer en scène pour leur danse de l'échiquier et si je prenais garde à rester au fond des coulisses, je pourrais éviter que le public ne me voie en robe de chambre.

Il était interdit de se trouver dans les coulisses pendant un spectacle sans autorisation du régisseur, aussi m'efforçai-je de me glisser le plus discrètement possible derrière les rideaux. Je n'étais plus très loin de la porte de sortie quand, en passant derrière ce que je croyais être le dernier pan de rideau, je me retrouvai nez à nez avec Jacques Noir. Je me figeai. L'entrée en scène par la tour de l'échiquier avait été éliminée du numéro parce que Noir prétendait être claustrophobe, mais j'étais persuadée qu'il faisait son entrée par les coulisses de droite, où sa femme avait l'habitude de s'asseoir, et nous étions à gauche de la scène. En plissant les yeux pour mieux y voir dans la pénombre, je m'aperçus que Noir n'avait pas remarqué ma présence. Il était plié en deux au-dessus d'un seau, la bouche ouverte. C'est alors que je reconnus l'odeur âcre du vomi.

« Oh, mon Dieu ! » gémit-il, les épaules agitées par des frissons, comme s'il avait la fièvre. Je scrutai dans les coulisses d'en face. Mme Noir ne s'y trouvait pas, seules ses aiguilles à tricoter et une pelote de laine étaient posées sur sa chaise vide. Elle va peut-être arriver, pensai-je, priant pour que ce fût le cas, parce que de toute évidence Noir n'allait pas bien. Mes pensées me ramenèrent au Chat espiègle et à Zéphora. En tout cas, je pouvais être sûre qu'il n'allait pas accoucher !

Il se remit à gémir en s'agrippant la poitrine. J'avais beau le trouver détestable, je devais agir, et vite. On m'avait un jour raconté que les vomissements pouvaient annoncer une crise cardiaque. Ou peut-être avait-il une attaque, comme oncle Jérôme ?

« Monsieur Noir, chuchotai-je en faisant un pas en avant pour lui poser la main sur l'épaule. Je peux vous aider ? Vous voulez que j'aille chercher votre femme ? »

Noir se redressa d'un bond et chercha précipitamment son mouchoir pour se tamponner le visage et s'essuyer la bouche. Quand il me reconnut, un frisson le parcourut tout entier. « Petite idiote ! » lâcha-t-il d'un ton hargneux. Il se précipita sur moi et m'asséna un tel coup de poing dans la poitrine que je tombai à la renverse.

Je le dévisageai, les yeux brûlants tellement j'avais mal. Il a perdu l'esprit, me dis-je. Noir me lança un regard noir et j'étais persuadée qu'il s'apprêtait à me frapper encore une fois quand l'orchestre entama la musique de son numéro. À cet instant, je me demandai si c'était moi qui étais devenue folle, car Noir se métamorphosa sous mes yeux. Il jeta son mouchoir, rajusta sa veste, mit son chapeau haut de forme et sauta sur scène exactement comme le jour où j'avais assisté à son numéro.

« Allons, mesdames ! Je vous en prie. Que vont penser ces messieurs ? »

Je fixai la scène, incrédule, puis jetai un coup d'œil aux coulisses d'en face. La femme de Noir avait repris sa place et tricotait sur sa chaise.

Je me relevai en titubant jusqu'à l'endroit où officiait la costumière. Par chance, elle avait été appelée pour une autre urgence et Agnès, sa première assistante, avait pris l'initiative de commencer à retravailler la tiare en mon absence.

« Bien ! dit-elle, se dressant sur la pointe des pieds pour me poser la coiffe sur la tête et la fixer derrière mes oreilles et sur ma nuque. Elle tient maintenant. Dépêchons-nous ! Allons vous préparer dans votre loge. » Elle me dévisagea. « Votre mascara a coulé. »

Je touchai ma joue et examinai le bout de mes doigts, maculés de poudre noire. Je n'arrivais pas à croire à ce qui s'était passé avec Noir. Sans la douleur pulsative dans ma poitrine, à l'endroit où il m'avait frappée, j'aurais pu croire que j'avais rêvé.

« Vite ! fit Agnès en me poussant hors de la pièce. Il ne reste plus que sept minutes avant votre entrée en scène. »

Ce rappel me sortit de ma torpeur. Je ne trouvais aucune explication au comportement de Noir, seulement je n'avais pas le temps d'y penser pour le moment. Mon public m'attendait.

Cet incident trouva son explication le lendemain, quand, en arrivant pour ma répétition, je découvris M. Étienne devant l'entrée des artistes.

« Ils veulent vous renvoyer, m'annonça-t-il. On vous accuse d'avoir essayé de saboter le numéro de Jacques Noir. »

J'en laissai tomber mon sac à main. Il dégringola bruyamment dans l'escalier, mon poudrier et mon rouge à lèvres s'en échappèrent. Les paroles de M. Étienne me plongèrent dans une stupeur telle que j'en restai muette.

« Vous avez un contrat et je vais contrer la décision à partir de cela, dit M. Étienne. Mais vous feriez mieux de me raconter ce qui s'est passé hier soir avant le face-à-face avec M. Volterra. »

M. Étienne avait d'ordinaire une mise impeccable, mais ce matin-là le nœud de sa cravate était mal fait et ses cheveux étaient en bataille. Je ne l'avais jamais vu aussi agité. Le sang me monta au visage. Me renvoyer ? Me faire perdre ce numéro que j'adorais au Casino de Paris après moins de trois mois ?

« C'est un mensonge, monsieur Étienne ! » Je me laissai tomber sur une marche en essayant de ramasser mon rouge à lèvres, mais mes mains tremblaient tellement que je finis par le repousser encore plus bas dans l'escalier.

« Oh, j'en suis sûr ! » répondit-il.

Son ton m'apaisa un peu. Si M. Étienne ne doutait pas de mon innocence, peut-être que quand j'aurais une chance de m'expliquer ce qui s'était passé, M. Volterra me croirait lui aussi. Je racontai à M. Étienne pourquoi je m'étais retrouvée dans les coulisses et ce que Noir avait fait.

M. Étienne serra les poings. « J'étais sûr que

c'était une histoire de ce genre ! siffla-t-il. Ce n'est pas la première fois que Noir fait un coup pareil. Il se débarrasse de tous les talents qu'il perçoit comme une menace.

— Pourtant nous n'apparaissons pas dans le même numéro !

— Un journaliste a écrit une meilleure critique sur vous que sur lui », fit remarquer M. Étienne. Il mit la main dans sa poche, puis il me tendit son mouchoir. Je ne pleurais pas, mais les yeux me brûlaient tant j'avais peur d'être renvoyée. Si Jacques Noir salissait ma réputation au Casino de Paris, j'aurais du mal à retrouver du travail ailleurs.

« Alors il faisait semblant de se sentir mal ? demandai-je. C'était un piège ? »

M. Étienne secoua la tête. « Ça, ce n'était pas simulé. C'est nerveux, chez lui. C'est pour cela qu'ils ont décidé de laisser tomber le coup de la tour. Peu de gens sont au courant, mais Volterra ferme les yeux parce qu'il pense que ça aide Noir à se mettre en condition. C'est bien malheureux que vous soyez tombée sur lui à ce moment-là. Il essaie de retourner l'incident contre vous avant que vous puissiez l'utiliser pour lui nuire. Si vous allez trouver les échotiers avec une histoire pareille, il prétendra que ce sont des racontars d'ancienne rivale aigrie. »

M. Étienne décida qu'il expliquerait la situation lui-même à M. Volterra, au cas où la discussion s'envenimerait. Mes nerfs avaient été mis à rude épreuve et mes dernières réserves de calme me permettaient tout juste de parler de façon cohérente. Je rentrai à mon hôtel en taxi et, dès que j'ouvris la porte de ma chambre, je m'effondrai sur la chaise la plus proche. Kira, ma petite chatte, dormait sur le bord de la fenêtre. Elle leva la tête et cligna des yeux. Elle dut sentir que quelque chose n'allait pas, car elle s'étira sur ses pattes arrière et sauta sur mes genoux, sacrifiant sa position au soleil pour venir me consoler. Je jetai un coup d'œil aux aiguilles de l'horloge sur ma commode. Déjà trois heures. Combien de temps faudrait-il à M. Étienne ? Je fermai les yeux, effrayée à l'idée que je n'irais peut-être pas jouer ce soir-là – ni aucun autre – au Casino de Paris. Ce métier était devenu toute ma vie.

« Miaou », fit doucement Kira en frottant son menton contre ma main. Je lui massai le dos, mes doigts s'enfoncèrent dans sa fourrure aux reflets lavande. J'avais acheté cette petite compagne à une vieille femme rencontrée un matin en me promenant dans le parc Monceau.

Quand M. Étienne frappa enfin à ma porte, je sursautai et bondis sur mes pieds, ce qui envoya Kira sur le tapis. Debout, je fermai les yeux de toutes mes forces et fis le vœu de continuer à travailler au Casino de Paris. Pleine d'espoir, j'ouvris la porte. Mais un seul regard aux traits tirés de M. Étienne me suffit pour comprendre qu'il n'apportait pas une bonne nouvelle.

16

Paris n'était jamais aussi belle qu'au printemps, mais même au jardin du Luxembourg, avec ses marronniers couverts de fleurs blanches et ses parterres débordant d'iris, d'anémones et de tulipes, la splendeur de cette saison me laissait indifférente. J'avais perdu mon travail et ma bonne étoile.

Assise sur un banc, à l'ombre de branches de lilas déjà chargées de fleurs, c'est tout juste si je remarquais les grappes mauves dont le parfum suave m'enveloppait. L'épisode avec Jacques Noir au Casino de Paris avait été une catastrophe. M. Volterra avait souligné qu'il croyait à ma version des faits, seulement il avait tout de même tenu à me renvoyer parce que sinon Noir menaçait de quitter le spectacle. M. Volterra avait honoré les termes de mon contrat jusqu'au bout, mais après en avoir déduit le coût de mon costume et le cachet de Vincent Scotto. J'avais dû retourner dans mon hôtel du Quartier latin et y prendre une chambre encore plus petite que celle d'avant. Je vendis une des chaises à peau de léopard, le paravent oriental et certains de mes vêtements. La chaise restante était une compensation pour Kira, que j'entraînais avec moi dans une situation plus précaire. Si la petite chatte n'appréciait pas de partager désormais un lit étroit et une chambre miteuse avec moi, elle n'en laissait rien paraître. Tant qu'elle recevait sa soucoupe de lait et pouvait venir se blottir au creux de mon bras, elle était heureuse.

La perte de mon numéro au Casino de Paris aurait été un coup moins terrible si M. Étienne avait pu me retrouver un rôle ailleurs. Mais bien que M. Volterra évitât d'annoncer publiquement que j'avais saboté le numéro de Noir, ce dernier répandit la nouvelle partout. Les Folies-Bergère avaient commencé les répétitions pour *La Folie du jour*, où ils s'apprêtaient à lancer l'Américaine Joséphine Baker. Après avoir

343

dépensé une fortune pour plus de mille costumes différents et une musique écrite par Spencer Williams, ils n'étaient pas disposés à faire quoi que ce soit qui pût irriter leur star si capricieuse. La réponse du directeur du Moulin-Rouge fut la même. Ils venaient de payer un demi-million de francs aux sœurs Dolly à la suite d'un contentieux avec Mistinguett, et ils ne voulaient pas mécontenter la diva une nouvelle fois en embauchant des artistes qui risquaient de lui faire de l'ombre. Seul l'Adriana manifesta quelque intérêt, mais leurs rôles chantés et dansés étaient tous pris pour les deux prochaines saisons.

Une petite fille en manteau rouge glissa sur le gravier devant moi, effrayant les pigeons qui s'égaillèrent. La fillette s'accroupit, les yeux écarquillés par la surprise. Elle éclata en sanglots à l'instant où sa bonne la prit dans ses bras. « Je t'avais bien dit de ne pas trop t'éloigner ! » la gronda cette dernière en époussetant son manteau.

Je les suivis du regard, elles quittèrent le chemin et disparurent parmi les arbres. C'était une journée ensoleillée et le parc était plein de gens qui déambulaient entre les terrasses et les parterres bien ordonnés. Tous avaient l'air animé, heureux que l'hiver eût cédé la place à un printemps aussi éclatant. Les rires des enfants me parvenaient du bassin. Et aussi, couvrant les rires, la voix d'un chanteur.

Je regardai mes pieds. Si j'avais échoué au Casino de Paris, où pourrais-je réussir ? Ma carrière était-elle terminée ? Était-il temps d'admettre ma défaite et de rentrer à la ferme ?

Le chanteur se rapprocha, sa voix se fit plus forte. Son timbre était riche, mais il chantait faux.

Et plus on en a
Et plus on en veut
Encore et encore
Jusqu'à la misère.

Je me redressai sur mon banc et scrutai autour de moi.

« Qu'est-ce qui ne va pas ? demanda une voix d'homme. Vous avez l'air déprimé. »

Je scrutai les lilas. L'homme s'était placé de façon que son visage soit caché par les feuillages. Tout ce que je voyais, c'est qu'il était grand, portait un manteau caramel et que ses chaussures étaient bien lustrées. Une de ses mains était posée sur le rameau de lilas, aussi lisse et brune que celle d'un Indien. Sa voix m'était familière.

André Blanchard.

La main se leva et écarta les feuillages. Ces yeux qui ne manquaient jamais de faire battre mon cœur me rendirent mon regard. L'espace d'un instant, j'oubliai mes malheurs et n'eus pas besoin de me forcer pour sourire.

« J'ai entendu les cancans, poursuivit-il en contournant l'arbuste. Qui irait inventer un sabotage du numéro de Jacques Noir ? » Puis il partit d'un gros rire sonore et je parvins presque à lui pardonner de se moquer de mes problèmes.

« C'était l'occasion de ma vie », lançai-je. Jamais je n'aurais admis ma défaite à quiconque, mais il y

345

avait chez André un je-ne-sais-quoi qui rendait le mensonge impossible.

Son visage devint sérieux, comme s'il avait lu dans mes pensées. Il posa un regard appuyé sur la place vide à côté de moi sur le banc. « Je peux ? »

Je hochai la tête et il s'assit. « Jacques Noir n'a besoin de personne pour saboter son numéro, dit-il. Il est bien assez mauvais comme ça. Simplement, il a réussi à se faire de bonnes relations. Cette fameuse description : "La coqueluche de tout Paris", c'est lui qui l'a inventée. Il s'y entend en publicité.

— Tant mieux pour lui et tant pis pour moi ! »

André se frotta le menton. « Il n'est pas toujours facile d'expliquer pourquoi les uns arrivent à percer à Paris et pas les autres, reprit-il. Les chanteurs ne sont pas recherchés uniquement pour leur voix. Prenez Camille Casal : on comprend son succès parce que c'est une beauté. Mais Fréhel ? Qui peut expliquer sa réussite, je vous le demande ?

— Je ne sais même pas qui est Fréhel.

— Vraiment ? fit-il en riant. Eh bien, il faudra que nous allions l'écouter un jour. C'est une femme d'âge mûr, ravagée par le temps, qui chante d'une voix rauque des chansons parlant de prostituées et d'amants malheureux. »

Je n'en croyais pas mes oreilles. Avait-il vraiment dit : « Il faudra que nous allions l'écouter un jour » ?

« J'ai été très surprise quand j'ai vu Mistinguett sur scène, renchéris-je. Sa voix est plate, elle oscille plus qu'elle ne danse et elle n'est pas particulièrement belle.

— C'est vrai, acquiesça-t-il. Mais tout le monde

l'associe à la France. Elle est aussi incontournable à Paris que le café et les croissants. »

Je me penchai pour cueillir un brin d'herbe que j'enroulai autour de mes doigts. André m'imita. « Et vous, vous êtes là, dit-il. Vous savez chanter, danser et vous êtes jolie en plus. Mais vous n'avez pas de travail. »

Ses yeux se posèrent sur mon visage et il sourit. Le rouge qui m'était monté aux joues et aux oreilles m'envahit tout entière.

« Si vous êtes libre ce soir, mademoiselle Fleurier, j'aimerais vous inviter à dîner. »

Maxim's avait changé depuis les jours fastes de la Belle Époque, quand les rois d'Angleterre, d'Espagne et de Belgique y invitaient somptueusement des courtisanes telles que la Belle Otéro et Cléo de Mérode. Néanmoins, en 1925, le restaurant avait conservé son opulent style Art nouveau, avec les belles courbes de ses piliers en acajou, ses banquettes rebondies et ses statuettes représentant des demoiselles cheveux au vent. Tandis que le maître d'hôtel nous conduisait à notre table, je levai les yeux sur le plafond de verre orné de fleurs, de fruits et de feuilles de citronniers. Le maître d'hôtel m'avança ma chaise et me tendit le menu rédigé à la main. Je regardai autour de moi, dans la pénombre du salon éclairé par des lampes miniatures posées sur chaque table, les femmes aux coiffures élégantes dont les boucles d'oreilles et les colliers de diamants scintillaient. La clientèle n'était plus composée d'aristocrates, pourtant elle n'avait rien perdu de son éclat : artistes fortunés, écrivains, comiques, journalistes et hommes politiques. Maxim's était peut-être devenu un restaurant plus respectable, mais ce n'était toujours pas le genre d'endroit où un homme emmenait son épouse. Je compris pourquoi André l'avait choisi : il y régnait une sorte de discrétion complice entre les clients. C'était un des rares endroits de la capitale où l'on ne nous épierait pas.

« Ils servent les meilleurs biftecks de Paris », annonça André, avec un coup d'œil au menu qui proposait entre autres du caviar d'osciètre et du cassoulet aux cuisses de grenouille.

Je ne m'étais pas encore remise de mes émotions provoquées par cette invitation à dîner, et je m'efforçai de dissimuler mon embarras en bavardant. « Je ne vous ai pas vu à Paris depuis un certain temps, fis-je remarquer. Vous étiez en voyage ?

— À Rome, Venise et Berlin », répondit-il. Il s'agita sur sa chaise, se détourna pour chercher le serveur du regard. Je ne savais pas si je l'ennuyais déjà ou s'il avait tout simplement du mal à rester assis.

« Qu'y faisiez-vous ?

— Mon apprentissage, dit-il en avalant une gorgée de champagne. Mon père y a acheté des hôtels et il me montrait comment ils sont gérés. »

Le champagne dans nos coupes et l'eau dans nos verres oscillaient. En baissant les yeux, je vis que les genoux d'André faisaient tressauter la table. Bernard avait cette habitude, autrefois, quand la présence d'oncle Jérôme le rendait nerveux. André ne s'était jamais montré si agité jusqu'à présent ; est-ce que quelque chose le tracassait ?

Le serveur déposa nos entrées sur la table. Je regardai les blinis sur mon assiette en me demandant comment les manger. J'observai André prendre une asperge avec les doigts pour la tremper dans un bol de vinaigrette. Il ne me restait plus qu'à deviner et à faire preuve d'un peu d'audace. Je refermai le blini sur lui-même avec ma fourchette et le mangeai d'une seule bouchée. La saveur du caviar au goût de noisette envahit ma bouche. Que ce fût ou non la bonne manière de manger les blinis, cela n'eut pas l'air de perturber André.

« Vous vous ressemblez, vous et votre père ? » m'enquis-je.

Mon intuition aurait suffi à répondre à cette question. Depuis que j'avais rencontré André, j'avais lu tout ce que j'avais pu trouver sur la famille Blanchard dans les journaux. En affaires, M. Blanchard donnait l'impression d'être un homme redoutable qui n'hésitait pas à réprimer les grèves des employés protestant contre les bas salaires et ne se cachait pas d'employer des travailleurs immigrés. André, d'après ce que j'avais vu, était ambitieux mais aussi chaleureux et animé par le sens de la justice.

Il secoua la tête. « Nous sommes différents. Je m'épanouis dans le changement, alors que mon père en a horreur. Sa vie est comme une horloge bien réglée, il disparaît dans son bureau tous les jours à la même heure, prend ses repas à heure fixe et se couche tous les soirs à exactement minuit douze. Au début de leur mariage, ma mère a commis l'erreur de réorganiser son bureau. Je ne crois pas qu'il le lui ait jamais pardonné. »

Je ne savais pas très bien si je devais rire ou

compatir. André souriait, pourtant quelque chose dans son regard me soufflait que l'attitude exigeante de son père n'était pas aussi drôle que le récit qu'il m'en faisait.

« Mon père a une théorie : les fortunes sont faites par les deux premières générations d'une famille et dilapidées par les deux suivantes, poursuivit-il. Il est bien décidé à ce que je ne suive pas cette pente. Je peux m'amuser tant que je veux et perfectionner mes talents d'entrepreneur dans tous les domaines qui m'intéressent jusqu'à mon trentième anniversaire. Ensuite, je dois me marier et reprendre l'entreprise familiale.

— Vous devez vous sentir sous pression », dis-je en commençant à comprendre pourquoi le monde du music-hall fascinait tant André. Le monde était transfiguré sur scène et on ne savait jamais de quoi serait fait le lendemain. On avait l'impression de vivre dangereusement. Faire exactement la même chose chaque jour parce qu'il en allait ainsi depuis des années ne correspondait pas à mon idée de la vie.

« Il me reste encore plus de dix ans, affirma André d'une voix redevenue légère. Je n'ai que dix-neuf ans. J'aime les gens bien plus que les machines. J'ai l'intention de prouver à mon père que ce qu'il considère comme des passe-temps sont des activités potentiellement lucratives. Je ne vais pas dilapider la fortune des Blanchard, mais je suis bien décidé à mener une existence différente de la sienne.

— Je suis certaine que vous y réussirez. » J'étais sincère mais je m'efforçais surtout de cacher ma surprise en apprenant son âge. Seulement dix-neuf ans ? Lui, qui était mon aîné de quelques années à peine, avait l'air plus à l'aise dans le monde que moi. Peut-être les gens riches étaient-ils ainsi parce qu'ils étaient à l'abri des soucis matériels ?

Quelque chose derrière moi attira l'attention d'André. « Oh, il faut que vous voyiez ça ! » fit-il.

Je me retournai et aperçus une femme noire qui se tenait à l'entrée du grand salon. Elle avait un regard expressif et ses cheveux formaient un casque luisant. Je la reconnus sur-le-champ ; j'avais vu des affiches à son effigie partout. Joséphine Baker. Elle resta immobile jusqu'à ce que, l'une après l'autre, les tablées fassent silence et que tous les yeux soient tournés vers elle. Puis elle jeta son manteau de chinchilla à terre – laissant la préposée au vestiaire se précipiter pour le ramasser –, découvrant ainsi une robe de soirée pourpre dont le décolleté se prolongeait, en fente, jusqu'à la taille.

Tandis que le maître d'hôtel conduisait Mlle Baker et ses pique-assiettes jusqu'à leur table, la vedette de music-hall battit des paupières et roula des hanches à l'adresse des dîneurs assis à chacune des tables devant lesquelles elle passa. « Bonsoir, mes chéris ! lança-t-elle, envoyant des baisers à tour de bras. Quelle mine superbe vous avez tous, ce soir ! » Cela ne se faisait pas d'interrompre les gens au milieu de leur repas, mais personne ne lui en tint rigueur. Des sourires éclairaient les visages sur son passage. L'atmosphère du salon avait totalement changé. C'en était fini des chuchotements étouffés échangés en début de soirée, les conversations étaient animées et des éclats de rire jaillissaient de tous côtés dans la salle.

« Vous avez vu ça ? me souffla André à voix basse,

avec une lueur amusée dans le regard. Vous avez deux fois plus de talent qu'elle. Mais elle sait jouer les stars.

— Être une star, c'est une qualité innée ? Quelque chose qu'on a ou pas ? » demandai-je.

André secoua la tête. « Vous ne poseriez pas la question si vous l'aviez vue, avant. Elle a tout appris en observant les autres et en y ajoutant une petite touche personnelle.

— Et moi, je n'ai pas appris à faire ça. C'est ce que vous essayez de me faire comprendre ? »

André se pencha en avant. « Ce que j'essaie de vous dire, c'est que si vous cultivez ce talent, vous serez une artiste redoutable. Vous devriez prendre le tour pendable que vous a joué Jacques Noir comme un compliment. S'il avait estimé que vous ne valiez rien, il ne se serait pas donné cette peine. Vous étiez une menace pour lui. »

Je baissai les yeux sur mon assiette. « Comment vais-je pouvoir cultiver ce talent ? »

André tendit la main par-dessus la table et, du pouce, il enleva une miette de caviar de mon menton. « Je pourrais vous y aider », suggéra-t-il.

J'attrapai ma serviette sur mes genoux et la roulai en une boule compacte. La peau me brûlait à l'endroit où il m'avait touchée. J'avais pensé à André assez souvent pour savoir qu'il me plaisait. Quelle artiste de cabaret n'aurait pas vu en lui l'homme de ses rêves : beau, jeune, riche, et prêt à vous aider dans votre carrière ? Pourtant, je sentais mes pieds appuyer par terre comme pour freiner à mort. Je n'avais pas envie d'être une des nombreuses jeunes filles qu'il promenait à son bras. J'imaginai Camille en train de me prendre par les épaules pour me secouer : « Qu'est-ce que tu attends, Suzanne ? Le grand amour ? »

« Je n'étais pas la maîtresse de Rivarola », lâchai-je. Je fus surprise par le ton de ma voix. Sa froideur rendait le message on ne peut plus clair. Je levai les yeux pour chercher le regard d'André. S'il fut déçu, il s'en remit très vite.

« Le sens des affaires, j'ai ça dans le sang, dit-il en repoussant son assiette sur le côté. S'il y a une chose qu'un entrepreneur ne peut pas supporter, c'est voir un bon potentiel inexploité. Et quand je vous regarde, c'est ce que je vois : une carrière qui pourrait rapporter des millions de francs, gâchée. Une vedette française en puissance échouée sur le rivage comme un poisson qui agonise. »

L'image de l'agonie du poisson hors de l'eau me frappa. J'éclatai de rire et l'atmosphère se détendit.

« Écoutez, vous allez me servir d'expérience commerciale et je n'attends rien de plus de vous, proposa André. J'ai un plan : je vais vous emmener loin de Paris et nous allons travailler ensemble à vous créer un nouveau style. Ensuite, quand vous serez une artiste à la personnalité bien définie, nous reviendrons à Paris. »

Son ton ferme me rassura et me déçut tout à la fois. Voulais-je une relation purement professionnelle ? J'aurais sans doute dû poser plus de questions – après tout, c'était de ma vie qu'il s'agissait –, mais André Blanchard m'intriguait et l'intérêt qu'il portait à ma carrière me flattait. Quand il lâcha en passant que Mlle Canier serait du voyage, je me résignai à l'idée qu'il ne cherchait peut-être effectivement rien de plus qu'une aventure commerciale pour exercer ses talents d'entrepreneur.

« Où nous emmèneriez-vous ? demandai-je.

— À Berlin. » Il ne semblait pas y avoir d'autre réponse possible.

J'ouvris de grands yeux. Berlin ? J'associais l'Allemagne à Anke, qui braillait ses chansons biscornues, et à un pays qui avait quasiment détruit mon père.

« Nous ferons le tour des cabarets et des musichalls. Vous travaillerez dur mais vous apprendrez », s'enflamma André. Ses yeux brillants en appelaient à mon sens de l'aventure. Était-ce là ce qui nous liait ? Étions-nous l'un comme l'autre attirés par les défis ?

« Mais je ne parle pas allemand ! objectai-je.

— Vous ne savez même pas dire *"Guten Abend meine Damen und Herren"* ? demanda André.

— Non.

— Ni *"Wir haben heute sehr schönes Wetter"* ?

— Non.

— Ni *"Sie sind sehr hübsch und ich würde Sie gerne küssen"* ? »

Je secouai la tête.

Un sourire éclaira le visage d'André. « Et à part ça, qu'est-ce qui vous inquiète à l'idée de partir en Allemagne ?

— Rien… enfin, si, fis-je en buvant une gorgée de champagne. Je peux emmener mon chat ? »

J'expliquai à M. Étienne que j'avais l'intention de partir quelque temps développer mes talents à Berlin et j'écrivis à ma famille pour leur annoncer la même nouvelle. Puis, une semaine plus tard, André et moi quittâmes Paris. Nous arrivâmes à la gare de Potsdammer peu après le crépuscule. Pendant qu'André demandait un ticket pour le taxi à l'agent de police qui se trouvait à la sortie, je remis Kira dans son panier en osier. En clignant des yeux, elle regarda les passants se hâter et le porteur pousser notre chariot de bagages. Elle ne réagit pas plus lorsqu'un homme nous doubla avec son berger allemand qui tirait sur sa laisse ; elle se contenta de bâiller, se roula en boule et s'endormit.

André montra notre ticket au chauffeur de taxi et le porteur entassa nos valises dans le coffre. Je regardai par la fenêtre de la voiture, perdue dans une rêverie. Le long du boulevard, des guirlandes d'ampoules électriques ornaient les portes des théâtres, des restaurants et des cabarets aux noms tels que *Kabarett der Komiker* et *Die Weisse Maus*. Les terrasses des cafés étaient bondées d'hommes et de femmes qui buvaient de la bière. Voici donc Berlin, pensai-je. À part les enseignes imprimées en lettres gothiques, la ville n'était pas si différente de Paris. Et pourtant, de manière indéfinissable, elle s'en distinguait. Je compris qu'il faudrait la regarder de plus près pour être capable de voir ses différences.

Le taxi s'arrêta devant un immeuble dont l'entrée était flanquée de deux colonnes de pierre et surmontée d'une plaque en bronze qui annonçait : *Hôtel Adlon*.

André paya le chauffeur. « C'est ici que nous logerons », me dit-il en glissant son portefeuille dans la poche de sa veste.

Nous avions deux jours en tête à tête avant que Mlle Canier nous rejoigne. Nous avions déjeuné avec elle avant de quitter Paris et tout ce que j'avais pu tirer d'elle, c'était « oui » ou « non ». Pour une personne qui avait tout – même André –, elle avait l'air d'une éternelle insatisfaite. D'un regard circulaire sur l'élégante salle du restaurant, elle avait cherché un détail déplaisant, de la consistance du beurre aux boutons de veste du serveur. De temps en temps, j'avais lancé un coup d'œil furtif à André en me demandant si elle l'attirait vraiment. Non sans contrariété, j'avais constaté qu'il la contemplait comme s'il n'arrivait pas à en croire ses yeux et ne cessait de lui tapoter la main ou de lui caresser le bras. Elle était très belle, mais comment un homme d'une telle vitalité et d'une telle intelligence pouvait-il passer son temps en compagnie d'une pareille grincheuse ? Pour sa part, Mlle Canier acceptait ses attentions avec un pâle sourire. La véritable insulte, cependant, était son attitude nonchalante à mon égard : alors que je partais à Berlin seule avec son prétendant, elle ne me percevait même pas comme une menace.

Un groom aux cheveux si courts qu'il aurait pu être un jeune officier de l'armée prit nos sacs dans le coffre. Je trouvais étrange de descendre à l'Adlon alors que le père d'André possédait l'Ambassadeur et des parts de l'hôtel Central.

« Pourquoi logeons-nous ici si ce n'est pas un des hôtels de votre père ? chuchotai-je, tandis que mes talons s'enfonçaient dans l'épais tapis.

— Pour comparer. L'Adlon est considéré comme le meilleur hôtel de Berlin, mais je pense que quelques modifications à l'Ambassadeur nous permettront de les dépasser. »

Tandis qu'André s'occupait de nos chambres, j'examinai le hall en marbre et les lustres dorés. En me retournant pour regarder une statue en bronze, je croisai le regard d'un homme debout près de l'ascenseur. Il passa ses doigts sur ses tempes grisonnantes et se lissa la moustache. Son expression était mi-sévère, mi-amusée.

Quand André eut accompli les formalités, le groom nous conduisit à l'ascenseur, où l'homme attendait. Il plissa les yeux pour saluer André. « Bonsoir, monsieur Blanchard, dit-il en français. C'est toujours un plaisir de recevoir un homme aussi exigeant que vous dans notre établissement.

— Bonsoir, Herr Adlon, répondit André avec un sourire narquois. Permettez-moi de vous présenter Mlle Fleurier.

— Enchanté, dit Herr Adlon toujours en français en se penchant pour me baiser la main. J'espère que vous apprécierez Berlin et votre séjour à l'hôtel Adlon. »

Une fois dans l'ascenseur, André leva les yeux vers le plafond en s'efforçant de ne pas rire. Dès que les portes s'ouvrirent et tandis que le groom nous précédait jusqu'à nos chambres, il me chuchota : « Autrefois, Herr Adlon aurait jeté les fils de ses concurrents à la porte. Mais à cause de la guerre et des difficultés de l'économie allemande, il est obligé d'accepter tous ceux qui peuvent payer.

— Peut-être le prend-il comme un compliment, dis-je. La plupart des artistes s'estiment flattés si une autre vedette vient assister à leur numéro. »

Moi qui avais cru que l'univers magique de la scène n'avait pas son équivalent dans la vie réelle, je changeai d'avis à l'instant où le groom ouvrit la porte de ma chambre, alluma la lumière et nous fit signe, à André et moi, de l'y précéder. Mes yeux se posèrent sur les lignes des pilastres à la française et les suivirent jusqu'au plafond, tout là-haut, puis ils admirèrent la cheminée en marbre et les candélabres en onyx posés de part et d'autre. Un bol rempli de prunes et un vase de roses aux longues tiges étaient posés sur la table. Leur parfum entêtant flottait dans la pièce, mêlé à l'odeur des draps frais. Si Mlle Chanel avait pu mettre cette senteur en bouteille, elle aurait découvert un parfum encore plus sublime que *Chanel n° 5*. Le groom ouvrit les deux pans d'une porte, découvrant un lit si somptueux, avec sa parure Rudolf Herzog, que j'eus envie de m'y réfugier le plus vite possible. Je posai le panier de Kira près du canapé.

André alla jusqu'à la fenêtre et jeta un coup d'œil entre les rideaux. « Vous pouvez voir l'Unter den Linden avec ses tilleuls et la porte de Brandebourg d'ici.

— L'Unter den Linden est le plus célèbre boulevard de Berlin, expliqua le groom dans un français impeccable. Il doit son nom aux tilleuls qui le bordent. »

Il déposa mes valises près d'une armoire. Kira tendit la patte entre les barreaux de son panier pour me tapoter le pied. Je défis le loquet et elle en jaillit d'un bond puis gambada sur la moquette. Elle renifla le tapis de Constantinople et les dorures des plinthes, huma le parfum des pieds de la table et agita les moustaches en faisant le tour du sofa. Soudain, elle dressa la queue et les oreilles. L'espace d'un instant terrifiant, je crus qu'elle allait y planter ses griffes, mais elle passa en trombe devant moi et entre les jambes d'André dans un accès de folie propre aux chatons. Elle tourna trois fois autour de la chambre à toute vitesse avant de sauter sur le canapé pour s'y installer. J'agitai le doigt à son intention et elle me regarda comme pour dire : « Voilà qui est bien mieux. C'est ce que j'attendais depuis le début. »

Quand le groom m'eut montré comment les robinets de la salle de bains fonctionnaient et où se trouvaient les interrupteurs, il me souhaita un bon séjour et se dirigea vers la porte. André le suivit. « Je vous laisse vous installer, dit-il par-dessus son épaule. Nous dînerons au restaurant de l'hôtel et nous nous coucherons tôt si vous le voulez bien. Nous nous attaquerons à Berlin demain. »

Le lendemain, je me réveillai au lever du soleil. Les femmes de chambre avaient tiré les stores et les rideaux la veille au soir quand elles étaient venues ouvrir le lit, mais, incapable de dormir, je les avais rouverts pour contempler les phares des voitures qui fourmillaient sur le boulevard. Bien calée sur mes oreillers, les bras derrière la tête, je humai une bonne odeur d'amande. Je reniflai mon poignet : le parfum du savon de luxe de l'hôtel flottait encore sur ma peau.

Kira était accroupie sur le bord de la fenêtre, ses yeux mobiles suivaient quelque chose en bas. Je dégageai mes jambes enroulées dans les draps. « Il n'y a rien là en bas, petite sotte ! » dis-je en jetant un coup d'œil au boulevard, peu fréquenté à part des camions qui livraient le pain et quelques bicyclettes.

Tandis que je la caressais, un bâillement m'échappa. L'excitation d'être à Berlin déglinguait mon horloge interne. À cette heure-ci, j'aurais dû rentrer chez moi, pas me réveiller. Je m'allongeai et posai ma joue sur la soie fraîche du couvre-lit. L'hôtel était silencieux. Aucun bruit de robinet, de pas dans l'escalier, ni de pots de chambre vidés dans les latrines. Cela ne ressemblait en rien à mon hôtel du Quartier latin. Mais j'étais trop bien réveillée pour pouvoir me rendormir maintenant, et même si André et moi avions bien dîné, j'avais une faim de loup.

Assise sur le lit, je feuilletai le menu servi en chambre. Je peux toujours avaler quelque chose tout de suite et déjeuner ensuite avec André, songeai-je. Je décrochai le combiné. Avant que j'aie pu prononcer un mot, un monsieur qui parlait français avec un accent allemand me salua par mon nom et me demanda ce que je désirais manger.

« *Guten Morgen* », dis-je, car j'avais hâte d'utiliser au moins une des expressions que m'avait apprises André dans le train. Je commandai des petits pains, du miel et de la confiture. Kira sauta de la fenêtre sur mes genoux. « Et aussi des harengs et un petit bol de lait », ajoutai-je.

J'étais en train de me sécher les cheveux quand le serveur arriva à la porte avec un chariot. Pendant qu'il préparait la table, Kira leva le nez puis se rapprocha le plus possible de la table en déplaçant son derrière sur le rebord de la fenêtre. Quand elle fut en face de la table, elle s'accroupit, la queue en balancier. Je l'empêchai de justesse de sauter.

360

« *Danke schön*, fis-jc au serveur, tandis que Kira se débattait dans mes bras.

— Je vous en prie, mademoiselle, répondit-il, les yeux sur la chatte que je retenais prisonnière. Bon appétit. »

Je mangeai les petits pains puis jetai un coup d'œil à ma montre. Il était à peine sept heures. J'allai ouvrir la porte de ma chambre pour regarder dans le couloir. Les chaussures d'André, cirées, avaient été déposées devant sa porte. Aucune lumière ne filtrait par le chambranle, j'en déduisis donc qu'il dormait encore. Dans ma chambre, Kira avait terminé ses harengs et elle était couchée sur le divan, occupée à se lécher les pattes.

« Je vais me promener, lui lançai-je. Si je trouve quelque chose de joli, je te le rapporterai ! »

Je passai devant la salle à manger, où les serveurs étaient occupés à dresser les tables du petit déjeuner. L'arôme du café bien chaud se mêlait au doux parfum du beurre fondu et du pain grillé. Je trouvai toutes ces bonnes odeurs si réjouissantes que j'eus l'impression de marcher sur un nuage.

« *Guten Morgen !* me lança le concierge quand j'atteignis l'entrée principale. Voulez-vous que je vous appelle un taxi ? »

Je secouai la tête. « Non, merci. Je vais me promener. »

Il commença par lever les sourcils puis hocha la tête en souriant. « Vous allez voir la porte de Brandebourg, c'est ça ? Si vous attendez, après le petit déjeuner, le guide de l'hôtel ou Mme Adlon vous y conduira. »

J'avais hâte d'explorer les rues de la ville par moi-même et l'encombrante compagnie de Mme Adlon ne me tentait pas plus que celle d'un guide. Je le remerciai et franchis la porte. Une promenade matinale n'était-elle donc pas un fait coutumier pour les clients de l'hôtel Adlon ?

L'air était vif et frais. Il y avait bien longtemps que je n'avais eu l'occasion de le humer de si bon matin. Quand je sortais du music-hall pour rentrer chez moi, mon nez avait respiré trop de fumée de tabac et trop de poussière pour que je profite de l'oxygène du dehors.

Dès que je fus sur l'Unter den Linden, je compris pourquoi on ne pouvait absolument pas confondre Berlin et Paris. Bien que certains immeubles fussent contemporains, ceux de Paris, avec leurs toits incurvés et leurs balcons en fer forgé, semblaient dessinés pour être agréables à l'œil, tandis qu'à Berlin ces bâtiments aux angles droits, avec leurs statues et leurs dômes prussiens, avaient été construits pour en imposer au passant. Je passai devant l'ambassade de Grande-Bretagne et des boutiques où l'on vendait des boîtes à musique peintes à la main et des cadres en argent filigrané. Je lus les enseignes des magasins en essayant de deviner leur signification. Mais je ne pouvais être sûre que de *Bank* et de *Schuhladen*. La première parce qu'elle ressemblait au français et la seconde parce qu'il n'y avait que des chaussures dans la vitrine du magasin. Je m'arrêtai pour admirer les articles en vitrine dans une boutique pour messieurs : coupe-papier en jade, boîtes à crayons en chagrin, portefeuilles en cuir et même une horloge à coucou.

Je continuai ma route le long du boulevard jusqu'à la Pariser Platz, où se dressait la porte de Brandebourg, dont j'admirai un moment les hautes colonnades ; j'avais lu qu'elles avaient été construites pour évoquer l'Acropolis d'Athènes. Je levai les yeux sur la déesse de la Paix conduisant son chariot tiré par quatre chevaux. Quelques passants s'attardaient sur la place : une femme qui poussait une grande brouette ; un jeune homme assis sur un banc qui croquait la porte sur son carnet à dessin ; deux soldats en uniforme. Je pris soin de ne pas les regarder avec trop d'insistance, car ils étaient tous les deux assis dans des chaises roulantes, et les extrémités de leurs pantalons étaient épinglées à hauteur de leurs cuisses. L'un des deux avait aussi perdu un bras et utilisait une pince mécanique pour diriger son fauteuil.

Après avoir traversé la place, je me retrouvai devant l'ambassade de France, dont le drapeau bleu-blanc-rouge flottait au vent. Je me rappelai les blessures effroyables de mon oncle et la stèle qui, dans notre village, commémorait les soldats morts à la guerre. À quoi tout cela avait-il servi ? Qu'est-ce que la Grande Guerre nous avait apporté ?

Je chassai mon accès de mélancolie d'un haussement d'épaules et poursuivis ma promenade de l'autre côté de l'Unter den Linden. Des boutiques de luxe proposaient des objets de fabrication allemande et on y trouvait aussi quelques épiceries dont les vendeurs relevaient les grilles. Je tournai au coin d'une rue et me retrouvai devant un magasin de jouets dont la vitrine était un régal pour les yeux : des ours en peluche, des maisons de pain d'épice, des immeubles en miniature peints à la main, des poupées vêtues de robes bavaroises dont les yeux s'ouvraient et se fermaient. Un panier rempli de balles aux couleurs vives était posé derrière la porte. Jetant un coup d'œil aux heures d'ouverture, je décidai de revenir plus tard en acheter une à Kira.

Je sentis alors qu'on me tirait le bras, baissai les yeux et fis un bond en arrière, effrayée. Un visage était levé vers moi, mais il me fallut quelques instants pour comprendre que la créature qui me touchait était une enfant. Sous son front bombé, elle avait de grands yeux globuleux comme ceux d'une grenouille, et juste la peau sur les os. Sa robe loqueteuse laissait voir des jambes rachitiques. Elle glissa sa main dans la mienne.

Je regardai des deux côtés de la rue pour voir d'où elle était venue. Je n'eus pas besoin de chercher très loin : juste en face, une femme était allongée sur le pas d'une porte, entre deux magasins barricadés avec des planches. Elle serrait un autre enfant, emmailloté dans des haillons misérables, contre sa poitrine. La pauvreté ne m'était pas inconnue, toutefois leur misère était plus noire que tout ce que j'avais pu voir dans mon existence. Ils n'étaient pas seulement pauvres, ils mouraient de faim. Je n'avais que quelques marks sur moi, car j'avais pensé trouver toutes les boutiques fermées, mais j'avais bien l'intention de leur donner tout. J'ouvris mon sac à main et y farfouillai à la recherche de mon porte-monnaie, mais le temps de le trouver, je sentis d'autres paires d'yeux braquées sur moi.

Deux jeunes garçons sortirent de l'embrasure où était couchée la femme. L'un d'eux l'enjamba comme un simple sac de farine et resta planté là, à me regarder, les mains sur les hanches. Un sourire mauvais fendait son visage comme une entaille. Si je donne

364

de l'argent à la femme, pensai-je, il va tout simplement le lui prendre. J'avais vu assez de souteneurs à Montmartre pour savoir comment ce genre d'hommes opérait.

« Je reviens tout de suite, dis-je à la petite. Je vais chercher à manger. Attends-moi ! »

Elle secoua la tête et s'agrippa à ma jupe, ses yeux suppliants m'imploraient de rester. « Je reviens tout de suite », répétai-je en détachant doucement ses doigts. À son regard désespéré, je vis bien qu'elle ne comprenait pas.

Ignorant les deux jeunes garçons, je descendis la rue au pas de course jusqu'à l'Unter den Linden. J'essayai de me rappeler à quelle distance se trouvait la boulangerie devant laquelle j'étais passée. « *Bäckerei, Bäckerei* », marmonnai-je en scrutant les vitrines ; pourtant, au fond de moi, je savais que tout le pain du monde ne suffirait pas à sauver la fillette et sa famille. Ils avaient besoin d'être soignés à l'hôpital. Mon geste était une goutte d'eau dans l'océan de misère devant lequel je m'étais retrouvée, mais j'espérais que ce geste, d'une manière ou d'une autre, valait mieux que rien.

Je trouvai enfin la boulangerie et m'y engouffrai. Il y avait deux clientes devant moi. Quand elles me virent montrer le pain du doigt et vider mon porte-monnaie sur le comptoir, comme folle, les deux dames s'écartèrent : sitôt que la vendeuse l'aurait servie, cette étrangère hystérique quitterait le magasin. J'avais entendu dire que le pain allemand était nutritif et pouvait même remplacer les légumes en hiver, aussi désignai-je toutes les variétés possibles, pain noir, brun et blanc ; puis je quittai la boulangerie, les bras chargés de miches.

Je courus tout le long de l'Unter den Linden jusqu'à la rue où se trouvait le magasin de jouets. Il n'y avait plus personne dans l'embrasure de porte où la femme et le bébé étaient allongés. Je regardai des deux côtés de la rue : la fillette avait disparu. Ils n'avaient pas pu aller bien loin, dans leur état. Je fus tentée d'appeler, mais j'avais peur que mes cris n'attirent que les deux garçons. Je remontai et descendis la rue puis finis par déposer le pain sur le pas de la porte. Je n'arrivai pas à chasser de mon esprit l'expression torturée de la petite fille. Elle avait dû croire que c'était elle que je fuyais.

J'ignorais qui allait profiter du pain, à part les souris. Je repensai aux pains commandés le matin même pour mon petit déjeuner, aux morceaux que j'avais laissés sur mon assiette, et je me sentis coupable. Soudain, je me retrouvai nez à nez avec un des deux jeunes garçons, celui qui avait un sourire mauvais. De près, il faisait encore plus peur à voir. Le blanc de ses yeux était vitreux comme ceux d'un mort et il empestait le tabac et la sueur. Avant que j'aie pu faire un geste, il m'attrapa par le bras.

« Française ? » interrogea-t-il dans ma langue maternelle en enfonçant ses doigts dans ma peau. Il n'attendit pas la réponse pour me cracher en plein visage. Sa salive me brûla comme de l'acide et suffit à me sortir de ma torpeur. Je m'arrachai à sa poigne et pris mes jambes à mon cou. J'avais croisé un policier en revenant de la boulangerie. Il ne devait pas être bien loin sur le boulevard, au cas où je devrais appeler au secours.

Mais le jeune homme arrêta de me poursuivre avant d'avoir atteint le boulevard. Il resta au coin de la rue et entonna ce qui ressemblait à un chant de guerre : « *Siegreich wollen wir Frankreich schlagen...* »

Je courais toujours ; tout semblait pourtant se dérouler au ralenti. Qu'est-ce qu'il chante ? me demandai-je. Il est plus jeune que moi. Il n'a jamais vu la guerre. Arrivée au coin du pâté de maisons suivant, je me retournai pour voir s'il me suivait. Il se mit à hurler en français à mon intention : « On va battre la France ! On va la réduire en cendres ! Il n'y aura plus de France ! Plus de Français. On lui crachera au visage comme sur une vieille putain ! »

17

André, en chemise et pantalon sous sa robe de chambre, ouvrit sa porte avec un sourire radieux. « Bonjour, Suzanne ! s'exclama-t-il, me tendant sa joue à la bonne odeur d'eau de Cologne. Comment allez-vous ce matin ? » Nous avions abandonné la solennité des « monsieur » et des « mademoiselle » la veille au soir, assez à l'aise l'un avec l'autre désormais pour nous appeler par nos prénoms.

Avant que j'aie pu répondre, il avait ramassé ses chaussures sur le paillasson et, la main sur mon épaule, il me fit entrer dans sa suite. « Je viens juste de finir de me raser, dit-il tout en dégageant le divan encombré des journaux du matin et en me faisant signe de m'asseoir. Je ne m'attendais pas à vous voir levée avant plusieurs heures. »

Il laissa tomber ses chaussures par terre, chercha sa veste et sa cravate du regard et les trouva accrochées à un portant, dans sa chambre, près de l'armoire. Il revint au salon les déposer sur le dossier d'une chaise. « Je pensais avoir toute la matinée pour me mettre au courant des dernières nouvelles et m'occuper de ma correspondance. Je me suis donc trompé en partant du principe que les artistes de music-hall ne sortaient jamais de leur lit avant midi ? »

Comme je ne répondais pas, il me regarda plus attentivement. J'avais des larmes plein les yeux. Je m'étais pourtant préparée pour faire bonne figure. Avant de venir frapper à sa porte, je m'étais passé de l'eau sur le visage et j'avais changé de robe. Mais tout mon aplomb d'artiste de music-hall ne suffisait pas à effacer le souvenir douloureux de cette fillette affamée et de sa famille.

« Qu'est-ce qui ne va pas ? » s'inquiéta André.

Une larme brûlante roula sur ma joue. J'essayai de parler mais seul un son rauque sortit de ma gorge.

« Suzanne », dit-il en s'élançant vers moi. Il vint s'asseoir à côté de moi sur le divan. Sans même savoir ce que je faisais, je posai la tête sur sa poitrine. Je sentais l'odeur d'agrumes de sa chemise et la chaleur de sa peau sous le tissu. Ce ne fut qu'après lui avoir raconté ma rencontre avec la fillette que je m'aperçus qu'il avait passé son bras autour de ma taille.

« Quelle horreur ! dit-il en me serrant plus fort. Mais on peut au moins être reconnaissants d'une chose, ajouta-t-il, on voit moins d'enfants affamés dans les rues de Berlin que par le passé. »

Je levai les yeux sur lui.

« La France a maintenu le blocus contre l'Allemagne pendant des mois après la signature de l'armistice, et des centaines de milliers de gens sont morts de faim et de froid. La guerre est finie depuis sept ans, pourtant l'Allemagne est encore plongée dans le chaos à bien des égards. »

Je frissonnai. Le spectacle d'une seule enfant qui souffrait était bien assez pour moi, alors des milliers... André lâcha ma taille pour attraper ses chaussures. Je le regardai en tirer les languettes d'un coup sec avant de les enfiler. Qu'est-ce qui m'avait pris de le laisser m'enlacer ?

« Je descends parler au gérant, annonça André. Le concierge n'aurait pas dû vous laisser sortir seule. Il aurait pu vous arriver des choses terribles.

— Non, je vous en prie, répliquai-je en me tamponnant les yeux du dos de la main. Ce n'est pas la faute du concierge. Il m'a suggéré de prendre un guide.

— De prendre un guide ? répéta André. Il aurait dû vous mettre en garde !

— En garde contre quoi ? »

André ne répondit pas. Ses traits étaient tirés, ce n'était plus le visage joyeux qui m'avait accueillie. Je regrettais de lui en avoir parlé au lieu de garder l'incident pour moi.

« En un sens, on ne peut pas reprocher à la France de chercher à écraser l'Allemagne pour l'empêcher de nous attaquer encore une fois. Mais comment leur en vouloir s'ils nous haïssent en retour ?

— J'ai été plus bouleversée par la fillette que par

le garçon, lui expliquai-je. Elle faisait pitié. Lui, c'était un petit voyou comme tant d'autres. »

Je disais vrai, l'état de la petite fille et de sa famille m'avait plus choquée que ce garçon, mais je savais que ce n'était pas non plus un voyou ordinaire. Je me rappelai sa voix haineuse quand il avait poussé son cri de guerre. Non, il était bien plus menaçant que cela.

André secoua la tête. « Je suis désolé. J'aurais dû vous prévenir, Berlin est une ville très contrastée. Je ne m'attendais pas que vous vous leviez si tôt, et encore moins que vous sortiez non accompagnée. »

Quelque chose me dérangea dans le ton insistant. Je me redressai. « Non accompagnée ? »

André me regarda, navré. « Comment ça "non accompagnée" ? Comment croyez-vous que je me déplace dans Paris ? »

Mais à peine avais-je prononcé ces mots que je compris. Et je vis à sa façon de baisser les yeux qu'il avait compris lui aussi. Les femmes de la classe d'André n'allaient nulle part sans escorte, ne fût-ce que celle de leur bonne ou de leur chauffeur. Une protection contre les choses « fâcheuses » qui pouvaient arriver à une femme seule dans les rues. Avait-il oublié qui j'étais : une simple artiste de cabaret ? Même si je n'avais jamais dansé nue, beaucoup de mes semblables le faisaient. Quel événement fâcheux pouvait-il donc m'arriver ?

« Si je devais rester là à attendre qu'on m'accompagne, je n'irais jamais nulle part », lui expliquai-je, amusée à l'idée que Mlle Canier et ses amies s'offusqueraient peut-être d'apprendre qu'une jeune fille

370

pouvait se déplacer dans Paris en métro ou aller seule à Pigalle.

Un sourire éclaira le visage d'André. Il me lança un regard puis baissa à nouveau les yeux. « Il m'arrive d'oublier qu'il y a deux sortes de femmes : les femmes tout court et les femmes indépendantes, dit-il.

— Lesquelles préférez-vous ?

— Oh, les femmes indépendantes, sans l'ombre d'un doute ! »

Et nous en rîmes ensemble.

André et moi allâmes flâner au bord des lacs du Tiergarten et devant les statues d'illustres Allemands comme Goethe et Bach pour essayer de trouver un antidote à ce fâcheux début de matinée. Le temps était ensoleillé mais frais et de nombreux Berlinois se promenaient, en groupes ou perdus dans une contemplation solitaire. En général, les Allemands étaient plus grands que la plupart des Français et l'expression de leurs visages reflétait une gravité qui contrastait avec la vivacité des Parisiens et la fougue méditerranéenne qui m'étaient familières. Tous n'étaient pas blonds aux yeux bleus, cependant ; comme les Français, ils étaient de types variés. Variété encore accentuée par le nombre d'étrangers venus profiter du parc : des familles russes étendues sur des couvertures de pique-nique ; deux dames italiennes qui bavardaient près de la fontaine ; un groupe d'étudiants américains à bicyclette qui s'interpellaient avec leur accent tonitruant.

Nous arrivâmes aux jardins zoologiques et choisîmes un restaurant dont la terrasse était ombragée par des bouleaux. André me commanda une glace qu'on appelait une *cassata*. Elle arriva dans une coupe en cristal : elle avait le goût d'un sorbet au champagne.

Malgré le cadre paisible, le corps décharné de la fillette affamée ne quittait pas mes pensées. Mon chagrin m'aida à me rapprocher d'André : j'avais besoin qu'il me console. Et de ce fait, je me mis à chercher celui qui se cachait derrière ses dehors de jeune premier et à le voir pour ce qu'il était. Il m'avait dit qu'il connaissait une femme qui travaillait auprès des pauvres à Berlin ; par son intermédiaire, il mènerait l'enquête pour retrouver la trace de la petite fille et de sa famille afin de savoir comment leur venir en aide. Cette simple proposition représenta plus à mes yeux ce matin-là qu'une déclaration d'amour.

« L'économie française n'est pas loin de s'effondrer, elle non plus, fit-il remarquer, poursuivant la conversation sur l'état de l'Allemagne. Mais les Français ont fait fausse route si c'est la paix qu'ils cherchaient. »

Je me rappelai le visage bandé de mon père, l'état dans lequel ma mère l'avait ramené de l'hôpital militaire. Quelques années plus tard, je l'avais entendu raconter à ma mère que son voisin de lit avait eu le visage entièrement brûlé. Il n'avait plus d'yeux, plus de nez, plus de lèvres ni de langue. Il souffrait tellement que deux infirmières lui avaient plaqué un oreiller sur la figure jusqu'à ce qu'il ne respire plus. Personne ne les en avait empêchées. À cette époque, le slogan du Premier ministre français était : « Vingt millions d'Allemands, c'est vingt millions de trop. »

Enfant, j'avais moi-même senti l'aversion contre les Allemands courir, brûlante, dans mes veines. Mais personne ne pouvait continuer à les haïr en voyant le visage de cette fillette.

« Vous qui avez perdu votre frère à la guerre, dis-je, vous ne haïssez donc pas les Allemands ?

— J'ai été témoin de bien trop de souffrances dans les deux camps pour ça, répondit André. Laurent n'a jamais voulu partir à la guerre. Il était doué pour les affaires, mais il aurait préféré couler des jours tranquilles à lire et à promener ses chiens. Mon père pensait que l'envoyer combattre comme officier en ferait un "homme", un vrai. Eh bien, il n'est plus rien aujourd'hui. »

Une image me vint à l'esprit : un petit garçon brun regardait par la fenêtre son frère aîné partir au front. Le plus grand des deux adressait un dernier signe de la main déchirant à son frère avant de disparaître pour toujours. Mais il y avait autre chose que le chagrin dans la voix d'André.

« Vous en voulez à votre père ? »

Je me surpris moi-même de poser une question aussi personnelle, cependant cela ne sembla pas déranger André. « Mon père souffre assez tout seul sans que j'ajoute à sa culpabilité. Qui aurait cru que la Grande Guerre se révélerait le plus grand bain de sang de l'histoire de l'humanité ? Il a perdu son fils… et ma mère. Elle lui accorde le respect qu'une bonne épouse doit à son mari, mais elle évite sans cesse son regard. Mon frère est mort en héros à Verdun, il a fait tout son possible pour sauver ses hommes, seulement cela n'aide guère ma mère à oublier la douleur d'avoir perdu son fils aîné. »

Je promenai mes regards sur les gens distingués qui déambulaient dans le parc. Tout respirait la paix sous le soleil caressant. Le père d'André avait l'air d'un éducateur bien dur, qui visait la perfection virile pour lui-même et pour ses fils. Je repensai à la façon dont André avait caressé et choyé Mlle Canier à Paris, avant notre départ. Peut-être avait-il été habitué à donner sans rien recevoir en retour.

« Il n'y aura plus jamais de guerre aussi effroyable, murmurai-je.

— C'est ce que tout le monde dit en France. Ce que nous aimerions croire », répliqua André.

Je l'observai. « Vous pouvez venir faire des affaires ici. Herr Adlon voit peut-être des inconvénients à ce que vous soyez le fils de son concurrent, mais pas à ce que vous soyez français. »

André s'alluma une cigarette, sa seule et unique de la journée, et prit son temps pour répondre. « Les affaires sont les affaires pour les hommes comme Adlon et mon père, quelles que soient les nationalités. Les mères allemandes n'ont pas plus envie de voir mourir leurs fils que les mères françaises. La Sorbonne invite toujours des intellectuels allemands à venir faire des conférences. Les metteurs en scène allemands font jouer des actrices françaises dans leurs pièces de théâtre. Ce ne sont pas ces gens-là qui font les guerres, et pourtant, quand la roue tourne, ils sont nombreux à rallier le camp des bellicistes. »

Nous suivîmes du regard les déplacements en zigzag d'un couple sur un tandem. Juste au moment où ils avaient l'air de rectifier leur trajectoire, ils perdirent l'équilibre et atterrirent dans une haie.

« Les hommes politiques français sont des

imbéciles ! décréta André en faisant tomber sa cendre. Ils se soucient plus de leurs places aux Ballets russes et de l'endroit où ils mettront leurs meubles Directoire que de l'économie et de la politique internationale. Mais, au bout du compte, ils se soucient au moins de leur popularité. Je me dis parfois qu'il existe en Allemagne des forces obscures capables d'anéantir la population allemande elle-même pour servir leurs intérêts. »

Personne ne m'avait jamais tenu un tel discours. « Qu'est-ce que vous voulez dire ? demandai-je.

— Mon père pense que si en France l'inflation n'a jamais atteint les sommets qu'elle a atteints en Allemagne, c'est dû à la chance plutôt qu'à une bonne gestion de l'économie. Mon oncle n'est pas d'accord. Il prétend que ce qui est arrivé à l'économie allemande était davantage que le chaos de l'après-guerre. Ils se sont infligé ça à eux-mêmes.

— Mais pourquoi ?

— C'est efficace, comme propagande. La presse allemande a clamé haut et fort que les exigences de la France concernant les réparations de guerre étaient la seule cause de tous ces problèmes. Il est certain que le transfert de capitaux hors d'un pays n'aide pas une économie en difficulté. Mais au plus haut niveau d'inflation, lorsqu'une miche de pain coûtait deux cents milliards de marks, le gouvernement continuait à imprimer de nouveaux billets. Et pour quelle raison ? Une bévue économique ? (André secoua la tête.) Quand ils ont stabilisé le mark trois ans plus tard, le problème a été résolu du jour au lendemain. Ils ont fait ça pour échapper au paiement des réparations de guerre. La France ne

375

pouvait plus rien prélever sur une économie saignée à blanc. »

J'avais du mal à suivre. « Si cela n'avait pas fait souffrir autant de gens, j'aurais trouvé cette stratégie habile. Mais si le gouvernement allemand n'essayait pas de secourir son peuple, alors pourquoi cherchait-il à garder l'argent des réparations ? »

André fit la moue et secoua la tête. Il m'effleura le bras. « Allons, Suzanne, discutons de choses plus gaies ! Vous et moi ne sommes pas venus à Berlin pour ça. Et qui sait ? Les choses vont peut-être s'arranger. Surtout si des hommes comme celui que nous allons rencontrer cet après-midi peuvent diriger le pays.

— Qui est-ce ?

— Le comte Harry Kessler. Il est issu d'un père d'origine suisse allemande et d'une mère irlandaise, mais il est né en France. Il a fait ses études en Angleterre puis il a été ambassadeur d'Allemagne en Pologne. Il est éditeur et il écrit lui-même, et surtout il adore tous les artistes et les comédiens de talent. Et quand il fera votre connaissance, il se dira que tous ses vœux ont été exaucés d'un coup ! »

Je ne connaissais pas assez bien Berlin pour savoir que le café *Romantische* était le lieu de rendez-vous de l'élite culturelle et littéraire de la ville, mais les cafés m'étaient suffisamment familiers pour que je sois stupéfaite par la taille de celui-ci. Il y avait assez de places assises pour mille clients et sa superficie était plus proche de celle d'une salle de danse que d'un café. Un portier, figé à côté de la porte à tambour, nous salua. Je ne pus que remarquer son nom

376

sur le badge : Nietz. Comme le mot anglais *neat*[1], me dis-je, ce qui me fit sourire car cela résumait toute sa personne, des bottines si bien cirées qu'elles reluisaient jusqu'à sa raie impeccablement dessinée.

Je me réjouissais de rencontrer le comte Kessler car André l'avait décrit comme « l'homme qui a les meilleures relations de toute l'Allemagne », et tout le monde était de ses amis, de Max Reinhardt à Einstein. Je reconnus le comte sans pourtant l'avoir jamais vu. Assis à une des tables réservées aux habitués, il ressemblait à l'image que je m'en étais faite, en plus vrai que nature : c'était un homme élégant d'une bonne cinquantaine d'années avec des doigts effilés, un regard circonspect et un sourire mince quoique amical.

Dès l'instant où il se leva pour nous accueillir dans un français soigné en nous serrant la main de façon cérémonieuse mais chaleureuse, il exerça une certaine fascination sur moi. Ses contradictions étaient déroutantes. Il semblait avoir adopté le meilleur de chacune des cultures au contact desquelles il s'était trouvé : la précision des Allemands et des Suisses ; le tact des Britanniques ; le charme et l'esprit des Français ; le prosaïsme et la vivacité des Irlandais. C'était un véritable cosmopolite.

« J'ai pris la liberté de nous commander du gâteau aux framboises. Je peux vous assurer qu'il sera excellent », dit-il en me souriant. Sa peau avait une teinte jaunâtre autour des yeux, signe de mauvaise santé, mais son visage était animé et ses mouvements si pleins de vie qu'il aurait pu avoir mon âge.

---

1. Ordonné, soigné.

Le regard du comte m'enveloppa, assimilant tous les détails. « André affirme que vous êtes une chanteuse et une danseuse extraordinairement douée. »

Je jetai un coup d'œil à André, d'abord tentée de nier de tels dons, du moins par modestie. Mais pourquoi faire cela ? C'était ce que je voulais devenir et André semblait bien décidé à ce que ce rêve devienne réalité. « Je suis sûre que je le serai, si André prend ma carrière en main, répondis-je.

— Elle a atteint une sorte de palier à Paris, expliqua André. Le plus incroyable, c'est tout le chemin qu'elle a fait avant d'en arriver là. Elle n'a même pas suivi de véritables cours. J'espère qu'en la mettant en contact avec différents styles et une ville différente, elle se renouvellera avant de retourner à Paris.

— Il y a des professeurs exceptionnels à Berlin, dit le comte. Je peux vous écrire des lettres de recommandation si vous le souhaitez. » André et moi acceptâmes sa proposition avec enthousiasme.

Le comte hocha la tête. « On ne peut pas comparer Berlin et Paris, mademoiselle Fleurier. J'imagine très bien les Français séduits non seulement par votre talent mais aussi par votre énergie. J'ai deviné que vous étiez française dès l'instant où vous avez franchi la porte, à l'éclat de vos yeux et aux vibrations qui émanent de vous, comme si chaque nouvelle expérience de la vie était un gâteau aux framboises qui vous mettait l'eau à la bouche. Les Allemands sont plus cyniques. En même temps, le contact avec des cultures différentes donne de la profondeur à une personnalité et ne peut qu'aider une artiste.

— Je viens à peine d'arriver à Berlin et je sens que ce changement a déjà commencé », reconnus-je, plus que flattée d'être décrite comme une « artiste ». Ce qu'il disait était juste, je m'en fis la réflexion. J'étais née dans le pays de Sault, mais je portais désormais un peu de Marseille et de Paris en moi. « Berlin améliorera peut-être ma concentration et ma discipline », avançai-je.

Le comte se pencha vers moi. « Certaines choses dans cette ville vont peut-être vous choquer. Dans les cabarets parisiens, les chansons parlent d'amour déçu et de pauvreté. À Berlin, les cabarets sont beaucoup plus politisés… leurs idées sont souvent nihilistes. Le sexe et la mort sont de véritables obsessions ici. »

André se pencha en avant lui aussi et chuchota avec des airs conspirateurs : « Fort heureusement, contrairement aux Anglais et aux Américains, les Français ne sont pas facilement choqués. »

Pour je ne sais quelle raison, ce commentaire amusa le comte. Son visage s'empourpra et il renfonça son menton dans son col en faisant de son mieux pour maîtriser son hilarité. Elle secoua sa poitrine et finit par lui échapper dans un grand éclat de rire qui ricocha sur les tables et rebondit sur les murs en couvrant les bruits des tasses à café et des conversations. Plus le comte essayait de se contrôler, plus son visage devenait cramoisi et ses gloussements sonores. Finalement, le grand rire éclatant d'André se fit entendre en écho à la joie du comte, comme un gros chien qui court après une balle. Mon regard passa de l'un à l'autre, contemplant leurs visages contractés et leurs torses secoués par l'hilarité partagée. Ils formaient un petit duo qui donnait à entendre un hymne à la joie.

Mlle Canier arriva le lendemain avec sa bonne et trois compartiments pleins de bagages. Je crus qu'elle projetait de s'installer définitivement à Berlin. Quand elle me vit à côté d'André à la gare, une moue fugace plana sur son visage.

André l'aida à descendre sur le quai et elle lui planta un baiser appuyé sur la bouche, elle semblait avoir changé d'attitude en quelques jours. Elle se comportait à nouveau comme au Bœuf sur le toit, s'accrochant au bras d'André telle une algue à la coque d'un bateau.

Après un déjeuner passé à se parler par monosyllabes, lors duquel Mlle Canier grignota un cornichon avant de repousser le reste de son plat sur le bord de son assiette, j'appris avec soulagement qu'elle devait retourner à Paris dans quinze jours pour le bal de sa cousine. Il y aurait au moins un moment de répit. Quand j'étais seule avec André, il était décontracté. Dès que Mlle Canier fut arrivée, il se remit à m'appeler « mademoiselle Fleurier ». Je compris que j'allais devoir dissimuler les sentiments que je lui portais derrière une attitude bien différente.

Ce soir-là, le comte Kessler se joignit à nous pour le dîner au restaurant de l'Adlon. Un petit sourire amusé jouait aux coins de ses lèvres quand Mlle Canier s'adressait au personnel de l'hôtel en français. Elle nous ignora, le comte et moi, sauf lorsque André faisait délibérément allusion à l'un de nous dans la conversation. Ensuite, tous les quatre, nous allâmes nous promener sur Friedrich Strasse. Chaque immeuble semblait être soit un cabaret, soit un café, soit un bordel, soit un dancing, soit un bouge où l'on prenait des drogues. Il y avait des prostituées à tous les coins de rue et sur tous les pas de porte. Les putains marseillaises et les racoleuses de Montmartre m'étaient familières, mais celles-ci avaient quelque chose d'agressif : elles avaient l'air brutal et dangereux avec leurs boas, leurs chaînes et leurs froufrous. L'une d'elles, dans sa panoplie de dominatrice, arpentait son coin de trottoir comme une panthère en faisant claquer son fouet et en montrant les dents. Une autre, assise sur une bouche d'incendie, était entièrement nue exception faite d'une paire de bottes à lacets. Pourtant ce qui me surprit le plus, c'est que les foules longeant les trottoirs n'appartenaient pas au sous-prolétariat : c'était des hommes à nœuds papillon et chemises ornées de boutons de nacre et des dames vêtues de robes en soie orientale. Ils sortaient de limousines Mercedes Benz et contemplaient les alentours avec un amusement de voyeurs. On dirait que la crise n'a pas appauvri tout le monde, pensai-je. Les gros industriels, les spéculateurs et les criminels ont dû ramasser l'argent à la pelle !

André et Mlle Canier déambulaient devant nous. Le comte rythmait son pas sur le mien.

« Mlle Canier a besoin d'un temps fou pour se préparer, vous ne trouvez pas ? me chuchota-t-il. J'ai cru que nous ne dînerions pas avant minuit. Je vous ai chronométrées toutes les deux avec ma montre. Vous étiez en bas au bout de vingt minutes.

— On m'a appris à me changer rapidement au music-hall », lui expliquai-je.

Le comte sourit et nous nous arrêtâmes pour regarder un artiste à demi nu qui marchait sur la tête. Ses poils pubiens nous sautèrent aux yeux quand il se remit sur ses pieds.

« J'ai l'impression que vous en avez assez vu, mademoiselle Fleurier, intervint le comte. Ce n'est vraiment pas ma tasse de thé, à moi non plus. Mais nombreux sont les touristes qui apprécient ce genre de spectacle et maintenant, au moins, vous pourrez dire que vous avez vu Friedrich Strasse. »

Le comte appela André puis s'engagea sur la chaussée pour héler un taxi. « Si nous emmenions ces dames dans un endroit plus amusant ? Un endroit où Mlle Fleurier pourrait apprendre une ou deux choses. »

Nous descendîmes l'Unter den Linden jusqu'au quartier de Schöneberg et le taxi s'arrêta au coin de Motz Strasse et de Kalckreuth Strasse. Je levai les yeux vers les globes Arts déco éclatants d'un club, l'Eldorado, au-dessus d'un panneau qui annonçait : « C'est bien ici ! »

« Il y a un petit jeu, ici, expliqua le comte, le sourire aux lèvres. Mais je vous en parlerai tout à l'heure. »

Nous laissâmes nos manteaux à la préposée au vestiaire et je ne pus m'empêcher de marquer un temps d'arrêt pour regarder sa peau laiteuse et ses lèvres vermeilles. Elle était incroyablement belle, encore plus éblouissante que Mlle Canier ou Camille, et bien trop exotique pour une simple fille de vestiaire !

« Bonsoir, nous salua notre hôtesse. Une table près de la scène ? »

Le comte acquiesça et elle nous fit traverser un espace enfumé. Elle avait la démarche fluide et altière d'une reine. Elle aurait été merveilleuse sur scène. Une fois assise, je regardai autour de moi dans le night-club ; son décor – éclairage rose et bar tout en verre – contrastait avec les tables rondes, la salière et la poivrière kitsch. Les membres de l'orchestre montèrent sur scène : il y avait une pianiste, une trombone, une clarinettiste et une joueuse de banjo. Toutes des femmes, aussi belles que la fille des vestiaires et que notre hôtesse.

« Je trouvais déjà les Berlinoises belles, mais les femmes qui travaillent ici sont superbes ! confiai-je au comte. C'est pour cette raison que vous aimez cet endroit ?

— Ils les font venir de Bavière rien que pour leur beauté, répondit le comte en se détournant pour faire signe à une des serveuses. Que commande-t-on, de la bière ou du champagne ?

— Essayons une bière allemande », suggéra André en toussant dans son mouchoir.

Je lui donnai une petite tape dans le dos, ce qui fit froncer les sourcils à Mlle Canier. « C'est très enfumé, ici », fis-je observer.

André hocha la tête en essuyant ses yeux embués.

« Oui, dit le comte. C'est incroyable à quel point même un fumeur peut y être sensible. »

André lâcha ce qui ressemblait à un de ses éclats de rire, mais il fut noyé par une violente quinte de toux, dissimulée derrière son mouchoir.

La serveuse était très grande, même pour une Allemande, et quand elle revint du bar et déposa nos verres devant nous, je ne pus détacher mon regard de ses larges mains aux ongles manucurés.

« Je croyais que les Bavaroises étaient comme

les Autrichiennes, chuchotai-je à André. Plutôt menues. »

Avant d'avoir eu le temps de répondre, il fut violemment secoué par un autre accès de toux et s'empressa d'avaler quelques gorgées de bière. Mlle Canier me lança un regard méfiant, puis elle sortit son poudrier et se repoudra le nez.

« Regardez par-là, dit le comte à André avec un signe de tête vers l'entrée. C'est Herr Egermann, le banquier, il parle à Herr Stroheim, du Reichstag. Ma parole, tout ce que Berlin compte de gens importants se retrouve à l'Eldorado, de nos jours ! »

Sans doute pour voir ces belles femmes, pensai-je. J'étais certaine qu'il existait des endroits plus élégants à Berlin. Un jeune garçon m'effleura en passant et sa veste en soie me chatouilla. Je levai les yeux et nos regards se croisèrent. Il avait les cheveux lissés en arrière, des épaules et des mains fines. Je le regardai rejoindre un attroupement de jeunes garçons habillés comme lui près du bar.

« Vous êtes prête pour notre petit jeu, mademoiselle Fleurier ? » s'enquit le comte.

J'acquiesçai.

« Eh bien, fit-il en se frottant le menton. Regardez autour de vous et dites-moi où sont les vraies femmes et où sont les hommes. »

Je remarquai le petit sourire narquois sur le visage d'André. Il ne toussait plus du tout. « Il n'y a aucun homme, c'est impossible ! m'écriai-je.

— Regardez-y de plus près, conseilla le comte.

— Alors, la fille du vestiaire, peut-être, avançai-je en repensant à ses traits anguleux. Et la serveuse, elle a de grandes mains. Mais je ne l'aurais jamais remarqué si vous ne me l'aviez pas signalé. »

Je souris à Mlle Canier. Une branche d'olivier que je lui tendais, pour voir si elle accepterait de se joindre au jeu. Mais elle avait l'air aussi ennuyé que d'habitude. Si les travestis de l'Eldorado ne parvenaient pas à l'amuser, rien ne le pourrait.

« À quoi le devinez-vous ? demanda André au comte. J'ai entendu dire que beaucoup d'entre eux ont été castrés, ce qui explique leur peau lisse et les courbes de leur silhouette. »

Le comte secoua la tête. « Cela n'a rien à voir avec leur peau, pas besoin de leur tâter la pomme d'Adam ni l'entrejambe. Ce qui les trahit, en fait, c'est qu'ils sont plus féminins que la plus belle des filles. Il n'y a que les pédales pour posséder une féminité et une sensualité débordantes.

— Voici une bonne leçon pour une artiste, je crois, opina André en se tournant vers moi. L'art de l'illusion. Si on peut se convaincre soi-même qu'on est quelque chose, les autres y croiront eux aussi. »

Mlle Canier prit un étui en argent dans son sac et en sortit une cigarette sans en offrir à personne. « Une femme est une femme », décréta-t-elle en glissant la cigarette entre ses lèvres ; puis elle attendit qu'André la lui allume. « Seule une femme sensuelle peut déborder de sensualité.

— Vous parlez fort doctement », commenta le comte. Il avait adopté un ton galant, mais je vis une lueur amusée danser dans son regard. Il fit un signe de tête vers le bar. « Et ces garçons, là-bas ? me demanda-t-il. Sont-ils ce qu'ils semblent être ? »

Je me tournai vers les hommes alignés devant le

comptoir. Celui qui m'avait bousculé fit un clin d'œil dans ma direction. Je reportai mon regard sur le comte. « Je vois bien qu'il s'agit de femmes, maintenant, reconnus-je. Elles sont moins convaincantes que les hommes.

— Elles ne cherchent pas à faire illusion, dit André. Elles cultivent l'art de la suggestion, pas celui de la transformation. D'une certaine façon, leur costume leur donne l'air encore plus féminin.

— Je dois dire que je trouve les femmes en smoking tout à fait charmantes », fit le comte en commandant une nouvelle tournée de bières.

Le spectacle commença et le maître des cérémonies, dont le visage était grimé de blanc, présenta les danseuses de revue en allemand, en français et en anglais : « Les incomparables... les fabuleuses... à nulles autres pareilles en ce bas monde... les *Fraülein* de l'Eldorado ! » Une file de « filles » aux silhouettes sculpturales apparurent sur scène à peine vêtues de bottes et de corsets.

Dans le numéro suivant, deux des « garçons » assis au bar dansèrent le tango. Ils évoluaient, plongeaient et se pavanaient, très désirables, pourtant l'expression glaciale de leur visage resta impassible tout du long. Comparé à ce tango dansé par deux femmes, le nôtre, à Rivarola et moi, me parut bien gauche. Nous dansions avec fougue et passion, mais ce numéro vibrait d'une telle sensualité que le public, en proie aux affres de l'attente, en voulait toujours plus.

J'observais tout avec intérêt. Je comprenais qu'en me mettant en contact avec ces artistes et ces idées, André m'encourageait à sortir de ma coquille. Plus je m'ouvrirais l'esprit, plus nombreuses seraient les facettes dont je disposerais pour mon propre travail. Berlin était un endroit neuf, qui ne me rappelait rien de connu, et j'étais prête à tout absorber.

La plupart des numéros consistaient en parodies bon enfant de travestisme, mais il y en avait un très étrange où un nain jouait de la scie musicale. La longue bande de métal calée entre ses genoux était plus grande que lui. Cependant il maniait son archet sans effort, courbait habilement le métal pour monter dans les aigus puis relâchait la pression afin de produire des notes plus graves. Sa musique était un vibrato lancinant, si irréel que les spectateurs demeurèrent silencieux pendant tout le numéro, de peur qu'en remuant ou en parlant ils ne se retrouvent changés en pierre. L'espace d'un instant, le souvenir du visage de la petite affamée me revint en mémoire et je frissonnai. Le comte s'y connaissait en politique allemande ; je lui demanderais son avis quand Mlle Canier aurait le dos tourné. D'après la conversation succincte que j'avais réussi à lui soutirer, j'en étais arrivée à la conclusion que le seul sujet qui l'intéressait, c'était elle-même.

Pour terminer la soirée, nous nous rendîmes à l'endroit qui allait devenir un de mes meilleurs souvenirs de Berlin. Au Residenz Casino – le « Rési », comme on le surnommait affectueusement –, le maître d'hôtel nous assigna la table numéro 14. Le comte demanda si Mlle Canier et moi-même verrions un inconvénient à ce qu'ils s'entretiennent en privé au bar pendant quelques minutes. « Nous devons parler affaires, s'excusa-t-il. Des choses assommantes.

— Je vous en prie », lui dis-je.

Mlle Canier s'absenta pour aller se repoudrer le nez, manifestement peu désireuse de me faire la conversation. Ce n'est pas Odette, songeai-je en repensant à mon amie à la personnalité aussi adorable que son physique. Mlle Canier ne possédait qu'un vernis de politesse. Elle veillait sans doute plus jalousement sur son André que par le passé, mais je n'en voyais pas l'utilité. Rien n'avait changé dans les sentiments de ce dernier à mon égard.

Mon attention se porta sur la foule bourdonnante. Un orchestre de jazz jouait et des couples dansaient le fox-trot sur la piste de danse. Il y avait un téléphone sur chaque table et je supposai qu'ils servaient à commander le dîner et les boissons – un exemple de plus de l'efficacité allemande. Peut-être était-ce le volume sonore de la musique qui les rendait nécessaires, empêchant les serveurs de prendre les commandes. Je fus surprise d'entendre sonner celui qui se trouvait sur notre table.

« Allô ? » fis-je dans le combiné.

À l'autre bout du fil, on marmonna quelque chose en allemand.

« Je ne parle pas allemand.

— Ah, vous êtes française, dit l'homme. Vous êtes très belle. Puis-je venir à votre table ?

— Comment ?

— Faites-moi signe. Je suis là, à la table 22. »

En levant les yeux, j'aperçus un jeune homme à moustache et nœud papillon rouge qui agitait les doigts dans ma direction.

« Je suis venue avec mon fiancé, répliquai-je. Merci quand même. »

Je reposai le combiné. Même si, bien sûr, je n'avais pas de fiancé, je trouvais préférable d'éconduire ce jeune homme en douceur. Quelques instants plus tard, le téléphone se remit à sonner, mais je ne décrochai pas. Il finit par s'arrêter, puis retentit à nouveau. Je regardai fixement l'orchestre en faisant semblant de ne pas entendre.

« Votre téléphone sonne », m'informa la femme assise à la table voisine. Je lui lançai un regard bête bien qu'elle se fût adressée à moi en français.

Un moment plus tard, un garçon en uniforme bleu coiffé d'une casquette se fraya un chemin jusqu'à moi. « Un envoi de la poste du Rési », déclarat-il en posant un paquet emballé dans du papier doré sur la table. J'étais sur le point de lui dire qu'il faisait erreur quand je remarquai la carte, adressée à « *Fraülein* table n° 14 ».

« Qui me l'envoie ? demandai-je.

— Le monsieur de la table n° 31. Y a-t-il une réponse ? »

Je secouai la tête. Que se passait-il ? Je regardai autour de moi en prenant soin d'éviter la table 31. André et le comte se tenaient près du bar, ils regardaient dans ma direction en riant. Je leur fis signe de venir.

« Vous finirez par me tuer avec vos plaisanteries ! leur lançai-je. Qu'est-ce que c'est que cet endroit ?

— Amusant, n'est-ce pas ? dit le comte. Que Berlin n'abrite jamais d'âme esseulée ! Si quelqu'un vous plaît, vous n'avez qu'à l'appeler ou lui faire porter du parfum, des cigares ou de la cocaïne. »

Je ne m'attendais pas du tout à cela de la part de

ces Berlinois à la mine sévère. Comme la vie leur semblait légère ! Belle et amusante !

Quand Mlle Canier revint, elle embaumait le lys. À part cela, elle était aussi impeccable qu'avant. Nous restâmes avec le comte au Rési jusqu'à la fermeture, à danser le jazz et à boire du champagne tarifé à des prix qui auraient choqué même les Parisiens. J'oubliai le garçon qui m'avait hurlé des insultes le matin même et les propos d'André au sujet d'une nouvelle guerre. Je me laissai porter par toute cette gaieté. Je faisais comme tous les autres clients du Rési : je me perdais dans la décadence et essayais d'oublier la réalité menaçante du dehors.

18

J'avais considéré mon séjour à Berlin comme des vacances, une sorte de fête foraine où je passerais d'un divertissement à l'autre, une glace à la main. Mais André avait d'autres projets. Je découvris que pour un Français, et un Parisien nanti, qui plus est, il aimait travailler. Par-dessus le marché, il s'attendait que je voie les choses du même œil. Bien sûr, je voulais devenir une vedette et j'étais prête à faire le nécessaire pour cela, mais jamais je n'aurais imaginé que mes journées commencent de si bon matin à Berlin pour se terminer si tard, après un tel marathon d'un cours à l'autre.

Quelques jours après notre visite à l'Eldorado et au Rési, André m'annonça que le comte m'avait trouvé une place dans le cours de Mme Irina Shestova, ancienne danseuse des Ballets russes.

« De la danse classique ! » Je n'avais aucune envie de réitérer l'expérience cauchemardesque des cours de Mme Baroux au Chat espiègle.

« Pas pour faire des pointes, répondit André en riant, pour développer votre grâce et votre légèreté. Pour faire de vous une aristocrate de la scène. Sinon, vous aurez l'air pataude. »

Le lendemain matin, je pris un taxi pour me rendre au studio de Mme Shestova, sur Prager Platz, à deux pas du Kurfürstendamm. À mon soulagement, Mme Shestova n'avait pas pour projet de me transformer en danseuse étoile. Elle m'aida à améliorer mon placement et mon sens de l'équilibre avec des exercices à la barre. Mais sa mission la plus importante était de s'assurer que je sache saluer correctement.

« Comme une reine daigne accorder de sa munificence à ses sujets qui l'acclament », dit-elle en me montrant comment esquisser un gracieux salut, un pied légèrement en avant, inclinée à partir des hanches et non pas seulement à partir des épaules. « Pas une petite révérence de fillette qui espère donner satisfaction à toutes les grandes personnes présentes afin qu'elles ne l'envoient pas au lit ! »

Après Mme Shestova, j'avais un cours avec Louise Goodman, un professeur de danse américain qui venait de l'école Denishawn à New York. Son style était celui qu'avait adopté Isadora Duncan : les mouvements devaient jaillir instinctivement du corps au lieu de lui être imposés par une chorégraphie formelle. Son studio de danse était plus grand que celui de Mme Shestova, et il empestait la peinture parce qu'elle le partageait avec deux artistes qui y travaillaient le matin, quand la lumière était meilleure.

« Je ne vois pas ce que je peux vous apprendre, déclara-t-elle. Vous êtes déjà naturellement une bonne danseuse. » À vrai dire, elle m'enseigna beaucoup de chose sur l'équilibre des contraires : comment une danseuse se déploie et se ramasse sur elle-même, se tend et se relâche, se laisse tomber ou se redresse. « Le yin et le yang », disait-elle.

Le programme de cours conçu par André ne s'arrêtait pas là. Après les leçons de Mlle Goodman, je rentrais à l'hôtel déjeuner légèrement de pain et de salade – léger, car je savais qu'il n'était pas bon de chanter, de courir et de sauter l'estomac plein. Et chanter, courir et sauter, voilà bien ce que je faisais lors de mes cours de production vocale avec le docteur Oskar Daniel, le *coach* vocal de Caruso et de Marlene Dietrich.

Après des courses d'obstacles par-dessus des chaises, je devais faire la roue plusieurs fois de suite, puis il me demandait de chanter un *mi* très aigu. « Hurlez-le ! ordonnait-il en frappant le sol de sa canne. Hurlez pour qu'on vous entende jusqu'à Paris ! »

« Je vous ai trouvé un professeur d'anglais », m'annonça André en arrivant dans ma chambre un soir après que Mlle Canier était repartie au bal de sa cousine. J'étais allongée sur le divan et, Kira roulée en boule sur mon ventre, je me remettais d'un cours avec le docteur Daniel où j'avais non seulement dû sauter par-dessus des chaises et faire la roue mais aussi chanter un *mi* aigu en même temps !

« Un professeur d'anglais ? » m'écriai-je, levant la tête du coussin ; puis je m'aperçus que la redresser demandait trop d'efforts et je la laissai retomber. André avait revêtu son smoking. Et je n'avais même pas encore réfléchi à ce que j'allais porter ce soir-là au théâtre Apollo.

« Pour parler couramment, vous aurez des cours le lundi, le mardi et le jeudi après-midi.

— Pour quoi faire ?

— Votre carrière ne se limitera pas à Paris, Suzanne. Il y a Londres et New York. Et n'oubliez pas l'Amérique latine ! »

Kira sauta par terre et se mit à traîner un de mes chaussons de danse par le ruban sur la moquette. Elle n'était pas de ces chats qui détruisent tout, mais elle avait un faible pour les choses soyeuses et ce qui brillait. Si je ne les rangeais pas, mes sous-vêtements et mes boucles d'oreilles disparaissaient et on les retrouvait invariablement dans la gamelle de Kira.

Je me détournai pour regarder à nouveau André et fus surprise de le voir assis dans un fauteuil, la tête entre les mains.

« André ? »

L'espace d'une minute, peut-être deux, il resta immobile. Un changement d'humeur si soudain que je me demandai ce qui s'était passé.

« Suzanne, murmura-t-il alors en levant les yeux. Vous avez parfois le trac avant d'entrer en scène ? »

Ses yeux étaient rouges et son regard triste. J'avais envie de me pencher pour caresser son beau visage et lui dire de ne pas se faire de souci, que tout allait s'arranger. Mais je n'y arrivai pas. Au lieu de cela, je lâchai : « Le trac ? Je commence quand ? »

Il rit en secouant la tête. « Vous avez toujours l'air d'avoir confiance en vous. Je ne peux pas imaginer que quelque chose puisse vous effrayer. »

Confiance en moi ? C'est ainsi qu'il me voyait ? Jamais je ne me serais décrite en ces termes.

« Quelque chose vous tracasse ? » demandai-je.

Il regarda par terre et acquiesça. « J'ai peur qu'on ne me trouve pas assez bien.

— Qui ça, on ? » questionnai-je, me doutant qu'il parlait de son père. Je pensai aux autres jeunes hommes du même milieu que lui, tels Antoine et François, à leur arrogance. André n'avait rien en commun avec eux. Je me rappelai que quand son amie avait réussi à retrouver la petite fille affamée et sa famille, André avait donné une somme considérable à l'association caritative en mon nom.

André me fixa droit dans les yeux pendant un moment puis il se leva et s'approcha de la fenêtre. « Je ne serai jamais comme Laurent, soupira-t-il en s'appuyant au chambranle. Mon frère aurait été horrifié de me voir vivre dans son ombre, mais c'est ainsi que mon père conçoit les choses. Parfois je surprends son regard sur moi et je me dis qu'il souhaiterait que je sois mort à Verdun, à la place de Laurent. »

Je suivis André à la fenêtre. « Je suis sûre que non. N'importe quel père serait fier d'un fils tel que vous. »

André secoua la tête avec un sourire triste. « Votre réussite compte beaucoup pour moi. Je ne me sers pas de vous pour impressionner mon père. J'aimerais juste lui prouver que je suis aussi doué que le fils qu'il a perdu. »

Il se tourna vers moi. Il allait ajouter autre chose lorsqu'il fut interrompu par la sonnerie du téléphone.

« C'est le comte, dit-il après avoir décroché. Il attend en bas dans le hall. » Puis, avec un coup d'œil à sa montre, il se mit à rire. « Le temps me joue des tours quand je suis avec vous, Suzanne ! Mais vous n'avez pas besoin de vous presser, je vais prendre un verre avec le comte. Descendez quand vous serez prête. »

André se dirigea vers la porte. Avant de l'ouvrir, il me sourit : « Vous savez, on vous fera travailler plus dur que moi, à New York, quand vous ferez vos débuts à Broadway.

— Très bien, opinai-je en lui rendant son sourire. J'ai hâte d'y être ! »

Mon programme chargé de cours de perfectionnement fit passer le reste de l'année 1925 à une allure folle. Pendant qu'André et Mlle Canier faisaient des allers-retours entre Paris et Berlin, je me produisais au cabaret du Cheval blanc, sur le Kurfürstendamm. C'était un petit théâtre enfumé mais la clientèle y était chic : des acteurs et des actrices, des banquiers et des magnats du monde des affaires. À mesure que la soirée avançait, les numéros devenaient de plus en plus osés et les danses plus torrides. À Paris, nous faisions allusion au sexe et nous aguichions le public avec des sous-entendus, mais les chanteurs allemands évoquaient crûment la masturbation et l'homosexualité. Les paroles des chansons que j'interprétais au Cheval blanc faisaient parfois référence à une « lampe magique » que l'on frottait, mais Ulla Färber, la vedette du spectacle à la voix rauque, braillait à tue-tête son numéro, intitulé *Der Orgasmus*.

Si le comte ne m'avait pas prévenue que les Berlinois étaient obsédés par le sexe et la mort et si je n'avais pas vu par moi-même la sexualité s'afficher crûment sur Friedrich Strasse, j'aurais peut-être été écœurée par la vulgarité des numéros des autres artistes. Au lieu de cela, je les étudiais de près, comme un scientifique examine un nouveau protozoaire dans un microscope. Je notai que la plantureuse Ada Godard, affublée d'un monocle et d'un boa, dominait son public grâce à ses traits d'esprit et que les danseuses de revue projetaient leurs seins nus en avant comme des armes plutôt que comme des objets de désir. Leur capacité à choquer jusqu'aux Berlinois les plus décadents ne correspondait pas à mon style. Mais je gagnai en assurance et appris à prendre le public dans mes filets dès l'instant où j'entrais en scène. Ma nouvelle technique consistait à baisser la voix d'une octave et à ralentir délibérément mon débit. Cela avait beaucoup plus d'impact que ma méthode du Casino de Paris : me jeter sur scène corps et âme en espérant que le public m'aimerait.

Après le spectacle, le cabaret se transformait en night-club. Un soir que je me trouvais moi aussi sur la piste, en train de danser pour la plus grande joie d'une table de banquiers, je remarquai qu'une femme élégamment vêtue d'une robe blanche avec un corsage orné de violettes m'observait. Je me sentis attirée vers elle telle une épingle par un aimant. L'orchestre ralentit son rythme et entama un tango, comme s'il obéissait à ses yeux hypnotiques.

« Vous êtes très belle », me dit-elle en français, les doigts posés sur son cou de cygne.

Elle me prit la main et passa l'autre bras autour de ma taille. Elle était plus petite que moi, mais elle me guida avec autant de force qu'un homme. Il y avait chez elle une froideur métallique qui me rappelait Camille, et quand elle me serra contre elle, je m'aperçus qu'elle ne portait aucun sous-vêtement et fus frappée par la douceur féminine de sa chair contre mes propres seins. C'était comme me serrer contre ma mère, pourtant l'étreinte n'avait rien de maternel.

« Vous êtes une plume, souffla-t-elle. Je pourrais vous écraser entre mes doigts. » Elle dansait bien et avait un bon sens de la musique. Elle me semblait vaguement familière, pourtant je ne me rappelais pas du tout où je pouvais l'avoir vue.

Une fois le tango terminé, je remerciai ma partenaire et me dégageai prestement d'entre ses bras, souhaitant en secret qu'André fût là pour me protéger. D'ordinaire, je ne percevais aucune menace dans les avances des femmes. Si elles étaient belles, il m'arrivait même de trouver cela flatteur. Mais quelque chose chez celle-ci me mettait mal à l'aise. Je sentis ses yeux dans mon dos jusqu'à ce que j'aie rejoint le bar.

« Je vois que vous avez réussi à échapper aux griffes de Marlene Dietrich », lança Ada, qui arriva à côté de moi au moment où je commandais une eau pétillante. Elle eut un rire grivois. « Vous feriez un sacré numéro toutes les deux, à la scène comme à la ville. Votre charme et votre vivacité française et sa blondeur froide et lointaine. »

J'avais donc dansé le tango avec la célèbre Marlene Dietrich et je ne m'en étais même pas aperçue ! « Sur scène, peut-être », répondis-je, avec un regard par-dessus mon épaule. Mais Marlene n'était plus là.

Un soir qu'André était à Paris avec Mlle Canier pour le bal de charité annuel de sa mère, le comte Kessler m'emmena dîner au Ciro. J'appréciais la compagnie du comte chaque fois que nous sortions ensemble. Bien qu'il fût un aristocrate, quelque chose chez lui me rappelait mon père. C'était peut-être la curiosité qui pétillait dans son regard, comme si les merveilles de ce monde ne perdaient jamais leur éclat à ses yeux.

Une fois nos plats commandés, le comte se tourna vers moi : « J'ai l'impression qu'André se lasse de Mlle Canier, vous ne croyez pas ? Espérons qu'il ne la ramènera pas avec lui. »

Il dut remarquer mon air choqué, car il lâcha un rire chaleureux. « Allez, quoi ! fit-il. Vous pouvez bien l'admettre. Vous préféreriez passer une semaine dans un wagon de chemin de fer immobilisé sur les voies qu'une heure en compagnie de Mlle Canier. Je vois bien que vous endurez sa présence par politesse. Bon Dieu ! J'ai même remarqué qu'*André* l'endurait par politesse ! Elle ressemble à ces meubles superbes qu'on achète à l'étranger. Ils ne sont d'aucune utilité pratique, alors on les met bien en évidence, et au bout d'un certain temps, on les oublie.

— Mais il est amoureux d'elle ! » objectai-je en

me rappelant les regards énamourés qu'André lui lançait.

Le comte me dévisagea avec un intérêt amusé. « Vous croyez ? C'est la fille d'une des amies de sa mère. Remarquez, elle n'est pas plus idiote que les autres écervelées qui évoluent dans son milieu. André a sans doute choisi ce qu'il y avait de mieux… à l'époque. »

Sur ces mots, il me lança un regard si appuyé que je rougis. Je devinai qu'il lisait en moi à livre ouvert et avait percé à jour mes sentiments pour André. « Vous êtes très dur, protestai-je.

— Ha ! rit-il à nouveau. N'allez pas croire que Mlle Canier en sera blessée. André n'est que le premier sur sa liste de célibataires fortunés. Elle passera au suivant sans ciller : Antoine Marchais, un des frères Michelin ou le fils Bouchayer. »

Le comte avait vu juste quand il avait prédit qu'André reviendrait seul à Berlin. Je ne le pressai pas de questions et il ne me fournit aucune explication. Mais moi qui avais cru que l'éviction de Mlle Canier changerait les sentiments d'André à mon égard, je fus amèrement déçue. Ce qui changea, c'est qu'André se montra plus distant et adopta envers moi l'attitude d'un partenaire en affaires, chaleureux mais professionnel. Il ne me reparla plus jamais de son frère, ni des sentiments que lui inspirait sa famille. Après plusieurs nuits d'insomnie, je me résignai : André Blanchard et moi ne serions jamais autre chose que des amis. Et pour ne plus penser à cette déception, je me jetai à corps perdu dans le travail.

André, le comte Kessler et moi fêtâmes la nouvelle année lors d'une soirée de réveillon organisée par Karl Vollmoeller, le dramaturge.

« Vollmoeller donne des fêtes assez bizarres, me prévint le comte tandis que nous allions de l'Adlon à Pariser Platz, où vivait notre hôte. Il invite son éditeur et tout le milieu du théâtre berlinois, ensuite il parcourt la ville en taxi pour ramasser tous les excentriques qui lui tombent sous la main et ajouter un peu de piment à la soirée.

— À sa dernière fête, ajouta André, j'avais Kurt Weill à ma gauche et un cinglé que Vollmoeller avait trouvé devant un hôpital de charité à ma droite. De toute la soirée, ce dernier n'a pas cessé de déblatérer sur la vitesse à laquelle les différentes parties du corps se décomposent.

— Cela dit, la petite amie de Vollmoeller est très séduisante.

— Quel est son prénom ? s'enquit André. Vollmoeller ne l'appelle jamais que Fraülein Landshoff. »

Le comte haussa les épaules. « Si je l'ai su un jour, j'ai oublié. C'est la nièce de Samuel Fischer, l'éditeur. »

Nous croisâmes un groupe d'enfants qui allumaient des pétards et les lançaient en l'air. Des étincelles dorées s'éparpillèrent dans le ciel et une succession de détonations plus fortes que celles d'une arme à feu résonnèrent. Je pensai à Kira dans ma chambre d'hôtel. Je lui avais laissé une soucoupe de lait et du poulet, mais elle allait sans doute passer la soirée sous le lit.

Le temps que nous arrivions, la fête de Vollmoeller

avait déjà commencé. Tout autour de la pièce, poussés dans les coins comme les meubles, se tenaient des messieurs en tenue de soirée et des femmes à boucles d'oreilles en diamants et colliers assortis – le genre de personnes que l'on pourrait trouver en train de dîner chez Maxim's ou d'assister à un spectacle au Moulin-Rouge. Mais au centre, se tordant au son du jazz que jouait un gramophone, se trouvait une masse de corps dénudés. Au milieu de cette orgie, une femme menue dansait sur une table de café. Elle portait une veste de smoking et une paire de lunettes à montures en écaille.

« Voici Fraülein Landshoff, dit le comte.

— Où est Vollmoeller ? » demanda André. Le comte haussa les épaules.

Une femme nous frôla, elle portait un collier de perles et son sourire pour tout habit. Un homme la suivait, affublé d'une paire de cornes, une queue fixée à son derrière. Je regardai leurs fesses onduler dans la foule jusqu'à ce qu'ils disparaissent dans une autre pièce.

« Que voulez-vous que je vous apporte, questionna le comte. Champagne ? Bière ? Cocaïne ? »

André et moi nous décidâmes pour le champagne. Trois garçons étaient affalés sur un divan près de la porte. De temps à autre, un monsieur respectable passait devant le canapé puis, quelques instants plus tard, un des garçons se levait et le suivait. Je repensai à ce que m'avait un jour dit le comte sur le risque d'implosion que courait l'Allemagne et sur la pauvreté tapie dans les coins sombres de Berlin, loin de l'hédonisme qui s'affichait dans cette pièce. Je me souvins aussi du commentaire du comte, sur la

France et l'Allemagne qui avaient beaucoup de choses en commun. Nous autres Français noyions aussi nos craintes dans le champagne et nous oubliions dans l'érotisme. Je chassai ces idées en clignant les yeux et me retournai vers la fête. À quoi bon s'inquiéter de tout cela ? Je ne pouvais rien y changer. Je n'ai qu'une vie, autant en profiter ! me dis-je. Mais la sensation que nous étions tous en train de vaciller au bord du précipice ne me quittait pas.

Le comte revint avec nos boissons : pas de champagne, mais un punch allemand très fort qu'on appelait *Feuerzangenbowle*. C'était un mélange de vin sucré, de jus d'orange et de citron, avec de la cannelle et des clous de girofle. Un homme trapu aux yeux d'un bleu électrique et aux cheveux gris ondulés arriva à notre hauteur.

« Voici Max Reinhardt, présenta le comte.

— Le comte nous a parlé de vous comme d'une jeune femme talentueuse, me salua Reinhardt avec son accent viennois tonitruant. Peut-être viendrez-vous un jour assister à mes cours de théâtre et deviendrez-vous une grande actrice. »

Je fus plus abasourdie de voir l'un des metteurs en scène les plus célèbres d'Europe me baiser la main que je ne l'avais été devant des gens nus se déhanchant autour de nous. Mais après un verre de *Feuerzangenbowle,* je n'étais plus capable de tenir une conversation suivie.

« Eh bien, quand elle aura conquis Paris, New York et le reste du monde en chantant et en dansant, je ne vois pas pourquoi Mlle Fleurier ne se lancerait pas dans une carrière d'actrice », dit André à Reinhardt.

À minuit moins le quart, certains des invités bravèrent le froid et se précipitèrent sur la place pour assister aux feux d'artifice lancés par les étudiants du département de chimie de l'université Humboldt. Le comte nous suggéra de rester dans l'appartement et de regarder par les fenêtres. « Il fait trop froid dehors et je ne suis pas d'humeur à perdre un œil. Au moins un étudiant se fait sauter la figure – ou celle d'un spectateur – chaque année. »

Fraülein Landshoff – car Vollmoeller n'était toujours nulle part en vue – ordonna à tout le monde d'éteindre les lumières et de souffler les bougies. Nous nous attroupâmes autour des fenêtres pour entamer à l'unisson le compte à rebours jusqu'à minuit. À l'instant précis où les étudiants lançaient la plus impressionnante de leurs gerbes explosives, envoyant des étincelles siffler près des fenêtres, quelqu'un vint se serrer tout contre moi dans le noir. Des mains m'attrapèrent par les épaules et me firent pivoter sur moi-même. Elles m'écrasèrent contre une poitrine d'homme. Je sentis son haleine dans mes cheveux, puis des lèvres chaudes se posèrent sur les miennes. À la taille de l'inconnu et à la bonne odeur de sa peau, je fus certaine qu'il s'agissait d'André. Mais avant que j'aie pu me demander si je devais lui rendre son baiser, l'inconnu me lâcha et la pièce fut illuminée par une grande lueur verte. Fraülein Landshoff s'écria qu'elle avait fait tomber ses lunettes et quelqu'un alluma une lampe pour l'aider à les retrouver. Je cherchai André du regard ; il était avec le comte à la fenêtre la plus éloignée de

403

moi. J'observai les autres hommes autour de moi. Tous étaient grands et portaient des tenues de soirée. Mon inconnu pouvait être n'importe lequel d'entre eux.

André lança un regard dans ma direction et leva sa coupe de champagne. Je ne pus déchiffrer l'énigme de son sourire.

En janvier, André revint d'un voyage à Paris avec de bonnes nouvelles. L'imprésario de l'Adriana préparait un spectacle d'une envergure encore inédite dans la capitale et cherchait une vedette. Il avait besoin de quelque chose d'original pour rivaliser avec les Folies-Bergère, qui connaissaient un succès sans précédent avec Joséphine Baker, et avec le Moulin-Rouge, qui avait lancé la plus grande revue de son histoire, *Ça c'est Paris*, avec Mistinguett. L'imprésario avait pensé à Camille ou à Cécile Sorel, mais comme André lui avait parlé de moi, il voulait me rencontrer aussi vite que possible. Nous devions partir immédiatement.

Le comte Kessler nous accompagna à la gare. « Ne m'oubliez pas quand vous serez une star ! » dit-il en m'embrassant sur les joues. Je souris en pensant à sa politesse guindée lors de notre première rencontre et à notre complicité d'aujourd'hui.

À cause du pot d'adieu qui avait réuni Max Reinhardt et mes professeurs, nous étions en retard. Le portier filait devant avec nos bagages, mais le quai était bondé. André hissa le panier de Kira sur ses épaules. Nous venions de franchir le portillon au bout du quai lorsqu'un homme aux yeux injectés de sang nous fourra des papiers dans les mains.

« Libérons l'Allemagne de la racaille juive ! Ils détruisent notre pays ! » cria-t-il.

J'étais trop stupéfaite pour répondre, mais le comte arracha ses prospectus à l'inconnu et les déchira en mille morceaux.

« Libérons l'Allemagne des abrutis tels que vous ! C'est vous qui finirez par détruire ce pays ! » hurla-t-il.

L'homme lui cria une réponse que je ne compris pas. André entraîna le comte.

Le porteur nous appela : nos bagages étaient à bord et nous devions monter en voiture, ce que nous fîmes à l'instant où le sifflet du chef de gare retentit et où le train se mit en marche.

« Je vous verrai bientôt tous les deux à Paris, lança le comte en marchant à côté du train, qui prenait de la vitesse. Je viendrai voir Suzanne dans son nouveau spectacle ! »

Je lui envoyai un baiser. Il m'en renvoya un autre et sa bouche se tordit. Une lueur fugace jaillit au-dessus de sa tête. L'espace d'un instant, je vis mon père devant la ferme qui agitait la main dans ma direction. Mais en un clin d'œil cette image disparut et le comte fut de nouveau là, me faisant signe de la main. « Au revoir, ma douce Suzanne ! Au revoir, André ! »

Une brume de vapeur le dissimula à nos yeux. « Au revoir, comte ! » criai-je à travers le nuage de fumée. Une profonde mélancolie me submergea, mais je la chassai d'un haussement d'épaules et suivis André dans notre compartiment.

19

L'Adriana, situé sur les Champs-Élysées, était le music-hall le plus moderne de Paris et son imprésario, Régis Lebaron, un des entrepreneurs les plus audacieux d'Europe. En retrait des autres immeubles de style dix-neuvième qui bordaient l'avenue, l'entrée du théâtre était une arche en chrome soutenue par deux colonnes. La façade était en verre opaque et, dans le hall, quatre statues représentant Zeus, Aphrodite, Iris et Apollon portaient à bout de bras d'immenses globes lumineux. Le décor était un mélange d'ultramoderne et de mythologie grecque, et les sièges de la salle de spectacle étaient équipés de repose-tête et d'accoudoirs. On racontait que les fauteuils étaient si confortables qu'on en trouvait des répliques dans les maisons les plus à la mode.

Lebaron, qui avait d'abord fait fortune en jouant à la roulette russe, puis une deuxième fois comme imprésario, ne regardait pas à la dépense quand il s'agissait d'engager les meilleurs artistes. Il avait recours à des décorateurs italiens pour reconstituer de fastueux palais et à des émigrés russes pour recréer les salles de bal et la cour du tsar. Ses techniciens étaient britanniques et américains, ses costumiers français. L'Adriana avait été le premier music-hall à intégrer des films dans ses spectacles comme toile de fond pour certains numéros de danse. La devise personnelle de Lebaron était « Faire mieux que les meilleurs » et il s'efforçait de rendre chaque spectacle plus sensationnel que son dernier triomphe en date. Seulement, d'après André, il courait à présent le risque de s'essouffler dans sa quête incessante du meilleur. Cela s'annonçait difficile d'égaler Mistinguett, si longtemps adulée par le public parisien, et sa nouvelle coqueluche, Joséphine Baker. Camille était l'autre vedette féminine de la scène parisienne, mais Lebaron avait confié à André : « La beauté n'est pas tout et l'attrait de la nouveauté commence à retomber. Je veux lancer une artiste inattendue. »

Jamais je n'aurais cru que le jour viendrait où l'on me choisirait moi, plutôt que Camille Casal. Elle ne semblait jamais douter d'elle-même. Pour moi, ce comportement montrait qu'elle était une vraie star.

Je lançai un regard en coin à André, assis au fond de son siège dans le train. Le soleil qui filtrait par la fenêtre entre les branches de bouleau projetait des rayures sur son visage et il ressemblait à un personnage de film. Il tirait sur sa cigarette, la quatrième depuis que nous avions quitté la gare de Potsdammer, une heure plus tôt.

« Lebaron a promis que si vous êtes deux fois moins douée que je l'ai dit, et deux fois meilleure qu'au Casino de Paris, il vous engage. Et ce sera vous, sa vedette. Le comédien n'apparaîtra pas en tête d'affiche. » André se leva et posa ses bras contre la vitre. « Vous comprenez ce que ça veut dire, Suzanne ? Plus besoin d'attendre votre tour et de travailler dur pour grimper. Vous serez au sommet ! »

Le cœur me manqua. Je n'avais même pas encore passé l'audition. Plus dure serait la chute si j'échouais. Ce qui m'avait poussée à travailler fort à

407

Berlin, ce n'était pas seulement ma propre ambition mais un brûlant désir de plaire à André. Je savais qu'il ne fallait pas exprimer mes doutes à ce stade. Il avait pris des risques pour m'obtenir une audition et il avait beau me sourire, son visage était tendu. À bien des égards, mes débuts coïncidaient avec les siens, et cela m'effrayait.

Le chauffeur d'André vint nous prendre à la gare. Il bruinait, les immeubles et les cafés étaient recouverts d'un voile gris. Revenir à Paris après presque deux ans d'absence était étrange. Les rues et les boutiques n'avaient pas changé, mais moi j'étais différente, même si je ne m'en étais pas encore aperçue. Nous nous rendîmes directement au quartier de l'Étoile ; cette fois, ce ne fut pas pour nous arrêter devant un pauvre petit hôtel particulier, mais devant une vaste résidence donnant sur le parc.

« J'espère que cet endroit vous plaira », dit André en cherchant la clé dans sa poche. Pendant qu'il ouvrait la porte, je délivrai Kira de sa cage. Elle s'engouffra dans l'appartement et fila tout droit vers le seul meuble qui lui était familier : la chaise à peau de léopard qui se trouvait dans le hall.

André déposa les valises à l'intérieur et me conduisit au salon. Le parquet était marqueté avec différentes essences de bois ; je suivis du regard les courbes des meubles en bois de rose et levai les yeux sur les lambris couleur miel.

« J'avais l'intention de m'installer ici moi-même, lança-t-il. Mais ce joli petit appartement est parfait pour une femme et je peux me trouver un autre logement. Quand vous serez une vedette, la presse voudra venir vous photographier ici. »

Les divans et les fauteuils étaient recouverts de coussins orientaux et de jetés en fourrure. Le décor était neutre, avec quelques touches d'originalité : tout ce que je devais être, selon André.

Il releva les stores et révéla une fenêtre d'angle incurvée qui donnait sur la rue et sur le parc. Même par temps couvert, la lumière inondait la pièce à travers les carreaux.

« Vous pourrez vous asseoir ici pour lire ou apprendre votre texte. »

Je le suivis dans la chambre, décorée dans les mêmes tons beiges, ambre et noirs que le reste de l'appartement. André appuya sur un interrupteur et la lumière jaillit derrière des appliques murales en cristal.

« Cela me plaît beaucoup, reconnus-je.

— Votre bonne viendra demain, répondit André en posant les mains sur mes épaules. Maintenant, essayez de vous reposer, je passerai vous chercher à deux heures. »

Il est bon envers toi, Suzanne, mais il ne t'aime pas, me répétai-je.

J'étais si hébétée de nervosité que je sentis à peine les lèvres d'André quand il m'embrassa pour me dire au revoir. La bile me brûlait la gorge. Moi qui étais tout excitée en quittant Berlin, maintenant que mon rendez-vous avec Régis Lebaron approchait, j'étais prise de panique. Je retournai dans le salon et mon regard se posa sur le bar. J'en ouvris la porte, y trouvai une carafe de brandy. Un verre me calmerait peut-être. Soulevant le bouchon de la carafe, je humai l'odeur caramélisée de l'alcool. Non, me dis-je en me rappelant que j'avais été incapable de tenir une conversation sensée après un verre de *Feuerzangenbowle*.

Je me dirigeai vers le bureau, en ouvris les tiroirs. Il y avait des feuilles de papier à lettres et un stylo. Je me mis aussitôt à écrire une lettre à ma mère, à tante Yvette et à Bernard pour leur annoncer que j'étais rentrée de Berlin et que je vivais désormais dans un vaste appartement ; ils pouvaient venir m'y rendre visite car je ne pourrais pas me libérer pour rentrer à la ferme avant un certain temps.

Une fois ma lettre cachetée, je jetai un coup d'œil par la fenêtre à la rue trempée de pluie. Puis je croisai les bras et posai la tête dessus. La nervosité me submergea et j'entendis le sang battre à mes oreilles. La solitude, plus terrible que jamais, me serra le cœur d'une poigne de fer. J'étais propulsée dans un tunnel sans personne pour m'aider. Je n'en avais pas encore tout à fait conscience, mais une nouvelle Suzanne Fleurier était en train de naître.

Lorsque André revint me chercher, j'étais dans un tel état de fébrilité que j'eus peur d'avoir la nausée dans la voiture. Je m'efforçai de cacher mon angoisse, cependant, et mes appréhensions se révélèrent ridicules : en fait, mon « audition » avec Régis Lebaron et Martin Meyer, son directeur artistique, n'eut rien à voir avec celles que j'avais dû passer au Casino de Paris et aux Folies-Bergère.

André et moi fûmes accueillis par deux messieurs gominés, vêtus de costumes bleu marine quasiment identiques. Le plus grand des deux était Régis Lebaron ; je le reconnus d'après ses photos, à ses gros yeux dorés et à ses lèvres fines. On le comparait souvent à une grenouille, mais c'était passer sous silence sa personnalité exubérante. Il nous présenta Martin Meyer en l'appelant par son surnom, Minot, qui lui avait été donné à l'école et lui était resté après toutes ces années. « Par ici, s'il vous plaît », dit Lebaron.

La salle de spectacle était plongée dans l'obscurité, exception faite de la scène, éclairée par des projecteurs et un spot braqué au milieu. André prit mon manteau et le déposa sur un des fauteuils. Je remarquai que Lebaron me regardait de la tête aux pieds ; un sourire satisfait se dessina sur ses lèvres. Après plusieurs séances de mise en beauté et un maquillage réalisé par Helena Rubinstein, j'avais en effet espéré que le résultat lui plairait !

Un piano de répétition se trouvait près de la scène, mais le pianiste était absent. Je serrai ma liasse de partitions en espérant qu'il arriverait bientôt pour me délivrer de mon supplice. À ma surprise, Minot me prit les papiers des mains et les feuilleta. « Oh, je l'aime beaucoup, celle-là ! dit-il en désignant une des chansons de Vincent Scotto. Quand vous la chantiez au Casino de Paris, j'en avais les larmes aux yeux.

— Elle a fait du chemin depuis, fit observer André. Elle est vraiment capable de faire porter sa voix, maintenant, et de danser sans s'essouffler. »

Une porte s'ouvrit et un serveur entra d'un pas nonchalant avec une bouteille de champagne dans un seau à glace et des coupes sur un plateau. Lebaron lui ordonna de les déposer sur la scène. « On s'en occupera dans une minute, dit-il, puis, en se tournant vers moi, il ajouta : Vous avez une des plus belles voix de Paris, ça je le sais déjà. Quand je

411

vous ai vue au Casino, je me suis maudit de ne pas vous avoir découverte le premier. Ils vous sous-employaient. Ce que je veux savoir, c'est ce que nous pouvons faire de votre numéro.

— Eh bien, elle a pris des cours de danse avec deux des meilleurs professeurs de Berlin, intervint encore André. J'ai ses références. Nous pourrions peut-être vous les montrer ? »

Lebaron se cala le menton dans la main et jeta un coup d'œil à André. « Je me doute qu'elle sait aussi danser. Encore un an et ils auraient dû lui trouver un meilleur partenaire que Rivarola ! Vous oubliez que dénicher les nouveaux talents a été *ma* spécialité pendant des années. Ce que je dois savoir, c'est comment la mettre en valeur. »

André et moi échangeâmes un regard. J'étais sur le point de parler mais André leva la main pour m'arrêter. J'avais failli demander à Lebaron si cela signifiait qu'il avait décidé de m'engager. Manifestement, cette décision avait déjà été prise. À un moment donné, entre son entrevue avec André et la rencontre d'aujourd'hui, il avait dû décider de courir ce risque. Mon cœur fit un bond. J'avais l'impression que la toile de fond avait changé et que soudain je jouais une scène différente. Pour la première fois, je n'avais pas besoin de prouver mon talent ni même d'utiliser mon pouvoir de séduction. Tout le monde les tenait pour acquis.

« Est-ce que Mlle Fleurier verrait un inconvénient à aller se placer sous le projecteur ? » demanda Minot avec un élégant geste de la main vers la scène.

J'obéis. J'eus l'impression alors d'être baignée d'un rayon de soleil, même si mes jambes tremblaient encore à cause de toute cette adrénaline accumulée. Lebaron et Minot se mirent à tourner autour de moi en se lançant des idées.

« Je vois une scène d'orage et le ciel s'ouvre ! s'écria Minot. Alors, des créatures célestes... non, des déesses et des dieux grecs montent et descendent l'escalier.

— En arrivant en bas, ils retournent leurs costumes et se transforment en jeunes filles délurées et en jeunes gens à l'entrée d'un club chic, enchaîna Lebaron, et son regard me quitta pour embrasser la scène comme s'il voyait ce qu'il était en train d'évoquer.

— Alors, la plus belle de toutes arrive, renchérit Minot en me poussant en avant. Et elle entonne la chanson d'ouverture. »

Lebaron leva les bras au ciel. « Sur les affiches, on lira : "Suzanne Fleurier, la femme la plus sensationnelle du monde !" »

Je lorgnai vers André, qui m'adressa un sourire radieux, assis au premier rang. Lebaron et Minot avaient déjà décidé qu'ils avaient besoin d'une figure de légende et que j'avais assez de talent pour l'incarner. Ils allaient façonner la légende à partir du talent réel pour créer une star. Et cette star, ce serait moi !

La préparation du spectacle *Bonjour, Paris ! C'est moi !* fut mon baptême du feu. Lorsque j'étais l'une des vedettes du Casino de Paris, tout ce que l'on attendait de moi, c'était d'être à l'heure pour les répétitions et les essayages et de donner le meilleur de moi-même sur scène. Désormais, comme star dans un spectacle de grande envergure, je prenais part à toute son élaboration, depuis la sélection des seconds rôles jusqu'au choix des scènes, sans oublier la conception de l'affiche. C'était indispensable, puisque tout tournerait autour de moi. J'en pris pleinement conscience pendant les auditions des danseuses de revue.

« Elles seront toutes blondes ! s'exclama Minot en agitant les mains vers moi. Pour vous mettre en valeur, vous, la superbe perle brune. »

André était coproducteur du spectacle et devait tout superviser : les décors, les costumes ainsi que les arrangements scéniques. Lebaron voulait que les tableaux de *Bonjour, Paris ! C'est moi !* soient les plus somptueux que la capitale eût jamais connus : il devait y avoir, entre autres, un bal à Versailles et une scène dans la jungle avec de vrais singes et un vrai tigre. Un après-midi, en allant voir André à son bureau du théâtre, je le trouvai absorbé dans l'étude de chaque scène reconstituée en modèle réduit, y compris les plateaux amovibles et les rideaux pour les changements de décors. Il avait l'air heureux d'un gamin qui joue au train électrique.

« L'ingénieur dit qu'il peut ajouter une cascade », m'annonça-t-il en désignant la jungle miniature dans laquelle j'étais représentée par une poupée en carton.

André faisait un bon coproducteur, en effet ; il travaillait trente-six heures sur vingt-quatre, son énergie et son enthousiasme contaminaient les décorateurs et les charpentiers, qui rivalisaient pour concevoir les décors les plus spectaculaires.

« Si vous y arrivez, ce sera une première sur la scène parisienne, affirmai-je.

414

« — Je dois prouver à mon père que mon "petit projet commercial" vaut bien tout le temps et tout l'argent que j'y ai consacrés sans compter ! » répondit-il en riant.

Il me taquinait sans doute, pourtant cette plaisanterie me blessa. Cela n'avait pas été facile pour moi de m'habituer à l'idée qu'André n'était rien de plus que mon mécène et mon ami. J'étais arrivée à accepter qu'il ne m'avait jamais trouvée attirante et que je m'étais leurrée. Du moins m'étais-je épargné l'humiliation de lui déclarer ma flamme. Mais me résigner au manque d'intérêt d'André n'empêchait pas mes propres sentiments de me jouer des tours de temps à autre. Alors même que nous travaillions sans relâche, le son de sa voix suffisait encore à faire battre mon cœur.

Je tombais parfois nez à nez avec des seconds rôles qui s'embrassaient dans les coulisses, et un jour que je me tenais à proximité de la bouche d'aération de ma loge, j'entendis les bruits d'extase d'un couple occupé à faire l'amour quelque part dans le théâtre. J'avais fermé les yeux et imaginé mes mains dans les cheveux d'André et sa peau nue qui se confondait avec la mienne. Mais quand de telles pensées me venaient, je m'éclaboussais le visage avec de l'eau froide et me passais un peu d'eau de Cologne sur les tempes.

Pourtant, j'eus bel et bien l'impression d'être un « projet commercial » le jour où, en passant devant les Galeries Lafayette, je vis pour la première fois mon visage sur un panneau d'affichage qui dominait le boulevard Haussmann. « Pour avoir une peau aussi douce que celle de Suzanne Fleurier, utilisez le savon Le Chat ! » Était-ce bien moi, cette jeune fille drapée dans une robe de satin qui serrait contre elle une Kira aux yeux écarquillés et au collier de diamants ? André avait tout organisé : je représentais divers produits pour lancer le spectacle, aussi j'apparaissais dans des publicités pour les produits de beauté Helena Rubinstein et les pâtes Rivoire & Carret. Je détaillai la réclame pour Le Chat d'un œil soupçonneux. Les cheveux de la jeune femme étaient lisses et brillants, ses lèvres peintes au rouge à lèvres sombre et ses yeux soulignés au khôl. Ce n'était pas celle que j'étais vraiment. Je marchais encore sur la pointe des pieds au théâtre en m'attendant que les filles de la revue se retournent contre moi et déclarent que j'étais une grande bringue, une comique à peine aussi bonne que la dernière des danseuses. Mais le succès que connurent ces publicités me donna tort. Les ventes des trois produits que je représentais doublèrent en un mois. J'étais sur le point de devenir une star. Tout ce dont j'avais rêvé, tout ce pour quoi j'avais travaillé était en train de se produire. Alors pourquoi me sentais-je si seule ?

« Nous avons reçu une invitation, m'annonça un jour André, qui brandissait un carton blanc. Maman tient beaucoup à être de la surprise que je réserve à mon père. À son avis, pour que vous ayez le meilleur public possible, vous devez apparaître dans le carnet mondain. Elle vous a invitée dans son paddock à Longchamp. Elle dit que si une belle inconnue est vue aux courses avec Mme Blanchard, tout le monde voudra savoir qui c'est. Mais il faut d'abord que je vous la présente. »

Le lendemain matin, André et moi nous rendîmes dans la maison de campagne familiale sur l'avenue Marceau prendre le café et du gâteau avec Mme Blanchard. Mon séjour à l'Adlon et les dîners dans les grands restaurants avaient raffiné mes manières rustiques, et la robe Vionnet que je portais m'aidait à ne pas me sentir déplacée sous le portique en granite où André et moi attendions que le maître d'hôtel vienne nous ouvrir. Mais à l'instant où mes yeux se posèrent sur le hall, avec son escalier et sa fontaine en marbre et ses portraits de Gainsborough, je perdis de ma superbe. L'Adlon faisait figure de parent pauvre comparé à la résidence Blanchard. Cette maison était tout ce que la demeure d'une puissante famille européenne devait être : l'image même du temps et de la pérennité. C'était très intimidant.

Mme Blanchard nous attendait dans son salon en compagnie de Véronique, la sœur cadette d'André. Sa mère, aussi blonde qu'une Suédoise, avait des bajoues. André avait hérité de la taille et du teint de son père.

« Vous êtes aussi charmante que l'avait dit André, ma chère ! » s'écria Mme Blanchard en me prenant la main pour me conduire à une chaise rembourrée de brocart. Les rideaux et les appliques étaient turquoise et, partout, je ne voyais que des tons lapis-lazuli et or rehaussés par des vases d'orchidées blanches. L'effet produit évoquait l'intérieur d'un coquillage exotique. Cette pièce tranchait agréablement avec les teintes sombres du reste de la maison.

Pour une raison que j'ignore, Mme Blanchard avait omis de présenter Véronique, mais la jeune fille n'avait pas l'intention de se laisser oublier. Elle se leva de son siège, rejeta sa chevelure rousse sur ses épaules et se nomma d'une voix encore enfantine, ajoutant que j'avais l'air « bien plus gentille que Mlle Canier ».

« Véronique ! s'exclama Mme Blanchard en s'efforçant de dissimuler un sourire. Tu peux tourner des compliments à Mlle Fleurier tant que tu veux sans pour autant insulter quiconque. »

À côté de moi, une photo encadrée sur un guéridon représentait un jeune homme large d'épaules et séduisant dans son uniforme d'officier. Mais il avait les yeux mélancoliques d'un artiste, pas un regard de soldat. Je jetai un coup d'œil à l'assortiment de médailles de guerre présentées dans une vitrine sur l'étagère. Je n'eus pas besoin de demander qui était ce jeune homme.

Mme Blanchard me regardait, aussi je me retournai vers elle. Bien qu'elle ne fît pas allusion au portrait, quelque chose dans ses yeux me souffla qu'elle était contente que je l'aie remarqué.

« La journaliste de mode de *L'Illustration* écrira un papier sur Mlle Fleurier, annonça-t-elle avec un signe de tête à l'intention d'André. Le talent est une chose, mais la publicité en est une autre. » Puis, quand la bonne nous eut servi du café et une tranche de tarte au chocolat à chacun, Mme Blanchard ajouta : « Mlle Fleurier doit être vue et photographiée dans des lieux stratégiques avant le début du spectacle. Et Longchamp, demain, est l'occasion rêvée. Mais parlez-nous un peu de vous, mademoiselle, poursuivit-elle. Alors, vous avez commencé votre carrière à Marseille ? »

Je lui expliquai que ma famille possédait une exploitation de lavande, comment mon père était mort et comment j'avais débuté au Chat espiègle. Elle écouta attentivement le récit de mes humbles origines et ne sembla pas s'en offusquer le moins du monde. Au contraire, elle fut impressionnée par ma détermination à réussir.

Pendant que Mme Blanchard et moi bavardions, André parlait avec sa sœur. Je me rappelai ses propos concernant Véronique et j'espérai que leur père n'écraserait pas l'esprit si vif de la jeune fille – ni celui d'André. M. Blanchard se trouvait en Suisse pour affaires, mais je sentais sa présence dominante du haut du portrait qui trônait au-dessus de la cheminée. Je l'avais reconnu parce qu'il ressemblait à André, en plus sévère.

« Mes enfants sont si différents, commenta Mme Blanchard. On lit à livre ouvert sur le visage de Véronique, qu'elle soit heureuse ou mécontente. Pour André, c'est tout autre chose. On ne peut jamais savoir ce qu'il pense. Avec lui, il faut se méfier de l'eau qui dort, comme on dit. »

Nous passâmes une heure en compagnie de la mère et de la sœur d'André. Quand nous nous levâmes pour partir, Mme Blanchard posa la main sur mon épaule. « Vous me plaisez, murmura-t-elle. Vous n'êtes pas du tout telle que je vous avais imaginée. »

Je l'aimais bien, moi aussi. Je la trouvais gentille et sincère. Cependant un doute persistait au fond de sa voix et cela m'inquiétait. Je devinai que le père d'André ne serait pas aussi facile à contenter.

À la fin mars, tout le monde travaillait d'arrache-pied, car la préparation du spectacle était passée à la vitesse supérieure. D'ordinaire, Lebaron et Minot avaient besoin de six à dix mois pour concevoir un nouveau show, mais, avec l'aide d'André, ils y parvinrent en presque trois mois. Presque, parce que quand les dernières orchestrations des chansons furent terminées, on dut en modifier certaines cadences. Il restait aussi des ajustements à apporter aux costumes, et certains décors devaient être revus pour que l'enchaînement des scènes soit parfait. Les esprits s'emportèrent. Un des électriciens partit en claquant la porte et une couturière s'évanouit d'épuisement. Odette vint aider à la confection des costumes et mon respect pour mon amie grandit après qu'elle eut passé une journée entière l'aiguille à la main et du fil entre les dents, à dire à tout le monde : « Calmez-vous, on va y arriver ! »

Ma robe pour la scène finale était encore épinglée sur le mannequin dans l'atelier de la costumière. Je proposai de la terminer, mais Minot ouvrit de grands yeux horrifiés. « Oh, non ! Surtout pas, mademoiselle Fleurier ! Vous devez garder votre énergie. Vous êtes la vedette. Vous allez porter ce spectacle ! »

Moi qui avais espéré me distraire pour calmer mes nerfs… L'idée que je « portais le spectacle » me donnait des sueurs froides et des étourdissements. Je ne soufflai mot à personne de mes crises de panique. La première survint quand les chansons et les partitions furent composées. J'étais à mon appartement en train d'en lire certaines quand soudain j'eus des palpitations. J'essayai de me concentrer mais mon esprit se vida et tout devint blanc. Ce ne fut qu'en cachant la partition sous un oreiller que je parvins à chasser la nausée. Par la suite, je ne pus répéter qu'en compagnie de quelqu'un, le plus souvent André ou Minot.

Je m'aperçus que ce que j'avais ressenti au Casino de Paris et au Chat espiègle n'était que le trac. L'enjeu était bien plus important aujourd'hui. Si je ne remportais pas l'adhésion du public, j'entraînerais beaucoup de monde dans ma chute.

De plus, ce qui n'arrangea rien à l'affaire, pendant la dernière semaine de filages avant l'ouverture, Lebaron se mit à rôder près des décors pendant que je répétais mes numéros, affichant l'expression d'un condamné à mort. Pire : le dernier jour, il secouait la tête comme s'il avait commis une terrible erreur en pariant sur moi.

« Ignorez-le ! me chuchota Minot en me tapotant l'épaule. Il est toujours comme ça, à ce stade. C'est de la superstition. Il s'imagine que s'il vous dit à quel point vous êtes fabuleuse, il portera la poisse à tout le spectacle. »

Le soir de l'ouverture, j'arrivai au théâtre à sept heures et demie avec Kira, ma mascotte. André m'avait envoyé sa voiture, mais il n'avait pas pu venir à cause d'un changement de dernière minute dans la première partie du spectacle. Ma loge était pleine de roses et une bouteille de champagne fraîchissait dans un seau à glace. Au goulot était attachée une carte de Minot : « Nous le boirons à minuit, ma chérie ! » Cher, adorable Minot ! Il pensait à tout. Il avait même fait circuler un mémo précisant que personne ne devait me déranger et que tous les messages devaient m'être transmis soit par le régisseur, soit par lui-même. Même si je redoutais d'entrer ainsi dans la clique des petits tyrans tels que Jacques Noir, j'appréciais cette attention. J'avais besoin de me recueillir. Kira sentait ma nervosité. Pendant les répétitions, elle avait dormi sur une couverture près du chauffage ou s'était amusée à faire tomber mes pinceaux à maquillage par terre. À présent, elle se cachait sous ma coiffeuse et refusait d'en sortir. Comment lui en vouloir ? Si j'avais pu, j'aurais fait la même chose !

Mes mains tremblaient lorsque j'ouvris mon pot de maquillage. J'avais les yeux humides, ce qui m'arrivait chaque fois que j'étais angoissée. Je tendis le cou, la tête en arrière, et fermai les yeux pour me forcer à me détendre. La nuit précédente, j'avais rêvé que j'entrais en scène incapable de me souvenir des paroles de la première chanson : cela aurait été ridicule, il y en avait si peu !

Après toute l'agitation et la frénésie de ces dernières semaines, le théâtre était d'un calme inquiétant. J'imaginai tout le monde à son poste : les habilleuses qui disposaient les costumes et comptaient les perruques ; les machinistes qui vérifiaient les accessoires et les interrupteurs des projecteurs ; les musiciens qui chauffaient leurs instruments ou buvaient leur dernier café avant d'aller jouer.

Mon habilleuse devait venir à huit heures. À l'instant précis où les aiguilles de l'horloge indiquèrent l'heure du rendez-vous, on frappa à la porte. Je l'ouvris et me retrouvai nez à nez avec Odette, qui me tendait ma robe pour le premier volet. « Je me disais que tu aurais besoin de soutien moral. De quelqu'un qui n'est pas encore au bord de l'apoplexie.

— Que s'est-il passé ? demandai-je.

— Une des danseuses a pris du poids, elle a fait craquer son costume.

— Elles ne portent quasiment rien ! soufflai-je. Qu'est-ce qui a pu craquer ?

— Une rangée de perles. Mais ça a suffi à faire piquer une crise à la costumière en chef. »

Même si je n'entendis pas la moitié de ce que racontait Odette sur le rachat d'un magasin de meubles par Joseph et leurs projets de mariage pour l'année prochaine, son joyeux babil m'apaisa aussi bien qu'une musique d'ambiance. Et puis elle se montra patiente. À peine eut-elle fini d'agrafer mon costume que je dus en ressortir pour aller faire un tour au petit coin – pure nervosité ! À huit heures et demie, j'entendis le régisseur frapper aux portes des loges et, quelques minutes plus tard, les danseuses qui dévalaient l'escalier.

Quand le régisseur vint frapper à la mienne, je faillis sauter au plafond. Odette me tapota le dos. « Tu vas tous les épater, dit-elle. Contente-toi de faire aussi bien qu'aux répétitions et tout ira pour le mieux. »

Je suivis le régisseur dans les coulisses avec autant d'entrain que Marie-Antoinette montant à l'échafaud. J'entendis les instruments à cordes qu'on accordait et le brouhaha des spectateurs. « Bonne chance ! » me murmura le jeune régisseur. Je lui fis un geste amical, mais j'étais trop nerveuse pour parler. Les danseuses principales étaient alignées en haut de l'escalier, prêtes à faire leur entrée juste avant moi. Les filles de la revue étaient attroupées dans les coulisses. Deux d'entre elles m'adressèrent un sourire chaleureux. Je m'efforçai de grimacer un sourire en retour.

À neuf heures moins le quart, les trois coups retentirent. Le public se tut et l'orchestre commença à jouer. Je me mis à taper du poing sur ma poitrine nouée. Le sang me bourdonnait aux oreilles.

Au signal, je regardai la rangée de danseuses s'avancer sur scène. Elles descendirent dans le flot de lumière, les yeux flamboyants, le visage lumineux. D'autres créatures célestes descendirent sur des plates-formes en verre comme des génies sur leurs tapis volants. L'espace d'un instant, j'oubliai ma nervosité : tout était si beau ! Les spectateurs partageaient sans doute mon avis, j'entendais des « Oh ! » et des « Ah ! » fuser vers moi.

La musique changea de tempo ; le public s'exclama en voyant les toges et les couronnes de laurier disparaître et les artistes se mettre à danser au son du jazz. Des danseurs en chapeaux hauts de forme et queue-de-pie arrivèrent sur scène dans une voiture de sport Hispano-Suiza. Le régisseur hocha la tête avec un clin d'œil à mon intention. Je lissai ma robe et inspirai un grand coup avant de m'avancer vers le sommet de l'escalier, que je commençai à descendre sous les feux des projecteurs.

Bonjour, Paris !
C'est moi !
Ce soir est le grand soir où les étoiles brilleront
Et m'éclaireront entre toutes
Pour que tout Paris me voie !

Moi qui m'étais imaginée en train de tomber dans cet escalier si raide et de m'étaler, morte, sur la scène, je m'aperçus que mes jambes avaient cessé de trembler à l'instant où je m'étais mise à chanter. Ma voix portait si bien que j'en fus la première surprise. En arrivant sur scène, j'entraînai les danseurs masculins dans un charleston, puis la troupe tout entière dans un fox-trot, jusqu'au moment où, sous des lumières tamisées, le danseur principal et moi esquissâmes les pas d'un tango langoureux, clin d'œil à mon passé. Le public nous acclama.

Les lumières virèrent au bleu et un faux piano à queue fut apporté sur scène. Des danseurs me hissèrent dessus et je me remis à danser le charleston sous des lumières clignotantes qui donnaient l'impression que j'évoluais au ralenti dans un film.

Les spectateurs n'attendirent pas la fin pour commencer à applaudir. Les spots projetèrent une lumière dorée et j'aperçus leurs visages. Ils me contemplaient, radieux. Mais c'est l'expression de quatre hommes assis au troisième rang qui me ravit le plus : Lebaron, Minot, André et un homme qui lui ressemblait, en plus vieux. Ils affichaient des sourires épanouis. Je sentis que si j'étais parvenue à satisfaire le patriarche de la famille Blanchard, je serais au goût de tout Paris.

L'ensemble de la troupe s'avança d'un seul élan et nous entonnâmes encore une fois le refrain. Sous d'autres acclamations et de nouveaux applaudissements. Le public aimait le spectacle, cela ne faisait plus aucun doute.

Le temps que les machinistes opèrent le changement de décor, nous devions tenir la pose ; mais ma jambe droite s'était remise à trembler. Debout en jupe courte sur le piano, je ne pouvais guère le cacher. Un conseil du docteur Daniel me revint en mémoire : « L'énergie est un flux, elle entre ou elle sort. Pour une artiste, la laisser s'accumuler est fatal. Il faut toujours exprimer ton énergie. »

Bien que cela ne figurât pas dans mon script, je fis un pas en lançant les bras au ciel : « Bonjour, Paris ! C'est moi ! »

Une clameur jaillit dans la salle et le public, debout, me répondit : « Bonjour, mademoiselle Fleurier ! Bienvenue ! »

À cet instant, je sus que c'était gagné. Paris m'adorait.

20

Bonjour, Paris ! fut la revue la plus populaire jamais mise en scène à l'Adriana et dans tous les music-halls parisiens. Elle fut jouée pendant plus d'un an, il y eut quatre cent quatre-vingt-douze représentations, puis une brève interruption précéda la première du spectacle suivant : *Paris qui danse*. Les critiques de tous les grands journaux, depuis *Le Matin* jusqu'à *Paris Soir*, se répandirent en éloges, aussi bien que le gratin parisien et les touristes fortunés ; nous eûmes l'honneur de compter parmi nos spectateurs des célébrités telles que le prince de Galles, le roi et la reine de Suède ainsi que la famille royale du Danemark.

426

André et moi avions travaillé d'arrache-pied avant la première, mais nous vécûmes sur un nuage pendant toute la durée de la revue. Je me levais à sept heures du matin pour le petit déjeuner : jus d'orange et pain grillé. Ensuite, je prenais mon bain en attendant que ma coiffeuse, ma manucure, ma masseuse et ma secrétaire arrivent. Je dictais ma correspondance à la secrétaire pendant mes séances de mise en beauté. Ensuite, j'allais à l'Adriana où j'avais rendez-vous avec Lebaron, Minot et André pour discuter des arrangements de *Paris qui danse*. À cause du succès de *Bonjour, Paris !*, Lebaron était bien décidé à ce que la nouvelle revue soit encore plus époustouflante. Les après-midi se passaient en répétitions, en essayages et en interviews. Le soir, je revenais au théâtre pour sept heures et demie et ne le quittais pas avant une heure du matin. Tous les autres moments de liberté étaient consacrés à une activité que je ne tardai pas à haïr : contorsions et sourires factices, manipulation de l'image et pieux mensonges imposés par la devise : « Le talent ne suffit pas à bâtir un succès. » Une activité que l'on appelle la publicité.

Moi qui étais tombée amoureuse du music-hall pour sa magie, qui n'aimais rien d'autre que danser et chanter pour un public, je dus apprendre qu'être une « star » était bien différent que ce à quoi je m'attendais. Une star doit être sous l'œil des projecteurs non seulement sur scène mais aussi à la ville si elle veut rester l'idole du public. À mesure que ma richesse augmentait – et, pour la plus grande joie de M. Étienne, André en plaçait une partie –, j'appris la différence entre une femme riche et une femme célèbre. Tous ceux qui voyaient mes robes de haute couture, mes diamants, ma Voisin conduite par un chauffeur, mon appartement et le bel André qui m'escortait à chaque occasion mondaine devaient supposer que je menais une existence extraordinaire. Mais ce n'était pas une vie, c'était une image. Je n'avais pas le temps de savourer ces choses. Elles étaient destinées à la consommation du public.

Un jour, j'avais entendu Mistinguett dire qu'elle n'échangerait jamais ses diamants contre une plus grande notoriété. Mais Mistinguett, Joséphine Baker et moi étions engagées dans une course perpétuelle au coup d'éclat. Mistinguett assura ses jambes pour un million de dollars ; Joséphine monta de toutes pièces une histoire de mariage avec un comte, qui n'était autre qu'un maçon ; quant à mon attaché de presse, il fit circuler le « secret » de ma vitalité, qui consistait à boire des poussières d'or pur dans mon café matinal et à prendre des bains de lait aux pétales de rose. Il fit même en sorte que, pour confirmer ses dires, un livreur se présente chaque matin devant ma porte avec plusieurs cuves de lait. Ce genre d'inepties nous fit très mauvaise presse dans des pays tels que l'Autriche et la Hongrie, où les gens avaient à peine de quoi manger. Un journal communiste prétendit que la quantité de lait qui servait à mon bain quotidien aurait suffi à nourrir dix bébés pendant une semaine.

Les deux grandes rivales, Joséphine Baker et Mistinguett, se donnaient sans cesse des coups de griffe en public. Chacune défendait sa place bec et ongles, et elles allèrent jusqu'à se cracher à la figure, un soir, à la première d'un film au cinéma L'Apollo.

Mistinguett essaya la même tactique sur moi un soir, au Rossignol, où André et moi étions allés dîner après le spectacle. Assise à une table, entourée de jeunes hommes, des colliers de perles autour d'un cou encore lisse, elle me fit signe et lança, avec son sourire de piranha : « Bonsoir, petite ! Est-ce qu'on t'a bien nettoyée derrière les oreilles ? Pourquoi tu ne viens pas me dire bonjour ? » C'est tout juste si le journaliste du *Petit Parisien*, assis derrière elle, se retint de se précipiter sur son stylo.

Je lui adressai un « Bonsoir, madame » pour toute réponse. Elle avait largement trente ans de plus que moi et j'avais été élevée dans le respect de mes aînés. Le maître d'hôtel poussa un soupir de soulagement, mais le visage de Mistinguett se décomposa sous l'effet de la déception.

« Il va falloir améliorer votre sens de la réplique, commenta André quand nous fûmes assis. Sinon, on va vous prendre pour une snob qui se croit au-dessus d'un crêpage de chignons. Si vous étiez plus rusées, Camille et vous, vous vous seriez déjà posées en rivales depuis longtemps. Cela aurait accéléré sa carrière et n'aurait pas nui à la vôtre. » Je constatai avec plaisir, à la lueur espiègle dans son regard, qu'il plaisantait.

Il y eut un vacarme à la porte. Joséphine Baker et sa suite, qui comprenait le « comte » Pépito de Abatino, son chauffeur, sa bonne et son cochon apprivoisé, firent irruption dans le restaurant.

André leva les sourcils en me regardant.

« Je suis trop fatiguée », soupirai-je.

Je ne dis rien à André, mais je n'avais jamais perçu Camille comme ma rivale. Elle m'inspirait admiration et déférence. Un mois après la première du spectacle, je l'invitai à dîner à mon appartement. Bizarrement, je pensais que son approbation apposerait à ma métamorphose le sceau du succès. Mais dès que Camille arriva, je constatai que même avec ma coiffure soignée et mes vêtements recherchés j'éprouvais toujours un sentiment d'infériorité face à sa perfection physique. Elle entra dans mon appartement d'un pas nonchalant, vêtue d'une robe mauve, avec plusieurs rangées de perles autour du cou. Autour d'elle, l'air embaumait *Shalimar*. Il semblait incroyable qu'on puisse avoir des traits si finement ciselés et une peau si parfaite.

« Ça marche bien pour toi », commenta-t-elle, les yeux sur le bureau en bois de rose, comme si elle n'arrivait pas à croire tout à fait que je vivais ici. Certains jours, j'avais peine à y croire moi-même. Camille et moi avions fait du chemin depuis l'époque où nous logions dans la pension de tante Augustine, à Marseille ! Ce compliment indirect me fit rayonner de fierté.

Je la conduisis au salon et la fis asseoir. Elle sortit une cigarette et je me penchai pour lui allumer.

« Alors, tu as fini par suivre mon conseil à propos des hommes, commença-t-elle en caressant le divan de ses ongles argentés. André Blanchard a fait beaucoup pour toi.

— Ce n'est pas ce que tu crois, l'assurai-je. Notre relation est d'ordre professionnel. »

L'air incrédule qui se peignit sur son visage se transforma en moue contrariée. Pour la première fois, je remarquai les cernes sous ses yeux, habilement poudrés. Sa liaison avec Yves de Dominici était terminée ; il avait épousé une comtesse italienne. J'avais entendu dire qu'elle fréquentait quelqu'un de haut placé au ministère de la Guerre. Je m'interrogeais sur sa fille, qui devait aller sur ses cinq ans, mais je savais qu'il fallait éviter de poser des questions. Camille m'avait révélé un jour qu'elle sortirait la fillette du couvent dès qu'elle aurait trouvé un protecteur assez riche – et assez stable. Le monsieur du ministère de la Guerre avait une épouse qui tenait les cordons de la bourse, ce n'était donc pas près d'arriver.

« Alors, le spectacle marche bien ? demanda-t-elle. Que feras-tu quand il sera terminé ? »

Je me demandais si elle savait qu'elle avait été pressentie pour le rôle vedette de *Bonjour, Paris !* Mais comme elle n'y fit pas allusion, je m'en abstins.

« André veut que j'enregistre un disque.

— André Blanchard doit être très épris de toi, dit-elle en regardant la pièce autour d'elle. Je n'arrive pas à croire qu'un homme puisse faire autant de choses pour une femme sans rien attendre en retour. »

Je rougis, moins gênée que honteuse. Cela me procurait une certaine estime de moi de voir qu'André croyait sincèrement à mon talent sans attendre que je lui accorde mes faveurs en échange de son aide. Mais qu'il ne me désire pas du tout alors que j'étais folle de lui ? Voilà qui me donnait l'impression d'être transparente et non pas « la femme la plus sensationnelle du monde ».

Paulette, ma bonne, annonça que le dîner était prêt, m'évitant d'avoir à m'expliquer sur ma relation avec André. Camille avait un appétit d'oiseau, aussi avais-je demandé au cuisinier de nous préparer du chou farci avec une sauce à l'estragon et du champagne. Pendant le repas, elle se montra distante, son esprit était ailleurs.

« Je vais quitter Paris, m'annonça-t-elle au bout d'un moment. Pour tourner un film avec Georg Wilhelm Pabst. »

Mon cœur bondit. J'avais beau aller loin, Camille me devancerait toujours de quelques longueurs. J'aurais adoré jouer dans un film. C'était un art tout nouveau, mais je trouvais l'idée de raconter des histoires en images très excitante. Et Pabst était le réalisateur rêvé. Ce jeune Allemand s'était déjà fait une réputation.

« Tu vas devenir une star de cinéma », dis-je, sincèrement heureuse pour Camille quoique un peu envieuse de sa chance.

Après le repas, je la raccompagnai à la porte, où Paulette l'aida à enfiler son manteau. Camille m'embrassa et me souhaita bonne chance. Je lui offris un bouquet de roses et une boîte laquée de style chinois. Elle affirma que les fleurs sentaient bon et que le dessin de la boîte était exquis, mais quand elle prit congé j'eus l'impression qu'elle avait préféré ma compagnie quand j'étais sans le sou et malchanceuse.

Une fois le spectacle sur les rails, le père d'André nous invita à passer un week-end au château des Blanchard. Ayant été accaparé par des affaires urgentes, M. Blanchard n'avait pas pu faire ma connaissance après la première, mais il m'avait fait dire par André qu'il me trouvait superbe. L'éloge fit tellement plaisir à celui-ci qu'il octroya de sa poche une augmentation à toute la troupe.

En route pour la Dordogne, André fredonnait des mélodies de *Bonjour, Paris !* en me regardant avec des yeux si tendres que je dus me forcer à me rappeler qu'il ne me trouvait pas attirante. Pourtant, même si manifestement André ne s'intéressait pas à moi, il n'y avait pas eu d'autre Mlle Canier. Peut-être était-il un de ces hommes qui préfèrent le travail à l'amour.

« J'étais si nerveux, lança-t-il en négociant un virage serré. Je ne savais pas ce que mon père penserait de mon incursion dans le show-business. Mais votre talent l'a conquis. Il ne tarit pas d'éloges sur vous.

— Je vous suis autant redevable de mon succès qu'à moi-même », répliquai-je.

André rit et sa voix couvrit le grondement du moteur. « Vous y seriez arrivée sans moi, Suzanne. Mais c'était amusant de voir votre talent s'épanouir. »

Le château des Blanchard était entouré d'un parc de trente-six hectares et surplombait la vallée de la Dordogne, un paysage de champs verdoyants et de chênes au milieu desquels serpentait une rivière tranquille. Nous arrivâmes devant la demeure couverte de lierre à l'heure du déjeuner et le majordome nous conduisit à la terrasse. L'air embaumait l'herbe fraîchement tondue et le jasmin. Sur la pelouse, Véronique lançait un bâton à son chien. Les instructions qu'elle criait au chiot et les jappements ravis de l'animal résonnaient dans l'air estival. Mme Blanchard était assise sur un banc entre une dame corpulente et un monsieur chauve. Mais c'est M. Blanchard qui, le premier, s'avança vers nous.

« Bonjour ! » s'écria-t-il en agitant la main. Il avait la voix d'un capitaine de vaisseau, grave et impérieuse. Un sourire amical jouait sur ses lèvres et lui donnait l'air moins intimidant que je ne l'avais craint.

Il étreignit l'épaule d'André et ce dernier lui rendit son geste. Je m'attendais à les voir se saluer autrement que par une accolade. Leur relation était moins distante que je ne l'avais imaginé, mais il y avait tout de même quelque chose de guindé entre eux.

« Eh bien, dites-nous, mademoiselle Fleurier, s'enquit M. Blanchard en me prenant par le bras pour me conduire vers les autres, comment mon fils a-t-il fait pour découvrir la meilleure chanteuse de Paris, lui qui n'a pas l'oreille musicale ? »

Il avait les mêmes yeux dorés qu'André, seulement tandis que son fils se comportait en gentleman avec moi, M. Blanchard ne semblait voir que mes seins. J'eus l'impression gênante qu'il me déshabillait du regard.

« André a plutôt l'oreille musicale, répliquai-je en riant, plus pour dissimuler ma gêne que parce que je le trouvais drôle. Il a simplement été le premier, à part mon agent, à croire en moi.

— Allons, venez ! Le déjeuner nous attend, lança Mme Blanchard en nous faisant signe de nous mettre à table. Nous aurons maille à partir avec le cuisinier si la salade est défraîchie.

— Depuis quand se passe-t-on de présentations ? » demanda M. Blanchard, qui nous conduisit à une table dressée de vaisselle en porcelaine et décorée avec des bouquets de fleurs des champs.

Mme Blanchard rougit sans toutefois regarder son mari. Elle présenta la dame et le monsieur qui étaient avec elle : Guillemette, la sœur aînée d'André, et son mari, Félix. Je les saluai, mais aucun d'eux ne sourit. Guillemette n'avait hérité ni du charme de ses parents ni de leur calme si digne. Si André n'avait pas récemment mentionné l'âge de sa sœur, qui venait d'avoir trente ans, je lui aurais donné au moins dix ans de plus.

Guillemette et moi étions assises en diagonale de part et d'autre de la table et Félix se trouvait en face de moi, pourtant j'eus du mal à lier conversation avec eux. Même croiser le regard de Félix était impossible.

André parlait affaires avec son père, aussi me tournai-je vers Véronique pour trouver un répit auprès d'elle, mais la présence de sa sœur la rendait maussade. Plus tard, quand le plat principal fut servi, elle se rapprocha d'André afin de lui chuchoter quelque chose à l'oreille et fut coupée dans son élan par une moue réprobatrice de sa sœur. « Si tu as quelque chose à dire, Véronique, dis-le devant tout le monde ! »

Les yeux de Véronique se remplirent de larmes et ses lèvres se mirent à trembler. Ce n'était plus la jeune fille animée que j'avais rencontrée dans le salon de Mme Blanchard lorsque André et moi étions venus leur rendre visite avant la première. Guillemette avait le don de conférer à un déjeuner champêtre et estival l'atmosphère glaciale d'un camp militaire. J'étais curieuse de voir quelles relations elle entretenait avec son père, mais M. Blanchard posait toutes ses questions à Félix.

« Comment ça se passe à l'hôtel de Londres ? » lui demanda-t-il.

Félix se gratta la tête, qu'il avait si plate et chauve qu'il ressemblait à une salamandre. « Je vais avoir besoin d'aide pour l'ouverture, lâcha-t-il avec un bref coup d'œil à André.

— Il faudra que tu la cherches ailleurs, répondit André plaisamment. J'accompagne Mlle Fleurier en tournée. »

De l'autre côté de la table, Guillemette me lança un regard noir. « Et qu'en est-il des entreprises sérieuses ? siffla-t-elle en se tournant vers son frère. On dirait que tu négliges les hôtels.

— Allons bon ! fit M. Blanchard en se tamponnant les lèvres. Il sera toujours temps d'y penser quand André aura trente ans. Je lui ai promis qu'il pouvait s'amuser comme il l'entend jusque-là. »

M. Blanchard me sourit et me fit un clin d'œil. Je me retins de céder à un mouvement de recul. Je lançai un regard à André, il ne semblait pas remarquer l'attitude de son père. J'étais surprise par son comportement en famille. Quand nous étions ensemble, je le trouvais vivant et loquace. En compagnie de ses proches, il s'enfermait dans son monde.

Mme Blanchard, qui ne s'était pas adressée directement à son mari de tout le repas, fit porter la conversation sur des sujets plus légers.

« Alors dites-moi, mademoiselle Fleurier, avez-vous parfois le trac, vous qui semblez tellement à l'aise sous les projecteurs ? » me demanda-t-elle.

Comment répondre à une question pareille ? Les vedettes ne sont pas censées avouer leurs faiblesses, sauf si ce sont des « caprices de star », comme exiger des framboises à la crème fraîche après un numéro.

« Je suis toujours excitée avant un spectacle, madame Blanchard », répondis-je. André sourit derrière sa main fermée sans toutefois me regarder.

« Excitée » était l'euphémisme qu'André et moi avions choisi pour faire allusion aux frissons, aux sueurs froides, aux yeux qui coulent et aux incessants allers et retours aux toilettes, calvaire que j'endurais avant le premier numéro d'un spectacle. Le soir de l'ouverture avait été le pire, cependant je faisais de l'hyperventilation tous les soirs au moment de monter en voiture pour aller au théâtre. J'avais pris l'habitude d'emmener Kira avec moi dans ma loge, même si cela m'avait attiré des ennuis le jour où l'habilleuse avait oublié de ranger mon costume : Kira, toujours attirée par ce qui brille, en avait arraché toutes les paillettes.

Un de mes petits rituels apaisants consistait à m'habiller à la dernière minute. Quand j'entendais l'appel du régisseur, j'ouvrais le médaillon qui contenait la photo de mariage de mes parents et je le laissais ouvert sur ma coiffeuse jusqu'au dernier rappel. Pendant les entractes, j'allumais une bougie : une idée de ma mère. Ces rituels et les tasses de camomille n'arrivaient guère à calmer mes nerfs, cependant. Les étourdissements et les nausées ne me quittaient qu'au moment où j'entrais en scène et chantais la première note. Alors, comme par magie, j'avais les idées claires et mes membres cessaient de trembler tel un navire qui échappe à une tempête pour voguer sur une mer d'huile. Ensuite, tout allait comme sur des roulettes.

« J'ai entendu dire que Mlle Fleurier est d'humeur plus égale que n'importe quelle autre artiste parisienne, signala M. Blanchard. La plupart n'ont pas la force d'entrer en scène sans avoir bu quelque chose.

— Mlle Fleurier ne boit jamais avant un spectacle, dit fièrement André. Elle ne laisse rien altérer sa prestation.

— Elles commencent toutes comme ça », répondit Guillemette. Le ton de sa voix me fit penser à un prêtre qui livre dans son sermon une mise en garde devant l'imminence du jugement dernier. « Ensuite, le manque de sommeil et l'incessante pression de la vie publique finissent par les avoir. Personne n'a la force de vivre très longtemps si intensément.

— Merci pour ces réjouissantes prédictions, Guillemette », coupa Mme Blanchard en me souriant.

« Eh bien, ça ne s'est pas si mal passé », commenta André le lendemain, dans la voiture qui nous reconduisait à Paris.

Il veut rire ! pensai-je. Pauvre André, sa mère et Véronique l'adoraient mais la lumière qu'elles faisaient briller sur son existence était obscurcie par le reste des Blanchard.

« Je crois que votre sœur ne m'aime pas, répondis-je.

— Guillemette n'aime personne, fit André. De toute façon, c'est l'opinion de mon père qui compte. Et vous lui avez fait bonne impression. »

Je pensais avoir plu à M. Blanchard, moi aussi, mais quand je me rappelai son clin d'œil et la façon dont il avait regardé mes seins, j'éprouvai une certaine gêne.

En juin, je reçus un télégramme qui m'annonçait la mort d'oncle Jérôme. Lebaron annula deux spectacles pour me permettre de rentrer chez moi à temps pour l'enterrement.

« Il est mort dans son sommeil, me raconta Bernard en me conduisant de la gare de Carpentras jusqu'à la ferme. Tout est pour le mieux. Son état avait recommencé à se dégrader. »

Tout le village vint à l'enterrement. Il y avait aussi des gens de Sault et de Carpentras et des dizaines de visages qui m'étaient parfaitement inconnus. Il y avait même un photographe de la presse marseillaise. Comme oncle Jérôme n'était pas très populaire, il était clair que tous ces gens étaient venus pour me lorgner. Je me sentis déplacée au bord de la tombe dans ma robe en soie, alors que ma mère et ma tante portaient la même robe en coton noir depuis des années.

À la veillée, M. Poulard se leva pour faire un discours. « Je tiens à dire combien nous sommes fiers de Suzanne Fleurier et j'espère que quand elle se mariera, elle reviendra célébrer la cérémonie dans l'église de son village et dans notre petite mairie. »

C'était gentil de m'accueillir si chaleureusement, toutefois le toast que l'on me porta était de mauvais goût le jour de l'enterrement d'oncle Jérôme.

Le lendemain matin, en ouvrant mes volets, je vis ma mère transporter des seaux d'eau jusqu'à la maison. Je descendis en courant l'aider à cette tâche qui cassait le dos, puis je m'assis avec elle dans la cuisine pendant qu'elle faisait bouillir une cafetière dans la cheminée. Il y avait des touches de gris dans ses cheveux et je grimaçai de douleur en remarquant une veine protubérante lui courir le long de la cheville. Je repensai à Mistinguett, qui était assez vieille pour être ma grand-mère. Comparée à ma mère, elle donnait l'impression que les générations auraient pu être inversées.

« Et si je vous achetais une maison à Carpentras ou à Sault, ou même à Marseille ? proposai-je à Bernard, qui brossait l'âne et lui enlevait son attelage. Votre vie à tous serait plus facile.

— Plus facile, oui. Mais ce ne serait pas une vie, répondit-il. Pas pour nous. Nous aimons cet endroit. Je te promets d'utiliser l'argent que tu nous envoies pour rendre la vie plus confortable à ta mère et à ta tante. »

À vrai dire, le rythme de la vie à la ferme, même préparer le café du matin, était si lent qu'il me laissait le temps de penser. Et penser me conduisait à me demander si j'étais vraiment heureuse. La mort d'oncle Jérôme me rappelait combien il était terrible de vivre avec des regrets. Moi qui avais cru que la vie de star n'était que luxe et ravissement, je m'apercevais qu'une fois l'excitation initiale retombée, c'était une existence épuisante. J'étais profondément attachée à André, mais mon amour devait rester enfoui, et il n'y avait que peu de tendresse entre sa famille et moi. Et pour couronner le tout, les ragots déclenchés par son mécénat faisaient vivre la presse à scandales parisienne.

« Suzanne Fleurier doit être aussi douée dans l'intimité de son boudoir que sur scène, si l'on en juge par la qualité des hommes qui lui rendent visite dans sa loge après le spectacle... Comment cette inconnue aux

formes peu généreuses a-t-elle réussi à devenir l'idole de Paris ? Vous allez devoir lire entre les lignes pour le deviner... ! »

Était-ce vraiment la vie que je souhaitais mener ? Les choses étaient tellement plus simples à la ferme. Il y avait aussi des ragots au village, mais d'ordinaire ils n'étaient guère vindicatifs. Les paroles de Guillemette ne me quittaient pas : « L'incessante pression de la vie publique finit par les avoir. Personne n'a la force de vivre très longtemps si intensément. » Ne l'avais-je pas appris, à Berlin ? Les Allemands menaient une vie plus effrénée que quiconque et, avant ma première à l'Adriana, Ada Godard s'était effondrée sur scène, morte à l'âge de vingt-deux ans d'une hémorragie cérébrale. D'accord, je ne buvais pas et ne prenais aucune drogue, pourtant il y avait des jours où la pression me donnait des palpitations.

Je devais quitter la ferme le lendemain matin pour reprendre les représentations du spectacle. « Promettez-moi de venir me rendre visite à Paris », dis-je à ma mère et à tante Yvette. Maintenant qu'oncle Jérôme n'était plus là, Bernard pourrait se débrouiller seul à la ferme pendant huit ou dix jours. J'embrassai ma mère et ma tante avant de monter en voiture avec Bernard. Elles avaient l'air impassible, mais leurs yeux brillaient d'une force contenue. Je voyais qu'elles étaient fières de moi.

Je humai l'odeur de la lavande, du romarin et des glycines qui flottait dans les airs. Non, me dis-je, j'adore la ferme mais je ne pourrais jamais revenir y vivre. Paris m'a changée.

Après la dernière de *Paris qui danse*, en février 1929, j'enregistrai un disque de certaines de mes chansons de la revue avant qu'André et moi embarquions sur l'*Île-de-France* pour New York. Florenz Ziegfeld, le célèbre imprésario, m'avait invitée à jouer dans sa comédie musicale *Show Girl*. Je ne tenais pas le rôle-titre ; l'héroïne devait être Ruby Keeler. Je ferais une apparition dans une scène intitulée « Une Américaine à Paris ». Mais nous saisîmes l'occasion d'aller prendre des contacts aux États-Unis pour l'avenir et de faire ensuite une brève tournée au Brésil et en Argentine.

Quand nous arrivâmes au Havre, je restai bouche bée devant l'envergure du navire. « Je n'ai jamais rien vu d'aussi grand de toute ma vie ! dis-je à André. Il est plus vaste que le Louvre ou que l'Hôtel de Ville.

— C'est le plus beau paquebot de tous les océans, me répondit-il. Ce n'est ni le plus rapide ni le plus grand, mais le plus magnifique. Vous verrez quand vous serez à bord. »

Je donnai ma conférence de presse sur la jetée, sous les éclairs des ampoules des appareils photo, et annonçai que même si j'étais très enthousiaste à l'idée de me rendre aux États-Unis, la France resterait toujours mon pays. André et moi gravîmes la passerelle d'embarquement, en nous arrêtant à mi-chemin pour faire signe aux photographes. Le capitaine nous accueillit avec un bouquet de roses mauves, puis le commissaire de bord nous conduisit dans le grand hall, où nous pouvions attendre le départ du bateau.

J'étais habituée au luxe à présent, mais le paquebot

était plus fastueux que tout ce que j'avais vu jusqu'alors. Le grand hall était haut de quatre étages et couvrait presque toute la longueur du navire. Les meubles anguleux, les immenses colonnades et les pilastres rouges étaient l'essence même du chic Arts déco.

« D'autres paquebots imitent la décoration d'intérieur de manoirs ou de châteaux mauresques, m'expliqua André. Mais l'*Île-de-France* est unique. Le décor évoque l'océan.

— On a plus l'impression d'être dans une station balnéaire que sur un paquebot, fis-je remarquer.

— C'est pour cette raison que je l'ai choisi », dit André, dont la main vint se poser dans mon dos et s'y attarda. La chaleur de sa peau me brûla à travers la robe.

« Vous rappelez-vous ce que vous m'aviez dit en Allemagne ? » demandai-je, en me déplaçant légèrement. Était-ce mon imagination ou était-il en train de dessiner de petits cercles sur ma peau ? André m'avait déjà touché des dizaines de fois par le passé : une main sur mon épaule, de chastes baisers sur la joue. Mais ce geste-là était différent.

André leva les yeux et secoua la tête.

« Vous m'aviez dit qu'on me ferait travailler encore plus dur à Broadway que vous à Berlin, et comme c'est là-bas que vous m'emmenez, la traversée sera peut-être mes premières et mes dernières vacances ! »

La sirène du paquebot retentit et me fit sursauter. André éclata de rire et m'attrapa par le bras, m'entraînant sur le pont pour assister aux réjouissantes exclamations de joie, aux sifflets et aux lancers de confettis tandis que le bateau s'éloignait du quai.

« Les choses vont changer, Suzanne ! me cria-t-il par-dessus le bruit. Mais nous en reparlerons au dîner. »

En voyant le regard d'André, je devinai que quelque chose de nouveau se passait entre nous. Si je ne me trompais pas, ce changement serait irréversible.

Ce soir-là, André et moi descendîmes l'escalier en marbre de l'*Île-de-France* qui menait à la salle à manger. Dans ma robe de soirée rose nacré, j'avais l'impression d'être une star évoluant dans un décor hollywoodien. Vu le nombre d'Américains accompagnés de leur épouse qui côtoyaient la bonne société européenne, cela aurait pu être le cas ! La salle à manger était tout en longueur avec des luminaires carrés et non pas des lustres surchargés. Au menu, il y avait du brochet de la Loire à la sauce au beurre blanc, du canard à l'orange et une glace à la crème viennoise nommée bombe impériale.

« Parfait, commenta André. Le brochet fera un préambule parfait à ce que j'ai à vous dire. »

J'étais encore troublée par la façon dont il m'avait touchée cet après-midi-là. N'étaient-ce que des caresses distraites ?

« Je vous écoute », répliquai-je sans détacher mon regard de son visage.

Il sourit. « Quand j'ai parlé à mon père de notre croisière sur l'*Île-de-France*, il m'a raconté l'histoire d'un de ses amis qui a participé à l'une des premières traversées en paquebot. Vous savez, l'*Île-de-France* a

444

été conçu comme vitrine de ce que la France peut faire de mieux. Mais les Britanniques et les Allemands cherchent toujours à rivaliser dans la construction du bateau le plus rapide. Bref, pendant cette traversée, l'ami de mon père savourait son brochet de la Loire quand un vaisseau britannique, le *Mauretania*, doubla le sien à vive allure. Un peu plus tard, le steward lui apporta un message radio qu'un ami lui avait envoyé depuis le *Mauretania*. "Vous voulez qu'on vous remorque ?" disait le message. »

J'écoutais attentivement pour essayer de déchiffrer ce que signifiait cette histoire. Mystère.

André poursuivit son récit : « Le Français prit son verre en cristal, but un peu de vin et avala une bouchée de brochet avant de donner sa réponse au steward : "Envoyez-lui le message suivant : 'Pourquoi foncez-vous comme ça ? Vous mourez de faim ?"

— Nous ne devrions pas rire d'eux, fis-je en souriant. Prenez nos méthodes de travail… Les Français ne travaillent pas comme ça.

— Je veux que ça change, lâcha André.

— Comment ?

— Je veux vous épouser. »

J'en fis tomber ma fourchette. Elle heurta bruyamment le sol. Je brûlais d'entendre André m'annoncer qu'il me trouvait attirante, je ne m'attendais pas le moins du monde à une proposition de mariage. Je clignai des yeux, ne sachant que dire. Du coin de l'œil, je vis le sommelier se frayer un chemin jusqu'à nous entre les tables et lui lançai un regard. L'avantage, avec les serveurs français, c'est qu'ils ont un sixième sens qui leur souffle s'ils peuvent ou non interrompre une conversation. Le sommelier tourna les talons et modifia son itinéraire en s'avançant vers d'autres tables.

« Ça vous surprend ? demanda André en se penchant pour me prendre la main. Je vous aime depuis que je vous ai vue au café des Singes. »

J'eus envie de lui avouer que je rêvais de lui depuis des années, mais je fus incapable de parler. Cela n'avait aucun sens. S'il m'aimait depuis notre première rencontre, pourquoi avait-il emmené Mlle Canier à Berlin ? Pourquoi n'avait-il réagi à aucune de mes petites avances ?

« Vous aviez dit que vous vouliez uniquement une relation professionnelle, me rappela-t-il quand je finis par retrouver la parole pour le questionner. Je vous aime depuis le début. Mais chaque fois que j'ai essayé de me rapprocher de vous, j'ai été contrarié dans mon élan. »

Je repensai à la visite d'André dans ma loge du Casino de Paris, à mes paroles moralisatrices chez Maxim's, et je ne pus m'empêcher de rougir. « Vous avez sûrement remarqué que mes sentiments avaient changé ? protestai-je.

— Oui, mais j'avais besoin de tirer certaines choses au clair. »

La tête me tournait au point que j'eus l'impression de m'envoler de ma chaise et de flotter dans la salle de restaurant. Est-ce que je rêvais ? André m'aimait ? « Tirer quelles choses au clair ? demandai-je.

— Mon père. »

Ma joie retomba. « Votre père ? »

Il se détourna. « Je ne voulais pas que mon père vous prenne pour une fille avec qui je voulais m'amuser en attendant d'en épouser une autre. Je vous respecte trop pour ça. »

Je me rappelai le clin d'œil de M. Blanchard lorsque André et moi étions allés rendre visite à la famille en Dordogne. C'était exactement ce qu'il avait vu en moi. « Alors votre père vous a donné sa permission ?

— Pas exactement. Mais il vous apprécie et respecte votre travail, c'est un début. J'ai vingt-trois ans. Si nous attendons patiemment mon trentième anniversaire pour nous marier, mon père ne doutera pas que nous sommes faits l'un pour l'autre. »

Je jetai un coup d'œil à mon assiette. André avait l'air confiant, seulement le doute me rongeait. Je compris quel pouvoir détenait M. Blanchard, non seulement sur sa famille mais sur toute la France. Se marier sans sa permission serait quasiment impossible.

André se pencha par-dessus la table et m'attira contre lui. « Je ne veux pas attendre une minute de plus pour te serrer dans mes bras », chuchota-t-il.

Je levai les yeux vers lui. « André, c'est complètement fou ! Vous ne vous en rendez pas compte ? Les histoires d'amour ne commencent pas comme ça. Nous nous connaissons depuis trois ans et nous ne nous sommes jamais embrassés.

— Ce n'est pas vrai. Vous avez oublié le réveillon de nouvel an à Berlin ?

— C'était donc vous ?

— Je pensais que vous l'auriez deviné. »

Je secouai la tête. « Vous m'avez prise de court. Et puis, je n'aurais jamais pu deviner... »

Le sommelier s'avança une nouvelle fois vers

447

nous. Il leva les yeux et je secouai la tête. Il acquiesça et disparut de l'autre côté de la salle. André m'embrassa. La douceur de ses lèvres fit fondre mon cœur et embrasa tout mon corps. La flamme jaillit de mes lèvres, courut le long de ma colonne vertébrale et de mes jambes.

Quand le sommelier finit par revenir à notre table, il y trouva un petit mot qui lui demandait de nous faire porter le champagne dans notre chambre. André et moi avions beaucoup de retard à rattraper.

Je n'arrive pas à y croire, me dis-je tandis qu'André dégrafait mon caraco et posait ses lèvres sur mes seins. Ses baisers me firent courir des frissons dans le dos et derrière les mollets. J'empoignai ses cheveux et humai son odeur de bois de santal. Il leva les yeux vers moi et m'embrassa sur la bouche.

La plupart des histoires d'amour commencent par une passion qui s'étiole et se transforme en amitié si les amants ont de la chance ou finit par mourir s'ils n'en ont pas. Mais notre cheminement, à André et moi, était le meilleur de tous. Nous étions des amis devenus amants. Nous n'eûmes pas besoin d'apprendre à nous faire confiance, la confiance existait déjà. Chaque caresse, chaque découverte charnelle n'était que l'extension de ce que nous ressentions depuis des années.

Je levai brièvement les yeux sur la peinture murale de la cabine, qui représentait des nymphes. J'avais entendu les histoires scabreuses des danseuses de revue sur leurs aventures sexuelles d'un jour et leurs horribles récits de dépucelage. Mais avec André, cela n'avait rien d'effrayant. Je me liquéfiais sous chaque baiser. Je caressai ses larges épaules et ses bras musculeux en admirant sa beauté. Il me souleva par la taille et promena ses lèvres sur mes hanches.

« Ça te plaît ? souffla-t-il sur ma cuisse.

— Tout me plaît en toi », lui dis-je.

Je m'imaginai en train de me baigner dans une rivière par une chaude journée d'été, l'eau fraîche me chatouillant la peau. J'étais portée par les lentes caresses d'André. « Je t'aime », murmura-t-il en s'allongeant sur moi pour déposer des baisers sur ma clavicule. Je le sentis, dur et puissant, s'enfoncer en moi. J'écartai les cuisses pour le laisser entrer. Je l'attendais depuis si longtemps que mon corps n'offrit aucune résistance. J'enroulai mes cuisses autour de ses hanches. Pendant qu'il allait et venait en moi, chacun de mes nerfs sembla prendre vie. J'étais baignée de lumière. Une sensation de brûlure se propagea dans ma poitrine et un plaisir douloureusement intense irradia entre mes cuisses, me coupa le souffle et me fit cambrer le dos. André accéléra la cadence en respirant plus vite. Je tendis le bras pour attraper un oreiller, mes ongles déchirèrent la taie. La lumière devint de plus en plus forte, puis ce fut une explosion d'étoiles qui s'éloignèrent peu à peu.

À part pour dîner au restaurant du paquebot et promener Kira sur le pont, André et moi passâmes le reste de la traversée au lit. Nous avions décidé de faire attention pour que je ne tombe pas enceinte avant notre mariage et André se vantait d'avoir acheté tout le stock de capotes anglaises qu'il y avait à bord, dans la pharmacie. « Les autres passagers vont devoir s'abstenir ou passer devant M. le curé ! » disait-il en riant.

Le dernier jour de notre voyage, André et moi nous levâmes à l'aube et nous joignîmes aux autres passagers en attendant d'entrer dans le port de New York. Nous poussâmes des cris de joie en passant devant la statue de la Liberté, derrière laquelle se profilait le paysage de gratte-ciel de Manhattan. Je ressentis un élan de joie et d'espoir : la tendresse d'André m'avait donné confiance dans l'avenir de notre amour. Après tout, Liane de Pougy n'avait-elle pas épousé son prince Ghika ? Et Winnaretta Singer son prince Edmond de Polignac ? Elles avaient pourtant eu une vie plus mouvementée que la mienne. La famille d'André ne pouvait rien me reprocher, si ce n'est le fait d'être née sans argent.

André et moi nous embrassâmes, aussi heureux qu'un couple en lune de miel.

21

Les Ziegfeld Follies de New York étaient aussi connues que les Folies-Bergère à Paris, mais si Paul Derval adhérait au dicton français selon lequel « l'uniformité, c'est l'ennui », Ziegfeld était célèbre pour « produire en série » des beautés au long cou, aux mensurations similaires et à la taille standard. « La parfaite incarnation de la danseuse Ziegfeld a quatre-vingt-dix centimètres de tour de poitrine, soixante-six de tour de taille et des hanches plus larges d'exactement cinq centimètres que sa poitrine », telle est la définition qu'on lui attribuait.

À l'époque où André et moi arrivâmes à New York, l'univers du music-hall était en pleine mutation. À l'origine, c'était des spectacles de variétés, mais le public américain aimait les comédies musicales où les chansons et les numéros dansés s'organisaient autour d'une histoire. L'année précédente, Ziegfeld était devenu millionnaire pour la deuxième fois en suivant cette nouvelle mode et en produisant les deux comédies musicales les plus populaires de sa carrière : *Show Boat* et *Whoopee*. Quand nous arrivâmes au théâtre Ziegfeld sur la 54e Rue, avec sa façade bombée qui ressemblait à un gâteau de mariage, nous ne tardâmes cependant pas à deviner que quelque chose clochait dans *Show Girl*.

Dans le hall, nous fûmes accueillis par la secrétaire de Ziegfeld, Matilda Golden, qu'il appelait toujours Goldie. C'était une femme à la voix douce qui nous annonça que Ziegfeld était en rendez-vous et qu'il lui avait demandé de nous faire visiter le théâtre en attendant.

« Ce lieu a été dessiné par Joseph Urban, celui qui conçoit aussi les décors du spectacle, expliqua Goldie en ouvrant les portes. Il est viennois. »

André et moi la suivîmes dans la salle délicatement éclairée. Je perçus une ressemblance avec l'œuvre de Gustav Klimt dans les tons dorés de la moquette et des sièges. Les teintes mordorées s'étendaient sur les murs et se fondaient en une fresque murale représentant des silhouettes romantiques de diverses époques, dont Adam et Ève. Il y en avait jusqu'au plafond et même une frise sur le rebord de la scène. La salle de spectacle, construite sans moulures, nous donnait l'impression de nous trouver à l'intérieur d'un immense œuf décoratif.

« M. Urban est un véritable artiste », admirai-je de plus en plus enthousiaste à l'idée de travailler dans un théâtre aussi époustouflant.

Goldie s'enroula une bouclette derrière l'oreille. « M. Ziegfeld ne transige *jamais* sur la beauté », répondit-elle.

Après nous avoir montré la bibliothèque musicale et les loges avec leurs miroirs biseautés et leurs salles de bains attenantes, Goldie nous emmena au septième étage où nous devions retrouver Ziegfeld. Mon estomac se contracta tant j'étais excitée. Était-ce bien moi, Suzanne Fleurier, ici, à New York, et sur le point de rencontrer le grand imprésario Florenz Ziegfeld ?

En fait, je l'entendis avant même de le voir. Goldie levait la main pour frapper à la porte de sa suite lorsqu'une voix nasillarde tonna : « Nom de Dieu ! Ne vous avisez plus de débouler dans mon bureau pour me débiter ce genre de sornettes ! »

Je supposai que c'était la voix de Ziegfeld puisqu'il avait dit « mon bureau ». Par la suite, j'allais m'apercevoir que son ton pincé était ce que les Américains appellent l'accent de Chicago.

Une autre voix répondit. « Ça ferait avancer les choses si votre extraordinaire Bill McGuire se bougeait les fesses. Nous écririons les chansons plus vite *si* nous avions un script ! »

La voix du second homme était plus sonore que celle de Ziegfeld. Son accent était aussi américain,

452

mais à la façon dont il accentuait certaines syllabes, il semblait russe.

Ziegfeld rugit à nouveau : « Contentez-vous de faire ce que je vous ai demandé, George ! Creusez-vous un peu les méninges et sortez-nous quelques mélodies à succès !

— Seigneur ! fit Goldie en nous conduisant à son bureau. Ils sont encore en train de se chamailler. »

Je n'avais pas vraiment envie d'être expédiée dans le bureau de Goldie – cette conversation était intéressante –, mais je la suivis sagement.

« Et vous, Ira, poursuivait Ziegfeld. Vous n'avez pas à vous plaindre. J'ai engagé Gus Khan pour vous aider à écrire les paroles. »

George ? Ira ? Ziegfeld devait s'adresser aux frères Gershwin – ce duo si célèbre pour ses mélodies entraînantes et ses paroles enlevées ! Je donnai un petit coup de coude à André, qui répondit par un hochement de tête. On ne m'avait pas prévenue qu'ils écriraient les chansons de la comédie musicale. Je me demandais quelle chanson ils avaient trouvée pour moi. Quelque chose de sensuel ? Ou plutôt de prosaïque ? Ou peut-être une chanson spirituelle qui jouait sur les mots ?

Goldie nous fit asseoir près de son bureau et ferma la porte, avant de nous servir un café. « M. Ziegfeld espère que vous remporterez autant de succès que Maurice Chevalier, mademoiselle Fleurier. Son apparition dans *Midnight Frolics* a été très bien accueillie par le public.

— Avez-vous une copie du répertoire de Mlle Fleurier ? demanda André. Nous voudrions commencer les répétitions dès que possible. La scène américaine est une nouveauté pour nous et nous voudrions nous assurer que Mlle Fleurier s'insère bien dans le spectacle. »

C'en était fini de nos vacances. André pensait déjà affaires. Mais cette fois, au moins, nous partagions la même chambre d'hôtel.

Goldie but une gorgée de café et agita la main devant sa bouche. « La vache ! C'est chaud ! » fit-elle en jetant un coup d'œil à son téléphone. Avant qu'André ait pu répéter sa question, Goldie pivota sur la chaise, attrapa une assiette pleine de *doughnuts* et la poussa vers André.

« Essayez ça ! dit-elle en lui en fourrant directement un dans la bouche. Autour du trou, c'est là le meilleur. »

La porte du bureau de Ziegfeld claqua et des bruits de pas s'éloignèrent dans le couloir. Je n'avais pas entendu la voix d'Ira, mais je supposai que c'était lui qui parlait à son frère : « Tu sais ce que je vais répondre, la prochaine fois qu'on nous demande "Qu'est-ce qui vient en premier ? Les paroles ou la musique ?"

— Quoi ? demanda George.

— Je dirai "le contrat" ! »

Le téléphone de Goldie sonna et elle décrocha. « Oui, je vous les envoie tout de suite. (Elle nous sourit.) M. Ziegfeld est prêt à vous recevoir maintenant. »

J'avais entendu une des danseuses américaines de l'Adriana décrire Ziegfeld comme un tyran, et la façon dont il avait parlé aux frères Gershwin confirmait cette image. Aussi, ayant suivi Goldie jusqu'au bureau de l'imprésario, je fus surprise d'y trouver un homme souriant avec les yeux les plus extraordinaires que j'aie jamais vus. Tout ronds et brillants comme ceux d'un ours en peluche, le genre d'yeux qui ne vieillissent jamais.

« Mademoiselle Fleurier ! » s'écria Ziegfeld. Il porta ma main à ses lèvres, adressa un bref hochement de tête à André et, me passant le bras autour des épaules, me conduisit vers des chauffeuses disposées dans un coin. Son bureau était grand comme une salle de banquet et meublé de tables et de petits placards anciens. Partout où mon regard se posait – sur les étagères, sur son bureau, sur une table de réfectoire – il y avait des éléphants en jade, en or ou en argent. Ils donnaient la charge, défenses levées.

« Ah ! fit Ziegfeld en frappant dans ses mains, vous êtes observatrice, mademoiselle Fleurier. Ce sont mes talismans porte-bonheur. Si leurs défenses étaient baissées, ce serait signe de malchance. »

En dépit de l'échange houleux que j'avais surpris quelques instants plus tôt, Ziegfeld avait l'air aussi calme qu'un membre du White Raj qui sirote un thé glacé pendant que ses esclaves l'éventent. Il était vêtu d'un pantalon en lin blanc et d'une veste grise avec un gardénia à la boutonnière. À chacun de ses mouvements, le parfum de l'eau de Cologne de Guerlain semblait flotter autour de lui.

« Mademoiselle Fleurier, dit-il après m'avoir détaillée des pieds à la tête de ses yeux si animés, nous avons des idées de costumes magnifiques pour votre numéro. Magnifiques ! Magnifiques ! Vous serez comme une constellation éblouissante qui fait irruption sur scène.

— Je me posais des questions sur le répertoire,

455

monsieur Ziegfeld, intervint André. Je voudrais que Mlle Fleurier puisse commencer son programme de répétitions dès que possible. »

Je ne sais pas au juste lequel de ces deux mots heurta le plus Ziegfeld : « répertoire » ou « programme ». Son visage se chiffonna et devint aussi rouge que s'il s'était retrouvé coincé dans un ascenseur malodorant.

« Jeune homme, dit-il d'un ton railleur, je vois que vous êtes nouveau dans le show-business. Mes productions ne se font pas avec des répertoires, des scripts et des programmes. Si c'est ce que vous recherchez, vous pourrez peut-être vous trouver une place de directeur commercial chez les Shubert. Ce qui importe le plus, c'est de partir de l'idée du beau... d'un rêve. » En se tournant vers moi, il ajouta : « Mlle Fleurier le comprend. Elle le comprend parce que c'est une artiste. Et les artistes ne doivent pas s'encombrer de choses aussi prosaïques que les répertoires et les programmes. »

André me lança un coup d'œil, pensif mais pas vexé. N'empêche, je fus soulagée qu'il n'insiste pas. Au vu du caractère colérique de Ziegfeld, je suis sûre qu'il nous aurait chassés et que nous aurions été réduits à chercher du travail chez ces Shubert que je ne connaissais ni d'Ève ni d'Adam.

Si les méthodes de travail de Ziegfeld nous amusèrent au début, après six semaines passées sans répertoire ni répétition et sans aucunes nouvelles de l'imprésario, André et moi commençâmes à être impatients. Ziegfeld m'avait payé mon cachet et couvrait nos frais d'hôtel, aussi n'avions-nous pas à nous plaindre de ce côté-là. Nous étions éperdument amoureux l'un de l'autre et chaque instant passé ensemble était un ravissement, mais après avoir visité un certain nombre de night-clubs, de zoos, de musées et de galeries d'art, nous avions envie de retrouver une existence rythmée par des obligations professionnelles régulières. C'était agaçant d'avoir à faire preuve de patience alors que l'envie de se remettre au travail nous démangeait l'un comme l'autre. Avec tout le temps perdu par Ziegfeld, j'aurais pu enregistrer un autre disque en France.

Au bout de sept semaines, André appelait Ziegfeld deux fois par jour. Chaque fois, Goldie lui répondait que l'imprésario était sorti.

« Essaie, toi ! me dit André. J'ai l'impression qu'il est là mais qu'il ne veut pas me parler, c'est tout. »

Goldie me passa immédiatement Ziegfeld. « Allons, ne vous inquiétez pas, mademoiselle Fleurier, me rassura-t-il. Votre costume et les décors... ah, ils seront magnifiques ! »

Je lui demandai quand je commencerais à répéter.

« On vous le fera savoir en temps voulu. Pour le moment, reposez-vous autant que possible. Les spectateurs paient très cher pour voir mes spectacles, ils n'ont pas envie que nos actrices aient l'air fatigué. »

Après avoir enquêté de son côté, André déclara : « Le problème, c'est le scénariste. Les frères Gershwin se plaignent que McGuire vient aux réunions en espérant que leurs chansons l'inspireront. Seulement eux ne sauront quelles chansons écrire que quand ils auront lu le script.

— Mais le scénario est basé sur un livre, objectai-je. C'est l'histoire d'une fille de Brooklyn qui veut devenir danseuse de revue aux Ziegfeld Follies. Qu'est-ce que ça a de si difficile, d'écrire un script à partir de cela ? De quelle "inspiration" McGuire a-t-il besoin ? »

André haussa les épaules. « Je n'ai jamais rien vu de pareil. Je trouvais Lebaron et Minot un peu fous, mais au moins avec eux on a fini par avoir un programme et par monter un spectacle. »

Deux autres semaines passèrent. André et moi nous résignâmes à l'idée que si Ziegfeld ne nous appelait pas d'ici la fin de la semaine, nous partirions pour l'Amérique du Sud. Le lendemain, après avoir appelé l'imprésario par acquit de conscience et avoir reçu pour réponse qu'il était sorti, André suggéra que nous allions à Brooklyn. Nous passâmes l'après-midi à Coney Island à nous promener au bord de la mer.

Nous fûmes surpris par l'assortiment varié de nationalités des promeneurs autour de nous. Il y avait non seulement des Américains, mais aussi des Italiens, des Russes, des Polonais, des Espagnols et des Portoricains.

« Si tu pouvais vivre n'importe où dans le monde, quel endroit choisirais-tu ? » demandai-je à André.

Il m'attira contre lui et je sentis son haleine tiède contre ma joue, puis il posa la main sur mon cœur. « Je serai heureux n'importe où aussi longtemps que ce cœur m'appartiendra. »

Je me laissai aller contre lui. Je suis la femme la plus heureuse du monde ! me dis-je. Non seulement je suis aimée de l'homme que j'adore, mais je le respecte. Une partie de moi-même savait qu'à New York, loin des pressions sociales parisiennes, André et moi vivions dans une sorte de havre. Je chassai ces inquiétudes de mon esprit pour me laisser emporter par l'amour sans hésitation ni retenue.

« Tu resteras toujours dans mon cœur, murmurai-je en levant la tête pour l'embrasser. Toujours. »

Quand nous retournâmes à l'hôtel faire l'amour, nous y trouvâmes une vingtaine de télégrammes qui nous demandaient avec insistance où nous étions passés. Certains comportaient plusieurs paragraphes et étaient écrits dans un anglais si emberlificoté que j'arrivai à peine à les comprendre. « Venez au théâtre dès que vous recevrez ce message », disait le dernier.

« Il ne pouvait pas laisser un message par téléphone, tout simplement ? s'irrita André. Ça a dû lui coûter une fortune ! »

Nous nous changeâmes et arrêtâmes un taxi sur la 54e Rue. « Quelque chose me dit que les choses ne vont pas être faciles, fis-je.

— Tu veux te retirer du spectacle ? suggéra André. J'en serai ravi si c'est ce que tu veux. Nous pouvons rembourser Ziegfeld. Je ne suis pas d'humeur à me faire traiter comme un chien en laisse. »

André avait raison, bien sûr, mais nous devions au moins attendre de voir ce qui se passerait au théâtre cet après-midi-là.

En arrivant, nous trouvâmes Urban et les décorateurs au travail. Les techniciens faisaient des essais d'éclairage sur une scène qui représentait Montmartre de nuit. Le décor était époustouflant, et André et moi restâmes plantés là à l'admirer. Urban utilisait une technique pointilliste pour créer les couleurs de ses toiles de fond. C'était la même méthode fastidieuse que celle utilisée par les impressionnistes, des touches de couleur pure juxtaposées de manière que, sous les projecteurs, les teintes se fondent pour former un ensemble coloré. L'effet en était plus lumineux et faisait plus vrai que si l'on avait procédé en étalant les couleurs sur la toile de fond.

« Il voulait que vous voyiez ça, déclara Goldie en nous accueillant à la porte de son bureau. C'est devant ce décor que Mlle Fleurier chantera.

— M. Ziegfeld est là ? demanda André. Nous voudrions lui dire à quel point nous apprécions ce décor.

— Non, répondit Goldie. Sa femme l'a appelé et il a dû rentrer. Son dessert préféré est au menu, ce soir : mousse au chocolat et framboises. »

Avec toute la patience qu'il put rassembler, André demanda si les répétitions commenceraient bientôt.

« Les essayages auront lieu demain, annonça Goldie. Et vous commencerez à répéter demain après-midi. »

La semaine suivante, André et moi fûmes appelés tous les jours pour la répétition promise mais, pour finir, nous nous retrouvions assis à assister aux répétitions des autres artistes de la troupe ou aux interminables entraînements des danseuses de revue. Je n'arrivais pas à comprendre Ruby Keeler. C'était une beauté avec ses grands yeux et son visage mutin. C'était aussi une danseuse dont l'agilité technique aurait fait des envieuses dans bien des music-halls. Seulement chaque fois qu'elle montait sur scène, elle semblait nerveuse et distraite. Lors d'une des répétitions, en proie au trac, elle se pétrifia au sommet de l'escalier. Son mari, Al Jolson, qui était

460

assis à côté de Ziegfeld, se leva et se mit à lui chanter une chanson. Il modulait les phrases mélodiques à la perfection.

« Épatant ! s'écria Ziegfeld. Vous faites partie du spectacle. »

Il avait eu une bonne idée. Al Jolson était un des chanteurs les plus populaires des États-Unis. Il avait aussi été le premier acteur à jouer dans un film parlant, *The Jazz Singer*. Cependant, son embauche n'eut d'autre effet que d'accentuer encore la nervosité de Ruby.

« Qu'est-ce qu'elle a, cette fille ? me demanda André. Je sais que tu as le trac avant les spectacles, mais pas aux répétitions. *Show Girl* est son premier grand rôle, je ne comprends pas pourquoi elle n'a pas l'air plus enthousiaste. »

Moi, je comprenais sa nervosité. J'avais eu la chance d'avoir Minot, André et Odette pour me soutenir le soir de la première. « Peut-être que Ziegfeld l'a épuisée, avançai-je. Ou alors elle est fatiguée de toujours être comparée à son mari. On raconte qu'elle n'a eu le rôle que grâce à lui.

— Oui, je pense que c'est lui, le problème, acquiesça André. Je ne l'aime pas. Il est trop vieux pour elle et il la domine. »

André n'entra pas dans les détails et je ne posai pas de questions. Nous avions assez de soucis de notre côté. Dans ma scène, une touriste américaine errait dans Paris et rêvait de rentrer au pays. Je devais jouer le rôle d'une petite va-nu-pieds qui se transforme en déesse sublime. À mes côtés, il y aurait la danseuse étoile Harriet Hoctor et le corps de ballet Albertina Rasch. Quand les frères Gershwin me remirent enfin mes chansons, il ne restait qu'une semaine avant la première et certaines de mes répétitions durèrent dix à douze heures ; elles commençaient tard le soir et se prolongeaient jusqu'au petit matin. Fini les vacances reposantes !

À la première répétition en costumes, l'orchestre joua ma musique à la mauvaise cadence et un projecteur mal arrimé vint s'écraser à quelques mètres de l'endroit où était assis le directeur technique. Mais Ziegfeld ne remarqua rien. Il se leva de son fauteuil, les bras croisés sur la poitrine, l'air chiffonné.

« Faites venir le costumier ! vociféra-t-il.

— Il doit être couché à mon avis, risqua l'un des machinistes.

— Je m'en fiche ! cria Ziegfeld, le visage cramoisi. Faites venir un assistant costumier, alors. »

Un instant plus tard, le machiniste revint avec un jeune homme aux yeux bouffis. « Quel est le problème, monsieur Ziegfeld ?

— Regardez les manches de la robe de Mlle Fleurier », répondit ce dernier.

Je levai les bras afin que tout le monde puisse voir mes manches. Je n'avais rien trouvé à redire à cette robe en mousseline quand je l'avais enfilée. Je jetai un coup d'œil à André, qui secoua la tête.

« Qu'est-ce qu'elles ont ? s'enquit le jeune homme. Ce sont des manches trois-quarts, comme vous l'aviez demandé. »

La figure de Ziegfeld devint violacée. « Ce sont peut-être des manches trois-quarts, mais elles lui serrent les coudes alors qu'elles devraient s'évaser en cloche ! Elle est censée incarner une créature céleste, pas une paysanne !

— C'est ce que vous aviez souhaité », rétorqua le jeune homme.

Manifestement, il devait être nouveau au théâtre Ziegfeld pour répondre à l'imprésario de cette manière. Et à voir la façon dont les mains de Ziegfeld se mirent à trembler, je craignis que le costumier ne travaille plus ici très longtemps.

« Espèce d'idiot ! hurla Ziegfeld, dont la voix résonna dans la salle. Sortez ! Sortez ! J'ai dit céleste, pas paysanne ! »

Le jeune homme haussa les épaules d'un air maussade et quitta la salle de spectacle comme une tornade. Un taureau fou furieux était moins effrayant que Ziegfeld quand il entrait dans une de ses colères !

Le soir de l'ouverture de *Show Girl*, mon état nerveux était aussi catastrophique qu'il l'avait été à Paris. Voire pire. Ziegfeld avait été inflexible : je devais chanter avec mesure et retenue, si bien que je n'étais que l'ombre de moi-même et ne pouvais pas tirer parti de mon exubérance française. À sept heures, mes mains tremblaient et en m'échauffant la voix, j'eus grand-peine à la maîtriser. Je demandai à André de rester dans ma loge jusqu'à ce qu'on m'appelle sur scène. Il prit Kira pour la déposer sur mes genoux.

« Suzanne, tu ne devrais pas te mettre dans un état pareil. Tu sais que le public de Ziegfeld vient toujours deux fois : la première, à l'ouverture, pour profiter des décors et du costume, et la seconde pour apprécier le talent des artistes. »

La musique du spectacle, qu'on entendait déjà, se

fit soudain plus forte puis diminua. On frappa à la porte. André alla l'ouvrir et un homme vêtu d'un costume à queue-de-pie entra dans ma loge d'un pas majestueux. Il avait le ventre aussi rond qu'une citrouille et sa barbe était rasée en trois bandes sur son menton. Je n'aimais pas son allure, ni la lueur sinistre dans son regard.

« Je peux vous aider ? » demanda André.

L'homme secoua la tête et esquissa un rictus grimaçant. André et moi échangeâmes un regard.

« Je pense qu'il s'agit d'une erreur, dit André, supposant que c'était un second rôle qui s'était trompé de loge.

— Pas du tout », répondit l'homme, qui inclina la tête, et la lumière joua sur ses cheveux brillantinés. Il mit la main dans sa veste et en sortit un objet long et noir. L'espace d'un instant terrifiant, je crus qu'il tenait un revolver, puis je vis qu'il s'agissait d'un ballon filiforme. Il le pinça et le tordit à certains endroits, si bien que le ballon prit la forme d'un chapelet de saucisses. Le caoutchouc grinçait, mais ses doigts le manipulaient avec autant de dextérité qu'un expert en origami. André et moi étions fascinés. L'homme plia le ballon et en assembla les segments, formant un cou et des oreilles, deux pattes avant, deux pattes arrière et une queue. André et moi nous écriâmes à l'unisson : « Oh ! » quand il déposa une effigie de chat sur la coiffeuse.

L'homme nous adressa un sourire comique et sortit de sa poche une carte dont le coin était orné d'un ruban ; il l'accrocha au cou du chat. « Bonne chance ! » y lisait-on.

« Le théâtre Ziegfeld vous souhaite une excellente

performance, mademoiselle Fleurier », salua l'homme avant de repasser la porte à reculons.

Kira se dégagea d'entre mes bras pour monter sur la coiffeuse et renifler le chat en baudruche. André éclata de rire. « C'était un amuseur ! Une tradition américaine. Ces artistes-là sont envoyés tout spécialement pour divertir les vedettes et les détendre avant qu'elles n'entrent en scène.

— Mon Dieu ! fis-je en m'affaissant sur mon tabouret. Je ne me sens pas détendue du tout. J'ai cru qu'il allait nous tuer !

— Vraiment ? » André m'attrapa par les poignets. Mes mains ne tremblaient plus et je n'avais plus les paumes moites. Il rit encore. « Je sais à présent ce que je t'apporterai la prochaine fois que tu te produiras à Paris ! »

Malgré mes appréhensions, mon numéro fut bien accueilli par les Américains. Le public de Broadway était aussi sophistiqué que celui de Paris, mais il applaudissait plus volontiers et y alla de ses acclamations bien avant que j'aie fini mon numéro.

« Merci ! leur lançai-je. C'est merveilleux de chanter dans cette ville extraordinaire ! »

Je m'étais oubliée. Il s'agissait d'une comédie musicale, pas d'un spectacle de music-hall, et j'étais sortie de mon rôle. Mais les spectateurs adorèrent ma spontanéité et se levèrent pour m'ovationner.

Ziegfeld avait raison : c'est du romantisme et non pas de l'humour que le public américain cherchait chez une chanteuse française. Quand le *New York Times* décrivit ma voix, je fus aux anges : « Un instrument limpide qui égrène des notes en or pur. »

Malheureusement, le spectacle ne fut pas un

succès. Les critiques louèrent les prestations des trois comiques – Lou Clayton, Eddie Jackson et Jimmy Durante –, celle des danseurs Eddie Foy et Harriet Hoctor, des danseuses de ballet et la mienne, mais ils descendirent tous les autres, même Ruby Keeler. « Elle sautille avec autant de fougue qu'une boîte d'allumettes qui a pris l'eau, et non comme une fille de Brooklyn bien décidée à percer », disait une critique. Au bout de quelques semaines, Ruby se retira du spectacle en prétextant des problèmes de santé et fut remplacée par Dorothy Stone. Cette vedette de cinéma de Hollywood donna un rythme un peu plus enlevé au spectacle, qui continua cependant à ressembler à la description qu'en faisaient les critiques : une farce décousue et pesante où il ne se passe pas grand-chose.

Ziegfeld tenait les frères Gershwin et leurs « chansons banales » pour responsables de ce flop et il refusa de les payer. Ils lui intentèrent un procès, mais le temps que l'affaire soit portée devant les tribunaux, le krach boursier de 1929 avait eu lieu et Ziegfeld n'avait plus un sou. Comme la plupart des New-Yorkais, il était ruiné.

Quand André et moi partîmes pour l'Amérique du Sud, les petits vendeurs de journaux criaient des gros titres comme « Krach à Wall Street : l'Amérique entière s'empresse de liquider ses actions », « Vague de liquidations inattendue », ou « Deux milliards et demi d'épargne partis en fumée ». Le pire, c'était les histoires d'hommes d'affaires ruinés qui se jetaient par la fenêtre du trentième étage ou sautaient du pont de Brooklyn.

« S'ils gardaient leur sang-froid, les choses se

stabiliseraient plus vite. Ils pourraient même s'apercevoir qu'il est possible de refaire fortune », commenta André.

J'acquiesçai. Mais je savais une chose qu'André ignorait ; et peut-être ces hommes d'affaires le savaient-ils, eux aussi : quand on a été pauvre et qu'on a ensuite connu la richesse, tout vaut mieux que redevenir pauvre.

22

Le Paris qu'André et moi retrouvâmes en janvier 1930 n'avait rien d'une ville en crise. L'activité économique allait bon train, les travaux de reconstruction d'après-guerre étaient terminés et le franc, stabilisé. Le seul effet décelable de la Grande Dépression sur la ville était la disparition des touristes américains. Mais les Parisiens étaient aussi pétulants qu'à l'ordinaire et bien décidés à s'amuser.

André devait accompagner son père à Lyon pour affaires, aussi il partit le lendemain de notre arrivée au Havre. La première personne à laquelle je rendis visite fut M. Étienne, à qui j'avais confié mes affaires pendant mon absence. Quand j'étais allée à Berlin, M. Étienne et moi étions convenus qu'il continuerait à veiller sur mes intérêts financiers et commerciaux à Paris tandis qu'André se chargerait de me décrocher de nouveaux contrats. M. Étienne était-il satisfait de cet arrangement ? Je l'ignorais. Mais nous avions tous largement bénéficié du spectacle à

467

l'Adriana, et sa collaboration avec André se fondait sur une relation harmonieuse.

« Vous avez l'air en forme, mademoiselle Fleurier, me dit-il en ouvrant la porte du bureau. Vous êtes rentrée juste à temps. J'ai des offres pour vous à ne plus savoir qu'en faire. »

Une jeune fille brune était assise derrière le bureau d'Odette. J'eus l'impression de la reconnaître et je me rappelai qu'elle était la fille de la concierge. Pas celle qui s'était montrée grossière envers moi le jour de mon arrivée à Paris, mais sa remplaçante. Je cherchai Odette du regard et la vis en train de classer des papiers dans le bureau de M. Étienne.

« Vous avez embauché ? » demandai-je.

Le visage de M. Étienne s'assombrit. « Oh, il y a eu des changements ici. Odette a essayé de vous contacter au théâtre Ziegfeld, mais on dirait qu'on ne vous a pas transmis sa lettre.

— Ça ne m'étonne pas, répondis-je. Que s'est-il passé ?

— Elle va se marier. »

Odette sortit du bureau et vint déposer des dossiers sur le bureau. Elle s'approcha de moi et nous nous embrassâmes. « Se marier ? Avec qui ? interrogeai-je en levant les sourcils comme si j'étais surprise.

— Un vieil ami de la famille, répliqua M. Étienne. Joseph Braunstein.

— Vous n'avez pas l'air content pour elle. »

M. Étienne haussa les épaules. « Oh, c'est un jeune homme épatant. Un véritable entrepreneur. Il est gérant d'un grand magasin de meubles. » C'est

468

surtout qu'Odette va me manquer. Elle est comme ma fille.

Elle eut un sourire faussement modeste.

« Ah ! fis-je en serrant sa main dans la mienne. Elle va le mettre sur la paille, vous le savez bien, monsieur Étienne. Ensuite elle reviendra travailler avec vous. »

Le visage de M. Étienne s'éclaira et il me conduisit dans son bureau. Quand nous fûmes assis, il ouvrit un dossier plein à craquer de lettres.

« J'ai une bonne offre des Folies-Bergère, commença-t-il en me tendant une lettre de Paul Derval.

— Je ne suis pas certaine de lui avoir pardonné pour avoir dit que je n'étais pas assez belle pour sa revue. »

M. Étienne se renfonça dans sa chaise et agita le doigt. « Il va falloir dépasser ça. Je doute que M. Derval se souvienne même vous avoir auditionnée. En ce qui le concerne, vous êtes "la femme la plus sensationnelle du monde".

— C'est fou comme le succès change la donne !

— J'ai de bonnes offres de l'Adriana, où on adorerait vous voir revenir, et du Casino de Paris, qui est dirigé par Henri Varna maintenant. La maison de disques aimerait que vous enregistriez un autre album et j'ai des propositions de films de divers pays, dont la Paramount aux États-Unis. Alors oui, vous avez raison, effectivement, le succès change la donne. Bon, dites-moi un peu, par quoi voulez-vous commencer ?

— Par aller aux Galeries Lafayette, dis-je en prenant mon sac à main. Odette et moi devons faire les boutiques pour lui acheter son cadeau de mariage. »

Odette, mariée ? Il en avait fallu du temps pour y arriver, mais maintenant tout semblait aller très vite. En irait-il de même pour André et moi ? Peut-être la patience était-elle vraiment une vertu, après tout, et les choses arrivaient-elles en temps voulu.

Devant un café à la Coupole, je racontai à Odette ce qui s'était passé entre André et moi pendant la traversée vers l'Amérique et lui parlai de mes inquiétudes au sujet de sa famille. Elle eut un sourire entendu. « Je ne crois pas que ni mes parents ni les siens nous auraient facilité les choses si Joseph et moi nous étions précipités. Prends ton temps et sois patiente. Si André est très épris de toi, tu devrais croire en son amour avant tout. »

Je pris les conseils d'Odette à cœur. Je décidai d'être fière de ce que j'étais et acceptai l'offre prestigieuse des Folies-Bergère. De son côté, comme nous étions de retour à Paris, André avait l'intention de m'introduire dans la société parisienne. « Ils feraient bien de s'habituer à nous voir ensemble », dit-il. Il ne doutait pas que, côte à côte, nous allions conquérir non seulement les spectateurs mais aussi le Tout-Paris.

« Kira, expliquai-je après l'avoir posée sur le siège passager de la nouvelle Renault Reinastella d'André, tu auras de la concurrence : le caniche de la marquise de Crussol et le danois de la princesse de Faucigny-Lucinge. Alors montre à tout le monde que les chats sont une espèce supérieure qui ne saute pas par les fenêtres et ne fait rien d'inconsidéré. »

Je me retournai pour faire signe à André et à sa mère, assis dans les tribunes. André agita la main en

470

réponse, mais il avait un tic nerveux au coin de la bouche. « Tu n'as pas besoin de gagner le Concours d'élégance automobile, Suzanne, avait-il dit en observant son chauffeur donner un dernier coup de chiffon au bouchon en verre du radiateur. Tu dois y être vue, c'est tout. »

« Que croit-il que je vais faire ? marmonnais-je à présent en regardant la comtesse Pecci-Blunt, nièce du pape Léon XIII, traverser le champ dans sa Bugatti en argent fabriquée sur mesure. Je ne vais crever les pneus de personne ! On vient peut-être du milieu du music-hall mais on sait se comporter décemment, n'est-ce pas, Kira ? »

Kira me regarda, les yeux rétrécis. J'espérais qu'après avoir voyagé d'un continent à l'autre en train et par bateau, elle ne serait pas perturbée par une automobile et un défilé de mode.

Le starter me fit signe de faire démarrer mon moteur. Je vérifiai les manettes et les commandes même si je savais parfaitement conduire. André m'avait fait prendre des leçons. Toujours est-il que la Reinastella pesait une tonne et qu'André m'avait raconté une histoire horrible au dîner, la veille au soir. Une année, pendant le concours, dans son excitation, l'épouse d'un diplomate avait confondu le frein et l'accélérateur et écrasé trois spectateurs contre un arbre. C'était sans doute pour cela que certaines des candidates en lice se faisaient conduire par leur chauffeur.

J'appuyai sur la pédale de l'accélérateur et amenai la voiture sans encombre devant la tribune des juges. Parmi eux, il y avait André de Fouquières, un Français débonnaire qui semblait aller partout où

471

l'on trouvait de jolies femmes, Daisy Fellowes, la fille d'un aristocrate et héritière de la fortune des machines à coudre Singer, et Lady Mendl, dont la peau délicatement poudrée et la robe rose nacré ne laissaient pas deviner qu'elle approchait des soixante-dix ans.

« Mlle Suzanne Fleurier, annonça un des organisateurs de la compétition, au volant d'une Renault Reinastella et accompagnée par Kira. »

Un autre organisateur s'empressa de m'ouvrir la portière. Je pris Kira, la serrai contre ma poitrine et sortis élégamment de la voiture, non pas comme une débutante, ce que d'autres avaient fait avant moi, mais comme la star des Folies-Bergère. « La femme la plus sensationnelle du monde », dis-je en riant à voix basse. En dépit de mon ascension sociale, je n'arrivais pas tout à fait à croire que j'étais bien là. Je n'avais jamais vraiment eu l'impression d'être « arrivée au sommet ». À chaque étape de mon ascension, je devais travailler plus dur pour préserver ma position. Comme Mistinguett me l'avait un jour confié : « Il est plus difficile de ne pas perdre l'équilibre en haut d'une échelle qu'en y montant. »

La vue de la foule fit paniquer Kira. Elle appuya sa patte sur ma poitrine et se détourna. Mais les applaudissements l'arrêtèrent net. Elle se pétrifia et cessa de gigoter juste assez longtemps pour que je puisse défiler autour de la voiture.

Les yeux de Daisy Fellowes se mirent à briller à la vue de ma tenue. Paul Derval m'avait présenté une nouvelle créatrice de mode, l'Italienne Elsa Schiaparelli. Elle n'avait rien de commun avec Chanel ou Vionnet, dont je portais encore les robes féminines

472

pour les premières de mes spectacles. Schiaparelli était moderne. Ses vêtements suivaient les plans du corps humain plutôt que ses courbes, ce qui leur donnait une simplicité stylisée. Mon tailleur marin faisait les épaules larges, il était cintré à la taille et le passepoil était en léopard. « Le chapeau cloche est mort », m'avait-elle annoncé, en me coiffant d'un minuscule chapeau dont le panache noir était si ébouriffé que je lui trouvai une ressemblance avec un hérisson. Je ne l'aurais pas porté si Paul Derval ne m'avait assuré que j'avais l'air chic. L'imprimé de mes chaussures et de mon sac à main était aussi en léopard et Schiaparelli avait affublé Kira d'un collier assorti et d'un petit panache à elle. Par chance, Kira était tellement terrifiée qu'elle ne l'avait pas remarqué, sans quoi elle l'aurait déchiqueté comme un de ses oiseaux en miniature.

Je fis une pause près du capot de la voiture à l'intention du photographe du *Figaro illustré*. Du coin de l'œil, je vis Janet Flanner griffonner le texte qui allait paraître dans son article du *New Yorker* :

« Suzanne Fleurier, l'égérie du music-hall, est sortie du dernier modèle de luxe de Renault et a fait savoir au monde, avec son tailleur au tombé fluide et ses longues jambes, que l'ère de la jeune fille androgyne et délurée des années 1920 était révolue. Elle était très femme : théâtrale, audacieuse ; une séduction pleinement assumée. »

« Allons, m'exclamai-je. Il n'y a que des championnes ici ! » Je passai le bras autour des épaules de la marquise de Crussol et fis tinter mon verre contre la coupe de la Meilleure Concurrente posée sur ma table de maquillage.

Adossé à mon armoire, André, qui bavardait avec la comtesse Pecci-Blunt, me lança un sourire malicieux. Ma loge était envahie par les descendantes de l'aristocratie française. Il y avait presque autant de représentantes de la noblesse européenne debout sur mon tapis en peau de zèbre, à grignoter du poulet frit à l'américaine en buvant du champagne, que de danseuses aux Folies-Bergère. Ma victoire écrasante au Concours d'élégance automobile avait suscité plus d'une moue dépitée et quelques commentaires bougons sur les *outsiders*. Ce n'était pas ce qu'avait espéré André. « Tu es censée les charmer, Suzanne ! avait-il sifflé, au volant de la Reinastella, tandis que nous faisions notre tour d'honneur autour de la piste. Tu as déjà de la chance que ma mère ait réussi à t'obtenir une invitation. Nous essayons de nous faire accepter comme un couple sportif, non de les écraser.

— Je vais arranger ça, dis-je en brandissant mon trophée et en saluant la foule. Merci, mesdames et messieurs ! lançai-je de ma plus belle voix de music-hall. Je voudrais inviter le jury, toutes les concurrentes et leurs accompagnateurs à un dîner au champagne dans ma loge des Folies-Bergère ce soir, après le spectacle. »

Un frisson d'excitation courut dans les tribunes. Daisy Fellowes et Lady Mendl échangèrent des sourires. Être invitée par une star dans les coulisses d'un music-hall était encore mieux que de remporter un concours d'élégance automobile ou du plus joli chapeau de l'hippodrome. Car tandis que de nombreuses artistes accueillaient leurs admirateurs dans leur loge, tout Paris savait que l'accès à la mienne n'était autorisé que sur invitation et que mon hospitalité dans ce domaine de ma vie privée était en général restreinte.

Dans ma loge ce soir-là, la marquise de Crussol trinqua avec moi et tapota l'épaule de Daisy Fellowes, qui se repoudrait le nez devant ma glace : « Daisy, il faut que tu invites Suzanne à ta prochaine fête ! Elle est tellement drôle ! »

Daisy acquiesça et lança à une femme sans attraits qui essayait ma coiffe de reine Néfertiti : « Elsa, fais en sorte que Mlle Fleurier figure sur la liste des invités, tu veux ? »

André me frôla en passant. « Je n'ai rien à t'apprendre, chuchota-t-il. Rien du tout. »

L'écrivain américain Scott Fitzgerald avait un jour dit que les riches étaient des gens à part et je découvris combien c'était vrai en recevant ma première invitation mondaine. La fête devait avoir lieu dans la maison du peintre Meraud Guevara à Montparnasse.

« Qu'est-ce que c'est, une invitation "prise sur le vif" ? » demandai-je à André quand il me montra le carton. J'étais dans ma baignoire. Le luxe d'un long bain était mon rituel d'après spectacle depuis que je me produisais aux Folies-Bergère.

« Une des idées originales d'Elsa, répondit-il en riant, assis au bord de la baignoire. Elle nous envoie un bus le jour de la fête et quand on entend klaxonner, on est censé quitter nos appartements et monter dans le bus exactement comme on était.

— Et si je suis dans mon bain à ce moment-là, je suis censée descendre toute nue ? »

André sourit, la main sur mes genoux – seule partie de mon corps visible sous la mousse à part mes épaules et ma tête. « En théorie, dit-il. Certaines invitées passeront la journée à attendre en sous-vêtements pour en avoir l'occasion. »

Je relus l'invitation. Elsa Maxwell, l'Américaine, m'intriguait. Elle était tout sauf chic. Petite, ronde, elle avait un visage qui faisait peur aux enfants. Pourtant, en dépit de son français discordant, elle était charmante. Elle qui n'avait pas de fortune personnelle, elle réussissait à convaincre le Tout-Paris de lui prêter des maisons pour ses fêtes. Et elle ne manquait certes pas d'idées. « Vous avez parfaitement raison de choisir le rire et la musique plutôt que le mariage, m'avait-elle déclaré à notre première rencontre, au soir du Concours d'élégance automobile. Ne craignez jamais le qu'en-dira-t-on. »

Malheureusement, j'avais un peu trop peur de ce que le Tout-Paris allait penser. André et moi étions amants, mais nous vivions toujours chacun dans son appartement. Comme tous les autres hypocrites de ce milieu, nous voulions sauver les apparences. Et même si, superficiellement, nous étions les bienvenus partout, je n'ignorais rien des médisances qui nous suivaient. J'en avais moi-même entendu un soir à un bal. Aux toilettes, une fois isolée, j'avais écouté une jeune mondaine dire à une autre : « Suzanne Fleurier, ce n'est rien que de la mauvaise herbe du Sud qui cherche à planter ses racines au milieu des roses ! » Je comprenais les raisons de cette jalousie. J'avais mis le grappin sur un des célibataires les plus recherchés de France. André accordait moins d'importance que moi au qu'en-dira-t-on ; il espérait impressionner son père en montrant que j'avais de la classe et que j'étais capable de côtoyer l'élite.

J'avais cru que la remarque d'André sur les gens qui allaient à la fête d'Elsa Maxwell « pris sur le vif » était une plaisanterie ; aussi, quand le bus vint nous chercher à mon appartement, je fus choquée en constatant qu'il avait dit vrai. Daisy Fellowes se tenait à la porte du bus pour nous accueillir, une petite culotte en dentelle à la main. Mais elle était la plus décente des invités qui se trouvaient à bord ; plusieurs jeunes femmes ne portaient rien sous leur négligé. Sous le soleil de fin d'après-midi, on discernait leurs tétons sous le fin tissu et même le triangle sombre des poils pubiens entre leurs jambes.

« Bonsoir, nous salua le marquis de Polignac. Elsa a prévu un bar. Vous voulez boire quelque chose ? » Il était en tenue de soirée, avec le haut-de-forme et la veste en queue-de-pie bien coupés que les Anglais affectionnent, et il avait tout l'air d'un parfait homme du monde – sauf qu'il ne portait pas de pantalon.

J'acceptai une coupe de champagne du marquis sans oser le regarder. J'étais trop gênée pour fixer ses jambes nues et trop mal à l'aise pour lever les yeux sur son visage. Je glissai le bras autour de la taille d'André et le forçai à s'asseoir à côté de moi sur le siège. Il avait passé la journée vautré sur mon divan en robe de chambre et pyjama. Quant à moi, j'avais pris l'invitation au pied de la lettre et vaqué à mes occupations habituelles. Sauf que cet après-midi-là, en dépit de la chaleur de juillet, j'avais décidé de faire un gâteau pour la première fois depuis des années. Quand le bus était arrivé, je portais une tenue présentable, mais mon chemisier et mon tablier étaient couverts de farine.

« Comme si on allait croire que Suzanne Fleurier cuisine à la maison ! avait lancé Bébé Bérard, le styliste de mode, en m'envoyant un baiser. Que faisiez-vous, une tarte au citron pour votre petit mari ? »

Comme André, Bébé était vêtu d'une robe de chambre, mais au lieu de porter un livre sous le bras, il avait un téléphone collé à l'oreille et de la mousse à raser sur le menton.

« J'ai toujours aimé cuisiner, dis-je.

— Votre appartement doit être bien climatisé, ironisa Bébé en buvant une gorgée de vin, si vous supportez de cuisiner par cette chaleur. »

Moi qui venais de Provence, je ne comprenais pas pourquoi les Parisiens faisaient tant d'histoires à cause de la chaleur. Toujours est-il que dans le bus l'atmosphère devenait étouffante, du fait de la poussière et des pots d'échappement. Elsa n'avait pas prévu que nous serions ralentis par la circulation. La fête devait commencer à sept heures, mais il était déjà huit heures et nous n'avions même pas atteint la rive gauche. Les passagers se résignèrent à épuiser les ressources du bar.

« Nous allons peut-être devoir finir à pied, fit le marquis de Polignac d'une voix pâteuse tout en scrutant la procession de voitures devant nous à travers le pare-brise.

— Il est complètement parti, chuchotai-je à André. Il croit vraiment qu'on pourrait y aller à pied ? Regarde un peu les tenues des invités !

— Les *petites* tenues, tu veux dire », répondit-il

en m'embrassant sur la joue. Mes doigts se refermèrent sur ses mains. Quoi que nous fassions, j'étais toujours heureuse en sa compagnie. Chaque fois que je regardais l'homme de ma vie, je m'apercevais qu'il n'avait pas son pareil. C'était un privilégié, il avait de l'éducation.

« Coucou, mes lapins ! » lança la comtesse Gabriela Robilant, en se levant pour faire signe, son verre de whisky à la main, à un groupe d'hommes qui attendaient de traverser. Elle avait perdu sa jupe en cours de route et les messieurs purent admirer sa culotte et ses porte-jarretelles.

La comtesse Elisabeth de Breteuil se leva et força Gabriela à se rasseoir. « Remettez votre jupe ! lui cria-t-elle. Quelle honte ! N'oubliez pas votre rang ! »

Gabriela éclata de rire, la tête inclinée sur le côté. Les joues de la comtesse de Breteuil s'empourprèrent. Elle sauta sur ses pieds et remonta le bus jusqu'au siège du conducteur. « Ouvrez la porte ! éructa-t-elle d'un ton impérieux. Je refuse de voyager en si scandaleuse compagnie ! »

Le chauffeur était sur le point de la laisser sortir quand Gabriela se mit à hurler : « À la Bastille ! » en se précipitant sur la comtesse d'un pas chancelant. Il y eut un bruit de tissu déchiré et avant que nous ayons pu réagir, elle lui avait arraché sa jupe.

André et moi regardâmes ailleurs, mais nous dûmes faire un énorme effort de volonté pour ne pas rire. Tel était donc le visage de la noblesse française. Le gratin parisien que j'étais censée impressionner…

À Paris, le temps passa de plus en plus vite. Nous venions à peine d'entrer dans la nouvelle décennie que déjà trois années s'étaient écoulées. Nous étions en 1933.

« Ça va sous les projecteurs, mademoiselle Fleurier ? me demanda l'assistant-réalisateur. On va avoir besoin d'un petit moment pour cadrer ce plan.

— Ça va pour le moment, merci », répondis-je. Pourtant les spots me brûlaient la peau et je devais mettre ma main en visière pour m'abriter les yeux car j'avais promis à la maquilleuse d'éviter de porter des lunettes entre les prises pour laisser ma poudre intacte.

Ma philosophie consistait à ne pas me plaindre sur les plateaux de tournage. Je me considérais comme privilégiée et il n'y avait pas de travail plus confortable que le mien. Pendant le tournage de mon premier film – sur mon spectacle des Folies-Bergère –, un caméraman suspendu à un rail fixé au plafond avait tourné un plan à cent quatre-vingts degrés, et pour mon deuxième film, une escapade romantique, j'avais vu un technicien du son se faire renverser et tomber d'un quai de gare. Heureusement, il ne fut pas grièvement blessé, mais son micro avait été broyé et je n'osais même pas imaginer ce qui aurait pu arriver s'il était tombé un peu plus loin sur les rails.

La plupart des vedettes de music-hall qui travaillaient dans le cinéma trouvaient mon enthousiasme pour cet art extraordinaire. « Mais on est complètement coincé par ces marques dessinées par terre à la craie ! avait gémi Camille Casal lorsque je lui avais confié que je voulais tourner au moins un film par an. Et il n'y a pas de public pour vous applaudir. Comment peut-on savoir si on joue bien ou pas ?

— Le réalisateur est là pour ça.

— Oui, après la prise, avait-elle objecté en secouant la tête. Et comment peut-on être sûr que les spectateurs verront la même chose que lui ? Tout ce qu'on a en face de soi, c'est l'œil noir d'une caméra ! »

L'impatience de Camille s'agissant des tournages m'avait surprise ; après tout, elle était une des stars les plus célèbres d'Europe. Elle montait moins souvent sur les planches ces temps-ci mais ne demandait pas mieux que d'apparaître dans des films. « Les rides sont plus faciles à masquer à l'écran que sous les feux de la rampe », avait écrit un journaliste au sujet du tournant que Camille avait impulsé à sa carrière. Des propos bêtes et méchants : à trente ans, Camille était une beauté, et des vedettes bien plus âgées qu'elle se produisaient encore sur scène.

J'ôtai la main de devant mes yeux pour jeter un coup d'œil à Jean Renoir, qui discutait du cadrage avec le chef opérateur. « Nous allons déplacer la caméra, dit-il. Je veux tourner le plan par la fenêtre. » Je travaille avec des artistes de génie, songeai-je. Et humbles avec ça.

Jean Renoir était le fils du peintre et n'avait rien à envier à son père, bien qu'il travaillât dans un domaine différent. Les mouvements de sa caméra étaient orchestrés avec soin et il suait sang et eau pour retravailler ses films avec son monteur. Bien que mes deux premiers films eussent été des succès commerciaux, j'avais eu un mouvement de recul

481

quand j'avais vu ma façon de battre des paupières et d'agiter les bras dans tous les sens. Mes gestes étaient trop excessifs à l'écran. Mais dans celui-ci, mon troisième film, je me métamorphosais sous la direction de Renoir.

« Ne surjouez pas, mademoiselle Fleurier, m'avait-il recommandé dès le premier jour. Vous avez un vrai potentiel d'actrice dramatique, seulement je ne veux pas que vous jouiez. Je veux que vous pensiez et ressentiez les scènes. À l'écran, le moindre mouvement de vos yeux en dit aussi long que vingt lignes de dialogue et un seul soupir exagéré. »

J'avais de la chance qu'un réalisateur aussi brillant croie en moi, mais après tout, quelqu'un avait un jour dit que Renoir était si doué qu'il aurait pu enseigner l'art dramatique à une penderie !

Je regardai les techniciens modifier les éclairages. Joseph de Bretagne, le technicien du son, me sourit. La semaine d'avant, nous avions tourné en extérieur à Montmartre la scène où mon amant et moi nous quittions devant un club de jazz. Renoir détestait le doublage et croyait aux prises de son sur le vif. Le seul problème était le niveau sonore des bruits de fond dans la rue, auquel s'ajoutait ce jour-là le vacarme d'un chevrier qui soufflait dans son chalumeau pour attirer l'attention des ménagères – un plan que Renoir put utiliser – et d'un camion qui pompait les boues d'une fosse d'aisances – élément dont Renoir n'avait aucune utilité. Joseph avait essayé d'assourdir les bruits de fond en disposant des matelas et des tentures tout autour de moi et de mon partenaire. Rien de tout cela n'apparaissait à l'écran, bien sûr, mais chaque fois que je voyais le

482

film, je repensais à ces matelas calés tout autour de moi comme une sorte d'exposition de magasin de literie.

À la deuxième prise, Renoir fut satisfait de mon jeu et Jacques Becker, son assistant, annonça à tout le monde la pause déjeuner. Mon programme ne prévoyait que des tournages en matinée – de façon que je puisse répéter mon spectacle du soir au Casino de Paris –, mais d'ordinaire je restais déjeuner sur le plateau. Ce que je préférais dans les tournages, c'était la camaraderie entre les artistes et l'équipe. À cette époque, tourner des films était plus amusant et plus égalitaire.

« Alors, mademoiselle Fleurier, vous êtes-vous acheté un yo-yo ? s'enquit Jacques en remplissant mon verre de vin.

— Et puis quoi encore ! »

Une nouvelle mode faisait fureur à Paris. On ne pouvait aller nulle part sans voir des hommes d'âge moyen, et même des femmes, jouer avec des yo-yo. Ils les faisaient rebondir sur les quais du métro, dans les tramways et les bus, dans les cafés et même à l'Opéra pendant les entractes.

« Allons, mademoiselle Fleurier ! fit Renoir en riant. J'ai entendu dire que Cartier en a conçu un en or. Pour seulement deux cent quatre-vingts francs. »

Après trois ans de bals et de dîners aux chandelles avec le beau monde de Paris, je pouvais croire n'importe quoi. J'adorais la mode, la décoration d'intérieur et la bonne cuisine, mais j'avais aussi envie de parler d'autre chose. Elsa Schiaparelli était plus intéressante que les gens qui portaient ses vêtements et j'acceptais ses invitations à dîner rien que pour entendre parler des mouvements artistiques et des nouvelles techniques qui l'influençaient. Chaque fois que le Tout-Paris essayait de se rendre intéressant, c'était prétentieux. Sa dernière trouvaille était l'aventure. Ce n'était plus assez bien d'aller à Biarritz ou à Venise, il fallait partir faire un safari en Afrique ou au Pérou, pêcher à Cuba ou attraper des espadons aux Canaries. Ma soif de conversations moins superficielles était une raison de plus pour aimer tourner avec Renoir.

« Qu'est-ce qui leur prend, aux Parisiens ? m'étonnai-je.

— Ils font l'autruche, répondit Renoir en étalant du beurre sur un morceau de pain. La frivolité a toujours été leur réponse face au danger. Nous ne pouvons plus dire que la crise économique ne nous atteindra pas. Notre économie a ralenti et le niveau des profits a baissé dans l'industrie. À Paris ça va encore, mais la crise a déjà frappé les autres villes. Il en va de même dans le reste de l'Europe. Hitler ne serait pas chancelier si l'économie allemande n'était pas au bord de l'effondrement. »

J'avalai une cuiller de soupe et réfléchis à la question. Cela expliquait peut-être l'extravagance du Tout-Paris et son incessant besoin de distraction. Le mois précédent, André et moi étions allés à un bal organisé par sa mère pour lever des fonds et aider les chômeurs. En bavardant avec certains des invités, je m'étais aperçue qu'ils n'avaient aucune idée de la raison pour laquelle on donnait le bal, bien qu'ils fussent ravis d'être là. André et moi avions appris à ne pas trop attendre du Tout-Paris.

« S'il n'y avait pas la position de notre famille et le

respect que j'ai pour ma mère et Véronique, je laisserais tout tomber », répétait André quand l'ignorance des gens de son milieu l'exaspérait.

Je n'étais pas sûre qu'il le pensait vraiment. À vingt-sept ans, André assumait de plus en plus les affaires des entreprises Blanchard, car son père se préparait à prendre sa retraite et à lui passer la main. Il m'avait un jour confié être un entrepreneur-né et cela ne faisait pas l'ombre d'un doute. Il ne prisait peut-être pas les rendez-vous mondains, mais il adorait son travail. Je lisais la fierté dans son regard quand il étudiait les plans d'une nouvelle usine ou d'un hôtel. Son travail le faisait veiller tard pour se lever tôt le lendemain, pourtant il ne ressentait jamais la fatigue. Il était aussi passionné par les affaires que je l'étais par le show-business. L'homme et son talent étaient indissociables, les séparer aurait été lui ôter sa raison de vivre.

« Vous y étiez, non ? demanda Joseph à Renoir. Quand Hitler a été élu chancelier. »

Le visage du cinéaste se rembrunit. « J'essayais de rassembler des fonds pour un film. Je me suis dit que j'allais rester pour voir l'Histoire en marche, mais ce que j'ai vu, c'était une meute de chemises brunes forcer une vieille femme juive à s'accroupir et à lécher le pavé. »

Nous nous tûmes. Renoir et moi avions de nombreuses conversations sur Berlin, parce qu'il aimait les Allemands même s'il avait été blessé pendant la Grande Guerre. Quant à moi, je gardais de très bons souvenirs de mon séjour dans cette ville. « Berlin est une ville où fleurissent le meilleur comme le pire, reprit-il. En quelques minutes, la guerre détruit ce que la lente évolution d'une culture a mis des siècles à créer. »

La secrétaire du plateau arriva en toute hâte : « Mademoiselle Fleurier, il y a un appel pour vous. Le monsieur dit que c'est urgent. Vous pouvez le prendre dans le bureau. »

En soulevant le combiné, je fus surprise d'entendre André au bout du fil. « Tu as bientôt fini ? demanda-t-il avec un air enjoué, pourtant je perçus l'anxiété dans sa voix. Tu peux manquer la répétition de cet après-midi ?

— Oui. Pourquoi ?

— Le comte Harry est ici. Et il doit nous voir tout de suite. »

Ce n'était pas la première fois que le comte Kessler venait à Paris. Il avait assisté à tous mes spectacles, mais cela faisait plusieurs mois que nous n'avions pas eu de ses nouvelles. Il avait eu des problèmes de santé pendant un temps, cependant cette fois-ci, je sentis que son besoin soudain de nous rencontrer cachait plus que cela.

« Il se passe quelque chose, n'est-ce pas, André ?

— Viens dès que tu pourras. Je t'envoie ma voiture. »

En raccrochant, je fus submergée par une sombre appréhension que je n'aurais pu expliquer.

André et moi retrouvâmes le comte à l'appartement d'un de ses amis sur l'île Saint-Louis. Le logement était composé de deux pièces où les livres s'entassaient sur des étagères bancales, mais le bric-à-brac et le désordre nous choquèrent moins que l'apparence du comte quand il vint nous accueillir à la porte. Était-ce bien le même homme ? Ses yeux, jadis pétillants de joie, lançaient des regards d'animal apeuré.

« J'ai une bonne et une mauvaise nouvelle à vous annoncer, lança-t-il après nous avoir fait entrer dans l'appartement. La bonne nouvelle, c'est que vous allez me voir plus souvent, du moins pendant un certain temps. La mauvaise, c'est que je suis en exil. »

André et moi fûmes trop abasourdis pour parler.

« J'ai été dénoncé, dit le comte, la main levée vers sa tête. Par mon valet, vous arrivez à y croire ?

— Dénoncé ? demanda André. Pourquoi ?

— Oh, fit le comte en nous faisant signe de nous asseoir à une table près de la fenêtre, dans un état policier, il ne faut pas grand-chose. » Il nous expliqua qu'il était venu à Paris avec l'intention de rester jusqu'à ce que les élections aient eu lieu à Berlin. Il s'était opposé aux tactiques d'intimidation utilisées par les nazis pour mener Hitler au pouvoir et avait soutenu un comité pour la liberté d'expression. Il aurait été dangereux pour lui de rester à Berlin alors que des sections d'assaut défilaient dans les rues. Mais un ami l'avait contacté pour le prévenir qu'il ne devait pas rentrer en Allemagne. Friedrich, le valet du comte, avait mouchardé. Les nazis avaient mis sa maison à sac et avaient trouvé un drapeau républicain au grenier.

Le comte me lança un regard lourd, les yeux embués de larmes. « C'est vraiment terrible de devoir… enfin, c'est terrible d'être trahi. »

Je lui passai un bras autour des épaules. Ce n'était pas le moment de se montrer distante.

« J'ai l'impression de vivre un mauvais rêve et je n'arrête pas de penser que je vais me réveiller, poursuivit-il. Je lis, je pars en promenade, je retrouve d'anciens amis, mais à chaque instant je ressens cette douleur dans mon cœur.

— C'est vrai qu'ils persécutent les juifs ? » demandai-je.

Le comte hocha la tête. « On les passe à tabac dans les rues et on les licencie. »

Je repensai à M. Étienne et à Odette. J'étais contente d'être française. « De telles choses ne pourraient pas se produire ici, le rassurai-je. Les Français ne le toléreraient pas. Catholiques, juifs... il n'y a aucune différence !

— C'est ce qu'on croyait, en Allemagne, répliqua le comte. Seulement Hitler a persuadé des gens inoffensifs de donner leur aval à ces pratiques de voyous. (Il se couvrit les yeux.) Quand je pense que ce philistin est à la tête de l'Allemagne, ça me rend malade. Je me demande comment cela a pu arriver. Ceux d'entre nous qui auraient pu l'empêcher... à quoi pensions-nous ? Du jour au lendemain, des artistes, des écrivains et des intellectuels sont quasiment mis au ban de la société et il n'y en a plus que pour les épiciers.

— Il se trouve aussi des gens dans les hautes sphères sociales pour soutenir Hitler, fit remarquer André. Sinon, comment serait-il arrivé à la chancellerie ?

— C'est vrai », acquiesça le comte.

En promenant mon regard dans l'appartement, je remarquai que le seul meuble dans l'autre pièce était un lit auquel il manquait un pied. Le quatrième angle du châlit était soutenu par une chaise. En dépit de son désordre, l'appartement était plus confortable que ceux que j'avais eus à mon arrivée à Paris, mais pas assez pour un homme malade. Je me demandai si le comte avait assez d'argent. Et si ce n'était pas le cas, comment lui poser la question sans heurter sa fierté ? André et moi serions heureux de lui trouver un logement plus approprié.

André devait penser la même chose. « Qu'avez-vous l'intention de faire ? J'ai un appartement sur la rive droite et vous y serez le bienvenu aussi longtemps que vous le voudrez. »

Le comte tapota le poignet d'André. « J'ai de la chance d'avoir des amis comme Suzanne et vous. Mais tout va bien pour moi. J'ai donné des instructions pour la vente de ma maison à Weimar. Ensuite, j'ai l'intention d'aller m'installer à Majorque. J'ai toujours rêvé de prendre ma retraite sur une île. »

Il réussit à esquisser un pâle sourire, puis ce calme apparent disparut et il éclata en sanglots. « Non, ce n'est pas du tout de ça que je rêvais ! Je voulais finir mes jours en Allemagne. »

Il prononçait le nom de son pays comme une mère aurait dit, avec des larmes dans la voix, le nom d'un enfant disparu. Ma gorge se serra. Je jetai un coup d'œil par la fenêtre. Le ciel s'était couvert et il reflétait le sentiment de désespoir qui dominait cette journée. Un orage se préparait quelque part et j'ignorais de quel côté viendrait la tempête.

En 1934, ma mère et ma tante vinrent séjourner avec moi à Paris. J'étais occupée par mon spectacle et il se passerait un certain temps avant que je puisse retourner à la ferme. Ce n'était pas leur première visite ; tante Yvette adorait Paris et elle accepta la proposition d'André, qui avait mis sa voiture et son chauffeur à leur disposition afin qu'elles puissent visiter Versailles et Senlis. Ma mère était plus réservée dans son appréciation de la ville, et je devinai, aux regards qu'elle posait sur les serveurs de café en grande tenue et à la façon dont elle s'immobilisait lorsqu'elle se retrouvait au milieu de la foule des piétons, qu'elle n'aurait jamais quitté le pays de Sault si cela n'avait été pour me rendre visite.

Elle refusa que je lui achète de nouveaux vêtements, et quand nous visitions les musées et allions manger dans des brasseries, elle portait toujours sa robe traditionnelle provençale. Si les gens la toisaient, elle leur rendait leur regard. Et c'était toujours ma mère la plus forte à ce jeu-là. André réagissait avec le plus grand calme et prit l'habitude de nous emmener dans des restaurants de style provençal pour que ma mère et ma tante se sentent à l'aise. Je ne l'en aimais que plus – elles aussi. Car si les plats n'étaient jamais aussi bons que leur cuisine, elles ne manquaient pas d'y aller de leurs « Mmm ! » et de leurs « Oh ! » comme si elles goûtaient aux mets les plus délicats.

Un jour, nous rencontrâmes Guillemette et Félix par hasard au parc Monceau. Guillemette, qui nous avait vus approcher, essaya de faire prendre un autre chemin à Félix, mais sa tentative fut contrecarrée par un groupe de nonnes arrivant en sens contraire. Guillemette regarda par-dessus l'épaule de ma mère quand André la lui présenta et même Félix, en dépit de tout son snobisme, rougit de l'impolitesse de sa femme. Mais si ma mère le remarqua, elle n'en montra rien. Elle salua Guillemette avec la dignité que lui conférait sa position de guérisseuse du village et de propriétaire d'une des plus grosses exploitations de lavande de notre région. Guillemette ouvrit de grands yeux, agacée par la facilité avec laquelle ma mère avait pris le dessus. Pour couronner le tout, quand nous prîmes congé les uns des autres, tante Yvette me chuchota assez fort pour être entendue qu'une cuillerée à soupe d'huile d'olive était un bon remède à « ce genre de problème », un remède à ce qu'elle avait interprété comme un cas de constipation chez Guillemette.

« Ma mère et ma tante ont peut-être l'air inoffensif mais toutes les deux ont un humour féroce », expliquai-je un peu plus tard à un André qui se roulait sur mon canapé en riant. À le voir, on aurait dit qu'il n'y avait rien de plus drôle que l'air hautain de ma mère et le diagnostic de ma tante face à la mine pincée de Guillemette.

« Elles sont tellement fières de toi, dit-il en s'essuyant les yeux. On le lit dans leur regard. »

Pauvre André ! pensai-je. Je savais combien il aurait aimé lire la même fierté dans les yeux de son père.

À la fin de leur séjour, André nous conduisit à la gare et aida ma mère et ma tante à porter leurs sacs. Ma mère sourit à André avant de se tourner vers moi.

« Je me fais vieille, me murmura-t-elle. Je ne vivrai pas toujours. »

J'étais trop heureuse d'avoir passé du temps avec elle et tante Yvette pour laisser ses paroles me perturber. « Maman, tu as à peine quarante-cinq ans !

— Le temps qui nous est imparti en ce bas monde ne correspond pas toujours à notre âge. Marie-toi, Suzanne. Ça attire le mauvais œil sur André et toi, de vous aimer si longtemps sans nouer les liens sacrés du mariage. La famille de ton père a été contre moi dès le début, mais nous ne les avons jamais laissés faire obstacle à notre union. »

Je fus submergée par un flot de gratitude et serrai ses mains dans les miennes. Je ne lui avais jamais parlé de la famille d'André, de son attitude vis-à-vis de moi, ni de la peine que son mépris me causait. Elle avait deviné à la façon grossière dont Guillemette en avait usé avec elle que tout n'était pas pour le mieux.

Le sifflet du train retentit et j'agitai la main pour dire au revoir à ma mère et à ma tante. « Je viendrai vous voir à la ferme dans un mois ou deux ! lançai-je. Toutes mes amitiés à Bernard. »

Ma mère avait raison : les Fleurier s'étaient dressés contre elle, l'étrangère, ce qui n'avait pas empêché mon père de l'épouser. Mais André et moi entrevoyions une lueur d'espoir au bout du tunnel. Il avait parlé de son amour fidèle pour moi à son père, qui lui avait promis que si nous étions toujours ensemble l'année de ses trente ans, il estimerait que j'étais un bon parti pour son fils. Je me forçais à ne pas prendre trop à cœur l'attitude condescendante de M. Blanchard envers moi. Quelle que soit la fortune que j'accumulais par mon travail, il me traitait comme une sorte de croqueuse de diamants frivole. M. Blanchard aurait-il cédé si André avait été son fils préféré ? Je ne pouvais m'empêcher de me le demander.

23

Camille était revenue d'Allemagne en 1930 quand, l'industrie du film s'étant convertie au cinéma parlant, elle ne pouvait plus s'en tirer en mimant son texte. Chaque fois que nous nous rencontrions par hasard à des premières ou à des bals, nous nous promettions de nous revoir sans jamais le faire. Du moins jusqu'à l'été 1935, où Camille loua une villa à Cannes avec son amant Vincenzo Zavotto, héritier de la grande famille d'armateurs italiens. Elle nous invita, André et moi, à venir séjourner avec eux au mois d'août.

« Je n'ai jamais compris pourquoi tu fréquentes Camille Casal, grommela André quand je lui parlai de l'invitation. Elle se montre tellement condescendante avec toi, c'est comme regarder un chat torturer une souris. »

Ce point de vue me surprit. C'est ainsi qu'il nous voyait ? Plus jeune, j'avais porté Camille aux nues, mais notre relation avait changé avec les années. Mon succès avait contribué à nous mettre un peu plus sur un pied d'égalité même si nous étions plus des collègues que des amies. Je ne me serais jamais confiée à Camille comme je le faisais avec Odette.

« Je la connais depuis des années, objectai-je. Elle m'a obtenu mon premier rôle au Casino de Paris. J'aurais des scrupules à refuser, maintenant.

— Comme tu veux, dit-il en passant les doigts dans mes cheveux. Je serai heureux de t'accompagner. Seulement méfie-toi d'elle. Elle a la réputation d'être une vipère. »

Cet avis, je l'avais déjà entendu. Les airs hautains de Camille et son opportunisme ne lui avaient pas fait que des amis. Mais savoir qu'elle avait une fille m'aidait à interpréter ses motivations différemment. Si j'avais eu un enfant illégitime, j'aurais pu compter sur le soutien de ma famille. Camille n'avait personne. Elle s'était montrée généreuse envers moi ; je ne trouvais pas cela si difficile d'être son amie, du moins au sens mondain du terme.

Le contraste entre le bleu de la baie de Cannes et les murs blancs de la villa sur la colline me rappela les deux couleurs que j'avais toujours associées à la Provence. Camille et Vincenzo prenaient le soleil au bord de la piscine quand André engagea la voiture dans l'allée en gravier. Vincenzo, les cheveux lissés en arrière et tout bronzé, sauta sur ses pieds pour venir nous accueillir. Camille le suivit nonchalamment.

Vincenzo se présenta avec un accent français affecté. Il avait tout du play-boy avec ses lunettes de soleil carrées, son short de bain à ceinture et ses pieds manucurés. Cependant, cela ne le rendait pas moins charmant, surtout lorsqu'il lançait son sourire tout émail. J'avais entendu dire que Camille avait encore un faible pour le monsieur du ministère de la Guerre et qu'elle ne fréquentait Vincenzo que pour s'amuser.

Elle appela la bonne et lui demanda de nous apporter à boire. « Vous devez être épuisés avec cette chaleur, dit-elle. Ça me surprend que vous ayez décidé de venir en voiture.

— Nous avons pris notre temps, répondit André. Nous avons fait quelques étapes pour nous reposer.

— Voilà qui est sage, commenta Vincenzo. Venez, asseyez-vous ! La bonne vous montrera vos chambres tout à l'heure. »

Nous nous assîmes à une table au bord de la piscine, devant des verres de Pernod. La saveur anisée de la boisson me ramena à Marseille en 1923, quand Bonbon et moi nous promenions devant les cafés de la Canebière. Camille ôta ses lunettes noires et se frotta les yeux. Elle était encore belle malgré les premiers signes de l'âge. Son teint n'était plus aussi diaphane ; elle avait de petites taches sur les joues et des rides autour des yeux. Mais pour moi, elle incarnait toujours l'idéal absolu de la star.

Après dîner ce soir-là, Camille s'endormit dans un fauteuil. « Elle est restée trop longtemps au soleil, dit Vincenzo, tout sourires. Vous n'avez qu'à aller vous promener sur la plage. »

Après plusieurs jours de route, l'idée de nous dégourdir les jambes était tentante et nous suivîmes le conseil de Vincenzo.

« Ça sent bon, tu ne trouves pas ? » demandai-je à André ; je traversai en courant l'étendue de sable qui me séparait de la mer. Les vagues frémissaient tel du lait mousseux autour de mes chevilles. « Et regarde ce coucher de soleil ! Qu'il est beau ! Le crépuscule dure plus longtemps dans le sud de la France que partout ailleurs. »

André se tenait derrière moi et me passa les bras autour des épaules. « C'est bon, d'être comme ça, non ? Dans un espace aussi vaste.

— Oh oui ! acquiesçai-je. Ça me rappelle notre première traversée sur l'*Île-de-France*. »

Il posa sa joue tout contre la mienne. « Suzanne,

495

j'aurai trente ans en décembre. Quand nous retournerons à Paris, je dirai à mon père que nous voulons nous marier. »

Je me retournai pour le regarder. « Tu crois qu'il nous accordera sa bénédiction ? »

Il me donna un baiser langoureux. « Tout le monde sait qu'il le fera. Il le sait, lui aussi. J'ai choisi une femme belle et intelligente, qui parle plusieurs langues et sait recevoir avec élégance. Tu es deux fois mieux que n'importe laquelle des filles de ses amis. Le fait que tu m'aimes et que tu me comprends fera de moi un meilleur homme d'affaires et un bon père. » André cala son menton sur mon épaule. « Mon père et tout Paris savent qu'il n'y a que toi dans ma vie depuis des années. »

Je me retournai vers l'océan. C'était donc sur le point d'arriver ? Comme la roue tournait vite ! J'avais adoré travailler dans l'univers du music-hall et dans le cinéma, mais je ne pourrais pas continuer à ce rythme jusqu'à la fin de mes jours. J'avais presque vingt-sept ans et je voulais au moins quatre enfants. J'imaginais leurs petites mains qui se tendaient vers moi et quatre visages levés, deux filles et deux garçons.

« Je l'ai déjà annoncé à ma mère, reprit André.

— Qu'est-ce qu'elle a dit ?

— Que nous devrions nous chercher une maison. »

J'eus l'impression que le soleil interrompait sa course et que l'eau se retirait autour de mes pieds. « C'est vrai ?

— À Neuilly, peut-être, ou au Vésinet. Un

endroit où on pourrait avoir un jardin, mais pas trop loin de la ville. »

Notre patience et notre fidélité avaient donc fini par payer. M. Blanchard ne pouvait pas nous priver du bonheur que nous avions mérité. Je souris en pensant que ce serait vraiment merveilleux de pouvoir enfin vivre avec André comme mari et femme. Je l'avais aimé ardemment pendant toutes les années passées ensemble mais j'avais parfois eu des doutes quant à l'assentiment que M. Blanchard devait donner à notre mariage. Et pourtant il avait fini par accepter. J'allais enfin devenir la femme d'André !

Le lendemain matin, André fit la grasse matinée. Moi, j'étais bien éveillée avant l'heure du petit déjeuner. Je contemplai, par la fenêtre, la mer d'un bleu profond et fus ravie d'apercevoir Camille assise au bord de la piscine, qui regardait Vincenzo faire ses longueurs.

« Tu as l'air aussi heureuse qu'un chat qui vient d'attraper un oiseau, remarqua-t-elle en levant les yeux de sa chaise longue quand je m'avançai sur le patio.

— André et moi, nous allons nous marier », annonçai-je. J'oubliais qu'André m'avait recommandé de me méfier d'elle. Nous avions attendu assez longtemps ; j'avais envie d'annoncer la bonne nouvelle à tout le monde.

Camille eut l'air très étonné, comme si je l'avais insultée. « Il t'a demandée en mariage ? »

Je hochai la tête. Elle reporta son regard sur la piscine. « Tu es sûre ? Peut-être bien qu'il t'aime, mais je ne vois pas comment ses parents pourraient

497

approuver une telle union. Ce genre de familles s'allient pour avoir plus de pouvoir. » Sa voix était sèche et dure. J'hésitai sans très bien savoir comment faire face à sa réaction fort peu enthousiaste.

« Ils me connaissent depuis des années, expliquai-je. La mère d'André m'adore et son père a dit que si nous étions encore ensemble aux trente ans d'André, il nous donnerait sa bénédiction. »

Camille avait l'air sceptique. Elle me toisa, détaillant ma silhouette et mes vêtements. J'eus l'impression d'être une élève devant sa directrice d'école, surprise en train de mentir. Je compris soudain que j'avais ce qu'elle avait toujours recherché en vain : un homme prêt à les protéger, elle et sa fille. Elle m'avait toujours devancée, mais sur ce plan j'avais gagné.

« M. Blanchard vous a expressément donné sa permission ? Il a annoncé la nouvelle publiquement ? » insista-t-elle.

Je secouai la tête. « Tout ça se passera quand André et moi rentrerons à Paris. »

Le visage de Camille prit une expression plus sereine, pourtant une lueur sombre persista dans ses yeux. « Fais ce que tu veux, dit-elle en se rallongeant dans sa chaise longue et en mettant ses lunettes de soleil. Je voulais simplement te mettre en garde, je connais ce genre de familles. Je peux t'assurer qu'il n'en ressortira rien de bon, même s'ils te laissent l'épouser. »

Une brèche s'était ouverte entre nous. Camille n'était pas du tout habituée à ne pas me dominer haut la main. Et maintenant que j'étais sur le point d'épouser André, je me sentais plus confiante et je dépendais moins de son approbation. Je haussai les épaules et me détournai pour descendre à la plage. Je resterais seule avec mon bonheur, puisque Camille refusait de le partager. Mais je n'arrivai pas à chasser la prémonition glaçante que contenaient ses paroles.

Dès notre retour à Paris, André et moi entreprîmes de chercher une maison. Nous avions délimité notre territoire sur une carte et nous apprîmes les noms des rues par cœur. Je consacrai mes matinées, autrefois occupées par les tournages, à contacter des agents immobiliers et à visiter des maisons. Nous nous assurâmes l'aide d'Odette et de Joseph, que nous avions l'intention de charger de la décoration et de l'ameublement de la maison. Tous les quatre, nous parcourûmes Neuilly dans tous les sens. Paul Derval nous avait suggéré de nous restreindre aux rues et aux maisons dont les noms comportaient treize lettres, ce qui nous porterait bonheur, mais nous laissions plutôt Kira nous guider. Quand nous arrivions devant une maison, je la posais devant la grille. Si elle levait la queue et franchissait la grille d'un pas tranquille en reniflant l'allée jusqu'à la maison, nous la suivions. Sinon, nous reprenions notre chemin.

« Vous allez l'aimer, celle-là, dit Joseph un matin, tandis que notre voiture longeait une rue bordée d'arbres. La façade et le jardin sont parfaits. Je vais redécorer l'intérieur et en faire quelque chose de magnifique. »

Nous nous arrêtâmes devant une maison aux murs grèges avec des volets blancs et des colonnades.

Le jardin était envahi par les lilas et les roses trémières.

« Comme c'est paisible ! » dis-je.

Je posai Kira devant la grille, où elle marqua un temps d'hésitation en humant l'air. Elle avait pris de l'embonpoint avec l'âge et était devenue têtue. Mais ensuite, elle avança et longea l'allée d'un pas nonchalant jusqu'à la porte d'entrée. Nous poussâmes des exclamations réjouies.

« Les couleurs sont hideuses à l'intérieur, nous prévint Odette pendant que Joseph insérait la clé dans la serrure. Ne vous en occupez pas. Concentrez-vous sur l'agencement général. »

L'entrée était bleu pastel avec des finitions dorées et un carrelage noir et blanc. Il y avait une chaise dans un coin et des livres prenaient la poussière, éparpillés tout autour.

« Imaginez tout ça en beige et blanc, dit Odette en nous conduisant au salon. Avec du bois naturel, des lignes pures, quelques meubles Directoire et des vases japonais pour ajouter une touche de douceur.

— Voilà qui m'a l'air plutôt bien », estima André pendant que nous montions l'escalier de l'étage.

Joseph ouvrit en grand une double porte et nous conduisit dans une pièce inondée de lumière avec une cheminée en marbre et des fenêtres en saillie :
« La chambre principale.

— Elle est immense, dis-je. Et elle donne sur le grand jardin. »

Joseph et André s'éloignèrent le long du couloir en ouvrant les portes des autres chambres tandis qu'Odette et moi faisions le tour de la chambre en échafaudant des hypothèses.

500

« Jean-Michel Frank m'a fait une suite en bois sombre avec des tapisseries ivoire, me raconta Odette. Quelque chose de ce genre rendrait bien ici.

— Suzanne, viens vite ! » appela André du rez-de-chaussée. Odette et moi trouvâmes les hommes dans une pièce dont les portes-fenêtres donnaient sur le jardin. André se tourna vers moi. « Ça ferait une salle de musique merveilleuse, non ? Ou un studio de danse, peut-être ? Nous pourrions faire poser un parquet ciré et... voilà ! » s'exclama-t-il en ouvrant les bras pour danser la valse. Kira sortit de dessous une table, cabriola et poussa la porte avant de courir dans le jardin.

« Tu pourrais la décorer et l'aménager pour la fin de l'année ? demandai-je à Joseph.

— Bien sûr, opina-t-il, bras croisés, en inspectant la pièce. J'en serais enchanté. »

André et moi échangeâmes un sourire. Il ne restait plus qu'à annoncer le mariage à M. Blanchard, ce qu'André comptait faire le mois suivant, lors de leur voyage d'affaires au Portugal.

Le jour où il devait rentrer du Portugal, je restai assise tout l'après-midi dans le salon de notre nouvelle maison à guetter le bruit de sa voiture. J'avais reçu un télégramme de lui m'indiquant qu'il était bien arrivé, mais après, plus de nouvelles. Ce ne fut qu'à la nuit tombée que les roues de sa voiture firent crisser le gravier, et ses phares aveuglèrent les vitres. Je courus à la porte et l'enlaçai dans le vent glacial.

« Une vraie tempête ! » dit-il. Quand il entra dans le hall, un tourbillon de feuilles et de brindilles s'y engouffra avec lui. Il tendit son manteau et son chapeau à Paulette.

« Viens par-là, dis-je. Il y a un feu au salon. Je vais te préparer quelque chose à boire. »

André leva les yeux sur le plafond puis regarda les murs et les meubles. « Ces fauteuils, fit-il en caressant le cuir des deux mains, ils sont fantastiques ! On a envie de s'y pelotonner.

— Vas-y, je t'en prie ! » Je lui tendis un verre de cognac. « J'ai tellement hâte de te montrer le reste de la maison ! Toutes les pièces principales sont terminées.

— Après le dîner, dit-il en buvant une gorgée de cognac. Je n'ai rien mangé dans le train.

— D'accord, après le dîner. »

Je regardai André plus attentivement. Malgré son sourire, il y avait quelque chose… une tension dans son regard.

« André, que s'est-il passé ? demandai-je en m'agenouillant à côté de lui. Ne me fais pas attendre. »

Il me regarda fixement, l'air absent. Je l'avais tiré de ses pensées, loin, très loin de moi. Je me persuadai que c'était dû à sa fatigue. Et non parce que son père avait changé d'avis. Non. André aurait téléphoné ou m'aurait écrit sur-le-champ dans ce cas.

« Laisse-moi te montrer la chambre principale, repris-je. Tu pourras voir les autres pièces demain quand tu seras reposé. »

Je le fis monter l'escalier en désignant les miroirs et les meubles que Joseph, Odette et moi avions choisis. Bien qu'il se montrât enthousiaste devant chaque élément décoratif, il semblait aussi de plus en plus malheureux. Un feu brûlait dans la cheminée de la chambre et Kira était roulée en boule sur un tapis devant l'âtre. André s'approcha d'elle. Chaque fois qu'elle le voyait, Kira se roulait sur le dos afin qu'il lui gratte le ventre. André se pencha, mais s'immobilisa en plein mouvement et se laissa glisser par terre comme si on l'avait abattu. Je m'élançai vers lui. Il pleurait, le visage entre les mains.

« Qu'est-ce qu'il y a ? » m'écriai-je en le prenant dans mes bras.

André se frotta la figure et me regarda. « Je t'aime. Je veux qu'on reste toujours ensemble. »

Derrière la fenêtre, une bourrasque souffla dans les arbres et j'entendis une branche se rompre quelque part.

Le visage d'André se contracta. Il posa sa joue mouillée tout contre ma gorge. « Ce n'est rien, dis-je. Que s'est-il passé ? Ton père a refusé ?

— C'est encore pire, soupira-t-il en se levant pour se diriger vers la fenêtre d'un pas chancelant. Si je passe outre et que je t'épouse, il me bannira de la famille. »

D'abord, je fus trop abasourdie pour répondre quoi que ce soit. C'était la sanction la plus extrême qu'un parent puisse infliger à un enfant. J'essayai de ralentir le tourbillon de mes pensées pour avoir les idées plus claires. Cela ne m'aurait guère choquée si M. Blanchard nous avait refusé sa permission dès le début, mais qu'il se rétracte si soudainement ? Qu'est-ce qui avait pu provoquer un tel retournement ?

« Pourquoi a-t-il changé d'avis ? »

André secoua la tête et posa sur moi des yeux égarés.

503

« Il doit y avoir un moyen, murmurai-je. Forcément.

— Pas si je ne peux pas vivre avec toi en toute légalité. » André se précipita sur le lit et asséna des coups de poing au matelas. Non, pensai-je, je t'en prie ! Je t'en prie, ne me dis pas ça !

Sa voix était à peine audible à cause des gémissements du vent. « Il s'attend que je me marie l'année prochaine, mais pas avec toi, Suzanne. Il veut que j'épouse la princesse Letellier. »

Le lendemain matin, la tempête faisait toujours rage quand j'ouvris les yeux et m'aperçus que le vent avait arraché les feuilles des arbres derrière la fenêtre. J'étais courbaturée et épuisée. Mes yeux étaient si gonflés que j'eus du mal à cligner des paupières. André dormait encore, affalé sur mon épaule comme un homme plongé dans le coma. Nous avions pleuré pendant des heures avant de nous endormir au petit matin, fourbus.

Pourquoi M. Blanchard nous faisait-il cela ? Pourquoi ne pouvait-il pas nous laisser vivre heureux comme nous le faisions depuis dix ans ?

Je me glissai hors du lit et allai regarder par la fenêtre. Je ressentais la trahison de M. Blanchard comme une gifle. Ce devait être un malentendu.

Quand André se réveilla, il m'informa qu'il allait à son bureau régler des affaires. Je ne pouvais pas me résoudre à le regarder dans les yeux. Quand je finis par le faire, j'y lus l'égarement et la peur.

« L'argent, je m'en fiche, Suzanne, dit-il. Et le pouvoir qu'apporte mon nom aussi. Je renoncerai à tout ça pour toi. À tout. Ça ne veut plus rien dire pour moi. »

Oui, André, pensai-je. Je sais que tu en es capable. Mais ta mère et ta sœur ? Est-ce que j'ai le droit de te demander de renoncer à elles ?

Quand il fut parti, je m'habillai et me rendis aux studios de tournage. Renoir m'avait demandé de jouer un petit rôle dans son nouveau film. J'avais accepté parce qu'il n'y aurait qu'une journée de tournage, mais quand j'arrivai sur le plateau, en voyant l'admiration et la déférence que me témoignaient les autres acteurs, je fus prise de regrets. Avais-je la force de me prêter à cela aujourd'hui ? La veille encore, je nageais dans le bonheur de n'importe quelle future mariée pressée de s'unir à l'homme de sa vie. Et aujourd'hui, tout partait à vau-l'eau.

J'étais bien décidée à ce qu'aucun membre de l'équipe de tournage ni aucun des acteurs ne me voie pleurer. André et moi n'avions pas encore dit notre dernier mot. À chaque pause, je m'éclipsais pour aller au bout du couloir, dans le bureau désert de la secrétaire du producteur. Là, je m'affalais sur sa chaise et laissais couler mes larmes quelques minutes avant de me ressaisir, de poudrer mon visage rougi et de retourner sur le plateau comme si j'étais la plus heureuse des femmes.

« Tout va bien, mademoiselle ? » me demanda Paulette quand je rentrai à la maison. Son ton inquiet faillit me faire craquer. J'essayai de me dominer. « Je ne me sens pas bien aujourd'hui. Je vais aller me reposer dans ma chambre. »

Quand je m'allongeai, la peur me submergea

505

comme une brume hivernale. Moi qui n'avais jamais imaginé que l'argent puisse nous séparer, André et moi, je commençais à comprendre que c'était possible. J'avais ma fortune personnelle et c'est avec plaisir que j'aurais fait office de bailleuse de fonds pour ses affaires. Mais mes ressources ne faisaient pas le poids face à la richesse des Blanchard. Si André était désavoué par l'une des plus puissantes familles de France, cela ne jouerait pas en sa faveur. Les hommes d'affaires qui auraient besoin de se concilier les bonnes grâces de M. Blanchard père ne voudraient pas rendre service au fils. André pouvait se lancer dans la production artistique, seulement souhaitait-il travailler dans cette branche ? Je savais combien il avait aimé son travail ces dernières années. Pouvait-il y renoncer en restant lui-même ?

Je jetai un coup d'œil à ma montre. Il était quatre heures. M. Blanchard serait-il encore dans son bureau ?

Je m'attendais que M. Blanchard m'accueille avec la même exaspération qu'un patron recevrait une employée congédiée, mais il se contenta de se montrer évasif.

« Du café, mademoiselle Fleurier ? demanda-t-il après m'avoir fait asseoir près de son bureau.

— Vous savez pourquoi je suis là. »

Il hocha la tête, la mâchoire en avant, prêt pour la confrontation. C'était une attitude inhabituelle ; d'ordinaire, je me trouvais face à un homme suffisant. Mais ce changement ne dura pas longtemps. M. Blanchard s'assit, déplaça son stylo de la gauche vers la droite de son bureau puis le remit en place :

506

il rassemblait ses forces. « Votre visite ne me fera pas changer d'avis, lâcha-t-il. Un homme dans la position d'André ne peut pas se marier à sa guise. Il a des responsabilités. Ce genre d'union ne se fait pas à la légère. Mais je suis prêt à entendre vos arguments.

— L'amour, est-ce une raison trop frivole ? demandai-je. Si c'est le cas, pourquoi n'avez-vous pas refusé il y a dix ans ?

— Le mariage est une affaire de famille, de réputation et de devoir. Cela n'a rien à voir avec l'amour », répliqua M. Blanchard en repliant les doigts pour contempler ses ongles.

Mon impression était juste. Il se montrait évasif. « Et qu'est-ce qui, dans ma personne, offense soudain votre sens de la famille, du devoir, et pourrait nuire à votre réputation, alors que ce n'était pas le cas il y a un an ? » demandai-je.

Il se frotta les yeux. « Je crois que vous m'avez mal compris, mademoiselle Fleurier. Je vous ai toujours appréciée. Je ne vois aucun inconvénient à ce qu'André soit amoureux de vous. Ni à ce que vous achetiez une maison, tous les deux. Je ne vois aucun inconvénient à ce que vous ayez des enfants, mais ces enfants ne porteront pas le nom des Blanchard. Pour cela, André doit épouser une personne qui appartient à une famille de bonne réputation. Cela étant, je n'ai aucune objection à ce qu'un homme ait une belle maîtresse *et* une épouse dévouée. En fait, je pense que c'est nécessaire au bonheur d'un ménage. »

Mon estomac se souleva. Une pensée horrible me vint à l'esprit. Personne n'ignorait que M. Blanchard avait une maîtresse à Lyon. Était-il possible qu'André, qui n'était pas un coureur de jupons, se soit mépris sur les intentions de son père nous concernant ? M. Blanchard avait peut-être accordé sa bénédiction à notre liaison, mais pas à notre union ?

« Continuez », dis-je.

Les yeux de M. Blanchard me quittèrent, il se mit à regarder par la fenêtre. « Vous savez bien que votre mariage, à André et vous, n'est pas convenable. À quelle famille appartenez-vous ? »

Je fréquentais la société parisienne depuis assez longtemps pour être habituée aux préjugés de classe. Ma fortune était plus importante que celle de la princesse Letellier, dont les origines n'étaient guère plus impressionnantes que les miennes. Son grand-père maternel était pêcheur de sardines, il avait fait fortune et acheté une flottille de pêche. Sa mère avait acquis son titre de noblesse en épousant le prince Letellier, plutôt désargenté. Et pourtant ma position sociale était inférieure à celle de la princesse Letellier parce que j'avais acquis ma fortune moi-même et que les femmes riches et indépendantes menaçaient l'ordre établi. Coco Chanel avait beau être la femme la plus riche du monde, on snobait cette « commerçante » dans les salons de l'élite parisienne.

Ce que j'étais venue chercher, ce n'était pas de M. Blanchard que je l'obtiendrais ; en attendant d'en parler avec André, il était inutile de continuer à agacer son père. Je me levai de ma chaise. « J'avais un oncle qui pensait comme vous, monsieur Blanchard, lui dis-je. Il était opiniâtre et déterminé à faire son chemin dans la vie. À sa mort, il ne lui restait que des regrets. »

Il me scruta dans les yeux. « Vous ne gagnerez pas

cette bataille, mademoiselle Fleurier. Vous ne sauverez pas André en l'épousant. En fait, vous le détruirez. »

Je quittai le bureau de M. Blanchard sans me retourner. Mais une fois sur le boulevard, je m'aperçus qu'il ne s'était montré ni impudent ni arrogant. Il avait parlé comme si la décision ne dépendait plus de lui.

Assis sur le canapé du salon, André secouait la tête. « Alors mon père te trouve acceptable comme maîtresse mais pas comme épouse ? »

Qu'un homme ait une maîtresse attitrée n'était pas un compromis rare dans les ménages de la haute bourgeoisie. Les épouses n'aimaient pas cela, mais elles n'avaient rien à dire si elles ne voulaient pas tout perdre à cause du Code Napoléon. Aimais-je assez André pour être prête à le partager avec une autre ? Je grimaçai, une douleur poignante dans la poitrine, en m'imaginant agiter la main tandis qu'André partait, au volant de sa voiture, retrouver sa femme et ses enfants légitimes.

« C'est impossible, dit-il, la main sur mes cheveux. Je t'aime trop. Comment pourrais-je te faire des enfants à qui je ne pourrais pas donner mon nom ? »

Quelques semaines plus tard, André partit voir le comte Kessler à Lyon, où ce dernier séjournait avec sa sœur. La guerre d'Espagne avait atteint Majorque et les fascistes exécutaient les exilés allemands, aussi le comte était-il revenu en France. Par un après-midi de bruine, j'étais assise dans le salon quand Paulette m'annonça que Mme Blanchard était venue me rendre visite. Depuis que M. Blanchard avait refusé son autorisation à notre mariage, André et moi avions évité sa famille. Nous oscillions entre rêve et réalité. Pendant des heures entières, à l'Opéra ou lors de nos promenades main dans la main au parc, nous avions oublié les obstacles dressés devant nous et la vie avait semblé aussi enivrante de bonheur qu'elle l'avait toujours été pour nous deux. Je devinai que l'arrivée de Mme Blanchard allait briser cette fragile coquille. En effet, avant même que Paulette eût quitté la pièce, Mme Blanchard s'effondra sur le canapé en sanglotant. « Il a détruit Laurent et maintenant il va détruire André », gémit-elle.

Je n'avais pas mangé correctement au cours des derniers jours et quand je me levai, je faillis m'évanouir. J'étais plus désolée pour Mme Blanchard que pour André ou moi. Elle devait partager l'existence d'un tyran imbu de lui-même. « Madame Blanchard, dis-je en m'asseyant près d'elle pour poser la main sur son genou. Vous vous êtes toujours montrée bonne pour moi. Vous étiez d'accord pour qu'André m'épouse, n'est-ce pas ? Vous vouliez que nous soyons heureux ici. »

Son visage se crispa. « J'aurais été fière d'avoir une belle-fille aussi adorable, répondit-elle. Et je sais combien vous avez rendu mon fils heureux.

— Il n'y a aucun espoir que M. Blanchard change d'avis ? »

Elle secoua la tête. Un frisson me parcourut et je me détournai. Pour la première fois, j'entrevoyais la possibilité de perdre André. Au début, le refus de M. Blanchard avait révélé notre foi inébranlable dans la force de notre amour. Mais ensuite ?

Combien de temps faudrait-il pour que les pressions extérieures commencent à conspirer contre nous ?

« J'ai fait un cauchemar terrible la nuit dernière, dis-je autant à Mme Blanchard qu'à moi-même. J'étais debout sur la plage, à Cannes, et je regardais André nager. Je l'entendais rire et je le voyais me faire signe. Tout à coup, les bruits se sont assourdis. Je me suis précipitée à l'eau mais les vagues me rejetaient sur le rivage. André était peu à peu emporté au large et je ne pouvais rien faire pour l'empêcher.

— Mon mari est fort comme un bœuf, souligna Mme Blanchard. Ce n'est pas comme si nous pouvions attendre. Il nous enterrera tous. »

Dans le contexte de notre échange si sombre, ces paroles me semblèrent soudain comiques. Je me mis à rire et à pleurer en même temps. M. Blanchard irait jusqu'au bout de sa menace : il bannirait André si ce dernier m'épousait, je n'en doutais pas. Je comprenais son tempérament. Les hommes tels que lui et oncle Jérôme ne considéraient pas les membres de leur famille comme des personnes, ils les considéraient comme leurs choses !

« Vous est-il impossible, à André et à vous, d'être heureux hors des liens du mariage ? s'enquit Mme Blanchard. Il n'aimera jamais cette princesse Letellier autant que vous. »

Je m'étais confrontée à cette question jour et nuit. Je m'étais rappelé l'époque de Berlin et de Mlle Canier et j'avais compris que je ne pourrais pas continuer à aimer André de tout mon être tout en le partageant avec une autre. Je savais, au fond de mon cœur, qu'il partageait aussi ce sentiment. Je secouai la tête. « Maintenant, il doit choisir entre moi et vous. »

Mme Blanchard eut un mouvement de recul, comme si je l'avais frappée. « Ne m'enlevez pas mon fils, je vous en prie, Suzanne ! s'écria-t-elle. C'est vous qu'il choisira si vous le forcez à choisir. Véronique et moi n'aurons plus personne. J'ai perdu Laurent. Quant à Guillemette, j'ai parfois peine à croire qu'elle est ma fille. Et j'ai cessé d'aimer mon mari il y a des années. Il ne me reste plus qu'André et Véronique. »

Je me levai, m'approchai de la fenêtre et m'appuyai sur le rebord. Je ne pouvais pas supporter d'entendre cette voix, qui exprimait une telle douleur. Elle me suivit et s'agrippa à mes mains.

« Je sais que vous aimez André, reprit-elle. Mais vous êtes encore jeune. Un jour, vous aurez quelqu'un d'autre à aimer. Ensuite, quand vous aurez vos propres enfants, vous comprendrez le geste de compassion que vous aurez fait pour moi. »

Je fermai les yeux. « Je ne retrouverai jamais un autre André, madame Blanchard. Jamais. »

Quand elle fut partie, je restai dans le jardin à contempler mes mains. Ce n'est qu'en entendant la cloche sonner à la porte d'entrée que je repris mes esprits et m'aperçus que mes doigts étaient bleus. Un instant plus tard, Paulette ouvrit la porte vitrée et m'annonça que M. Étienne m'attendait au salon. Je lui demandai de nous préparer du café, mais dès que j'entrai dans le salon et vis l'expression peinée sur le visage de M. Étienne, je sus que cette visite ne m'apporterait ni distraction ni consolation.

« Racontez-moi ce qui se passe, mademoiselle Fleurier », dit-il gentiment.

André et moi avions évité certains événements mondains, et des rumeurs circulaient dans la presse. Mais je m'étais tant habituée à donner le change que mon sourire forcé me vint tout naturellement :

« Tout va bien. J'ai dû m'occuper de la maison. »

M. Étienne ne fut pas dupe un seul instant. « La famille Blanchard annonce un mariage imminent, et André et vous ne répondez rien. Vous feriez mieux de m'expliquer de quoi il retourne. Avec l'histoire du roi Édouard et de Wallis Simpson dans les journaux, l'ombre d'un soupçon suffira à vous jeter en pâture à la meute. Je veux vous aider, mademoiselle Fleurier. Vous avez beau être populaire, la presse sera sans merci. »

André revint de sa visite au comte Kessler quelques jours plus tard. Il n'était que l'ombre de lui-même, pourtant il avait le sourire aux lèvres. Un sourire qui s'effaça quand il vit mes valises dans le hall.

« Suzanne », souffla-t-il, et il se laissa tomber sur une chaise.

Je m'étais préparée à me montrer froide et cruelle. Je voulais lui faciliter les choses, qu'il m'oublie. Mais quand je contemplai ces yeux couleur de miel et y décelai la tendresse, je ne pus me contrôler et m'effondrai par terre. André vint s'asseoir près de moi.

« Il vaut peut-être mieux ne plus nous voir pendant un certain temps, dit-il en sortant un mouchoir pour me tamponner le visage. Ensuite, nous pourrons décider de ce qui est mieux pour nous. »

Pauvre André ! pensai-je. Il continuera à espérer jusqu'à la fin. Je pris son visage entre mes mains. « C'est ça, ce qu'il y a de mieux, André. Nous ne pouvons pas gagner. »

Kira se frotta contre ses genoux. Il lui caressa la tête et détourna les yeux. « Et nous dans tout ça, Suzanne ? Notre bonheur à nous ? »

Nous restâmes immobiles pendant plusieurs minutes. Quand André finit par se retourner vers moi, nos regards se rencontrèrent et nos yeux se remplirent de larmes. À cet instant, nous sûmes que c'en était fini de notre rêve et des moments partagés.

« C'était l'amour d'une vie, n'est-ce pas, Suzanne ? dit André en me caressant la joue du bout du doigt. Un amour plus précieux que celui que connaîtront la plupart des gens. »

L'avenir qu'André et moi avions imaginé ensemble nous avait été brutalement arraché. Mais personne ne pouvait nous enlever ce que nous avions vécu. Les souvenirs des dix dernières années étaient à nous, pour toujours. Pour notre dernière soirée dans cette maison, André demanda au chef de cuisiner un brochet de la Loire en l'honneur de notre première traversée sur l'*Île-de-France*. Ensuite, nous fîmes l'amour à la lueur dansante du feu. Je laissai mes mains courir sur les joues et le menton d'André, sur chacun de ses muscles et chacune de ses articulations, pour savourer ce qui m'était devenu familier au fil des ans. Il effleura ma peau du bout des doigts et posa ses lèvres sur les miennes. Je m'enivrai de cet instant en faisant de mon mieux pour écarter l'avenir. Je ne m'accordais pas le droit de penser qu'à partir de demain je ne sentirais jamais plus sa poitrine nue sur la mienne, pas plus que je ne verrais vieillir ces beaux yeux dorés. « Mon André » ne serait plus à moi ; il appartiendrait à quelqu'un d'autre. Il me souleva tout contre lui et je le serrai de toutes mes forces, l'embrassai puis enfouis mon visage dans ses cheveux. Je ne voulais pas voir le matin, la première lueur grise de l'aube poindre dans le ciel.

Après le petit déjeuner, auquel nous ne pûmes toucher ni l'un ni l'autre, le taxi arriva et nous regardâmes le chauffeur entasser mes valises dans le coffre. Il posa la cage de Kira sur le siège arrière et me tint la portière. André m'attira contre lui. Nous prolongeâmes l'étreinte quelques instants de plus.

« Où que tu ailles, Suzanne, quels que soient ceux que tu rencontres, tu seras toujours dans mon cœur, murmura-t-il.

— Et toi dans le mien. »

Lentement, je me dégageai et il relâcha son étreinte.

Le chauffeur referma la portière derrière moi. J'essuyai la buée sur la vitre pour voir André par la fenêtre. Il avait l'air si solennel qu'il semblait prêt à me faire un salut. Seul son menton, levé bien haut, tremblait car il luttait contre les larmes. La grille s'ouvrit, le taxi s'éloigna. Kira se mit à miauler. André et moi ne pouvions détacher nos regards l'un de l'autre. Je le regardai jusqu'à ce que la voiture s'engage dans la rue et me cache sa vue.

Troisième partie

24

Les mois qui suivirent furent ternes et mornes. J'étais déchirée. Je ne sentais plus le goût des aliments, parfois j'arrivais à peine à respirer, et chaque nuit j'arpentais le parquet de mon nouvel appartement, à quelques rues des Champs-Élysées, jusqu'à l'épuisement.

Minot me proposa un contrat avec l'Adriana et je me jetai à corps perdu dans le spectacle, de peur de ne plus avoir la force de sortir de mon lit si j'arrêtais de travailler. Mais à chaque représentation je me surprenais à scruter la foule des spectateurs, espérant apercevoir André au milieu de tous ces visages. Son fantôme m'apparaissait dans ma loge, assis dans son fauteuil préféré à lire un livre comme il aimait le faire une fois le spectacle lancé. Il m'arrivait de me réveiller en sursaut la nuit, persuadée d'avoir senti sa peau frôler la mienne. Mais André n'était pas là, ni dans ma loge ni à côté de moi dans le lit. Il avait été arraché de ma vie comme une photo qu'on déchire d'un journal. Il ne restait qu'un trou béant aux bords irréguliers.

C'est M. Étienne qui m'annonça les fiançailles d'André. « Je tiens l'information de lui, m'expliquat-il. Il ne voulait pas que vous l'appreniez par la presse. »

519

Cette nouvelle m'atteignit comme une balle. En nous séparant, André et moi étions pourtant convenus de continuer à vivre. Pour lui, cela signifiait se marier. Je croyais avoir accepté cette idée quand j'avais décidé que nous ne pouvions pas continuer, pourtant, de façon inattendue, la réalité me frappa de plein fouet.

« Vous devriez peut-être quitter Paris pendant quelque temps, suggéra M. Étienne. Vous avez toujours les offres de Hollywood. » Je savais qu'il cherchait à me protéger de la presse française. Même si les troupes de Hitler avaient envahi la zone démilitarisée en Rhénanie – une violation du traité de Versailles qui constituait une véritable provocation contre la France –, les journaux seraient tout émoustillés par un grand mariage mondain.

Je déclinai sa suggestion. Peut-être m'imaginais-je qu'en restant à Paris le ciel s'ouvrirait un jour et qu'un miracle nous réunirait, André et moi. Un espoir aussi fou que celui du condamné à mort qui regarde poindre l'aube de son dernier jour et croit encore à une grâce de dernière minute. Le soir du mariage, je m'effondrai sur scène, en proie à une fièvre brûlante. Mon agent de presse annonça que j'avais une pneumonie et que j'étais allée retrouver ma famille dans le pays de Sault. Mais je n'avais pas contracté de pneumonie ; le monde m'était simplement devenu insupportable. Je souffrais d'une dépression nerveuse.

Pendant la maladie d'oncle Jérôme, ma mère s'était installée dans la maison de tante Yvette, tout comme Bernard. À la mort de mon oncle, elle y était restée. À mon retour à la maison, ma mère vit que mon désir de compagnie s'était transformé en besoin de solitude, et elle me prépara ma chambre de jeune fille dans la ferme de mon père. Chaque matin, elle allumait le feu dans la cuisine et je passais la journée devant la cheminée pendant que Kira dormait sur mes genoux. J'avais l'impression de tomber dans un trou noir et, d'une façon ou d'une autre, le feu me donnait quelque chose à quoi me raccrocher. Je luttais contre cette question obsédante : que faisait André ? Je savais où il se trouvait, et il n'était pas avec moi.

« Toute créature en état de choc a besoin de chaleur », répétait ma mère en attisant le feu. Elle avait toujours parlé d'une voix douce, mais là, c'était un simple chuchotement. Ses inflexions distillaient un baume apaisant ; elle voulait guérir mon cœur meurtri.

À midi, tante Yvette luttait contre le vent glacial pour m'apporter quelque chose à manger. Un jour, c'était du lait de brebis et du pain encore tiède, le lendemain des anchois et des œufs. Par une froide journée, elle me prépara un ragoût et Bernard l'aida à le transporter jusqu'à la maison de mon père.

« Kira et toi, vous avez fini par vous ressembler avec les années », dit Bernard en déposant sur la table une terrine qui dégageait une vapeur aromatique parfumée au vin et aux feuilles de laurier.

Tante Yvette lui lança un regard en coin. Le genre de regard qu'une femme adresse à son mari quand la passion s'est éteinte depuis longtemps mais que l'amour et le respect demeurent. « De quoi tu parles, Bernard ? »

Bernard sourit et servit une louche de ragoût dans un bol. « Elles sont aussi belles et gracieuses l'une que l'autre. »

En l'apaisante compagnie de ma famille, je me remis peu à peu et, à l'arrivée du printemps, je me sentais assez bien pour passer mes journées à arpenter les champs. Je regardais les bébés lapins bondir hors de leurs terriers et les chevreaux faire leurs premiers pas chancelants. Mon tonus musculaire revint, mes joues reprirent des couleurs. Mais c'en fut presque fini de ma guérison quand, un beau jour, une voiture inconnue remonta la route à vive allure.

Derrière la fenêtre de la ferme, je vis un homme aux épaules voûtées sortir de la voiture en cachant quelque chose sous sa veste. Bernard le héla cordialement et se hâta de s'avancer vers le muret, supposant qu'il s'agissait d'un étranger perdu ou d'un fermier cherchant à acquérir des terres dans les parages. Mais après un bref échange, la voix de Bernard se fit grondante.

L'homme rebroussa chemin, puis il m'aperçut. Il sortit l'appareil de sous sa veste. Je reculai juste à temps pour éviter qu'il ne me tire le portrait. Il me cria : « La presse de Marseille aimerait savoir si Mlle Fleurier va envoyer un télégramme de félicitations à André Blanchard, puisque la princesse Letellier attend un enfant ! »

Bernard ramassa une pierre et visa le journaliste, qui alla s'abriter derrière sa voiture. Bernard n'était pas d'une nature violente, il cherchait simplement à me protéger. La menace fit son effet, car le journaliste jeta sa veste et son appareil photo dans la voiture, fit vrombir le moteur et ne fut bientôt plus qu'un point sur la route poussiéreuse.

Après cette visite, je me réfugiai à nouveau dans la maison bien que le temps se fît plus doux. Le premier enfant d'André. Je ne m'étais pas autorisée à imaginer cela.

« Toutes ces années à l'aimer, perdues ! dis-je un jour à ma mère qui essayait de m'amadouer afin que je sorte prendre le soleil. J'étais destinée à perdre André.

— Rien ne se perd, Suzanne, répondit-elle. L'amour que l'on donne ne meurt pas. Il change de forme, c'est tout. N'aie jamais peur de donner de l'amour. »

Peu après, je reçus un télégramme de M. Étienne, qui m'informait que j'étais invitée à chanter à l'Exposition internationale de Paris.

« C'est un honneur, déclara Bernard en lisant le télégramme à ma mère et à ma tante. Suzanne représentera la France. »

C'était en effet le plus grand honneur que l'on puisse faire à un artiste français et cela montrait à quel point j'avais réussi. Mais si j'étais la chanteuse la plus célèbre de France, c'était à André que je le devais !

« Qu'est-ce qui ne va pas ? » demanda ma mère.

Je baissai les yeux. « Je ne peux pas affronter Paris. » Je n'eus pas besoin de la regarder pour deviner son désarroi.

Cette nuit-là, c'était la pleine lune, l'air était radouci par la tiédeur du printemps. Je laissai mes volets ouverts afin que le clair de lune baigne ma peau. Je humais les parfums de mon enfance : pin et

523

lavande, cyprès et cèdre. Soudain, ma mère se détacha de l'ombre, vêtue d'une robe pourpre. Elle portait un panier d'œufs. J'essayai de m'asseoir sur mon lit, mais mes jambes et mes bras étaient si lourds que je ne pus bouger. Ma mère prit les œufs l'un après l'autre et fit rouler leur coquille fraîche sur ma peau, en fredonnant à voix basse. Elle les déplaça sur mon front, sur mes bras et sur ma poitrine. Je sentis quelque chose monter en moi, comme si les ténèbres de mon cœur étaient aspirées. J'eus à peine le temps d'apercevoir ma mère disparaître dans la nuit avant de m'endormir paisiblement.

En me réveillant le lendemain matin, je vis la lumière du soleil jouer sur mon lit et sus que je devais trouver la force de retourner à Paris reconstruire ma vie.

Le lendemain de ma prestation à l'Exposition internationale, M. Étienne, Minot et moi dînions dans un des restaurants en plein air de la foire où nous goûtions les saveurs de différentes régions tout en prêtant l'oreille aux accents étrangers qui fusaient autour de nous. Les touristes étaient revenus à Paris et les hôteliers comme les restaurateurs avaient retrouvé le sourire après les années de crise. Quand nous eûmes dîné, nous flânâmes autour des pavillons américain et espagnol et visitâmes le jardin formel de fontaines avec ses jets d'eau en forme d'arbres, de haies et de fleurs.

« Regardez ça ! » dis-je en montrant les fontaines qui s'élançaient comme des geysers au milieu de la Seine. Des lumières dorées se reflétaient sur la surface du fleuve.

« Ils ont utilisé une fine couche d'huile et de la poussière d'or pour obtenir cet effet, expliqua Minot. Quand les projecteurs sont braqués sur l'eau, elle brille comme les guirlandes sur un sapin de Noël.

— C'est très joli. Et si parisien !

— Alors, contente d'être revenue ? » demanda M. Étienne en nous faisant signe de nous asseoir sur un banc. Il chercha quelque chose dans sa veste et en sortit un journal. Il me tendit *Le Figaro* du matin même en indiquant un article :

« Suzanne Fleurier, absente de Paris pendant près d'un an, a fait une prestation triomphale hier soir à l'Exposition internationale de Paris. Elle est, et restera toujours, notre étoile polaire : la plus lumineuse dans cette cité de lumières. Bienvenue, mademoiselle Fleurier ! Nous nous réjouissons de votre retour, votre voix enchanteresse nous fait chaud au cœur et vous dansez avec une grâce ensorcelante. »

« Quelle déclaration d'amour ! m'exclamai-je. On dirait que j'ai manqué aux Parisiens, finalement.

— Vous nous avez manqué à tous, confirma Minot.

— Vous êtes plus triste, fit remarquer M. Étienne, sa main sur la mienne, mais cela n'affecte pas votre chant. Au contraire, je ne vous ai jamais vue chanter avec autant de profondeur qu'hier soir. »

Je sentis la compassion dans ses paroles et lui fus reconnaissante d'avoir fait allusion à André avec tant de tact. Nous continuâmes notre route vers le pont d'Iéna et la tour Eiffel. « Regardez ça ! » fit

Minot. Le pavillon allemand se dressait devant nous, brillamment éclairé par des projecteurs. Une tour avait été érigée à l'entrée, elle dominait tous les autres pavillons. Un aigle d'or était perché à son sommet, les serres refermées autour d'une croix gammée.

M. Étienne fit claquer sa langue. « Impossible de le manquer. Je trouve ça de mauvais goût, vu ce qui se passe en Espagne. »

Je repensai au tableau de Picasso que nous avions vu dans le pavillon espagnol. Il avait pour titre *Guernica* et dépeignait une femme qui poussait un cri de douleur en agrippant son enfant mort, un cheval éventré qui agonisait et une silhouette tombant d'un immeuble en feu. C'était l'hommage du peintre à la ville basque qui avait été bombardée sans merci par les Italiens avec des avions fournis par les Allemands. L'Italie, l'Allemagne, l'Angleterre, la Russie et la France étaient convenues d'adopter une politique de non-intervention en Espagne, mais ni l'Allemagne ni l'Italie ne s'y conformaient.

« On pourrait s'attendre que la France défende la démocratie, dis-je. Mais nous assistons passivement à la mise à mal par les fascistes d'un gouvernement républicain légitime !

— Faites attention, mademoiselle Fleurier ! s'exclama Minot. Vous parlez comme une juive. Vous ne savez donc pas que *L'Action française* accuse les juifs de pousser à la roue pour qu'une deuxième guerre se déclenche en Europe ?

— Je ne veux pas la guerre ! » protestai-je. Je comprenais que les Français n'aient pas envie de se retrouver mêlés au conflit espagnol. Mon propre père avait souffert pendant la Grande Guerre et j'avais vu assez de veuves, d'orphelins et de soldats défigurés pour être révulsée à la simple idée de nouvelles batailles. « Mais beaucoup de gens pensent que la France se retrouvera impliquée dans une guerre de toute façon si elle continue à reculer devant les nazis. »

Nous nous détournâmes du pavillon allemand et passâmes sous des arches pour longer à nouveau la Seine.

« L'agent de Camille Casal m'a contacté, annonça Minot pour aborder des sujets plus légers. Il veut que Mlles Fleurier et Casal se produisent ensemble dans un spectacle. Il pense qu'il y aura un effet de nouveauté : deux des femmes les plus célèbres de Paris ensemble sur scène.

— Ce serait intéressant de réunir deux rivales, acquiesça M. Étienne, mais Mlle Fleurier est la plus grande star des deux. C'est elle qui devra tenir le haut de l'affiche. »

Il pensait comme un véritable agent artistique, cependant l'idée de jouer avec Camille me mit mal à l'aise. Nous ne nous étions plus adressé la parole depuis ma visite à Cannes, quand je lui avais annoncé qu'André et moi devions nous marier. J'avais cru que ses mises en garde au sujet des Blanchard étaient motivées par la jalousie. À présent, je comprenais qu'elle avait eu raison.

« Nous pourrons nous partager l'affiche, proposai-je. Ce serait plus logique.

— Ne vous effacez pas ! conseilla M. Étienne, les sourcils froncés. Camille Casal n'est plus une étoile ascendante depuis un certain temps déjà. Je pense que son agent espère donner un nouveau souffle à sa carrière en la plaçant dans votre sillage. »

Que je fusse ou non la plus grande star, mon manque d'assurance dès que j'étais comparée à Camille resurgit. Seule en scène, je me trouvais séduisante. Mais à côté de la beauté lumineuse de Camille, je courais le danger de m'effacer. Il n'empêche, me dis-je en me rappelant Marlene Dietrich à Berlin : une frêle blonde et une grande brune, c'est une combinaison intéressante.

« Essayons, dis-je. Je me charge personnellement d'appeler Camille. »

Camille arriva à notre première répétition dans une Rolls-Royce plaquée or. Elle revenait tout juste de Hollywood, où elle avait fait des essais à l'écran pour la Paramount. « Je ne vous conseille pas d'aller travailler avec des cinéastes américains, annonça-t-elle aux acteurs, sauf si vous avez envie de rester plantés au milieu d'un décor, à dire des répliques stupides comme "Regarde-moi dans les yeux, chéri". »

À ma surprise, je ne fus pas intimidée par Camille comme je m'y attendais ; j'étais contente de la revoir. Et je finis par comprendre pourquoi : elle représentait un lien nostalgique avec mon passé, un rappel de l'époque où j'ignorais tout de la célébrité. L'espace d'un instant, je m'étais revue dans ma robe usée en train de récurer le sol de la cuisine chez tante Augustine. Le reste de ma vie aurait pu ressembler à cela. C'est Camille qui m'avait inspiré l'idée de devenir chanteuse. Je m'aperçus soudain à quel point je lui étais redevable de mon succès.

« C'est bon de te revoir ! dis-je à Camille en l'embrassant.

— Je suis contente, moi aussi », répondit-elle. Elle me regarda de la tête aux pieds, et ce n'était pas pour déceler les failles que cherchaient mes autres rivales. « Tu as l'air très bien », remarqua-t-elle. Je savais qu'elle faisait allusion à ma vie sans André. À mon grand soulagement, et ce qui força mon admiration, elle n'en parla jamais directement.

Camille et moi fûmes les vedettes du plus grand spectacle de cette année-là. Lebaron investit quatre millions dans la production de *Les Femmes* et rentra dans ses frais en deux mois. Même si c'était un spectacle de music-hall avec des numéros de variété plutôt qu'une comédie musicale à l'américaine, le thème de la rivalité et de la solidarité féminines était le fil directeur, pour les comédiens comme pour les danseuses de revue, les comiques et les acrobates. Camille et moi avions tous nos numéros en commun et deux des chansons du spectacle, *Bienvenue* et *Une pierre autour du cou*, devinrent les plus gros succès de l'année.

Nos critiques furent plus élogieuses que toutes les autres, même celles de Mistinguett et de Maurice Chevalier. Un journal décrivit le spectacle comme « le triomphe de Suzanne Fleurier et le retour de Camille Casal », mais cette dernière voyait les choses autrement. « Je pars sur un gros coup, me confiat-elle un soir que nous dînions chez Maxim's après le spectacle. Après la dernière, je fais mes adieux ! »

Cette nouvelle me choqua. J'avais le sentiment qu'en travaillant ensemble dans une production au succès phénoménal et en nous partageant les feux de la rampe, nous étions finalement devenues amies. Autrefois, Camille ne se serait pas confiée à moi. Cette fois-ci, quand je lui avais demandé des nouvelles de sa fille, elle m'avait dit qu'elle l'avait sortie du couvent et logée chez un professeur de piano à Vaucresson, afin qu'elle y acquière une « éducation de jeune fille ». Et quand je lui avais demandé pourquoi elles ne vivaient pas ensemble, Camille avait répondu : « Je ne veux pas qu'on sache qu'elle est ma fille. Je veux qu'elle fasse un bon mariage. »

Je me rappelai ce qu'elle m'avait dit tant d'années auparavant dans l'appartement de François : les hommes comme eux n'épousent pas des filles comme nous ! Bien qu'André ait eu l'intention de m'épouser, cette affirmation s'était révélée juste. Quel que soit notre succès, Camille Casal et moi serions toujours en marge de la société.

« Mais ton retour a été si bien reçu ! protestai-je, à propos de sa décision de faire ses adieux. Tu peux faire n'importe quoi maintenant. Enregistrer un disque. Tourner un autre film. »

Elle secoua la tête avec un pâle sourire. « Si j'ai chanté et dansé, ce n'était que pour me trouver un riche mécène dans la vie. J'ai amassé assez de bibelots et d'appartements pour me durer jusqu'à la fin de mes jours, mais je n'ai jamais réussi à trouver ce que je voulais. Enfin, le spectacle n'est pas encore fini, alors qui sait ce que l'avenir nous réserve ? »

Un soir, on frappa à la porte de ma loge pendant l'entracte, il y avait donc peu de chance pour que ce soit le régisseur. Et cela ne ressemblait pas aux coups de mon habilleuse. L'accès de ma loge ne se faisait toujours que sur invitation.

Le visiteur frappa encore une fois.

« Qui est-ce ? »

Pas de réponse.

Je retirai la barrette de mes cheveux pour laisser mes tresses tomber sur mes épaules et les lissai du bout des doigts. Si c'était un des machinistes, il allait trouver à qui parler ! Je nouai ma robe de chambre autour de ma taille et ouvris brusquement la porte. Mon cœur faillit s'arrêter quand je me retrouvai face à André. Je m'étais persuadée que je l'avais oublié, que j'avais oublié jusqu'à mon amour pour lui. Mais un seul regard suffit à me convaincre du contraire.

« Désolé de te déranger. Je sais que tu n'as pas beaucoup de temps. Mais je n'ai pas réussi à te joindre de toute la journée. »

Il y avait quelque chose de pitoyable en lui. Son visage était encore jeune, pourtant la vitalité en avait disparu. Il était raide et artificiel.

D'un signe de la tête, je l'invitai à entrer ; mon cœur battait la chamade. Je voyais à la façon dont son regard gêné furetait dans la loge que cette visite le rendait aussi nerveux que moi. Le fauteuil dans lequel il avait l'habitude de s'asseoir n'y était plus, aussi je lui proposai le canapé. Je m'assis sur un tabouret en face de lui.

André prit quelques secondes pour se ressaisir avant de demander : « Tu savais que le comte Harry est mort ? »

Je n'en crus pas mes oreilles. À son retour de Lyon, un an plus tôt, il m'avait dit que la santé de comte s'était détériorée à la suite des bouleversements entraînés par son second exil. Mais le comte avait écrit quelque temps plus tard qu'il se remettait.

« Je n'arrive pas à y croire, murmurai-je. Lui qui était si plein de vie !

— Je suis désolé de t'annoncer ça en plein spectacle. L'enterrement a lieu demain. »

Je secouai la tête. « Je suis contente que tu l'aies fait. »

On frappa à la porte. « Dix minutes avant la reprise ! »

André se leva de sa chaise. « Je suis désolé, Suzanne », répéta-t-il. J'eus l'impression que ses excuses ne concernaient pas l'annonce si abrupte de la mort du comte Kessler, mais toute notre vie à deux.

Ce soir-là, je chantai mes numéros dans une sorte de transe. Je dus refouler mes souvenirs de Berlin. Le comte était mort et, d'une certaine façon, André l'était aussi. Nos vies étaient si loin l'une de l'autre désormais que nous aurions aussi bien pu vivre dans des pays différents. L'homme que j'avais vu ce soir était-il André, celui qui avait construit ma carrière ? Le premier à m'avoir aimée ? C'était un étranger maintenant. Je dus faire un effort incroyable pour aller jusqu'au bout du spectacle, et quand le rideau finit par tomber, j'allai me réfugier dans ma loge où je pleurai avec autant de désespoir qu'à la mort de mon père.

Le comte fut enterré au cimetière du Père-Lachaise. Seules quelques personnes assistèrent aux obsèques. Où étaient tous les artistes que le comte avait encouragés ? Tous ceux qui l'appelaient leur

532

« ami » quand il était riche et généreux ? J'avais appris la veille par André que le comte n'avait pas pu récupérer ses tableaux et autres trésors de sa maison de Weimar, que les autorités avaient laissé piller par la population.

J'évitai le regard d'André. La princesse Letellier l'accompagnait. C'était une créature à l'air famélique avec des cheveux blonds bouclés et un large front. De temps à autre, elle se tournait vers André pour lui caresser le bras, lui faire savoir qu'elle était là pour le soutenir. J'aurais préféré l'éviter, elle aussi, mais quand je passai devant elle dans l'allée, elle tendit la main pour me toucher le bras.

« Mes condoléances, mademoiselle Fleurier. Mon mari m'a dit à quel point le comte Kessler avait compté pour vous deux. »

Elle savait certainement qu'André avait voulu m'épouser, pourtant elle se comportait en femme du monde. Je sentis que sa sympathie était sincère. Je ne savais pas grand-chose d'elle à part qu'elle avait une bonne éducation et que, contrairement à la plupart de l'élite parisienne, elle parrainait plusieurs associations caritatives. André avait épousé une femme bien. Dans d'autres circonstances, la princesse et moi serions peut-être devenues amies.

« Adieu, comte Harry », murmurai-je quand le cercueil fut mis en terre. Je lui lançai des roses. Je me rappelai son rire espiègle et ses yeux pétillants le soir où il m'avait joué un tour à l'Eldorado. Ces yeux si pleins de vie étaient clos, et il ne rirait plus jamais.

25

En juin 1937, Jean Renoir m'invita à la première de son film *La Grande Illusion*, au cinéma Marivaux. M. Étienne m'y escorta et nous fûmes l'un et l'autre enthousiasmés : le cinéma français avait mûri. Le film racontait l'histoire de trois pilotes de la Grande Guerre dans un camp de prisonniers en Allemagne et leur relation avec le commandant. C'était un hymne à l'amour entre soldats français et allemands qui auraient pu être frères sans la guerre.

« Techniquement, il est aussi bon que les films américains, commenta M. Étienne quand les lumières se furent rallumées. L'image n'est pas floue et la prise de son est débarrassée des parasites. »

Jusque-là, la direction d'acteurs de Renoir avait toujours su dépasser les imperfections techniques, mais à présent, sans elles, sa vision était magique. Je savais pour avoir travaillé avec lui qu'il n'aimait pas fragmenter les scènes en gros plans et en plans larges comme cela se pratiquait habituellement. Il préférait braquer la caméra en gros plan sur ses acteurs puis suivre leurs mouvements, passant tout en douceur de l'un à l'autre, ce qu'il appelait le « ballet de la caméra ». D'une certaine façon, cela reproduisait le mouvement du regard. Pour le public, ces déplacements étaient si bien orchestrés qu'ils étaient imperceptibles.

À la réception qui suivit, je félicitai Renoir. « C'est une très belle histoire, racontée avec une telle douceur ! »

Il leva les yeux sur moi. La vivacité pétillante que

j'associais à sa personne avait quitté son regard. « Suzanne, nous sommes de vieux amis, toi et moi, alors je peux te le dire. Depuis que j'ai commencé à tourner des films, je me concentre sur un thème : notre condition humaine à tous. En faisant celui-là, j'espérais empêcher une guerre. Maintenant, je vois que l'art ne peut rien empêcher. Il ne peut que renseigner sur la réalité. »

À cette époque, dans les salons et les cafés parisiens, tout le monde se demandait si la France allait être entraînée dans un conflit avec l'Allemagne nazie.

« Tu crois que la guerre est inévitable ? lui demandai-je.

— Nous ne sommes dirigés que par des traîtres et des imbéciles, répondit Renoir. Et le reste d'entre nous assiste aux événements en se désespérant. »

Un matin en ouvrant mon journal, environ un an après la première, je me souvins de la remarque de Renoir au sujet des traîtres. Le titre jetait le doute sur la volonté du nouveau Premier ministre, Édouard Daladier, de défendre la Pologne et la Tchécoslovaquie si elles étaient attaquées par l'Allemagne. Georges Bonnet, un sympathisant de Hitler, avait été nommé ministre des Affaires étrangères.

Mais si d'autres à Paris s'en inquiétaient, cela ne se voyait pas. La ville dansait et festoyait avec plus d'ardeur que jamais.

En juillet 1938, le roi George VI et sa reine rendirent visite à la France, une tournée royale si somptueuse qu'elle coûta vingt-quatre millions de francs au pays. On me demanda de chanter à un gala

535

qui réunissait le meilleur de la culture française, après un dîner de homard à la marinière accompagné de château d'Yquem 1923. Pendant que je chantais, je m'aperçus que je faisais partie d'une vaste opération publicitaire. Toute cette pompe et tout ce luxe, les défilés devant la foule parisienne en liesse, le dépôt de la gerbe sur la tombe du Soldat inconnu étaient destinés à montrer à Hitler que la France et la Grande-Bretagne étaient alliées. Le dictateur ne serait certainement pas assez idiot pour s'attaquer à un pays qui avait un allié aussi puissant dans son camp !

« Ils ne comprennent rien à la situation ! déclara Minot, exaspéré. Pendant que nous jetons l'argent par les fenêtres pour recevoir les époux royaux, le Premier ministre anglais compose avec Hitler. » Depuis qu'André ne faisait plus partie de ma vie et que Renoir était à l'étranger, Minot était devenu mon partenaire en discussions politiques.

« Ni veuves ni orphelins pour les Tchèques », proclamaient haut et fort les gros titres des journaux en septembre. Et jour après jour, *L'Action française* imprimait en couverture : « Non ! Pas la guerre ! » tout en répétant que c'était les juifs qui poussaient au conflit en réaction aux politiques antijuives de Hitler.

Le Führer avait demandé la cession de l'essentiel de la Tchécoslovaquie. Il avait l'intention de revendiquer la région des Sudètes, mais il était clair qu'il allait annexer le pays tout entier.

« Les imbéciles ! grommela Minot, un jour où nous nous étions retrouvés pour prendre un verre au Café de Flore. Même si les gouvernements français et britannique se fichent du déshonneur qu'il y a à lâcher un allié, ils devraient au moins penser à l'aide que pourraient nous apporter les Tchèques si nous étions attaqués. Ils possèdent les usines d'armement les plus modernes d'Europe et une ligne de défense bien organisée à la frontière allemande. C'est une des rares démocraties qu'il reste en Europe... et on ne peut pas vraiment dire que nous soyons entourés de nations amies. »

Après cette conversation, je rentrai à mon appartement en proie à une peur grandissante. Paulette avait pris son après-midi, aussi mis-je moi-même la cafetière sur la gazinière pour me faire du café. Une lettre de Bernard était posée sur le reste de ma correspondance. En l'ouvrant, j'appris que tante Augustine était morte et m'avait légué sa maison. J'allai m'asseoir à la table de la salle à manger, d'où je contemplai la vue des Champs-Élysées en buvant mon café à petites gorgées. Tante Augustine me détestait. Pourquoi m'aurait-elle légué sa maison ? Je l'imaginai déchirée entre l'idée de laisser sa pension à une nièce qu'elle méprisait ou à l'État. J'avais sans doute été le moindre de deux maux. J'allais vendre la maison, bien sûr ; le souvenir de tant de misères m'était insupportable.

Un peu plus bas dans la rue, un petit vendeur de journaux criait les gros titres de l'après-midi. Les gens poussaient des acclamations et criaient le nom du Premier ministre : « Daladier ! Daladier ! » qu'ils louaient pour sa politique « éclairée ».

Je fermai les yeux et me rappelai le jeune garçon qui m'avait hurlé des injures le premier jour, à Berlin : « On va battre la France. On va la réduire en

cendres ! Il n'y aura plus de France ! Plus de Français. On lui crachera au visage comme sur une vieille
putain ! »

Soudain, j'eus très froid. Je sentis presque la sueur
acide et la malveillance qui suintaient des pores du
jeune homme. Je me précipitai sur mon bureau dans
le salon, sortis du papier à lettres et me mis à écrire.

Cher Bernard,
La guerre menace la France. Vous ne la sentez peut-
être pas encore arriver dans le Sud, mais aussi sûr que
je respire, je sais que l'armée allemande va nous envahir.
Je t'envoie un peu plus d'argent ce mois-ci. N'hésite sur-
tout pas à l'utiliser pour acheter des provisions de tout
ce dont vous avez besoin à la ferme. Pour la maison de
tante Augustine, je pense que j'en aurai l'usage. Peux-tu
t'arranger pour la faire réparer et repeindre ? Je t'en
prie, ne discute de tout cela avec personne.

Je m'interrompis. Mon intuition allait plus vite
que mes pensées conscientes, c'est elle qui me dictait
ces projets. Si la guerre éclatait vraiment, ma famille
se trouvait probablement dans un des endroits les
plus sûrs en France : au milieu de montagnes escarpées, loin des principales villes, des frontières et de
la côte. Et de Marseille, on pouvait rejoindre
l'Afrique en bateau. Si les Allemands nous envahis-
saient par le Nord, le Sud serait le meilleur chemin
pour fuir. Mais dans l'immédiat, ce n'était ni pour
moi ni pour ma famille que je m'inquiétais.

« Suzanne ! fit Odette en riant, la main sur son
ventre arrondi. Tu dramatises ! L'Allemagne ne va

pas envahir la France. Et même s'ils essayaient, la ligne Maginot est là pour les arrêter. »

Nous étions dans la cuisine de la maison de ses parents, à Saint-Germain-en-Laye. Odette et Joseph y habiteraient jusqu'à l'accouchement d'Odette. Un rayon de soleil jouait dans les rideaux de dentelle et se reflétait sur la table. La cuisine était peinte dans un jaune lumineux avec des meubles blancs à liséré bleu. Je regardai la vapeur s'élever de la bouilloire posée sur le fourneau et s'enrouler dans les airs.

« Je ne crois pas qu'il y ait encore des gens pour croire à la ligne Maginot, répliquai-je. Les bunkers s'arrêtent à la frontière belge.

— Parce que la Belgique est notre alliée, répondit-elle en posant une tasse de café et une tranche de gâteau au chocolat devant moi avant de s'asseoir à son tour.

— Les Allemands la traverseront comme en 1914. »

Odette me lança un sourire énigmatique. « Eh bien, Suzanne, tu n'es plus chanteuse ? Tu es devenue stratège militaire ?

— Je ne vois aucune stratégie là-dedans, objectai-je. C'est du bon sens. Nous, les Français, on se prend pour de grands penseurs mais on est incroyablement idiots. »

Les traits d'Odette se figèrent et elle s'agita sur sa chaise. « Joseph vient d'ouvrir son nouveau magasin et quand le bébé sera né, je l'aiderai à tenir la boutique. C'est mon mari. S'il dit qu'il n'y a pas de souci à se faire, je dois le croire. »

Je baissai les yeux sur mes mains. Je n'étais peut-être qu'une star de music-hall, mais Joseph était-il assez naïf pour ne pas comprendre ce qu'impliquait une invasion nazie pour une famille juive ? Il devait bien avoir lu les nouvelles des lois votées en Allemagne ! Moi qui avais cru que le traitement réservé aux juifs par les Allemands ne serait jamais une réalité en France, je voyais à présent que c'était possible. Les journaux antisémites en circulation étaient devenus trois fois plus nombreux en deux ans.

Odette sirota son café en fredonnant à voix basse. Elle avait beau être douce, je la connaissais assez bien pour savoir qu'elle pouvait se montrer têtue dans la confrontation. Si je voulais la persuader de quitter Paris, je devrais m'y prendre tranquillement et avec subtilité. Le problème, c'est que je n'avais aucune idée du temps qu'il nous restait.

« Alors, tu as choisi un nom pour le bébé ? » demandai-je pour changer de sujet.

Son regard s'éclaira et un sourire se dessina sur son visage. « Oui, Michel si c'est un garçon et Suzanne si c'est une fille. »

Je devins toute rouge. L'affection d'Odette me réchauffait comme un soleil de l'autre côté de la table. J'avais de la chance d'avoir une amie comme elle.

« C'est vrai ? »

Odette hocha la tête et vint passer son bras autour de mes épaules. C'était merveilleux d'être aimée ainsi ! Mon cœur meurtri retrouva un semblant de vie.

« J'apprécie ce que vous dites, me répondit M. Étienne quand j'allai lui rendre visite à son bureau. Et votre inquiétude me touche. Mais Joseph a ses arguments, lui aussi. Les Allemands ont une puissance aérienne supérieure, elle a fait ses preuves en Espagne. Ils peuvent tout aussi bien bombarder nos ports que nous envahir par voie de terre. Et si on les arrêtait avant même qu'ils n'atteignent Paris ? Nous aurions abandonné nos maisons et nos affaires pour rien. »

Je m'adossai à ma chaise. Étais-je hystérique ? Odette habitait à l'extérieur de Paris. Si les Allemands devaient nous bombarder, elle serait plus en sécurité à Saint-Germain-en-Laye que dans le centre de Marseille. L'espace d'un instant, le visage du comte Harry le jour de son premier exil m'apparut. Je me rappelai le temps de Berlin et le sentiment inquiétant que les ténèbres gagnaient sur l'exubérance décadente. Il semblait que les prédictions d'une seconde guerre mondiale, plus dévastatrice que la première, devenaient réalité. Je devais faire de mon mieux pour prévenir mes amis.

« Écoutez, dis-je en griffonnant les adresses de la maison de Marseille et de la ferme en pays de Sault sur un papier, c'est mon instinct qui me le dit. Je vous en prie, gardez ces adresses au cas où vous en auriez besoin. Qui sait ce qui arrivera ? »

À mon soulagement, je n'eus aucun mal à convaincre Minot de coopérer à mon plan d'urgence. Il avait une mère âgée à qui penser. Lebaron avait fui aux États-Unis deux mois plus tôt en laissant à Minot la gérance de l'Adriana.

« J'ai acheté une voiture et j'envoie des provisions à ma famille en Provence, lui annonçai-je. Si les

Allemands nous envahissent, vous et votre mère serez les bienvenus à la ferme.

— Vous êtes très gentille, mademoiselle Fleurier, répondit-il. Je vais déjà envoyer mes tableaux dans votre maison du pays de Sault. Je n'ai pas envie que les Chleuhs fassent main basse sur mes œuvres d'art. »

Je souris en imaginant les murs de nos fermes jumelles ornés de tableaux de Picasso et de Dalí. Pauvre Minot ! songeai-je, j'espère qu'il ne s'attend pas à résider dans un château avec des salles de bains en marbre. Maurice Chevalier et Joséphine Baker avaient des maisons de campagne, comme beaucoup de Français aisés. Je m'étais toujours dit que nous pourrions en acheter une, André et moi, quand nous serions mariés. Ces résidences avaient été refaites, ce n'était plus les petites bicoques que j'avais vues dans mon enfance. Quant au pays de Sault, c'était encore une contrée sauvage et ma famille aimait la simplicité. Nos maisons étaient plus rustiques que chic.

« Faites bien emballer les tableaux dans des caisses en bois, lui recommandai-je. Il ne faudrait pas qu'ils se gondolent au soleil. »

La coopération de Minot me procura une certaine paix de l'esprit. Chaque jour, je me demandais si ma réaction était excessive. On ne lisait pas le moindre signe d'inquiétude sur le visage des gens qui venaient assister à mes prestations dans les music-halls et les cabarets. Paris brillait de tous ses feux, ce n'étaient qu'opéras spectaculaires, pièces de théâtre, défilés de mode et soirées mondaines. L'ambassadeur de Pologne donna un bal très élégant le soir même où Odette mit au monde une petite fille. L'ambassadeur d'Allemagne fut invité au bal, nous dansâmes des valses et des mazurkas et, en fin de soirée, nous admirâmes un feu d'artifice. N'était-ce pas le signe que tout allait bien ?

En fait, la seule erreur que je commis fut de paniquer un an trop tôt. Deux mois après le bal, l'Allemagne envahit la Pologne. Quand l'ultimatum franco-britannique à l'Allemagne expira, l'armée française fut mobilisée. Dans la rue, les gens avaient l'air incrédule. Était-ce bien réel ? Étions-nous en guerre contre le Troisième Reich ?

Minot et sa mère vinrent s'installer chez moi au cas où nous serions obligés de quitter Paris au milieu de la nuit. Elsa Maxwell envoya des invitations à une fête sur lesquelles on pouvait lire, au lieu de RSVP, les lettres SPDG : Si Pas De Guerre. Il semblait impossible de continuer à faire des projets.

« Comment pourrais-je partir en vacances ? gémissait ma secrétaire. Mon mari peut être appelé à rejoindre son régiment. »

Pourtant, les mois se suivirent sans que rien n'arrive. Dans les journaux, on appelait cela la « drôle de guerre ».

Un jeudi après-midi, après l'exercice hebdomadaire de préparation à un raid aérien, je retrouvai Camille dans un café près du Ritz. Minot m'avait organisé une tournée le long de la ligne Maginot pour divertir les soldats, qui en avaient assez de s'ennuyer dans leurs bunkers. Je voulais revoir Camille au cas où elle aurait quitté la ville à mon retour. Les mannequins de la place Vendôme portaient des masques à gaz retenus autour du cou par des rubans.

C'était une plaisanterie, mais je ne trouvais pas très rassurante l'idée que nous nous préparions à affronter un ennemi capable de lâcher du gaz moutarde sur des civils.

Dans le café, les chocolats et les gâteaux avaient été cuits dans des moules en forme d'obus. « Ça fait du bien de voir que certains ont toujours le sens de l'humour », fit Camille en ouvrant son sac à main pour payer le serveur dès qu'il nous eut apporté nos boissons. Car il en allait ainsi à Paris maintenant : les serveurs n'attendaient plus que la monnaie apparaisse sur les soucoupes ; il fallait payer chaque boisson au fur et à mesure, au cas où les sirènes se mettraient à hurler et où tout le monde devrait courir aux abris.

« C'est étrange, Paris sans enfants, dis-je. Le jardin du Luxembourg est comme une ville fantôme sans eux. On en évacue encore, aujourd'hui.

— Ils auraient dû éloigner les gamins bien plus tôt, répondit Camille. J'apprécie le calme de la ville. »

Je trouvai ces paroles étranges dans la bouche d'une mère.

« Et toi ? lui demandai-je. Que comptes-tu faire ?

— Eh bien, il y a ma maison en Dordogne, si j'en ai besoin. Mais je compte garder ma chambre au Ritz.

— C'est impossible, objectai-je. Imagine ce que les soldats allemands pourraient te faire s'ils prennent la ville ! »

Camille leva les sourcils. « Je ne leur ai rien fait, pourquoi me voudraient-ils du mal ? Et puis, d'après la comtesse de Portes, les Français vont organiser un comité de bienvenue. »

J'eus soudain très froid. La comtesse Hélène de Portes était la maîtresse de Paul Reynaud, qui venait de remplacer Daladier comme Premier ministre. Elle était connue pour ses vues d'extrême droite. Reynaud les partageait-il ?

« Camille, chuchotai-je. Dis-moi que tu n'es pas sérieuse.

— Français ou Allemand, quelle importance ! marmonna Camille en s'allumant une cigarette. Tant que Paris reste Paris. »

Je fus abasourdie par son ton désinvolte. Qui avait inspiré cette vision des choses à Camille ? Je la regardai de plus près. Elle avait le teint pâle et des poches commençaient à se dessiner sous ses yeux. J'avais entendu dire qu'elle avait des problèmes d'argent, et des rumeurs couraient au sujet de poursuites judiciaires entamées par des créanciers. Tout cela pesait peut-être plus lourd à ses yeux que l'imminence de la guerre.

« Tu ne sais donc pas ce que les nazis font aux juifs ? » demandai-je. Elle releva brusquement la tête. « Tu n'es pas juive. Il est tant que tu commences à t'occuper de tes oignons ! »

Je tressaillis à ce commentaire blasé. Il se trouvait des juifs parmi les meilleurs artistes, techniciens et imprésarios avec qui nous avions travaillé pendant toutes ces années. Lui étaient-ils donc indifférents ? Ce n'était pas la Camille que j'avais appris à connaître en répétant *Les Femmes* ! Ou peut-être que si… Quand nous nous séparâmes, je gardai l'impression dérangeante que je ne savais rien de la véritable Camille Casal.

26

En revenant à mon appartement, je vis un gros tas de sable sur l'allée devant l'immeuble. Un chat y creusait un trou, ravi d'avoir trouvé un endroit où enfouir ses petites affaires.

« À quoi sert ce sable ? » demandai-je à Mme Goux, la concierge.

Elle leva les bras au ciel. « Ordre de la ville. On est censés l'étaler au grenier.

— Pourquoi ?

— Pour empêcher les incendies de se propager du toit aux étages inférieurs. Mais comment voulez-vous que je monte et descende sept étages avec des seaux de sable ?

— Vous ne pouvez pas faire ça toute seule, bien sûr, répliquai-je. Je vais vous aider. Et je suis sûre que les autres habitants de l'immeuble vous prêteront main-forte, eux aussi. »

J'aurais pu lui proposer l'aide de Paulette, seulement ma bonne était déjà repartie dans son village de l'ouest de la France. À ma vive déception, les autres n'étaient pas mieux disposés que la concierge elle-même. « C'est complètement inutile, dit mon voisin du dessus. Les Boches n'iront pas plus loin que la frontière. Les Ardennes sont impénétrables. »

En fermant les yeux ce soir-là, je me demandai avec inquiétude si tous les Parisiens seraient aussi réticents à se mobiliser. Même face à l'imminence de la guerre, nous semblions manquer de l'énergie nécessaire pour la prendre au sérieux. Je pensai à André. Son père était parti à la retraite et André avait repris la tête des entreprises familiales. Avait-il l'intention d'aller se battre ou de contribuer à l'effort de guerre ? Il parlait l'allemand aussi bien qu'un natif, savait conduire une voiture et piloter un avion.

Je ne l'avais pas vu depuis des mois et m'aperçus avec surprise que son absence ne me causait plus la même douleur écrasante. Je me voyais même lui parler sans m'effondrer. Je m'interrogeai sur ce qui avait précipité ce changement drastique dans mes sentiments. Peut-être qu'à l'approche de la guerre je comprenais que nous nous trouvions face à quelque chose de bien plus grave que la fin de notre histoire d'amour.

Le lendemain matin, je n'eus aucun scrupule à appeler André à son bureau pour savoir ce qu'il comptait faire. Sa secrétaire m'annonça que la famille Blanchard ainsi que les directeurs des différentes entreprises et leurs familles s'étaient installés en Suisse un mois plus tôt. Je fus déçue par le choix d'André, mais comme certains des secteurs des entreprises Blanchard étaient vitaux pour l'économie française, c'était probablement la meilleure chose à faire.

Quelques semaines plus tard, Minot et moi mîmes sa mère et Kira dans un train en partance pour le Sud. Nous les envoyions avant nous au cas où nous aurions besoin des autres places dans la voiture. Bernard irait les chercher à Carpentras pour les conduire à la ferme. En fait, nous avions agi juste à temps.

Début mai 1940, l'armée allemande attaqua la

Hollande, la Belgique et le Luxembourg. En dépit de leurs efforts pour bombarder les ponts au fur et à mesure de l'avancée de leur ennemi, l'une après l'autre, ces nations s'effondrèrent. Tous ceux qui à Paris avaient vécu en niant la réalité de la guerre voyaient à présent ses conséquences jour après jour dans les rues de la ville. Des milliers de réfugiés venus du Nord se déversaient dans les rues. Un jour, sur le boulevard Saint-Michel, je les vis passer : un flot de voitures, de charrettes tirées par des chevaux et de bicyclettes, et des gens qui avaient l'air traumatisés par les bombardements, épuisés et au bord des larmes. Une des voitures était conduite par une femme enceinte jusqu'aux dents, avec une vieille dame sur le siège passager, quatre jeunes enfants et un chat à l'arrière.

Je me précipitai chez moi pour rassembler les boîtes de conserve et les colis alimentaires que j'avais accumulés. En redescendant l'escalier, je tombai sur Mme Ibert, une voisine violoniste, qui sortait de son appartement. « Qu'est-ce que vous faites ? s'enquit-elle.

— J'apporte de la nourriture aux réfugiés.

— Attendez ! fit-elle en remettant sa clé dans la serrure de sa porte. Je viens avec vous. »

Nous allâmes en voiture jusqu'au jardin du Luxembourg, où de nombreux réfugiés avaient fait une halte pour se reposer ou laisser brouter leurs montures. Là, nous distribuâmes la nourriture aux femmes accompagnées d'enfants. Certaines me reconnurent et me demandèrent de mettre un autographe sur leur tablier ou leur mouchoir. Une parenthèse ordinaire au milieu du chaos. Nous rentrâmes à la maison à la nuit tombée. J'étais tellement épuisée que je m'écroulai dans mon lit sans même ôter mes vêtements.

Le lendemain matin, j'essayai d'appeler Odette, en vain. Je serrai la photo de sa jolie petite Suzanne en essayant de réfléchir à ce que je devais faire. Finalement, je courus au bureau de M. Étienne. Comme je le trouvai fermé, je continuai ma route jusqu'à son appartement. Il était chez lui, en train de faire ses bagages.

« Nous allons rejoindre la famille de Joseph, ils habitent à Bordeaux », m'expliqua-t-il.

Je fus soulagée d'apprendre qu'ils avaient décidé de quitter la ville, mais Bordeaux, c'était encore la France. J'aurais été plus contente de les savoir carrément loin de l'Europe. Pendant que j'aidais M. Étienne à ranger ses papiers et des photos dans des boîtes, j'eus plus d'un pincement au cœur en repensant à mon arrivée à Paris. Aujourd'hui, je trouvais presque risible l'idée qu'il m'ait tant intimidée, cet homme que je considérais à présent comme un ami proche. Qu'allait-il nous arriver à tous ? Nous reverrions-nous un jour ?

« Bonne chance, mademoiselle Fleurier », dit M. Étienne en m'embrassant. Chez lui qui avait toujours semblé si fort, si assuré, je décelai un tremblement dans la main, et une fragilité affleurait dans son regard.

« Vous ne m'appellerez donc jamais Suzanne ? balbutiai-je d'une voix étranglée.

— Non, répondit-il en souriant à travers ses larmes. Maintenant, en plus, je vous confondrais avec ma petite-nièce. »

En rentrant chez moi, je trouvai Minot pris de panique. « Nous devons partir tout de suite, mademoiselle Fleurier ! » Il m'expliqua qu'un parachutiste allemand s'était posé sur les Champs-Élysées.

J'appelai un ami du *Figaro* pour savoir s'il pouvait confirmer la nouvelle. « C'était une montgolfière d'observation, me dit-il. On nous rapporte que des Allemands tombent du ciel déguisés en prêtres, en nonnes et en danseuses de revue ! Hier soir, quelqu'un a appelé le journal pour avertir que toute une troupe de ballet avait été parachutée…

— Je vois que Paris reste calme en temps de crise ! » répliquai-je. En dépit de la situation, nous arrivâmes à rire.

« Les autorités n'arrivent pas à convaincre les Parisiens de coopérer, reprit-il. Ils font comme si la guerre était un contretemps mineur, comparable à une coupure d'électricité ou à une grève. Quand la ville déclenche les sirènes pour les avertir, au lieu de se précipiter à la cave, ils courent à la fenêtre voir ce qui se passe.

— Je songe à quitter Paris. Vous pensez que je suis hystérique ? » lui demandai-je.

Il y eut une pause. Un homme cria quelque chose dans le fond et j'entendis l'effervescence gagner la rédaction. Le journaliste reprit la ligne. « Mademoiselle Fleurier, dit-il d'une voix suraiguë. On vient de recevoir la nouvelle : les Allemands ont franchi les Ardennes ! »

Il faudrait encore plusieurs jours à la population pour digérer cette nouvelle, mais pour la défense de la France c'était un désastre. La barrière des Ardennes n'était donc pas impénétrable en fin de compte : les chars d'assaut allemands les avaient traversées comme du beurre. Si nos forces ne parvenaient pas à les arrêter, presque plus rien ne nous séparait d'une invasion massive du pays.

J'allai frapper à la porte de Mme Ibert. « Mon ami et moi quittons Paris demain matin. Vous voulez venir avec nous ?

— Oui, répondit-elle en s'accrochant à mes mains. Je n'ai pas de famille à rejoindre. »

La voiture que j'avais achetée pour le voyage était une Peugeot. J'avais délibérément choisi un modèle assez commun au cas où nous aurions besoin de pièces de rechange en cours de route. C'était aussi un modèle familial qui n'attirerait pas l'attention. Jusque-là, j'avais tout bien planifié, mais quand Minot et moi allâmes chercher la voiture au garage, nous découvrîmes que le réservoir d'essence avait été siphonné et les bidons de réserve que j'avais entassés dans le coffre, volés.

« Merde ! m'emportai-je. J'aurais dû les garder dans l'appartement. J'avais tellement peur de propager un incendie !

— Qu'est-ce qu'on va faire, maintenant ? s'inquiéta Minot. L'essence est encore plus dure à trouver que les truffes. »

Minot, Mme Ibert et moi passâmes les dix jours suivants à acheter clandestinement de l'essence là où nous le pouvions. Elle avait été rationnée pendant la drôle de guerre et, maintenant, elle était très difficile à trouver quel que fût le prix qu'on était prêt à mettre. Dans Paris, l'atmosphère était un mélange de calme et de terreur. Tandis que certains voyaient des Allemands tomber du ciel ou rôder dans les égouts, il y avait toujours autant de clients dans les restaurants qui dégustaient des huîtres et des vins millésimés. Je n'avais aucun engagement professionnel, mais Maurice Chevalier et Joséphine Baker jouaient encore au Casino de Paris tandis que les cinémas projetaient les derniers films à succès : *Ninotchka*, avec Greta Garbo, et *Le Bossu de Notre-Dame*.

Quelques jours après notre faux départ, le ciel d'été fut soudain obscurci par la fumée.

« Qu'est-ce que ça peut bien être ? demandai-je à Minot. Un écran de fumée pour nous protéger des raids aériens ? »

En revenant du Conservatoire, Mme Ibert nous informa de la situation. « Ils brûlent les réserves de fuel afin qu'elles ne tombent pas entre les mains de l'ennemi. »

Il y avait aussi de petits feux ; je les vis en passant devant le ministère des Affaires étrangères pendant un de mes voyages en quête d'essence du côté de la gare de Lyon. Les ministres et leurs collaborateurs brûlaient des documents sensibles.

La plupart des occupants des appartements de mon arrondissement avaient fui, mais les faubourgs ouvriers regorgeaient de monde. Le jour où j'allai acheter de l'essence à un boulanger de Belleville, je fus choquée de voir tant d'enfants jouer dans les rues. Les ménagères suspendaient le linge en commentant la chaleur sans précédent de l'été. N'avaient-elles donc pas remarqué que les bus avaient disparu, que le gouvernement les utilisait pour transférer les bureaux des ministères loin de

Paris ? L'élite mondaine et les dirigeants de la ville quittaient le navire, laissant les gens ordinaires confrontés à la guerre qu'ils auraient dû empêcher.

« Les ressortissants allemands sont appelés à se présenter aujourd'hui, m'annonça Mme Ibert quand je revins à l'appartement ajouter ma maigre acquisition à la réserve d'essence. On les envoie dans des camps de rétention.

— C'est complètement idiot ! m'exclamai-je en me laissant tomber sur la chaise la plus proche. La plupart de ces gens sont des juifs qui ont fui l'Allemagne ou des opposants au régime nazi ! S'ils sont enfermés dans des camps de rétention et que nous sommes envahis, ce sera comme les offrir en sacrifice.

— Parqués : des moutons dans l'enclos, renchérit Mme Ibert.

— Vous croyez vraiment que les juifs seront persécutés ici comme ils l'ont été en Allemagne ? » demanda Minot en posant un verre d'eau sur une table à côté de moi. Il portait le tablier de Paulette, mais j'étais trop fatiguée pour le taquiner.

« Ce qui m'inquiète, c'est que beaucoup de Français pensent que ce qui s'est passé en Allemagne ne pourra pas arriver ici, dit Mme Ibert. Ils croient qu'il leur suffira de changer de nom et de papiers pour que personne ne les dénonce. »

L'histoire que m'avait racontée Renoir à propos des jeunes nazis qui avaient forcé une vieille femme juive à lécher le trottoir ne m'avait pas quittée pendant toutes ces années. Je devinai que Mme Ibert avait vu juste. Les garçons et la vieille femme avaient bien dû être voisins un jour, eux aussi…

Minot partit faire des courses et dire au revoir à des amis. Mme Ibert et moi venions de nous asseoir pour déjeuner quand nous entendîmes le grondement des avions, suivi quelques minutes plus tard par le hurlement des sirènes. Nous nous précipitâmes à la fenêtre. Un essaim de points noirs couvrait le ciel.

Nous descendîmes calmement à la cave. La situation était trop irréelle pour que nous paniquions. Manifestement, tous ceux qui habitaient encore l'immeuble partageaient ce sentiment car la seule personne présente dans la cave était Mme Goux, la concierge. Elle épluchait des pommes de terre au-dessus d'un seau. J'eus l'impression que c'était ce qu'elle avait l'habitude de faire : cela lui évitait d'avoir à les remonter non épluchées, et elle n'était pas venue pour se protéger.

Nous entendîmes la mitraille des tirs antiaériens. Mme Ibert et moi nous recroquevillâmes.

Quand les sirènes retentirent à nouveau pour signaler la fin du raid, nous trouvâmes un Minot bien ébranlé qui nous attendait dans l'appartement.

« Un millier de bombes, dit-il, d'après les estimations. Elles sont tombées sur les usines Renault et Citroën. Et sur un hôpital. Il y a peut-être mille morts, ou plus.

— Un hôpital ! m'écriai-je, échangeant un regard écœuré avec Mme Ibert.

— Ce n'était peut-être pas une cible intentionnelle, avança Minot.

— Nous n'avons pas encore toute l'essence que nous voulions, intervint Mme Ibert, mais puis-je suggérer que nous partions tout de suite ? »

Je n'avais aucun argument à opposer. Nous avions décidé tous les trois de quitter Paris quand nous serions sûrs que la ville serait attaquée ; le moment était donc venu.

Minot alla chercher la voiture au garage pendant que Mme Ibert et moi transportions nos provisions et nos valises au rez-de-chaussée. Nous fûmes soulagées de voir que Mme Goux n'était pas dans sa loge. Je lui laissai un mot disant que j'étais partie rendre visite à ma famille pour quelques jours.

Moi qui m'étais préparée à la guerre pendant deux ans, j'avais perdu mon avantage en quittant Paris le même jour que la moitié des habitants de la ville. Les rues étaient encombrées de voitures surchargées, de charrettes de vendeur de café, de taxis, de camions de boulanger, d'attelages et de carrioles à foin.

« Regardez-moi cet embouteillage ! siffla Minot à voix basse. On aura brûlé toute notre essence avant d'être arrivés à la porte d'Orléans. »

Il faisait très chaud dans la voiture. Sur le volant, mes paumes étaient moites de sueur.

Pourquoi est-ce que tu pars ?

Je me passai la main sur le front en essayant de chasser cette question de mon esprit. Elle revenait. J'avançais mes arguments : je dois sortir Minot et Mme Ibert de la ville sans encombre.

Oui, mais toi ? Pourquoi est-ce que tu pars ?

Mon projet initial avait été de faire quitter la France à Odette et à sa famille. Et je voulais réellement aider Minot et Mme Ibert. Mais la question de mon propre départ commença à me tracasser.

Je passai en revue mes raisons : parce que les Allemands étaient connus pour leur cruauté pendant la Grande Guerre ; à cause des histoires que m'avait racontées mon père sur des soldats allemands qui embrochaient des enfants et violaient les filles et les femmes.

Toi, la plus lumineuse dans cette cité de lumières !

Je m'agrippai au volant. Ce n'était pas un titre que je m'étais attribué comme Jacques Noir s'était fait passer pour la « coqueluche de tout Paris ». C'était une expression que le public français utilisait pour parler de moi. Et aujourd'hui, alors que la ville s'apprêtait à connaître ses heures les plus sombres, « la plus lumineuse » s'en allait…

Nous ne quittâmes vraiment Paris et ne commençâmes à emprunter la nationale 7 qu'en début de soirée. La route vers le sud était bondée, mais au moins nous allions tous dans la même direction. Au coucher du soleil, nous passâmes devant une église dont le cimetière contenait des rangées de tombes fraîchement creusées. Nous détournâmes le regard.

Nous roulâmes toute la nuit, Minot et moi nous relayions au volant. En me réveillant à l'aube, je vis des champs. « On y est bientôt ? demandai-je en bâillant.

— Vous plaisantez ? dit-il. On a fait à peine un tiers du trajet. »

Le ciel était dégagé et l'air déjà très chaud. Mme Ibert prépara le petit déjeuner, des tranches de pain qu'elle découpa sur une planche posée sur ses genoux. Devant nous, il y avait un camion avec une douzaine de petits enfants, une femme d'âge mûr et une adolescente.

« Je ne les avais pas vus tout à l'heure, observai-je.

556

— On a dû les rattraper à un moment ou à un autre pendant la nuit, dit Minot. Leur plaque minéralogique est belge.

— Ils ne sont pas tous les enfants de cette femme », fis-je remarquer en regardant les petites têtes tressauter. Certaines étaient brunes, d'autres blondes et d'autres rousses. L'âge des enfants allait de quatre à sept ans et leurs visages fatigués me serrèrent le cœur.

« Ce sont peut-être les évacués d'une école, hasarda Mme Ibert.

— On a toujours ce sac de pêches ? » demandai-je.

Elle chercha quelque chose derrière ses pieds. « Il y en a assez pour que chacun en reçoive une, opinat-elle.

— Oh, non ! fit Minot. Qu'est-ce que nous allons manger si vous et Mlle Fleurier n'arrêtez pas de distribuer nos provisions ? »

Mme Ibert me tendit le sac ainsi que deux miches de pain, un gros morceau de fromage, une plaque de chocolat et une grappe de raisin.

« Nous aurons amplement de quoi manger en arrivant à la ferme, rétorquai-je. Ces enfants n'ont peut-être rien avalé depuis des jours. »

Nous ne roulions pas assez vite pour que Minot soit obligé de s'arrêter. Je me glissai hors de la Peugeot et courus au milieu des autres voitures et des vélos vers le camion.

Le visage de la femme s'éclaira quand elle me vit. Elle se pencha pour prendre les provisions. « Merci ! Merci ! » dit-elle, des larmes plein les yeux.

Je lui demandai si elle était l'institutrice des

enfants ; elle le confirma. Ils avaient fui quand l'armée allemande avait rasé leur ville.

« Bonne chance, madame.

— Dieu vous bénisse ! » me lança-t-elle alors que je rejoignais notre voiture en courant.

Nous continuâmes à rouler au pas sur la nationale ; nous dépassâmes un fermier qui vendait de l'eau à deux francs la tasse et un autre qui proposait de l'essence à un prix exorbitant.

« Je suppose qu'il y aura toujours des gens prêts à profiter de la situation », grommela Mme Ibert.

Puis pendant une heure nous conduisîmes à ciel ouvert au milieu des champs. Minot nous divertissait en nous racontant les coulisses de l'Adriana et les ragots concernant les vedettes parisiennes tandis que j'essayais d'alléger l'atmosphère en chantant quelques chansons de mon dernier spectacle. Je fredonnais le thème de *Les Femmes* quand un hurlement terrifiant déchira l'air.

« Merde ! s'exclama Minot en scrutant la route à travers le pare-brise. Qu'est-ce que c'est ? »

Devant nous, la circulation s'immobilisa. Les gens sautaient hors de leurs voitures ou laissaient tomber leurs bicyclettes pour fuir à travers champs vers un bosquet. Ceux qui tractaient des charrettes se précipitèrent dessous.

L'institutrice et son assistante sautèrent à bas du camion en tirant les enfants derrière elles. Le chauffeur s'élança hors de sa cabine pour les aider. Je sortis de la voiture. Dans le champ, un Hollandais se tourna et se mit à crier : « Stukas ! Stukas ! » à l'adresse des Français qui, ne comprenant pas ce qui se passait, s'entreregardaient. C'est alors que je les vis : deux avions allemands arrivaient sur nous.

C'était des avions militaires qui cherchaient des cibles militaires ! Ils ne tireraient pas sur des réfugiés civils. Les avions volèrent plus bas. Mon cœur se contracta dans ma poitrine. Minot et Mme Ibert se laissèrent tomber par terre dans la voiture. « Baissez-vous ! » hurla Minot. Mes yeux étaient braqués sur les enfants qui essayaient de rejoindre les arbres, poussés et encouragés par l'institutrice et son assistante. Le chauffeur courait avec deux tout-petits, un sous chaque bras.

« Non ! » hurlai-je.

Il y eut un bruit de mitraille, comme si une pluie de cailloux s'abattait sur la route. La terre jaillit en nuages de poussière. Les petits corps des enfants tressautèrent et tombèrent par terre. L'institutrice s'immobilisa, se jeta à gauche et à droite dans un sursaut pour essayer de protéger une fillette des balles, puis elle et l'enfant s'écroulèrent face contre terre. L'assistante tomba quelques instants plus tard. Le chauffeur courait toujours devant, ralenti par les enfants qu'il portait. Un homme sortit de sous les arbres et prit un des petits. Ils avaient presque rejoint le bosquet quand un avion revint à la charge. Il les faucha tous les quatre sous une averse de balles avant de reprendre de l'altitude et de disparaître dans le ciel, dans le sillage du premier.

Mes jambes ne me portèrent pas plus loin que le bord de la route. Personne d'autre ne bougeait, de peur que les avions ne reviennent. Je contemplai la masse de corps ensanglantés dans l'herbe. À si basse altitude, les pilotes avaient bien dû voir que leurs cibles étaient des enfants. Ils les avaient abattus pour s'amuser !

« Salauds ! hurla Minot, qui me rejoignit et agita les mains en l'air. Salauds, tueurs d'enfants ! »

Ceux qui s'étaient réfugiés sous les arbres traversèrent une partie du champ à toutes jambes vers les corps : manifestement, à voir leurs visages solennels, il n'y avait aucun survivant. Une femme tomba à genoux en se lamentant sur le corps de l'homme qui s'était élancé à la rescousse du chauffeur. Il y eut une discussion parmi les survivants ; quelques minutes plus tard, trois hommes revinrent prendre des bêches dans leurs véhicules.

Une vingtaine de personnes restèrent en arrière pour aider à enterrer les enfants et leurs protecteurs. Les autres réfugiés rejoignirent leurs véhicules. Il ne leur restait qu'à reprendre la route. D'après la conversation de deux femmes qui me dépassèrent, je compris que ce n'était pas la première fois que des pilotes allemands prenaient des réfugiés pour cibles. Je comprenais maintenant pourquoi j'avais vu tant de voitures traverser Paris avec un matelas fixé sur le toit.

« Venez, mademoiselle Fleurier, dit Mme Ibert en passant son bras autour de ma taille. Nous ferions mieux de nous remettre en route. Il n'y a rien que nous puissions faire ici. »

Je revis les yeux de l'institutrice quand je lui avais tendu la nourriture. Qui était cette femme qui avait offert sa vie à des enfants qui n'étaient pas les siens ? Et son assistante, une fille plus jeune que moi, qui s'était sacrifiée ? Le chauffeur dont je n'avais jamais vu le visage ? Ce gâchis de vies innocentes me donna envie de hurler à la face du mal, pourtant aucun son ne sortit de ma gorge. J'eus un haut-le-cœur, mais mon estomac ne contenait pas de quoi vomir.

Mme Ibert me frotta le dos.

« Vous savez conduire ? lui demandai-je.

— Oui. »

Je me redressai. « Minot a une carte de la route jusqu'à la ferme. Vous pouvez me relayer ? »

Elle hocha la tête. « Reposez-vous à l'arrière. Je prends le volant », dit-elle en se tournant vers la voiture.

Je la rattrapai par le bras. « Non, je vous demande si vous pouvez aider Minot à aller à Sault. Je rentre à Paris. »

Elle soutint mon regard.

« J'ai quelque chose à faire », lui expliquai-je.

Minot, qui avait écouté notre conversation, nous rejoignit. « Mademoiselle Fleurier, vous êtes en état de choc. Vous êtes bouleversée. Calmez-vous. On ne peut plus rien faire maintenant. »

Mais Mme Ibert eut l'air de comprendre. Elle avait dû lire la détermination dans mon regard. Le meurtre de ces enfants avait fait germer une idée en moi, une idée qui commençait à grandir. Dans la voiture, Mme Ibert prit une bouteille d'eau et de la nourriture qu'elle mit dans un panier avant de me les tendre. « Il va vous falloir beaucoup de courage pour rentrer à pied, dit-elle en y glissant un couteau militaire, extirpé de sa poche. Et ce sera peut-être dangereux. »

Le regard de Minot passa d'elle à moi et il secoua la tête. Le bruit métallique des bêches qui heurtaient la terre sèche rompit le silence. Je fermai les yeux pour ne plus l'entendre. Quand je les rouvris, Minot avait pris ma main. « Faites-nous savoir dès que possible que vous êtes bien rentrée. Je crains pour vous, mais je vois bien que je n'arriverai pas à vous faire changer d'avis. »

Je regardai Minot et Mme Ibert remonter en voiture et démarrer. Puis je me détournai et me mis à marcher le long de la route dans le sens inverse à celui de la circulation. J'aurais été incapable de dire ce que j'avais l'intention de faire une fois à Paris. Je n'avais que mon courage, bien ébranlé, et la conviction de ne pas pouvoir fuir devant les forces malfaisantes qui avaient submergé l'Allemagne et s'abattaient à présent sur la France. Jusqu'à mon dernier souffle, je résisterais au mal. J'étais bien décidée à me battre.

27

Il me fallut trois jours pour arriver à Paris. Je passai une nuit dans un champ, recroquevillée sous un arbre avec le couteau de Mme Ibert à côté de moi. La nuit suivante, je dormis dans une grange. Régulièrement, j'arrêtais des gens sur la route pour les mettre en garde contre les avions allemands qui mitraillaient en rase-mottes. Un homme à bicyclette me regarda d'un air incrédule mais me promit de faire passer le message. Personne ne me reconnut. Avec mes bas en loques, ma robe froissée et mes cheveux raidis par la poussière, je ne ressemblais guère à la jeune femme lumineuse des affiches de l'Adriana et du Casino de Paris. J'étais tellement fatiguée, affamée et assoiffée que je voyais des taches noires danser devant mes yeux. Au matin du troisième jour, je parvins à me faire prendre en stop par une ambulance de la Croix-Rouge, seul véhicule qui allait à contre-courant de la circulation.

L'Américaine qui conduisait me tendit une gamelle en détaillant ma figure maculée de poussière et de sueur. Elle devina mon égarement : « Finissez-la. J'ai encore de l'eau à l'arrière et vous êtes déshydratée. Où allez-vous ? À Paris ? »

J'acquiesçai.

« J'y passe pour chercher des provisions, dit-elle. La police estime qu'il y reste moins d'un tiers de la population. Deux millions d'habitants sont partis. »

Nous n'entretînmes pas beaucoup la conversation après cela. Elle supposait sans doute que j'allais chercher un enfant ou un membre de ma famille. Mais je ne savais pas moi-même ce que j'avais l'intention de faire à Paris.

La cité de lumières était plongée dans l'obscurité quand nous franchîmes la porte d'Orléans. Aucun réverbère n'était allumé, les fenêtres étaient obscurcies. L'Américaine me déposa près de l'Arc de Triomphe. Pour la première fois, je voyais le rond-point sans aucune circulation. Des agents de police, près d'une des colonnes, étaient les seuls êtres humains dans les parages. Je remerciai l'Américaine de m'avoir conduite jusqu'ici puis, sans réfléchir, lui demandai : « Que faites-vous encore en France ? Vous êtes américaine. Votre pays est neutre.

563

« — J'ai passé de bons moments dans votre pays, mademoiselle. Les plus beaux de ma vie. Ce ne serait pas bien de partir alors que la France souffre. »

Je la remerciai encore et descendis l'avenue des Champs-Élysées déserte. Les volets des immeubles résidentiels étaient fermés, les grilles des boutiques et des galeries, baissées. Toutes les vitrines dépourvues de volets étaient barrées avec du gros adhésif et obscurcies par des rideaux noirs. La lueur fantomatique de la lune était la seule lumière et, hormis les aboiements assourdis des chiens dans les appartements, on n'entendait pas un bruit.

Ma résidence était aussi sombre et désolée que les autres dans la rue. Je sonnai sans grand espoir de trouver la concierge à son poste : il n'y avait aucune lumière, ni dans sa loge ni dans son appartement. Pourtant, l'instant d'après, je sentis la froideur du métal contre la gorge. Une légère odeur de soufre et quelque chose d'âcre me chatouillèrent les narines ; je n'osais plus respirer. Le canon d'un revolver était posé sur ma peau.

« Qui êtes-vous ? »

Je reconnus la voix de la concierge. Je ne pouvais pas la regarder car le revolver me forçait à lever la tête et j'avais trop peur pour bouger.

« Madame Goux, dis-je d'une voix étranglée. C'est moi, Suzanne Fleurier. » Étions-nous à Paris ou à Chicago ?

Mme Goux relâcha la pression puis retira doucement le revolver. Je baissai les yeux. Le canon était encore dirigé sur moi et le doigt de Mme Goux jouait sur la détente. Elle plissait les yeux en essayant de me voir dans le noir.

« Mon Dieu ! finit-elle par soupirer, en me poussant à l'intérieur de l'immeuble et en verrouillant la porte derrière nous. Qu'est-ce qui vous est arrivé ? »

Je lui racontai mon voyage sans même penser à lui demander pourquoi elle était restée, ni comment elle s'était procuré ce revolver. Mais je m'arrêtai net quand elle alluma une lampe. Elle avait des cernes flasques sous les yeux et une expression égarée.

« Les Boches n'ont pas bombardé que des cibles militaires. Ils ont touché des maisons dans les quartiers sud-ouest de la ville. Ma sœur cadette et sa famille sont morts.

— Désolée », murmurai-je en me rappelant le flegme avec lequel elle avait épluché ses pommes de terre à la cave pendant le raid aérien. Ce souvenir devait lui être cruel maintenant.

Il n'y avait pas assez d'électricité pour faire fonctionner l'ascenseur et je dus monter l'escalier. J'avais des crampes d'estomac, mes jambes tremblaient. En arrivant à mon appartement, j'étais brûlante de fièvre et m'écroulai immédiatement sur mon lit. Quelques heures plus tard, j'émergeai, enroulée dans les couvertures. On entendait des chocs sourds et des explosions au loin, mais j'ignorais s'ils étaient ou non le produit de mon imagination. Quelque part dans cette cacophonie, des sirènes hurlaient, des séries de tirs antiaériens déchiraient l'air. Ceux-là étaient bien réels, mais je n'eus pas la force de descendre à la cave. J'adressai une prière à mon père afin qu'il me protège, décidée à vivre pour lutter, mais rien que respirer me demandait tous les efforts dont j'étais capable.

L'instant d'après, je fus réveillée par le soleil sur

mon visage et Mme Goux me regardait fixement. « La fièvre est tombée, m'annonça-t-elle, la main sur mon front. Heureusement que vous n'aviez pas fermé la porte. Je n'aurais pas su que vous étiez malade. L'hôpital est plein de soldats et il n'y a aucun docteur qui puisse venir vous voir. »

Je déglutis. Ma gorge était comme du papier de verre.

« Deux jours que vous êtes couchée là, poursuivit-elle en s'approchant de la fenêtre pour jeter un œil entre les rideaux. Mais pourquoi vous êtes revenue ?

— Je voulais me battre », répondis-je.

Affirmation ridicule de la part d'une femme incapable de s'asseoir sur son lit, pourtant Mme Goux ne rit pas. Je lui racontai qu'une Américaine au volant d'une ambulance m'avait ramenée à Paris : « Même des étrangers se battent à nos côtés !

— Dans ce cas, dit sombrement Mme Goux, votre Américaine est bien la seule. Le président des États-Unis ne nous envoie que sa sympathie.

— Mais les Anglais sont encore nos alliés, objectai-je.

— Ha ! fit-elle avec mépris. Vous n'êtes pas au courant. Ils se retirent du Nord. Ils nous abandonnent. »

Je fermai les yeux de toutes mes forces. La nausée me submergea. Les choses allaient de mal en pis.

Je restai au lit jusqu'au lendemain matin tôt. Tout devint blanc quand je me levai. Je m'adossai au mur jusqu'à ce que j'y voie plus clair puis me dirigeai vers la salle de bains d'un pas chancelant pour m'asperger d'eau et me brosser les dents. Ces deux choses suffirent à m'épuiser et je rejoignis mon lit en titubant.

Quelques heures plus tard, je me réveillai pour m'apercevoir que j'étais couverte de poussière de suie. Le soleil faisait comme une boule de feu dans le ciel. Pourquoi le soleil était-il si rouge et le ciel si noir ? Je m'approchai de la fenêtre d'un pas traînant et regardai dehors. Des camions descendaient la rue. Des hommes débraillés trébuchaient sur le pavé, certains saignaient de blessures au visage ou aux bras. L'un d'eux s'arrêta, s'assit dans le caniveau, posa la tête sur ses bras repliés et se mit à pleurer. Je le scrutai plus attentivement. Il portait un uniforme d'officier français.

« Je suis en train de rêver, me dis-je tout haut. L'armée française est la plus grande et la plus puissante du monde. »

Mme Goux entra à ce moment-là dans la chambre avec un bol de soupe sur un plateau. Elle le déposa sur la table de chevet et regarda dehors par-dessus mon épaule, encore plus triste que la dernière fois.

« Ils ne sont pas censés se replier en traversant la ville, lâcha-t-elle. Ils ont reçu l'ordre de la contourner. »

Sa présence mit un élément de réalité dans mon cauchemar et j'eus alors les idées un peu plus claires, mais il me fallut encore quelques instants pour comprendre ce qu'elle avait dit.

« Pourquoi, la contourner ?

— D'après la rumeur, ils ne vont pas défendre Paris, répondit-elle.

— Ils ne vont pas la défendre ? Qu'est-ce que ça veut dire ? »

Elle fit claquer sa langue et eut un petit rire amer en secouant la tête comme si elle n'arrivait pas à y croire elle-même. « Ça veut dire que nous allons être les otages du diable et qu'on n'y peut rien ! »

Le lendemain matin en me réveillant, je sentis que j'avais repris des forces, grâce aux bons soins de Mme Goux. Par une ironie du sort, nous qui avions à peine échangé quelques mots pendant toutes les années que j'avais passées dans l'immeuble étions devenues compagnes d'infortune dans la tragédie qui se déroulait à Paris. Je sortis de mon lit, me lavai et m'habillai au ralenti car je me sentais encore faible. Ce n'était pas dans cet état qu'il me fallait aborder le début d'un tel conflit, car avec les guerres venaient le rationnement et la faim. J'aurais mieux fait de rester au lit au moins un jour de plus, mais je ne pouvais pas. Je voulais voir de mes yeux ce qui se passait dans la ville.

Sur le palier, je fus frappée par une odeur putride. À mesure que je descendais l'escalier, la puanteur devenait de plus en plus puissante. Quelle qu'elle fût, cette odeur de viande faisandée devait forcément déranger Mme Goux puisqu'elle avait laissé la porte d'entrée ouverte en dépit de sa peur paranoïaque des pillages. J'allai frapper à sa loge. Elle m'invita à entrer et je la trouvai assise devant son petit déjeuner, en train de boire du café.

« Qu'est-ce que c'est que cette odeur ? demandai-je.

— La ville entière pue ! déclara-t-elle. Il n'y a plus de collecte des déchets. Ni de vidange du tout-à-l'égout. Les ordures s'entassent dans les rues. La viande pourrit dans les boucheries et la nourriture aussi, dans les autres boutiques.

568

— Mais on dirait que ça vient de notre immeuble, objectai-je. Les autres locataires vous ont-ils laissé leurs clés ? Il y a peut-être des provisions qui moisissent dans leurs appartements. »

Mme Goux me lança un bref regard. « Je me demande si ce n'est pas le chien de M. Copeau. Ça fait deux jours que je ne l'ai pas entendu aboyer.

— Mon Dieu ! » m'exclamai-je en repensant au flot de réfugiés. Tant de familles, après avoir empilé tout ce qu'elles possédaient sur des charrettes, avaient emmené leurs animaux de compagnie… Qu'avaient donc les habitants du huitième arrondissement ? Je connaissais déjà la réponse : ils considéraient leurs animaux comme des accessoires de mode qu'on peut jeter quand ils ne conviennent plus !

Pourtant quelque chose clochait. M. Nitelet était un homme arrogant, il pouvait facilement abandonner un animal, mais chaque fois que j'avais vu M. Copeau, qui était plus âgé, en compagnie de son danois, il avait montré une véritable affection pour son chien.

« J'ai entendu les chiens du dessus japper ce matin, dit Mme Goux en prenant une clé dans sa boîte pour me la tendre. Vous semblez oublier que j'ai mes propres chagrins et que j'étais occupée à vous soigner. »

C'était la clé de l'appartement de M. Nitelet. J'avais bien conscience que mon souci des animaux dépassait ce que la plupart des gens considéraient comme normal, mais pour moi Kira n'était pas un objet voué à rendre mon appartement plus chaleureux quand j'en avais besoin. À mes yeux, elle faisait partie de la famille. Après tout, je l'avais envoyée dans le Sud poussée par une inquiétude similaire à celle de Minot pour sa mère.

Les forces que j'avais économisées pour aller au-devant de la guerre furent épuisées en haut de l'escalier. J'ouvris la porte de M. Nitelet. L'appartement avait été vidé de tous ses meubles et de tous ses tableaux, hormis deux chaises empilées dans un coin. J'aperçus des os éparpillés par terre. Les deux chiens trottinèrent vers moi. Ils étaient maigres et me regardaient avec des yeux effrayés, mais ils agitaient quand même la queue. À ma surprise, un chat blanc avec une tache de roux au-dessus de l'œil et une autre, plus petite, près du nez apparut à côté de moi. Je le pris dans mes bras – c'était une femelle – et ordonnai aux deux chiens de me suivre jusqu'à mon appartement. Sans hésiter, ils descendirent l'escalier sur mes talons. J'avais plein de boîtes de sardines dans mes provisions. J'en ouvris trois, en versai le contenu dans deux bols et remplis le troisième d'eau. L'instant d'après, les trois petites boules de poils lapaient avidement.

Après avoir noué un tablier autour de ma taille, j'allai chercher un gros sac de toile à l'office pour le cadavre du chien dans l'appartement du dessous. Mme Goux m'attendait dans le hall. Je la regardai insérer la clé dans la serrure et pousser la porte d'entrée de l'appartement de M. Copeau. L'odeur était encore plus écœurante dans le vestibule confiné. Je pris l'écharpe que j'avais autour du cou et la nouai autour de ma bouche.

« Prête ? » s'enquit la concierge en mettant la clé dans la serrure de la deuxième porte. Je hochai la tête et elle la poussa. La puanteur s'abattit sur nous comme une créature vivante. J'eus un haut-le-cœur. Mme Goux se précipita vers la fenêtre, dont elle ouvrit les rideaux. La poignée lui résista. Je la rejoignis et, en me coupant le doigt, parvins à forcer le mécanisme. Toutes les deux, nous ouvrîmes la fenêtre en grand et nous penchâmes pour aspirer de grandes goulées d'air frais.

Un aboiement se fit entendre derrière nous. Nous fîmes volte-face et vîmes le chien s'avancer dans la pièce d'un pas chancelant. On voyait ses côtes sous son pelage fauve et il avait peine à garder les yeux ouverts, mais il était bien vivant.

« Merde ! cracha Mme Goux. J'aurais dû monter le revolver. »

Pourtant le chien n'avait pas l'air de vouloir nous attaquer. Comme pour me rassurer, il posa son museau sur ma cuisse. D'où venait l'odeur, alors ? C'était autre chose que des ordures et des déjections canines.

« Vous l'avez vu partir, M. Copeau ? demandai-je à la concierge.

— Non, je pensais qu'il l'avait fait, comme tous les autres. »

Je lorgnai dans le couloir d'où le chien était venu. Il était sombre et, tout au bout, une porte entrouverte menait à une autre pièce. Le chien se mit à gémir et retourna dans le corridor avec un regard en arrière pour voir si nous le suivions. Nous lui emboîtâmes lentement le pas. L'odeur devenait si forte qu'elle s'infiltrait dans nos habits et s'accrochait à nos cheveux. Je la sentais au fond de ma gorge.

Je poussai la porte. Il faisait trop noir pour y voir quoi que ce soit. Quelque chose m'effleura l'épaule. Je hurlai. Mme Goux me bouscula pour aller arracher le rideau. Alors le chien poussa un hurlement lugubre et la concierge se signa. Nous contemplâmes le corps de M. Copeau, accroché à une suspension comme une marionnette au bout d'un fil. J'avais beau regarder encore et encore, je n'arrivais pas à me convaincre que ce pendu était un être humain.

La police ne vint pas chercher le corps de M. Copeau avant l'après-midi. S'il avait laissé un mot, nous ne le trouvâmes jamais. Les agents déclarèrent que c'était le huitième suicidé qu'ils venaient détacher dans le quartier, et ils devinaient bien pourquoi : M. Copeau avait combattu les Allemands pendant la Grande Guerre.

La vision horrible du corps de M. Copeau avait été traumatisante, pourtant je n'en avais pas pour autant oublié mon désir de savoir ce qui se passait dans Paris. Je sortis dans la rue vers quatre heures. Le soleil brillait encore. Cela aurait pu être une belle journée comme n'importe quelle autre à Paris, mais la ville en elle-même n'avait rien de normal. Ma rue était déserte et, comme Mme Goux me l'avait annoncé, les monceaux d'ordures sur les trottoirs empestaient presque autant que l'appartement de M. Copeau.

Je descendis les Champs-Élysées jusqu'au Grand-Palais sans trouver aucun kiosque à journaux ouvert. Je traversai le pont Alexandre-III pour tenter ma chance sur la rive gauche. J'eus soudain envie de retourner hanter le quartier où j'avais vécu à mon arrivée, aussi je pris le boulevard Saint-Germain. Un agent de police était chargé de régler la circulation des réfugiés. Il n'y avait plus de voitures, seulement des centaines de bicyclettes et de charrettes tirées par des bœufs ou par des ânes. Des gens partaient à pied en poussant des brouettes et des landaus sur lesquels s'entassaient les biens du ménage.

À un kiosque ouvert mai peu garni, je demandai *Le Journal* à la vendeuse.

« *Le Journal* n'existe plus, mademoiselle, dit-elle. On n'a que l'*Édition parisienne de guerre*. »

Je dus avoir l'air perplexe car elle entreprit de m'expliquer que les derniers volontaires des rédactions du *Journal*, du *Matin* et du *Petit Journal* s'étaient associés pour sortir cette nouvelle gazette.

Je l'achetai. Comme tous les autres journaux publiés ces dernières semaines, il ne comportait qu'une seule feuille imprimée des deux côtés. Le gros titre disait : « Tenez Bon Malgré Tout ! »

Qu'est-ce que cela voulait dire ? J'allai m'asseoir dans un café – qui n'avait plus de café mais me proposa une sorte de thé fade – pour lire que les boulangeries, les pharmacies et les magasins d'alimentation avaient reçu pour ordre de rester ouverts sous peine de poursuites judiciaires. Les ouvriers des usines n'étaient pas autorisés à quitter leur poste, sinon ils seraient accusés de haute trahison. « Bel exemple ! » marmonnai-je en me rappelant que leurs patrons s'étaient mis à l'abri à l'étranger.

Je poursuivis ma route jusqu'au métro Odéon. Manifestement, rares étaient les boutiquiers qui se souciaient des menaces des autorités de la ville. La plupart des magasins avaient le rideau baissé ou des

pancartes dans la vitrine annonçant : « Fermé jusqu'à nouvel ordre. » Je finis tout de même par en
trouver un ouvert et achetai quelques boîtes supplémentaires de lait concentré et de boulettes de
viande. Je devais penser à tous mes petits locataires
à présent !

Il y avait un attroupement près de la bouche de
métro. Un avis à la population avait été placardé par
le préfet de police, disant que « dans les circonstances dramatiques auxquelles Paris se trouvait
confrontée » la préfecture de Police poursuivrait
son travail et comptait sur les Parisiens pour « lui
faciliter la tâche ».

« Comment ça ? » s'étonna quelqu'un.

Un agent de police se tenait non loin de là et une
femme le héla. Il s'approcha de la foule et expliqua :
« La police doit rester dans la ville pour maintenir
l'ordre et la sécurité. Nous ne devons partir sous
aucun prétexte. »

Il me fit pitié. Il était jeune – en âge de rejoindre
l'armée – et sa voix tremblait. Qui aurait pu lui
reprocher sa nervosité ? On ne devinait que trop
bien ce que les Allemands ne manqueraient pas de
faire à un Français en âge de combattre sous les
drapeaux…

Je me demandai si je n'aurais pas mieux fait de
continuer vers le sud plutôt que de revenir à Paris.
J'aurais été plus en sécurité au pays de Sault et je
savais que ma famille se ferait du souci pour moi. Je
n'avais aucun moyen de lui envoyer un télégramme,
tous les bureaux de poste étant fermés. Mais je me
sentais à ma place à Paris, et ma mère m'avait toujours encouragée à suivre mon instinct. J'étais le

témoin direct d'un événement colossal, et au moins je serais là pour tenir la main de ma ville bien-aimée dans les dernières heures de son agonie.

Ce fut le jour suivant, le 13 juin, que je finis par accepter qu'il n'y avait aucun espoir de résister aux Allemands. Je me rendis très tôt au kiosque à journaux du boulevard Saint-Germain, mais il était fermé. Le vendeur avait collé le dernier bulletin d'informations sur la porte :

Avis
Aux résidents de Paris
Paris ayant été proclamée VILLE OUVERTE
Le gouverneur militaire ordonne à la population
De s'abstenir de tout acte hostile
Et compte sur elle pour conserver le calme et la dignité
Requis en ces circonstances.

Le Gouverneur de Paris

La rumeur qu'avait entendue Mme Goux était donc officielle. Nous n'allions pas faire sauter de ponts, ni ériger des barricades dans les rues, nous n'allions pas « déverser d'huile bouillante par-dessus les murs de la ville », pour ainsi dire. Nous allions laisser les Allemands entrer dans Paris. Était-ce une stratégie militaire ? Un piège pour les Allemands ? Ou le gouvernement remettait-il vraiment les clés de notre belle cité afin d'éviter qu'elle ne soit réduite en fumée comme Rotterdam ?

En revenant à mon immeuble, je trouvai Mme Goux en train de ronfler, avachie sur son

575

bureau, une bouteille de vin vide à côté d'elle. Une bonne bouteille, que l'un des propriétaires de l'immeuble avait dû laisser. Un filet de salive lui coulait sur le menton et sur son exemplaire de l'*Édition parisienne de guerre*. Elle devait « conserver le calme et la dignité requis en ces circonstances » ! Si j'avais su où trouver une autre bouteille de château d'Yquem, je me serais jointe à elle.

28

Le lendemain matin, j'ouvris les yeux à l'aube, réveillée par le ronronnement d'une automobile. Le véhicule s'arrêta et resta un moment à l'arrêt, sans couper le moteur, sous ma fenêtre. Moi qui avais vécu sur les Champs-Élysées pendant des années, je fus perturbée par ce bruit inhabituel dans un Paris où il restait si peu de voitures et pas un seul bus. Je regardai mon lit. Quatre paires d'yeux luisants me rendirent mon regard. La chatte, que j'avais baptisée Chérie, était enroulée entre mes jambes. Princesse et Charlot, les petits chiens de M. Nitelet, s'étaient blottis sous mes aisselles. Bruno, le grand danois, était allongé en travers de mes chevilles.

J'essayai de deviner de quel genre de véhicule il s'agissait. Mais il repartit et le bruit s'évanouit au loin.

Quelques minutes plus tard, Bruno grogna. Les trois petites têtes se mirent elles aussi à l'affût, les oreilles dressées. Chérie se leva d'un bond et sauta par terre, les pupilles élargies, les poils de son dos et de sa queue hérissés. Je ne distinguais qu'un faible son : *Clop ! Clop ! Clop ! Clop !* Le bruit s'amplifia soudain, se fit plus menaçant. Je m'assis sur le lit et reconnus le bruit de bottes qui battaient le pavé. Des *milliers* de bottes !

Nous avions reçu l'ordre de rester dans nos foyers pendant quarante-huit heures après l'entrée des Allemands dans la ville. Seulement personne ne nous avait dit *à quelle date* ils arriveraient. Je me dégageai du lit encombré d'animaux pour me précipiter à la fenêtre et ouvrir les rideaux d'un grand geste. D'abord, je ne vis que des policiers français alignés le long de l'avenue, matraque au côté. M'étais-je donc trompée ? Était-ce la police que j'avais entendue ? Mais les policiers étaient immobiles tandis que le bruit s'amplifiait. J'ouvris les fenêtres en grand et me penchai par la fenêtre. Des tanks allemands, par rangées de quatre, descendaient lourdement les Champs-Élysées. Derrière eux, à perte de vue, s'étiraient des colonnes de soldats allemands.

Je refermai la fenêtre, enfilai une robe et des sandales. On nous avait certes enjoint de rester à la maison, mais cette vision d'horreur m'en empêchait. Il fallait que je voie la catastrophe de mes propres yeux, sinon je ne pourrais pas y croire.

Mme Goux avait dû penser la même chose. Elle sortit de sa loge, tout en noir comme une veuve, au moment où j'arrivais dans le hall. Sur l'avenue, nous nous aperçûmes que nous n'étions pas les seules à transgresser l'interdiction de sortir. Les gens étaient blêmes, affligés, beaucoup pleuraient. Les policiers ne nous ordonnèrent pas de rentrer chez nous. L'un d'eux, au garde-à-vous comme les autres, avait des larmes sur les joues. Je repensai au jeune agent que j'avais vu à Odéon. Quelle mission terrible leur avait été confiée ! Ils devaient remettre la ville et ses habitants aux Allemands.

Les premiers tanks passèrent devant nous dans un grondement, gris sous les rayons matinaux du soleil de juin. Une voiture blindée avec deux soldats casqués les suivait. Le passager me sourit. Je me détournai, mais une femme devant moi fut enthousiasmée par cette parade victorieuse : « Regardez, quelle classe, ces uniformes allemands ! s'exclama-t-elle avec effusion. Regardez comme ils sont beaux garçons ! On dirait des dieux blonds. »

Mme Goux la reprit d'un ton cassant : « Et certains de ces dieux ont massacré des Français ! » Les autres badauds soutinrent Mme Goux en adressant des regards glacials à la femme, qui haussa les épaules.

Les Allemands défilèrent au pas pendant presque toute la journée. En fin d'après-midi, je me rendis sur le boulevard Saint-Germain voir si je pourrais trouver d'autres nouvelles sur la progression de la guerre. Je fus écœurée de voir le Dôme et la Rotonde pleins de soldats allemands. Pire, il y avait quantité de Français ravis de partager leurs tables et de bavarder avec l'envahisseur comme s'il s'était agi de simples touristes venus visiter Paris. Peut-être les gens étaient-ils soulagés de voir que l'armée allemande faisait preuve de retenue. Ils payaient leurs boissons, même si le franc valait une misère comparé à la devise allemande, et ils ne semblaient pas près de se lancer dans une débauche de pillage et de viols.

Dans la soirée, Mme Goux et moi écoutâmes la radio pour essayer de savoir ce qui se passait dans le Sud. Mais toutes les stations de radio parisiennes avaient été reprises en main par des Allemands francophones et ressassaient le même message : l'armée allemande ne voulait aucun mal au peuple parisien. Nous avions été abandonnés par notre gouvernement et trompés par les juifs. Dès que la France ferait la paix avec l'Allemagne, ils pourraient vaincre les Britanniques, leur véritable ennemi.

« Ils ne nous veulent aucun mal ? dis-je en éteignant la radio. Ils ont tué ces enfants, sur la route. Le plus grand n'avait pas plus de sept ans. »

Le matin suivant, je trouvai les chiens en rang devant ma porte. Ils avaient repris des forces et mouraient d'envie de sortir en promenade. Mme Goux trouva la laisse de Bruno dans l'appartement de M. Copeau, mais ce fut en vain qu'elle fouilla dans les tiroirs et les placards de M. Nitelet, et je n'avais ni cordes ni ceintures assez longues pour cet usage.

J'emmenai Bruno et partis à la recherche de laisses pour Princesse et Charlot. Bruno était un animal de stature imposante, qui m'arrivait à la taille.

Les Allemands avaient établi leurs quartiers généraux à l'hôtel Crillon, sur la place de la Concorde, aussi fis-je un long détour par l'Arc de Triomphe. Quand le monument fut en vue, mes jambes se dérobèrent sous moi. Un drapeau à croix gammée flottait au-dessus de l'Arc, assez grand pour que toute la ville le remarque. Il hurlait un message que je ne voulais pas entendre : Paris appartenait désormais aux Allemands.

Je m'engageai dans une rue adjacente et me dirigeai vers la Seine. Placardée sur un mur, une affiche représentait un soldat allemand. Il portait un petit garçon dans ses bras tandis que deux fillettes levaient sur lui des yeux pleins d'adoration. La légende disait : « Peuple abandonné, aie confiance dans le soldat allemand. »

Je repensai aux programmes radio que Mme Goux et moi avions écoutés la veille au soir. Cette guerre sera une guerre idéologique, me dis-je. Nous étions un peuple abandonné par notre armée et notre gouvernement. Mais je n'avais aucune confiance dans les soldats allemands.

Deux jours plus tard, Mme Goux vint frapper à ma porte. « Le maréchal Pétain va faire un discours à la radio ce soir », annonça-t-elle.

Notre gouvernement s'était enfui à Bordeaux et, aux dernières nouvelles, le Maréchal, héros à Verdun, avait remplacé Paul Reynaud comme Premier ministre. Cette nouvelle avait été accueillie avec joie, pourtant je me demandais ce qu'un homme âgé de quatre-vingt-quatre ans pouvait faire pour la France, à part rallier la population. Et j'avais raison. Qui plus est, il essaya de nous rallier à une cause que je trouvais inacceptable.

Au milieu des grésillements, nous entendîmes la voix tremblotante de Pétain : « C'est le cœur lourd que je vous annonce la fin des combats. » Il voulait signer l'armistice, faire la paix avec les Allemands.

Mme Goux et moi ouvrîmes de grands yeux,

incapables de parler. La France avait été vaincue en quelques semaines ? Et maintenant Pétain nous demandait de faire au mieux pour coopérer avec les Allemands ?

« Ils leur ont offert Paris sur un plateau et maintenant ça recommence avec toute la France ! cracha Mme Goux.

— Je ne comprends pas comment il peut...

— C'est qu'il est lui-même un fasciste d'extrême droite, voilà pourquoi ! dit-elle en serrant les poings. Je refuse de collaborer avec les Allemands. Je ne coopérerai pas avec des gens pareils ! »

Ce fut seulement le lendemain matin que les implications du message de Pétain me frappèrent. La France était désormais un satellite nazi. Toutes nos forces et nos ressources industrielles, y compris nous-mêmes, étaient à la disposition de l'ennemi. Les Allemands avaient raison quand ils nous décrivaient comme un peuple abandonné. Nous avions été abandonnés, mais je me refusais à collaborer avec un régime qui assassinait les enfants et privait les gens de leurs droits civiques parce qu'ils étaient juifs. Je pensai à Minot. Il serait sans doute à l'abri à la ferme pour quelque temps et à seulement quelques heures de Marseille s'il devait s'enfuir. Mais qu'en était-il d'Odette, de M. Étienne et de leurs familles ? J'espérais qu'ils iraient au pays de Sault. Et qu'importe si Pétain prétendait qu'il se rendait à l'Allemagne pour réduire leurs souffrances. Sa hâte d'annoncer la défaite de la France semblait suspecte. S'il était vraiment fasciste, le peuple juif ne pouvait attendre aucune protection de lui.

La semaine suivante se passa comme dans un rêve étrange. Je m'étais remise, mais j'avais du mal à me concentrer. Sortir de mon lit devint une telle lutte que pendant plusieurs jours je ne le quittai plus. Mme Goux se laissa aller à sa propre dépression, elle fumait et jouait au solitaire dans sa loge presque toute la journée. La seule mission qui l'aidait à garder le cap était de s'assurer que l'immeuble avait l'air occupé. Elle arrosait les fleurs dans leurs jardinières, ouvrait et fermait les rideaux à différentes heures dans la journée et me demanda aussi de l'aider à traîner certains meubles de l'appartement de M. Copeau dans celui de M. Nitelet, au-dessus.

« Je ne veux pas que les Boches s'imaginent qu'ils pourront crécher ici », m'expliqua-t-elle. En effet, le haut commandement allemand réquisitionnait les beaux immeubles et les hôtels les plus chics pour son usage personnel.

Beaucoup de Parisiens parmi ceux qui avaient fui commencèrent à revenir. Les rideaux de fer se rouvraient sur les vitrines. Il y avait des provisions sur les marchés, les théâtres firent circuler des programmes et les banques reprirent les affaires avec des horaires réduits. Certains de ceux qui revinrent étaient des industriels, mais la plupart étaient petits commerçants, souvent juifs. Ils avaient besoin de Paris pour gagner leur vie.

Les Allemands donnaient l'impression d'avoir préparé leur mainmise sur Paris depuis des années. Tout allait comme sur des roulettes. Dans le sillage de l'armée, les fonctionnaires arrivèrent. Je reçus un avis du *Propagandastaffel* m'enjoignant de me présenter à ses bureaux dès que possible pour procéder

582

à mon inscription. Tous les artistes français dont les chansons étaient approuvées et les antécédents vérifiés pourraient continuer à se produire.

« Ah, non, je ne crois pas ! » murmurai-je. Je fis un cône avec la lettre et l'utilisai pour nettoyer la litière de Chérie.

Le flot des réfugiés qui remontaient du Sud vers Paris me causa du souci pour M. Étienne et Odette. Je priai pour qu'ils restent loin de la ville, dans leur propre intérêt. Notre ligne téléphonique avait été coupée pour une raison inconnue, aussi décidai-je de me rendre au bureau de M. Étienne par mes propres moyens. Aucun taxi n'était disponible pour les citoyens français, je pris donc le métro jusqu'à la rive gauche, ce que je n'avais pas fait depuis des années. Le premier wagon était plein de soldats allemands, je changeai de voiture à l'arrêt suivant. Mais à la station d'après, d'autres soldats allemands envahirent le wagon. Je me résignai à voyager en compagnie de l'ennemi. Une feuille de journal pliée était coincée à côté de mon siège. Je la sortis et fis semblant de lire. Un bout de papier s'échappa de la page et tomba sur mes genoux. Mon regard s'attarda sur les mots écrits à la main :

Au peuple de Paris : résistez aux Allemands !

Je m'empressai de remettre le papier dans la pliure du journal pour que personne ne le voie. C'était la transcription d'un discours prononcé par Charles de Gaulle environ dix jours plus tôt.

Avons-nous dit notre dernier mot ? Avons-nous perdu tout espoir ? La défaite est-elle définitive ? Non, croyez-moi, je vous dis que rien n'est perdu pour la France.

Je levai les yeux ; un des officiers allemands regardait dans ma direction. Il chuchota quelque chose à son compagnon. Je m'efforçai de garder un air aussi neutre que possible tout en lisant la fin du message. Le colonel Charles de Gaulle, devenu général, avait été de ceux qui critiquaient le manque de préparation de la France face à la guerre. Il était parti à Londres et appelait tous les soldats français qui se trouvaient en Grande-Bretagne, ou qui pouvaient s'y rendre, à entrer en contact avec lui.

La flamme de la résistance française ne doit pas être étouffée, elle ne se laissera pas éteindre.

Les larmes me montèrent aux yeux. Mon menton se mit à trembler. On ne nous avait pas oubliés. Il y avait un chef, quelqu'un croyait encore en la France. Résister ? Bien sûr que je voulais résister, et jusqu'au dernier souffle ! Mais comment ? Comment trouver ces gens qui étaient encore prêts à se battre pour la France ?

Je sortis du métro à Solférino. « Mademoiselle Fleurier ! » lança une voix d'homme. Je m'arrêtai en me demandant si j'avais bien entendu mon nom. L'accent était allemand. Je fis volte-face. Derrière moi se tenaient les deux officiers que j'avais vus dans le métro. Ils avaient un appareil photo.

« S'il vous plaît, dit le plus grand des deux, nous aimerions être pris en photo avec la célèbre Mlle Fleurier. »

Bien sûr ! pestai-je intérieurement, les Allemands doivent me reconnaître. J'avais refusé de me produire à Berlin après avoir entendu les histoires de Renoir et du comte Kessler sur les mauvais traitements réservés aux juifs, cependant les Allemands devaient connaître mes films et mes disques.

Un attroupement se fit, les curieux voulaient savoir ce qui se passait. L'officier répéta sa demande.

Je n'avais pas envie d'être prise en photo avec des soldats allemands. Si la photo était publiée dans un des journaux de propagande ? J'eus recours à la tactique des Parisiens : je fis semblant de ne pas comprendre la question, bien que l'officier parlât un français acceptable. Malheureusement, une femme dans la foule décida de se montrer serviable : « Ils veulent faire une photo avec vous », dit-elle.

L'officier tendit son appareil avec un sourire enjôleur. Je levai le menton.

« Vous voulez une photo de Suzanne Fleurier ? fis-je. Eh bien, vous n'avez qu'à la prendre ! »

Et je lui tournai le dos avant de sortir de l'attroupement. Quelques badauds poussèrent des « Oh ! » choqués, les autres se turent et s'écartèrent sur mon passage. En arrivant au coin de la rue, je remarquai un homme adossé à un lampadaire, un journal entre les mains. L'espace de quelques secondes, il braqua un regard de braise sur moi, puis il se détourna. Avais-je bien compris son message ? Il avait eu l'air de dire : « Bravo, mademoiselle Fleurier. Bravo ! »

Cet acte de résistance un peu idiot n'allait rien changer, et s'il parvenait aux oreilles des autorités allemandes, il ne servirait qu'à m'attirer des ennuis.

585

Pourtant, il me procurait de la satisfaction chaque fois que j'y repensais. J'étais encore sur mon petit nuage quelques jours plus tard, bercée par le souvenir de mon geste de défi, quand je sortis promener les chiens – ils avaient maintenant tous une laisse. Et puis j'étais contente de savoir que M. Étienne n'était pas revenu à Paris. Depuis que Pétain avait capitulé en notre nom et que la France était divisée en deux zones, le nord du pays – dont Paris – était dirigé par les Allemands. Ils prétendaient en avoir besoin pour lancer l'offensive contre la Grande-Bretagne. La zone « libre » du Sud devait être administrée par Pétain et son gouvernement de Vichy, mais il était évident que c'était Hitler qui tirait les ficelles. La correspondance d'un côté de la ligne de démarcation à l'autre était restreinte. Je n'avais aucun moyen d'expliquer la situation de M. Étienne et de sa famille à Bernard. Tout au plus pus-je envoyer un formulaire sur lequel j'avais coché les cases correspondant à des réponses toutes prêtes : « Je vais très bien ; je vais bien ; je pourrais aller mieux. » Il ne me restait donc qu'à prier afin qu'il n'y ait pas de problème.

J'empruntai mon itinéraire jusqu'à la Seine. Mon cœur fit un bond dans ma poitrine quand je vis que quelqu'un avait peint de grosses lettres sur l'affiche du soldat allemand avec les enfants :

Prenez garde, assassins nazis ! Nous vaincrons !

« Oh oui ! chuchotai-je à cette âme sœur, nous vaincrons ! »

Je revins à l'appartement de bonne humeur : je me

sentais plus d'énergie que je n'en avais eu depuis des
semaines. J'étais sur le point de monter l'escalier
quatre à quatre avec les chiens quand Mme Goux
sortit de sa loge en toute hâte. Elle était toute rouge
et les pupilles de ses yeux gris avaient rétréci. Je crus
d'abord qu'elle était excitée par la tâche que je lui
avais confiée : recopier le discours du général de
Gaulle. J'avais l'intention d'en glisser des exemplaires dans des journaux et à des endroits où les
Français les trouveraient. Cependant, quand elle
s'approcha de moi, je vis qu'elle était blême et tremblait.

« Mademoiselle Fleurier, chuchota-t-elle d'une
voix rauque. Il y a deux messieurs dans votre appartement. J'ai essayé de ne pas les laisser monter, mais
ils ont refusé d'attendre dans le hall. Et ils ne m'ont
pas dit leurs noms. »

Je ne voyais pas de raison pour que mes connaissances – qui était-ce ? – refusent de décliner leur
identité à la concierge. « Ils sont français ou allemands ? demandai-je.

— Français, mais ils ont l'air patibulaire, répondit-elle. Ils ne m'inspirent pas confiance. »

L'objet de la visite avait l'air sérieux. Mais si les
Allemands avaient mal pris le traitement que j'avais
réservé à leurs officiers, pourquoi n'envoyaient-ils
par leurs propres hommes ?

« Je vais vous laisser Charlot et Princesse, dis-je à
Mme Goux. Et je garde Bruno. »

La porte de mon appartement était ouverte et, en
approchant, je vis les deux hommes assis sur le
canapé. L'un était gringalet et pâlot ; l'autre était

plus âgé, il avait des poches sous les yeux et des cheveux gris lissés en arrière.

Dès qu'il m'aperçut, le plus jeune sauta sur ses pieds et s'avança vers moi. Mme Goux avait raison : son visage osseux avait quelque chose de méchant. Il plissa les yeux à la vue de Bruno.

« Vous pouvez laisser le chien dehors », ordonna-t-il.

Mon pouls s'accéléra. Je n'avais pas l'intention d'accepter qu'on me donne des ordres dans mon propre appartement ! « Je ne laisse jamais Bruno dehors, répliquai-je, surprise par le calme de ma voix. Il devient agité quand on le sépare de moi. »

Une expression irritée flotta sur les traits de l'homme. Le plus vieux se leva. « Très bien, dit-il. Dans ce cas, gardez-le en laisse. »

Quelque chose dans son ton clinique me fit frissonner. Le jeune homme referma la porte derrière moi. J'entendis jouer la serrure. Le plus âgé se rassit dans un fauteuil, sans me quitter des yeux.

« C'est le *Propagandastaffel* qui nous envoie, ils veulent savoir pourquoi vous ne vous êtes pas inscrite, commença le plus jeune en se dirigeant vers le canapé pour sortir des papiers d'une sacoche posée à côté. Bon, votre concierge nous a expliqué que vous aviez été malade. Ce n'est pas grave, nous avons tous les formulaires que vous devez remplir. »

Comme ni l'un ni l'autre ne s'était présenté, je leur inventai des noms. Le plus jeune, je l'appelai Raton, à cause des tressaillements nerveux qui agitaient son corps. Le plus vieux fut baptisé le Juge pour sa façon de lever le menton et de garder les mains croisées sur ses genoux. Il incarnait l'autorité, et pourtant il semblait se contenter d'écouter et de laisser parler son acolyte.

Raton me fourra des formulaires dans les mains. « On va attendre ici que vous les ayez signés, dit-il. Ça vous évitera le voyage jusqu'au *Propagandastaffel*. »

Mon avenir dépendait de la façon dont j'allais réagir face à ces deux hommes. Je savais que les music-halls et les théâtres rouvraient, mais je n'avais pas l'intention de jouer pour l'armée d'occupation. Comment le dire sans me faire jeter en prison ?

« Je ne crois pas que ce soit nécessaire dans mon cas », fis-je.

La figure de Raton se crispa. « Pas nécessaire ? Tous vos collègues se sont montrés coopératifs. Pourquoi devrait-on faire exception pour vous ? »

L'animosité de sa voix me glaça.

« C'est simplement que je n'ai pas l'intention de continuer à me produire sur scène. Je me retire. »

Le Juge leva les sourcils.

« Je suis épuisée, expliquai-je. Je ne suis pas en état de monter sur les planches. Et j'ai eu des problèmes de santé.

— Je vois, opina Raton de façon peu cordiale. Ce qui ne change rien au second problème.

— Quel autre problème ? »

Raton croisa les bras sur sa poitrine. « Nous avons vérifié vos antécédents. Et ce que nous avons trouvé n'est pas très recommandable. Vous avez refusé de chanter à Berlin et vous avez été proche de deux individus antinazis. »

Je supposai qu'il faisait allusion au comte Kessler et à Jean Renoir. Les Allemands m'avaient donc fait surveiller ? Bruno bâilla. Raton se leva et fit le tour de la pièce. « Le Deuxième Bureau avait des dossiers sur tous les gens qui traversaient souvent la frontière. Malheureusement, quand ils ont quitté la ville ils ont laissé des documents délicats derrière eux. L'un de ces documents vous concerne. »

Je le fixai, incrédule. Le Deuxième Bureau faisait partie des services secrets français. J'aurais donc été surveillée par mon propre pays ? Et ils auraient été assez stupides pour abandonner mon dossier en fuyant pour sauver leur peau ?

Raton revint à son point de départ et s'arrêta devant moi. Visiblement, il se délectait à chaque instant de la tension qu'il créait.

« Voyez-vous, mademoiselle Fleurier, dit-il en approchant son visage du mien, vous n'êtes pas vraiment en position de vous faire des ennemis. Vous êtes l'artiste la plus célèbre de Paris. Les Français ont plus que jamais besoin de votre lumineuse présence. Les Allemands ont eux aussi besoin de vous, pour rallier la population et la faire collaborer.

— Je ne me rallierai pas à la cause nazie, répliquai-je. Et je n'encouragerai personne à le faire. Il n'est pas question que je marche au pas avec des assassins ! »

Les deux hommes échangèrent un regard. J'allais au-devant du danger, mais mes sentiments étaient enfin explicites. Si je devais être traînée en prison, ce serait en hurlant et en me débattant ! Mon message aux Français au sujet de la collaboration serait de lutter jusqu'à la mort.

« Voilà une attitude bien peu coopérative, estima le Juge en chassant une poussière sur son pantalon.

— Et vous, rétorquai-je, le doigt pointé, vous

n'êtes qu'un pauvre type ! Vous êtes français ? Alors vous devriez vous battre pour votre pays et non lécher les bottes des Allemands ! »

Raton s'avança vers moi mais Bruno se mit à grogner et à montrer les dents. L'homme fit un bond en arrière.

« Sortez de mon appartement maintenant ! criai-je. Tous les deux ! »

Je fus déconcertée de voir que ni l'un ni l'autre n'esquissait le moindre geste. Que devais-je faire à présent ? Appeler Mme Goux et son revolver ? C'est alors qu'une chose étrange se produisit : Raton et le Juge semblèrent se métamorphoser sous mes yeux. Le visage de Raton se détendit, son regard s'adoucit. Il ressembla un peu moins à un rat et un peu plus à un lapin. Le Juge me parut soudain plus grand et plus énergique. Les deux hommes échangèrent un sourire, un sourire avenant – dont je ne les aurais jamais crus capables.

Le Juge secoua la tête. « Elle est trop fougueuse et elle parle trop, lança-t-il à Raton. Je t'avais bien dit que les artistes sont émotifs. Et si elle se met à crier comme ça aux Allemands ? »

Raton haussa les épaules. « Je lui apprendrai à devenir discrète. Le plus important, c'est qu'on est sûrs qu'elle est de notre bord. »

Le Juge leva les paumes dans un geste résigné. « D'accord. On n'a plus beaucoup de temps et pas vraiment le choix. »

Raton se tourna vers moi.

« Mademoiselle Fleurier, nous ne pouvons pas vous donner nos vrais noms mais nous appartenons au Deuxième Bureau, pas au *Propagandastaffel*.

591

C'est vrai que votre dossier est resté à Paris, seulement je peux vous assurer que j'ai corrigé la plupart des documents et détruit les autres, même si je n'ai peut-être pas fait preuve de la même imagination que vous quand vous vous êtes débarrassée de votre avis du *Propagandastaffel*. »

Il était au courant pour cela aussi ? Était-il allé jusqu'à fouiller mes poubelles ? Je voulais bien croire qu'ils n'étaient pas du *Propagandastaffel*. Mais le Deuxième Bureau faisait partie du gouvernement de Vichy, non ?

« Eh bien, disons que nous avons déserté, expliqua Raton. Et nous avons besoin de votre aide. Nous devons quitter la France pour aller rejoindre le général de Gaulle en Angleterre. »

Des fourmillements me coururent sur la peau lorsque j'entendis prononcer ce nom. Moi qui m'étais demandé comment trouver ceux qui étaient prêts à lutter contre les Allemands ! En fait, ils étaient venus à moi.

« Si telle est votre mission, alors je suis à votre service, leur dis-je. Je m'engage aux côtés du général de Gaulle. »

Raton se tourna vers le Juge, qui hocha la tête, puis son regard se reporta sur moi. « Nous avons besoin d'aller dans le Sud pour pouvoir quitter la France soit par bateau, soit par les Pyrénées. Nous pouvons nous procurer de faux papiers et changer d'identité, mais il sera encore difficile de traverser la ligne de démarcation, surtout avec nos "colis". Si nous pouvions voyager comme les employés de quelqu'un qui aurait une bonne raison de se rendre dans le sud de la France, disons pour y chanter, ce serait plus facile.

592

« — Vous voulez dire que je pourrais vous embaucher tous les deux comme manager et directeur artistique, par exemple ? » suggérai-je.

Raton sourit. « Exactement. »

Après concertation, nous décidâmes que je devais organiser mon voyage pour Marseille dans le but de chercher des endroits où me produire. Pour cela, il faudrait m'inscrire auprès du *Propagandastaffel* et avoir l'air de coopérer avec les Allemands. Maintenant que je travaillais à sauver la France, ces choses-là avaient moins d'importance. Le Juge m'avertit qu'il préparerait tout pour le mercredi suivant. La seule chose qui me restait à faire était de demander l'autorisation de me déplacer, et il pensait qu'on me l'accorderait puisqu'il avait remplacé mon dossier par une version plus acceptable de mes antécédents.

Avant leur départ, le Juge se tourna vers moi : « Mademoiselle Fleurier, je dois vous prévenir que les Allemands fusilleront tous ceux qui prêtent main-forte à la Résistance. Et le gouvernement de Vichy a une arme de dissuasion encore plus horrible : ils décapitent les gens qui ont des activités subversives. À la hache. »

Il cherchait à tester ma détermination, à évaluer mon degré d'anxiété. Plus tard, en apprenant à le connaître, je comprendrais qu'il s'assurait aussi que j'avais saisi quel était le prix de mon engagement. Mais je n'avais pas peur ; mes idées étaient claires et j'étais calme. Je repensai à tous les grands moments de ma vie : ma première apparition sur scène, mon rôle vedette à l'Adriana, le succès de mon premier film. Aucun n'avait été aussi capital que celui-ci.

Il ne s'agissait plus de jouer. C'était réellement important.

« Je suis prête à tout pour libérer la France, conclus-je. Même si cela implique le sacrifice de ma vie. Je ne connaîtrai de repos et ne céderai que quand l'ennemi aura été chassé de notre pays. »

29

Raton et le Juge revinrent le mercredi suivant dans la soirée. Je fus surprise de voir qu'ils avaient amené deux hommes. Le premier mesurait environ un mètre quatre-vingt-cinq, son abondante chevelure noire, dont l'implantation dessinait un V, lui retombait sur le front. L'autre était petit, blond et si bouclé que ses cheveux semblaient cousus à même le crâne. Le grand me salua d'un signe de tête puis se laissa tomber sur une chaise. Une autorité et une assurance tranquille se dégageaient de sa personne. Quant au second, son sourire lui faisait des plis autour des yeux. Je supposai qu'il s'agissait encore d'anciens employés du Deuxième Bureau, mais il y avait une ombre au tableau. Ils portaient le costume et tenaient un chapeau entre les mains ; pourtant leur façon de bouger attira mon attention. Celui qui était assis avait ses longues jambes écartées ; l'autre restait debout, le menton collé sur la poitrine.

« Nos "colis", chuchota Raton avec une pointe de fierté dans la voix. Deux pilotes de la RAF qui ont été abattus à Dunkerque. Un Australien et un

Écossais. Nous allons les ramener avec nous en Angleterre. »

Bien sûr, me dis-je, ils ne sont pas français ! Cependant, si j'avais remarqué la raideur de leurs postures et leur manque de mobilité, les Allemands ne risquaient-ils pas de les détecter eux aussi ?

« Mademoiselle Fleurier, s'exclama Raton, nous avons des sujets d'inquiétude autrement plus sérieux ! L'Australien parle bien français, mais avec un léger accent. L'Écossais ne connaît pas un traître mot de notre langue. » Raton dut déceler l'alarme qui se peignit sur mon visage car il s'empressa d'ajouter : « Nous leur avons trouvé des couvertures : l'Australien est devenu un Français né à Alger et l'Écossais est un compositeur tchèque, même s'il ne parle pas le tchèque. Pas plus que les Allemands.

— J'espère qu'il sait jouer du piano au moins ! » dis-je en essayant de ne pas perdre mon sens de l'humour. Si je n'avais pas encouru la décapitation, j'aurais sans doute trouvé la situation des plus comiques.

« Oui, en effet, opina Raton. C'est un pianiste exceptionnel. Il étudiait au *Royal College of Music* quand la guerre a éclaté.

— Vous avez peur, mademoiselle Fleurier ? demanda le Juge. Vous hésitez ? Vous devriez le dire tout de suite, dans ce cas. »

L'Australien me dévisagea. Son visage était émacié et son regard intense, mais il y avait une certaine douceur dans ses yeux verts. Il avait à peu près mon âge, la trentaine, alors que l'Écossais était plus jeune, à peine vingt-trois ou vingt-quatre ans.

« Je n'ai pas peur, répondis-je.

« — Nous ferions mieux de nous mettre en route si nous voulons attraper notre train », dit Raton en tapotant sa montre. Il me rappela brièvement l'identité d'emprunt de chacun. Il était Pierrot Vinet, mon manager. Le Juge était Henri Bacque, mon directeur artistique. L'Australien s'appelait Roger Delpierre, le metteur en scène, et l'Écossais était un compositeur tchèque du nom d'Eduard Novacek.

Une fois ces formalités accomplies, je leur montrai les valises et les cartons à chapeaux alignés près de la porte. Nous voyagions en première classe et Raton m'avait dit de faire mes bagages comme une star. Chérie était déjà dans son panier, j'ouvris la porte de ma chambre et appelai les chiens. Raton blêmit en voyant Princesse, Charlot et Bruno bondir vers lui.

« Oh, non ! Ils ne peuvent pas venir avec nous.

— Pourquoi pas ? demandai-je en me penchant pour leur mettre leur laisse.

— La concierge ne peut pas s'en occuper en attendant votre retour ? s'enquit le Juge.

— Je ne reviendrai pas tout de suite, objectai-je. Et ma concierge serait capable de les manger. »

J'avais une autre raison d'emmener les animaux : si je me donnais la peine de franchir la ligne de démarcation, une fois les hommes du Deuxième Bureau et leurs « colis » arrivés à bon port, j'irais vérifier que ma famille allait bien et que les autres étaient arrivés. J'avais du mal à trouver assez de nourriture pour les animaux à Paris, et ils seraient les bienvenus à la ferme.

L'Écossais déambulait dans le salon, examinait mes photographies et les bibelots sur le manteau de cheminée. Mais l'Australien ne me quittait pas des yeux. Il se leva de sa chaise. « Je crois que nous allons rater le train si cette discussion se prolonge », lâcha-t-il dans un français dont il pesait chaque mot. Un instant, je fus hypnotisée par sa voix. Elle était riche et fluide comme celle d'un acteur. « Si Mlle Fleurier est prête à risquer sa vie pour quatre hommes qu'elle ne connaît ni d'Ève ni d'Adam, nous pouvons bien la laisser emmener ses animaux », poursuivit-il.

De blême, la figure de Raton devint cramoisie. Avait-il honte d'avoir reçu une leçon de galanterie ou était-il fâché de voir son autorité remise en question ?

« Eh bien, dans ce cas, allons-y, déclara le Juge. Nous allons prendre deux valises chacun. »

Roger et moi tendîmes la main vers la même valise. Il me sourit et ce sourire transforma son visage : il était soudain plus séduisant que ténébreux. Je me dis qu'il aurait sans doute adopté une autre attitude s'il n'avait pas été un pilote abattu, coincé derrière les lignes ennemies. Mon cœur bondit dans ma poitrine. Cela m'étonna. J'avais déjà ressenti cette sensation, des années auparavant. Le sang me monta au visage et je sentis la chaleur gagner mes joues.

« J'ai grandi avec des chiens. Quatre », dit-il. De son bras libre, il souleva la cage de Chérie. « Je n'ai jamais eu de chat mais je crois que je vais l'aimer. »

Malgré l'assurance avec laquelle il s'exprimait, son sourire était timide. Cela m'attendrit. Sa voix était chaude et résonnante. Il ferait un bon chanteur.

Son accent charmant me donna envie de savoir... quelle langue parlait-on en Australie ?

Nous avions choisi un jour où Mme Goux rendait habituellement visite à son frère, aussi nous nous immobilisâmes en la voyant dans le hall. Elle portait un costume de voyage et une valise était posée à côté d'elle. Le Juge me lança un bref coup d'œil et Raton me donna un coup de coude dans les côtes. Apparemment, j'allais devoir inaugurer ma petite histoire plus tôt que prévu.

« Bonsoir, madame Goux, commençai-je. Je vous présente Pierrot Vinet, mon manager...

— Ouais, mon œil ! cracha-t-elle en levant un sourcil accusateur. Je sais qui c'est. J'ai tout entendu par la bouche d'aération. Vous n'êtes pas aussi bons espions que vous le croyiez, hein ? »

La surprise me laissa sans voix. Quand je lui avais dit que les deux visiteurs de la semaine dernière avaient été envoyés par le *Propagandastaffel*, elle avait eu l'air de tout gober.

« Madame, puis-je vous demander quelles sont vos intentions ? » questionna le Juge. Sa voix était d'un calme glaçant et il cherchait sans doute une arme à tâtons dans sa poche. Si Mme Goux voulait nous dénoncer, il la tuerait sur-le-champ.

« Comme vous le voyez, dit-elle en désignant sa valise. Je viens avec vous.

— Pardon ? demanda Raton.

— Je viens avec vous, répéta Mme Goux. Me battre pour la France.

— Ah ! fit le Juge en prenant un ton plus gracieux. Vous pourriez très bien le faire ici, madame. Nous cherchons un coordinateur parisien.

— Arrêtez un peu avec ces sornettes ! aboya-t-elle. J'ai des papiers en règle. Vous pourrez m'acheter un billet à la gare. Je pars et je suis l'assistante de Mlle Fleurier. Il ne vous est donc pas venu à l'esprit que ça puisse avoir l'air louche, une femme qui voyage seule avec tant d'hommes ? »

Je n'y avais pas pensé, mais elle avait sans doute raison. Je jetai un coup d'œil à Raton, qui haussa les épaules en regardant le Juge.

« Alors venez, madame, décida le Juge en roulant les yeux. Avant que toutes les connaissances de Mlle Fleurier décident de nous accompagner. »

Quand nous arrivâmes à la gare, nous la trouvâmes pleine de soldats allemands et de fonctionnaires français. Comme le fourgon à bagages était bourré à craquer, le chef de gare autorisa les animaux à voyager avec nous, mais il nous prévint que si les Allemands trouvaient à y redire ou si les chiens se mettaient à aboyer, nous devrions changer de wagon. Une exception avait clairement été faite afin que je voyage en première classe : d'ordinaire, priorité était donnée aux Allemands pour les meilleures places et les Français devaient s'accommoder de ce qu'il restait. Il y avait six places dans notre compartiment et, en fait, compter une personne de plus dans notre petite expédition joua en notre faveur. Si Mme Goux n'était pas venue avec nous, un soldat allemand ou un représentant des autorités françaises aurait occupé la sixième place et aurait peut-être essayé de nous faire la conversation.

Raton et moi nous assîmes l'un en face de l'autre près de la porte. Roger prit place à côté de moi,

Charlot à ses pieds, et nous plaçâmes Eduard près de la fenêtre. Notre tactique était que quand la police viendrait contrôler nos billets, Eduard ferait semblant de dormir et je parlerais en son nom.

Je savais bien que les parois du compartiment étaient fines et qu'il y avait des Allemands des deux côtés, pourtant j'étais fascinée par les deux hommes de la RAF et j'avais envie d'en savoir plus sur eux. Surtout sur Roger. Je me demandais comment il s'appelait, mais Raton m'avait interdit de poser des questions sur l'identité réelle des deux aviateurs, au cas où je serais arrêtée. « S'ils vous torturent, moins vous en saurez, mieux ce sera pour nous autres. »

Eduard s'était déjà « endormi », aussi chuchotai-je à Roger : « Vous êtes né à Alger ? » Puisqu'il était impossible d'avoir une véritable conversation, je pouvais au moins me familiariser avec son identité d'emprunt.

Roger se prit au jeu. « Mes sœurs et moi sommes allés y vivre avec mes grands-parents quand nos parents ont trouvé la mort dans un accident de train. Mon grand-père, un capitaine de vaisseau en retraite, avait fait escale à Alger et n'a jamais voulu en repartir.

— Et comment vous vous êtes retrouvé en France ?

— Mon oncle m'a invité à faire mon droit à la Sorbonne. Je suis tombé amoureux de Paris.

— Pourquoi n'avez-vous pas été mobilisé pour le service militaire ? questionnai-je, car je savais que ce serait la première question que les Allemands poseraient à un homme de son âge.

— Je suis diabétique », répondit-il.

600

Seigneur ! pensai-je, pourvu qu'il sache simuler les symptômes s'il est arrêté et que les Allemands fassent venir un médecin. Roger devait sans doute avoir réellement deux sœurs dans la vraie vie. Il avait peut-être effectivement fait du droit, mais pas à la Sorbonne. À quoi sert d'étudier le droit français si on a l'intention d'exercer en Grande-Bretagne ou dans un de ses dominions ?

La vérification des billets et des papiers par le chef de train, au départ, s'était déroulée sans incident, mais quand nous fîmes halte à la ligne de démarcation et que quatre policiers français montèrent à bord, mon pouls s'accéléra.

« Bonsoir, mesdames et messieurs, dit l'un d'eux en scrutant notre compartiment. Vos papiers, s'il vous plaît. »

Comme prévu, Roger sortit discrètement les papiers d'Eduard de sa poche, les posa sur les siens et me les passa. Je tendis nos trois laissez-passer à l'agent tandis que Raton faisait de même avec les siens, ceux du Juge et de Mme Goux. Le policier les examina avec un soin que je n'avais jamais vu avant la guerre. Il vérifia la ressemblance entre ma photo et ma personne et fit de même pour les autres. Ensuite, son regard s'appesantit trop longtemps sur celle d'Eduard.

« Réveillez-le, s'il vous plaît, fit-il en désignant l'Écossais d'un mouvement du menton.

— C'est vraiment nécessaire ? demandai-je, la main posée sur le poignet de l'agent. Il a la grippe et il dort depuis Paris. »

J'espérais que l'allusion à la grippe pousserait le policier à quitter le compartiment sur-le-champ, mais l'expression sévère de son visage ne changea pas. Comble de l'horreur, il se pencha dans le couloir pour appeler ses collègues. Je jetai un coup d'œil à Raton. Extérieurement, son visage et sa contenance restaient calmes, pourtant je voyais à quel point les jointures de sa main étaient pâles sur l'accoudoir.

Trois autres agents arrivèrent, ils occupaient toute la largeur du couloir. Mon regard se posa sur les revolvers à leur ceinture. « Voilà, dit le policier en leur tendant les papiers d'Eduard. Ce document est complet et rempli correctement. Voilà ce que les Allemands veulent voir. C'est à ça que ressemble un authentique laissez-passer. »

Les autres examinèrent le papier en acquiesçant. « Les Français ne comprennent pas à quel point ils ralentissent les contrôles avec leur manque de précision », dit l'un d'eux.

Le premier policier nous rendit nos papiers, porta la main à sa casquette et nous souhaita bon voyage. Nous attendîmes qu'ils fussent tous sur le quai et que le train s'ébranle pour pousser un soupir de soulagement collectif.

« On va devoir prévenir notre faussaire parisien, chuchota le Juge à Raton. Il est un peu trop doué. »

Le voyage jusqu'à Marseille devait prendre une nuit, mais avec tous les contrôles, il pouvait aussi bien durer deux à trois jours. À chaque arrêt, je devais sortir les trois chiens, et aussi Chérie quand elle en avait besoin. Je comprenais pourquoi Raton avait soulevé des objections à ce que nous emmenions des animaux, seulement je devais assumer ma décision et trouver un moyen de me débrouiller.

Aucun wagon-lit n'était disponible mais nous étions prêts à dormir assis tant que nous n'étions pas dérangés. Mme Goux et Raton tirèrent les rideaux. Je postai Bruno près de la porte afin qu'il nous alerte si quelqu'un entrait.

Dans un train bondé d'Allemands, nous n'allions pas nous aventurer dans le wagon-restaurant, aussi je m'endormis avec le ventre gargouillant pour rêver de policiers qui n'en finissaient pas de contrôler mes papiers. Je devais dormir depuis environ une heure quand le train ralentit puis s'immobilisa. On entendit des cris dehors ; les voix étaient allemandes. Je me redressai, les autres aussi. Le Juge jeta un œil entre les rideaux. « Encore un contrôle. Les Allemands, cette fois-ci. »

Quelques minutes plus tard, le chef de train vint frapper à notre porte. « Tout le monde descend. Laissez vos bagages dans le compartiment.

— Bon, chuchota Raton en anglais. Mlle Fleurier et moi, nous irons devant avec tous les papiers. Les autres, vous ne nous lâcherez pas d'une semelle. »

Je laissai Chérie dans son panier mais emmenai les chiens.

En descendant du train, nous vîmes le quai fourmillant de soldats allemands. Nous avions passé la ligne de démarcation et étions censés nous trouver dans la France de Vichy, cependant il semblait que les Allemands prêtaient main-forte à la police locale pour vérifier les papiers des voyageurs. Je fus horrifiée de constater que les guichets de contrôle étaient répartis par langues et qu'il y en avait un pour les ressortissants tchèques. Nous étions fichus.

« Restez avec nous ! chuchota le Juge à Eduard.

Ne vous laissez pas isoler. Quoi qu'il arrive, restez calme. »

On nous dirigea vers une table derrière laquelle un officier attendait de contrôler les passagers français de première et de seconde classe. Il nous fit signe d'avancer. Mon cœur battait si fort qu'il devait l'entendre.

« Vous voyagez avec ces chiens dans le train ? demanda-t-il dans un français impeccable. Et l'hygiène ? »

Il avait tout l'air d'être le genre d'homme qui décrirait un poil de chien sur son pantalon comme une « saleté ».

« Je peux vous assurer que mes chiens sont propres. Ni puces ni vers », protestai-je. Sur ces mots, Bruno posa son menton sur la table et un filet de bave s'échappa d'entre ses mâchoires. Je fis un geste pour l'écarter. « Ils font partie de mon numéro, repris-je en essayant de chasser le tremblement de ma voix. Pour mon prochain spectacle marseillais.

— Dans votre numéro ? » L'officier regarda Charlot se soulager contre un lampadaire. « Je ne vous ai jamais vue sur scène avec des animaux. »

Jean Renoir m'avait un jour dit que la meilleure façon de calmer ses nerfs consistait à jouer à l'opposé de ses sentiments. Je m'efforçai donc d'avoir l'air flatté. « Vous m'avez vue sur scène ? minaudai-je. Quand ça ?

— À Paris en 1930. J'ai vu votre spectacle seize fois.

— Eh bien ! fis-je en riant. Je suppose que vous l'avez aimé, alors.

— Nous nous rendons à Marseille pour concevoir

le prochain numéro de Mlle Fleurier, intervint Raton avec tout le bagou d'un manager parisien. Il faudra que vous veniez l'y voir. »

L'officier lança un regard aux deux soldats qui se tenaient derrière lui et leur dit en allemand : « J'ai Suzanne Fleurier devant moi, vous y croyez, vous ? Et son manager m'a invité à son spectacle à Marseille !

— Vous devriez la fouiller, répondit l'un d'eux en se passant la langue sur les lèvres. C'est une chance qu'il ne faut pas rater.

— Je ne peux pas fouiller une ressortissante française de cette importance sans une bonne raison. Et puis vous croyez vraiment qu'une espionne voyagerait avec une telle ménagerie ? Non mais, regardez-moi ça ! Surtout la vieille. Elle a une face de vieux singe. »

Les soldats se mirent à rire et l'officier feuilleta nos papiers. Il les tamponna et me les rendit. « Nous nous reverrons à Marseille alors, mademoiselle Fleurier. »

Je fourrai les papiers dans mon sac à main et retournai vers le wagon en appelant les chiens. Les hommes et Mme Goux m'emboîtèrent le pas ; nous n'échangeâmes pas un mot avant que tous les passagers aient été contrôlés et soient retournés à leurs places. D'une certaine façon, j'avais l'impression que même si nous voyagions ensemble, chacun d'entre nous était seul dans cette dangereuse équipée.

Par je ne sais quel miracle, nous arrivâmes à Marseille dans les temps et sans autre incident. C'était étrange pour moi de me retrouver dans la ville où étaient nés mes premiers rêves de célébrité. L'odeur des embruns et les cris des mouettes me rappelèrent la maison de tante Augustine. J'en avais fait du chemin, depuis cette époque...

J'avais réservé une suite de quatre chambres à l'hôtel de Noailles. Quand le groom nous eut apporté le petit déjeuner – composé d'omelettes, de fromage, de croissants, de melon et de champagne –, nous comblâmes les bouches d'aération et le trou de la serrure avant de porter un toast au succès de la première partie de notre mission.

« J'aurais bien aimé des œufs au bacon, fit Eduard en contemplant le festin dressé devant nous. Mais tout cela est merveilleux. »

C'était la première fois que je l'entendais parler et il n'avait rien d'un Tchèque ! Sa voix était aiguë et chantante.

« Vous avez dû avoir un mal de chien à vous taire, lui dis-je. Jamais je n'aurais pu faire un si long voyage sans prononcer un mot. »

Roger se mit à rire. Même Raton et le Juge se permirent un sourire. Mme Goux voulut savoir ce que nous disions et Raton le lui traduisit.

« Je suis impressionné par votre sang-froid, mademoiselle Fleurier, déclara le Juge en étalant du beurre sur une tartine. Vous êtes une femme remarquable. Mais je ne savais pas que vous parliez l'allemand. Où l'avez-vous appris ? »

Je lui expliquai que j'avais passé quelques années à Berlin pour y suivre des cours. Je fis encore rire tout le monde en leur racontant que le docteur Daniel me faisait sauter des obstacles en chantant des *mi* aigus.

L'Écossais posa ses couverts. « Au moins, au piano personne ne vous demande de courir partout tout en jouant !

— J'espère pouvoir vous écouter avant votre départ, dis-je. Mais comment un concertiste a-t-il pu se retrouver dans la RAF ?

— Ça, il faut le demander au capitaine de l'escadron, répondit-il avec un signe de tête vers Roger. Je ne suis qu'officier. C'est lui, l'as de l'aviation. Il a abattu tout un tas d'avions de la Luftwaffe avant d'être touché. »

Roger devint tout rouge et, gêné, baissa sa garde : « J'ai beaucoup piloté en Tasmanie. Ma grand-mère m'a raconté que mon premier mot, c'était "avion"... »

Raton toussa ; un silence inconfortable s'installa. Nous n'étions pas censés aller si loin. J'avais du mal à m'habituer à tant de mystère. Nous n'étions qu'au début de la guerre et nous étions gonflés à bloc. L'idée que nous puissions être jetés en prison et torturés, sans parler d'une exécution, restait irréelle. Mais aucun d'entre nous ne connaissait personne qui fût mort ainsi.

« Quelle est la suite des opérations ? » demanda Mme Goux. Si Raton avait fait l'éloge de mon calme face au danger, elle méritait des compliments, elle aussi. Mme Goux avait fait preuve d'une grande maîtrise de soi pendant tout le voyage et avait bien joué son rôle de secrétaire efficace.

« Nous avons un contact à Marseille, expliqua Raton. Quand nous lui aurons parlé, nous quitterons le pays soit par mer, soit par les Pyrénées pour rejoindre l'Espagne. »

La mer serait plus facile à traverser que les Pyrénées, hautes et escarpées. La forme physique de Roger, d'Eduard et de Raton me semblait à la hauteur de l'épreuve, mais je m'inquiétais pour le Juge.

« Je ne vous connais que depuis quelques jours et je ne sais même pas qui sont certains d'entre vous, pourtant vous allez me manquer. »

Je levai les yeux et regardai Roger bien en face. Il soutint mon regard un instant puis se détourna. Il souriait.

Le Juge insista sur l'importance de préserver nos couvertures pour éviter les soupçons. Pendant que Roger et lui partirent trouver leur « contact » – qui, d'après ce que j'avais réussi à glaner, était en fait deux personnes, un haut gradé de la marine française et un soldat allié évadé du fort Saint-Jean –, nous autres étions censés sauver les apparences. Je fis installer un piano dans la suite afin qu'Eduard puisse jouer, ce qui nous fournit aussi un prétexte pour laisser la pancarte « Ne pas déranger » sur la porte.

Pendant ce temps, Raton et moi allâmes voir le directeur artistique de l'Alcazar. « Mademoiselle Fleurier, nous essayons de vous avoir depuis des années ! s'exclama Franck Esposito. Et voilà, c'est vous qui êtes venue à nous ! »

Raimu s'apprêtait à se produire dans un spectacle théâtral, mais l'Alcazar était intéressé par l'idée de m'avoir comme invitée et on parla de monter un spectacle rien que pour moi à la saison suivante. À ma surprise, malgré la guerre et son manque d'expérience, Raton parvint à me négocier un bon contrat.

Chaque fois que c'était possible, nous déjeunions tous ensemble dans les bons restaurants le long de la Canebière afin de ne pas attirer l'attention sur nous en restant terrés dans notre suite. Marseille avait été bombardée par les Italiens, mais à part cela, la guerre et les Allemands paraissaient loin. Quelque chose dans la ténacité des Marseillais me soufflait qu'ils opposeraient plus de résistance que les gens du Nord. Un soir, une Espagnole entra dans le restaurant pour vendre des bouquets de lavande. Elle ressemblait tant à ma mère que j'en fus bouleversée. J'ai le mal du pays, me dis-je. Après tous ces bouleversements et toutes ces émotions, il me tardait de retrouver ma famille. Mais ces dernières semaines, j'avais fait passer mon pays en premier.

Une semaine plus tard, nous nous réunîmes dans notre suite et le Juge nous annonça que Raton, Eduard et lui prenaient le train le soir même pour Toulouse.

« Et Roger ? s'étonna Mme Goux.

— Il reste. »

Je crus que mon cœur s'arrêtait de battre. Je ne pus me résoudre à regarder Roger. Sa présence comptait déjà pour moi, même si j'ignorais qui il était vraiment.

« Pour quoi faire ? demanda Mme Goux.

— Des centaines de pilotes ont dû atterrir en catastrophe en France, expliqua Roger en se levant et en s'approchant de la fenêtre. Il y a aussi des prisonniers de guerre qui essaient de se rendre dans le Sud par leurs propres moyens. Beaucoup sont capturés à nouveau. C'est un gâchis pour les Alliés. Mon contact trouve des maisons sécurisées entre Paris et le Sud pour faire passer ces hommes en Espagne par les Pyrénées. Mais il a besoin d'aide et de personnes de confiance. Je reste en France pour l'aider à mettre ce réseau en place. »

Je fus impressionnée par le courage de Roger. Alors qu'il y avait tellement de lâcheté égoïste parmi les Français, lui, un étranger, était prêt à risquer sa vie pour combattre l'ennemi.

« Je suis prête à vous aider, lançai-je, par tous les moyens dont je dispose.

— Moi aussi », renchérit Mme Goux.

Le visage de Roger s'éclaira. « Vous n'imaginez pas à quel point des gens comme vous deux sont précieux pour la Résistance. Mais je redoute de vous en demander plus que ce que vous avez déjà fait, mesdames.

— N'hésitez pas ! insistai-je. Rien d'autre ne compte à part sauver la France pour le moment. »

Roger vint s'asseoir près de moi. « L'appartement de Paris... on peut l'utiliser ?

— Bien sûr, répondis-je. J'ai aussi hérité d'une maison à Marseille. Elle est située sur le Vieux-Port. Elle n'a rien de luxueux, mais l'intérieur a été refait et elle passera tout à fait inaperçue. »

Roger battit des mains. « Vous parlez anglais et allemand et vous avez une maison à Marseille ! Quelle trouvaille pour la Résistance ! »

Il se tourna vers Mme Goux. « Vous m'impressionnez aussi, madame Goux. J'aimerais vous ramener à Paris pour que vous puissiez surveiller l'immeuble. Nous partons demain.

— Demain ! » m'écriai-je. Je pensais à mon projet d'aller rendre visite à ma famille quand les évadés seraient partis. J'avais hâte de savoir si Minot et Mme Ibert étaient bien arrivés, et aussi si Odette et sa famille étaient dans le pays de Sault. J'expliquai ma situation à Roger, qui se montra enthousiaste.

« Donc vous ne faites pas que recueillir les animaux abandonnés, mademoiselle Fleurier. Vous avez de l'expérience quand il s'agit de sauver et de cacher des gens ! »

Je devins toute rouge. Pourquoi chacun de ses compliments me donnait-il l'impression d'avoir quinze ans ?

« Où est Sault ? demanda-t-il en dépliant une carte de France. Comment on y va ? »

Je lui indiquai la ligne de chemin de fer qui allait à Avignon. C'était un voyage de six heures en comptant les correspondances, mais il était tout excité. « Votre famille serait prête à cacher des soldats alliés ? C'est un endroit isolé où nous pourrions attendre que les choses se tassent.

— Mon père a combattu les Allemands pendant la Grande Guerre, dis-je. Ma famille ne tolérera pas la collaboration. »

En entendant ces mots, Roger modifia notre plan d'action. Il suggéra que Mme Goux rentre à Paris dès que possible tandis que lui et moi irions voir la ferme.

Le Juge se racla la gorge et fit un geste vers sa montre.

J'embrassai Raton, le Juge et Eduard avec autant d'affection que si j'avais dit au revoir à des frères.

« J'espère que nous nous reverrons dans des jours meilleurs », murmurai-je.

611

30

Le lendemain matin, Mme Goux, Roger, les animaux et moi prîmes l'express de huit heures qui remontait vers le nord. Roger et moi allions jusqu'à Avignon tandis que Mme Goux continuerait jusqu'à Paris avec mes bagages.

Quelle n'allait pas être la surprise de ma famille en me voyant arriver avec trois chiens et un chat ! Toujours est-il que recueillir des animaux n'était pas la mission la plus dangereuse que Roger et moi attendions d'eux. La guerre avait élevé mon seuil de tolérance à la peur. Les crises de trac dont j'avais souffert pendant des années avant les spectacles paraissaient ridicules en comparaison de la présence d'esprit dont je devais faire preuve pour travailler dans la Résistance. J'étais prête à tous les expédients pour libérer la France, mais pouvais-je demander à ma famille de prendre aussi de tels risques ?

Quand le train ralentit à l'approche d'Avignon, nous souhaitâmes bonne chance à Mme Goux et nous frayâmes un chemin jusqu'à la porte. Comme la liaison jusqu'à Carpentras n'était plus assurée, Roger, les animaux et moi fûmes obligés de prendre le car. Le chauffeur au visage rougeaud poussa un grognement en voyant le nombre d'animaux qui m'accompagnaient.

« Le règlement de la Compagnie provençale des transports automobiles interdit le transport de bétail ! brailla-t-il.

— Vous ne pouvez pas considérer des animaux d'un tel pedigree comme du bétail ! protestai-je.

— Pfff ! » fit-il, moqueur, en haussant les épaules.

Je devinai que je n'arriverais pas à charmer ce gars du Sud qui empestait l'ail comme j'avais pu le faire avec l'officier allemand. La solution consistait donc à lui graisser la patte. Il accepta mon offre de façon bourrue, me faisant payer un billet supplémentaire au tarif adulte pour Bruno et deux billets au tarif enfant pour Princesse et Charlot, plus une surtaxe pour excédent de bagages sur le panier de Chérie !

Nous arrivâmes à Carpentras avant midi et déjeunâmes dans un café qui fleurait bon l'huile et le fromage. Sans brise marine pour la rafraîchir, la chaleur était insupportable. Mes cheveux tombaient mollement autour de mon visage et quand je me tamponnai les joues avec mon mouchoir, je vis que ma poudre formait une pellicule huileuse sur ma peau. Moi qui avais cru pouvoir aller jusqu'au pays de Sault sans trop attirer l'attention, manque de chance, je fus reconnue par la femme au bar ; elle appela son personnel de cuisine : Suzanne Fleurier déjeunait dans son restaurant ! Roger et moi dûmes manger nos sandwichs au jambon et à la tomate sous les regards curieux de la patronne, du cuisinier, de l'aide cuisine et de la serveuse. Quand nous eûmes terminé, la femme me demanda de lui laisser un autographe sur le menu du restaurant.

« Et vous ? questionna-t-elle en se tournant vers Roger. Qui êtes-vous ? Une vedette de cinéma comme elle ? »

Roger secoua la tête. « Non, je ne suis que l'un des agents de Mlle Fleurier. »

Je dus faire appel à toute ma volonté pour ne pas

rire de ce jeu de mots. Tandis que nous longions la rue pour aller prendre le car, je murmurai à Roger : « Vous auriez dû lui dire que nous étions venus tourner un film sur la ville de Carpentras !

— Je connais ces petites villes, mademoiselle Fleurier, répliqua Roger, la bouche tout contre mon oreille – ce qui me fit frissonner. Si j'avais dit ça, ils ne nous auraient pas laissés une minute tranquilles. Du maire à l'entrepreneur des pompes funèbres, ils auraient tous voulu un rôle ! »

La camionnette qui devait nous conduire à Sault cet après-midi-là était encore plus petite que le car, mais le chauffeur était jovial et il n'opposa aucune objection à ce que nous emmenions les animaux. Comme le seul autre passager était un vieil homme avec un accordéon, le chauffeur annonça qu'il nous déposerait près de la ferme au lieu de nous emmener jusqu'à Sault.

« Alors, vous avez grandi ici ? me chuchota Roger, après que le chauffeur eut mis le moteur en marche. Au milieu de ces gens ?

— On dirait que vous avez du mal à le croire.

— Un peu. » Un coin de sa bouche se releva, esquissant un sourire. « Je vous voyais comme l'essence même du chic parisien. Maintenant, je sais d'où vous tirez votre force et votre détermination. »

Je m'adossai à mon siège et étudiai le visage de Roger. Était-il possible qu'il m'admire un peu alors qu'il me fascinait tant ?

Le chauffeur nous déposa à environ un demi-kilomètre de la ferme. Roger et moi avions une petite valise chacun. Il les porta toutes les deux et je pris le panier de Chérie dans mes bras. Les chiens nous suivirent. Le soleil était encore haut dans le ciel, mais par bonheur la route était ombragée.

« Vous avez vraiment vécu à Alger ? lui demandai-je.

— Je n'y ai jamais mis les pieds, répondit-il. Mais les hommes du Deuxième Bureau m'ont fait étudier la configuration du quartier français et de la Casbah dans les moindres détails. Alors j'ai l'impression d'y avoir vécu.

— Comment se fait-il que vous parliez si bien français ?

— Mon père était ici pendant la Grande Guerre. Il était médecin. Après la guerre, il est resté pour aider au rapatriement des soldats. Quand il est rentré en Australie, il était devenu si francophile qu'il a embauché un immigrant comme précepteur. Entre mes huit et mes douze ans, nous parlions français à la maison. »

Je trouvai l'histoire amusante. « Votre père a l'air charmant et un peu excentrique.

— Il l'était, reconnut Roger. C'était la vérité quand j'ai raconté que mes parents étaient morts dans un accident de train et que j'avais été élevé par mes grands-parents. Mais j'ai entretenu mon français, c'est ma façon d'honorer sa mémoire. »

Nous traversâmes un champ, Bruno ouvrit la voie dans les hautes herbes tandis que Charlot et Princesse bondissaient derrière les papillons.

« Et la Tasmanie ? » repris-je au bout d'un moment. Je passai sous silence le fait que je n'avais découvert où était située la Tasmanie qu'en jetant un coup d'œil dans un atlas à Marseille. Moi qui croyais que c'était un pays, comme la Nouvelle-

Zélande, j'avais découvert en lisant le commentaire de la carte que c'était l'État le plus au sud de l'Australie.

« Eh bien, dans le nord-ouest de l'État, là où j'ai grandi, il y a de riches fermes sur des sols volcaniques. Si on longe la côte vers le sud, on trouve des villes minières et une forêt vierge encore intacte. Dans le nord-est se trouve la plus grosse exploitation de lavande de l'hémisphère sud.

— Une exploitation de lavande ? Comme en France ?

— Elles se ressemblent beaucoup, acquiesça-t-il avec un regard autour de lui. J'ai toujours voulu visiter la Provence. Et m'y voici, grâce aux Allemands !

— Moi qui croyais que l'Australie était un désert », dis-je en ressortant tous les détails que j'avais lus pour impressionner Roger par ma connaissance de son pays.

Il secoua la tête. « En partie. Mais pas la Tasmanie.

— J'aimerais y aller un jour, déclarai-je, ce qui n'était pas peu dire, pour quelqu'un qui venait juste de découvrir son existence ! Il y a des music-halls là-bas ?

— À Sydney et à Melbourne, mais il va peut-être falloir qu'on mette fin à la guerre d'abord, dit-il avec le sourire. Votre ferme est encore loin ?

— Pas très. » Est-ce que je l'agaçais avec toutes ces questions ? Quand il m'interrogea sur mon enfance en Provence et sur ma carrière de star à Paris, je m'aperçus qu'il aimait lui aussi me faire la conversation. Je fus surprise de l'entendre dire qu'il m'avait vue sur scène.

« Ce devait être à Londres.

— À Paris aussi. Mais deux fois à Londres, répondit-il. J'y ai travaillé dans le cabinet d'avocats de mon oncle. Mes grands-parents ont émigré en Australie et mon père y est né. Mais du côté de ma mère, ce sont des Anglais de pure souche. »

C'est ma mère qui nous vit la première traverser les champs vers la maison. Elle jetait des pelures de pommes de terre aux poules, les cheveux noués sous un fichu. Quand nous atteignîmes le muret, elle leva le menton comme si elle avait senti notre odeur dans le vent, puis elle se tourna, la main en visière au-dessus des yeux.

« Suzanne ! »

Quelques secondes plus tard, tante Yvette et Bernard apparurent sur le pas de la porte. Une fenêtre s'ouvrit dans la maison de mon père, puis Minot et Mme Ibert se penchèrent au-dehors. Avant que nous soyons arrivés dans la cour, tout le monde se précipita vers nous. Ma mère se jeta à mon cou.

« Un mois qu'on n'a pas eu de nouvelles de toi ! s'exclama tante Yvette. On s'en est fait du souci. »

Je leur expliquai que les bureaux de poste avaient été fermés pendant l'invasion et leur demandai s'ils avaient eu des nouvelles de M. Étienne et d'Odette. Je fus déçue d'apprendre que ces derniers n'étaient pas entrés en contact avec Bernard. Puis je m'aperçus que tout le monde regardait Roger.

« Je vous présente Roger Delpierre, un ami. »

Je n'en dis pas plus long. Je n'avais pas l'intention de leur mentir en présentant Roger comme mon metteur en scène ou mon agent, mais plantés là au soleil alors que nous avions tant de choses à nous

617

raconter, il semblait malvenu d'expliquer notre mission. Bernard tendit la main à Roger et tout le monde lui souhaita la bienvenue.

« Et voici Bruno, Princesse et Charlot », ajoutai-je en leur montrant les chiens.

Roger me prit le panier du chat et le souleva. « Et aussi Chérie, que Suzanne a sauvée à Paris. »

Ma mère me lança un coup d'œil puis se pencha pour caresser les chiens. Le rouge me monta aux joues. Pour je ne sais quelle raison, Roger m'avait appelée Suzanne et non Mlle Fleurier. Peut-être parce que je l'avais présenté comme un ami ; toujours est-il que cela eut pour effet de nous faire passer pour plus intimes que nous n'étions.

« Suzanne n'a pas changé ! Elle ramasse toujours tous les animaux domestiques qu'elle trouve sur son chemin », fit remarquer tante Yvette.

Au fil des ans, la cuisine de tante Yvette n'avait pas changé, elle non plus, ni Yvette elle-même. Quand nous nous engouffrâmes tous dans sa fraîcheur, j'eus l'impression de voyager dans le temps. Les odeurs familières de romarin et d'huile d'olive ainsi que la multitude de casseroles suspendues aux poutres étaient toujours là. Comme la guerre semblait loin ! Kira était juchée au sommet d'un des placards à vaisselle. Je la pris dans mes bras et elle frotta son menton contre ma joue. « Voici Kira, une de mes plus vieilles amies, dis-je à Roger.

— C'est la première fois qu'autant de gens habitent à la ferme », commenta Bernard en nous faisant signe de nous asseoir.

Roger et moi échangeâmes un regard. Bernard le remarqua et me lança un coup d'œil perplexe.

618

« On n'a pas vu le moindre Allemand par ici, reprit Bernard, malgré tout ce qui s'est passé dans le Nord.

— Presque rien n'a changé au village, alors ? » demandai-je.

Bernard secoua la tête. « Rien, sauf que M. Poulard a reçu l'ordre de faire enlever la Marianne et les autres symboles de la République. Ils ont remplacé "Liberté, Égalité, Fraternité" par la nouvelle devise de Pétain : "Travail, Famille, Patrie".

— Est-ce qu'on en veut aux Alliés ici, depuis le bombardement de Mers El-Kébir ? s'enquit Roger en prenant une figue. À Marseille, c'est le cas. »

Roger tâtait le terrain, il essayait de deviner de quel côté se rangeait ma famille. Bernard lorgna vers moi pour se rassurer. Visiblement, l'accent de Roger le laissait perplexe. Il n'était pas très prononcé mais difficile à identifier. Manifestement, Roger ne venait pas plus de Marseille que de Paris.

« Beaucoup des marins tués dans le bombardement devaient venir de Marseille, dit Bernard prudemment. Mais la plupart des gens d'ici pensent qu'il fallait s'y attendre. Que pouvaient faire les Alliés ? Pétain ne contrôlait plus les vaisseaux et les Anglais avaient prévenu la marine française qu'ils seraient obligés de détruire la flotte s'ils ne la leur remettaient pas eux-mêmes. Ils ne pouvaient pas se permettre de la laisser tomber entre les mains des Allemands.

— Sales Boches ! » grommela Mme Meyer, la mère de Minot.

Roger examina Bernard. « Votre village doit avoir de bonnes sources d'information, dit-il. Tout ce qu'on entend à Marseille et à Paris, c'est la propagande allemande. »

Bernard devint livide. Je compris sa peur. Par les temps qui couraient, ne pas avoir la bonne opinion pouvait vous coûter la vie.

« Ne crains rien, le rassurai-je. Roger voit les choses comme toi. »

Bernard me dévisagea avec une telle confiance que mon cœur se serra. Il se pencha par-dessus la table. « Notre maire a réussi à fabriquer un poste de radio. Nous avons écouté la BBC. »

Écouter une radio « ennemie » était illégal et pouvait vous envoyer en prison. Je contemplai ma famille avec fierté. Ils avaient l'âme de vrais résistants !

Ma mère et ma tante nous servirent du vin puis s'assirent à table avec nous. Mme Ibert et Minot vinrent se joindre à la conversation. J'avais confiance en Roger et je connaissais le courage de ma famille. Le moment était venu de les mettre au diapason.

« Je me porte garante de la discrétion de ma famille, dis-je à Roger. Et Minot et sa mère sont juifs. Les nazis inspirent les mêmes sentiments à Mme Ibert qu'à moi. Vous feriez aussi bien d'expliquer à tout le monde ce que vous avez derrière la tête. Il faudra qu'ils fassent équipe de toute façon.

— Je suis australien », annonça Roger, puis, quand tous furent revenus de leur surprise, il entreprit de raconter comment il s'était retrouvé en France et comment il avait l'intention de monter un réseau de résistants.

« Moi qui vous avais pris pour le fiancé de Suzanne ! » souffla ma mère ; un sourire joua sur ses lèvres.

Le rouge me monta aux joues. Je devais avoir l'air d'une vraie pivoine ! Quelle ironie que ma mère, d'ordinaire si peu bavarde, surtout en présence d'étrangers, fasse une remarque si gênante... Roger s'agita sur sa chaise. Aucun de nous deux n'osa regarder l'autre. La seule chose dont je me sentis capable fut de lancer un regard courroucé à ma mère.

Bernard vint à mon secours. « Nous sommes prêts à tout pour sauver la France, dit-il. Vous pouvez compter sur notre entière collaboration, je vous l'assure. »

Roger examina attentivement chacun des visages autour de la table. En un après-midi, il avait constitué une équipe de choc, cela ne faisait pas l'ombre d'un doute. Il avait à sa disposition une vedette de music-hall, une violoniste, un courtier en lavande, un directeur artistique, deux paysannes et une octogénaire !

Roger sourit et leva son verre. « Nous avons une nouvelle cellule dans la région de Sault, déclara-t-il. Nous sommes heureux de vous compter parmi les nôtres. »

Ma mère et ma tante auraient voulu nous voir rester, mais une seule journée loin de Paris pouvait impliquer la capture d'un soldat allié par les Allemands. Il fut décidé que Mme Ibert y retournerait avec nous pour transformer son appartement en cachette.

Je m'étais tellement attachée à Chérie et aux chiens que je fus triste de les quitter. Mais je voyais bien qu'ils aimaient vagabonder autour de la ferme et que ma mère les adorait. J'avais aussi l'intention d'y laisser Kira, mais elle vint se frotter à mes jambes en miaulant si ardemment que ma mère me suggéra de l'emmener.

« Je ne crois pas que notre mission serait la même sans au moins un petit compagnon à poils ! » concéda Roger en mettant le panier du chat à l'arrière du camion de Bernard avant d'y grimper lui-même pour nous laisser, Mme Ibert et moi, nous asseoir à l'avant.

« Ne m'en veux pas d'avoir dit qu'il était ton fiancé, me chuchota ma mère. Il est charmant et il ne te quitte jamais des yeux très longtemps ! Je n'ai pas envie que tu restes seule. »

Je fis comme si je ne l'avais pas entendue. En d'autres temps et d'autres lieux, je me serais peut-être autorisée à tomber amoureuse de Roger. Mais c'était la guerre, nous devions combattre pour sauver nos pays. Je ne pouvais pas m'engager sur tous les fronts.

Le Paris que nous retrouvâmes était bien sombre. Les charmants garçons de ferme qui avaient constitué les premiers bataillons allemands avaient été remplacés par des soldats plus sinistres, et la véritable nature de l'occupation allemande se révélait au grand jour. La plupart des magasins étaient ouverts autour de la gare de Lyon, mais leurs vitrines et leurs rayons étaient quasiment vides. Enfin, pour les Français. Alors que les Parisiens devaient faire la queue pour acheter de maigres rations de pain et de viande, nous vîmes un boucher charger des paquets dans la voiture d'un officier allemand.

« Une manière plus sophistiquée de tout piller »,
marmonna Roger en lisant un avis de rationnement
affiché dans la vitrine d'une boulangerie. D'autres
affiches nous apprirent que les vêtements et les
chaussures étaient également rationnés.

Il n'y avait pas de taxi pour nous conduire à
l'appartement. Tous les véhicules avaient été réqui-
sitionnés pour l'effort de guerre allemand. Et dans
les métros, les Allemands étaient trop nombreux
pour que nous nous sentions en sécurité. Nous
allions devoir faire la route à pied de la gare de Lyon
jusqu'aux Champs-Élysées.

Arrivés sur la place de la Bastille, nous fûmes
atterrés en voyant que tous les panneaux indiquant
les noms des rues étaient en allemand. Le seul rayon
de lumière qui nous fit rire fut le spectacle offert par
la vitrine d'un magasin devant lequel nous passâmes : un portrait de Pétain y avait été placé.
Stratégiquement placé à côté de la photo, un petit
panneau annonçait : « Vendu ».

À notre soulagement, nous trouvâmes Mme Goux
à son poste dans notre immeuble, où aucun Allemand n'avait élu domicile.

« Tous les matins et tous les soirs, je vais d'un
appartement à l'autre, nous annonça-t-elle. J'allume et
j'éteins des lumières, je ferme et j'ouvre les rideaux.
Mais à deux immeubles de chez nous, les Boches ont
jeté des locataires dehors. Ils leur ont remis des reçus
pour leurs meubles – qui leur seront restitués à « une
date ultérieure » – et leur ont donné vingt-quatre
heures pour vider les lieux.

— À deux immeubles d'ici ? dis-je en lançant un
regard à Roger. Ce n'est pas un peu trop près ? »

623

Il secoua la tête. « Parfois, la meilleure façon de tromper l'ennemi, c'est d'agir sous son nez. »

Le lendemain, Mme Ibert, Mme Goux et moi travaillâmes d'arrache-pied pour que les appartements soient prêts à accueillir leurs « hôtes ». Nous mîmes au point une série de signaux élaborés (paillassons de travers, vases retournés et petits coups sur les conduites d'eau…) pour donner l'alerte en cas de descente des Allemands. Roger se chargea d'entrer en contact avec des membres de la cellule parisienne et deux jours plus tard, nous hébergions onze pilotes dont les avions avaient été abattus. Avec tant d'hommes en pleine santé qui allaient et venaient dans l'immeuble, nous avions besoin d'une bonne couverture. Roger parvint à trouver deux médecins sympathiques à notre cause qui établirent leur cabinet dans l'appartement de M. Copeau : un psychiatre qui avait pour nom M. Lecomte et le docteur Capet, spécialisé dans le traitement des maladies vénériennes. S'il y a deux choses dont les Allemands ont horreur, c'est bien les troubles mentaux et les maladies contagieuses !

À cette époque, je me réveillais en sursaut plusieurs fois dans la nuit, persuadée qu'il y avait un Allemand penché au-dessus de mon lit ou que j'avais entendu quelqu'un entrer dans l'immeuble. Pieds nus, je montais à pas de loup à l'étage supérieur, où la personne de garde me rassurait. Quand c'était Roger, je retournais chercher une bouteille de vin, nous en buvions un verre chacun et bavardions jusqu'à l'aube.

Une nuit, Roger tendit la main pour toucher mes

cheveux : « Vous savez que vous avez le teint d'une Italienne ? »

Un fourmillement me chatouilla la nuque. Je me tournai vers lui en me demandant s'il avait l'intention de m'embrasser. Mais Roger s'était levé et se trouvait déjà à la fenêtre, il regardait l'aube poindre à l'horizon.

« Nous devons nous mettre en route pour le Sud aujourd'hui, dit-il, les sourcils froncés. La météo est assez mauvaise. Les Boches nous laisseront peut-être tranquilles. »

Roger, Mme Ibert et moi accompagnâmes chacun à notre tour les soldats munis de faux papiers dans le Sud. Comme on me repérait plus facilement que les autres, je pris l'habitude d'accompagner des prisonniers de guerre français qui s'étaient évadés ou des soldats anglais bilingues, de préférence ceux qui possédaient des talents musicaux, au cas où on nous demanderait de prouver que nous étions bien ce que nous prétendions être. Tant d'hommes passèrent entre nos mains qu'il nous fallut de plus en plus d'argent pour leur obtenir des vêtements français, des billets de train, des faux papiers et de la nourriture. Comme nous étions rationnés, nous étions souvent obligés d'acheter au marché noir, où les denrées coûtaient dix à douze fois plus cher que d'ordinaire. Mme Ibert et moi nous faisions un plaisir de donner tout ce que nous pouvions, mais les Allemands avaient limité les sommes que les citoyens français pouvaient retirer de leurs comptes en banque chaque mois, et même en vendant nos bijoux et certains meubles, nous manquions constamment d'argent.

Je me refusais à me produire pour les Allemands, cependant j'acceptai de chanter dans des spectacles à l'Alcazar à Marseille et dans d'autres villes de la zone libre. Je fis de mon mieux pour continuer à me faire passer pour une vedette dépensière tout en buvant de l'ersatz de café et en mangeant des steaks de soja dès que je me retrouvais seule pour économiser. Pourtant j'avais beau travailler dur, il n'y avait jamais assez d'argent. En novembre, il fut clair que l'obstacle majeur à la réalisation de notre mission, à part les Allemands, était le manque de fonds.

Vers la fin novembre, j'assurais des représentations dans un music-hall de Lyon. Un soir après le spectacle, après avoir enfilé mon manteau et mes bottes pour me protéger du froid hivernal très pénétrant, en sortant par l'entrée des artistes, je sursautai à la vue d'un homme debout près de l'escalier. Les lampadaires n'étaient pas allumés mais à la lueur bleutée du panneau lumineux au-dessus de la porte, j'aperçus sa silhouette élancée adossée à la balustrade. Des bouffées de frimas s'échappaient, fantomatiques, de sa bouche. Je fus parcourue de frissons. Je connaissais cette stature et les contours de cette silhouette. La porte claqua derrière moi et l'homme se retourna. C'était André.

« Bonjour Suzanne, dit-il, une lueur dansante dans ses yeux dorés. J'ai assisté au spectacle. Tu as été extraordinaire. »

J'étais sous le choc, tout au plus fus-je capable de murmurer un « Merci » comme si je m'adressais à un simple admirateur rencontré dans la rue. Que faisait-il ici ? N'était-il pas censé se trouver en Suisse ?

« Je peux t'inviter à dîner ? demanda-t-il. Je suis seul ce soir et j'ai envie de parler. »

L'idée de manger me donna des crampes d'estomac. J'avais déjeuné sans regarder à la dépense dans les meilleurs bouchons lyonnais afin de sauver les apparences et sauté les autres repas pour faire des économies. Mais il était dur de monter sur scène tous les soirs après avoir dormi dans une chambre d'hôtel non chauffée et en mangeant si peu. Il était peut-être inconvenant d'accepter l'invitation d'un homme marié et père de deux filles, seulement j'étais si seule et si fatiguée de mon travail que je jetai la prudence aux orties et acquiesçai.

André fit signe à une voiture garée à l'angle de la rue. C'était une Citroën conduite par un chauffeur en uniforme. Le seul Français capable de s'offrir un tel privilège ne pouvait qu'être à la solde des Allemands. Mon Dieu, pensai-je, André est un traître !

« C'est bizarre de se rencontrer comme ça après toutes ces années », dit André en m'aidant à sortir de voiture quand le chauffeur se fut arrêté devant un bistrot. À l'intérieur, le restaurant était plein de VIP français et de types louches en costumes tape-à-l'œil. Le menu ne proposait que des denrées disponibles sur le marché noir : artichauts, saucisse de porc et quenelles de brochet. Des aliments que la plupart des Français n'avaient pas vus depuis des mois.

J'observai André pendant qu'il passait commande au serveur, en essayant de retrouver, dans la personne distinguée attablée en face de moi, l'homme que j'avais connu tant d'années auparavant. Son visage était toujours aussi séduisant, même si ses tempes étaient devenues grises. Je me souvins de la douleur que j'avais éprouvée lors de notre dernière soirée à Neuilly et m'aperçus qu'il en restait quelque chose.

« Je crois que c'est la première fois que tu te produis à Lyon », fit remarquer André en se retournant vers moi. Nous discutâmes de tout et de rien, sauf de la guerre – et de nos vies privées.

« Et tu as toujours Kira ? » demanda-t-il pendant que le serveur remplissait nos verres. J'éclatai de rire, lui appris que Kira allait bien et la conversation devint plus facile entre nous. La chaleur ambiante me dégela et le vin de Bourgogne commença à me monter à la tête. Je repoussai mon verre en me rappelant que je devais me montrer prudente. Un mot de trop et je pouvais trahir le réseau.

« Alors, tes usines de Lyon tournent toujours ? Avec le rationnement, j'aurais pensé qu'il n'y avait plus de marché.

— J'exporte vers l'Allemagne, expliqua André. Je fabrique des uniformes pour l'armée. »

Sa franchise me choqua. Je fus incapable de soutenir son regard. N'éprouvait-il donc aucune honte ? Celui que j'avais connu n'aurait jamais fait une chose pareille. En relevant la tête vers lui, je vis des larmes dans ses yeux.

« Je ne connais aucune autre façon d'aider la France », lâcha-t-il. Il avait l'air de tourner et de retourner une idée dans son esprit. Je m'aperçus non sans surprise qu'il était en train de se demander s'il pouvait me faire confiance. Il dut décider que oui car il baissa la voix et ajouta : « Après l'armistice, on avait l'impression que rien ne pourrait laver le déshonneur de la France. Au moins je peux continuer à faire travailler mes ouvriers et leur éviter les camps de travail. Mes employés ont des familles à nourrir. Les femmes ont des maris détenus dans des camps de prisonniers et des enfants affamés à la maison. C'est tout ce que je peux faire pour les aider. »

Sa voix tremblante m'alla droit au cœur. Un sentiment de soulagement m'envahit. Je me penchai par-dessus la table. « André, chuchotai-je, prends ma main comme si nous avions une conversation intime. J'ai quelque chose à te dire. »

Il eut l'air interloqué mais obéit et avança sa chaise pour se rapprocher de moi. En lui révélant mon secret, je pouvais nous condamner à mort, mon réseau et moi. Mais sans argent nous ne pourrions plus continuer. Je devais prendre le risque. Et puis, quand André prit ma main, je ressentis la force et le bien-être que j'avais éprouvés dans ses bras pendant si longtemps.

« Il y a une chose que tu peux faire, murmurai-je. Je ne crois pas que la guerre soit finie pour la France, ni que nous ayons été vaincus. Tu as entendu parler de De Gaulle ? »

André s'agita sur sa chaise. Il contempla mon visage et son regard s'éclaira. « Suzanne, tu es entrée dans la Résistance ?

— Oui.

— C'est très dangereux. Tu seras exécutée si tu es découverte.

— Je sais. »

J'avais sauté le pas et j'étais obligée de continuer. Je lui expliquai mon travail avec le réseau et lui parlai de nos problèmes financiers. Il resta si longtemps silencieux que, l'espace de quelques secondes glaçantes, je me demandai si j'avais eu tort de lui faire confiance. Puis il sortit de sa torpeur et me fixa. « Non seulement je peux vous donner de l'argent, mais je suis prêt à vous fournir des vêtements. Et si ton contact pense que mes usines peuvent être utiles pour cacher des fugitifs, dis-lui de venir me trouver. »

André régla l'addition. Dehors, il annonça à son chauffeur qu'il avait l'intention de me raccompagner à pied.

« À partir de maintenant, nous devons nous montrer très prudents, Suzanne, dit-il quand nous tournâmes au coin de la rue. Je suis surveillé. Non seulement par les Français et les Allemands, mais aussi par ma sœur.

— Qu'est-ce que tu veux dire ?

— Guillemette est à Paris, répondit-il en regardant ailleurs, elle donne des réceptions pour le haut commandement allemand. C'est le cas de la majeure partie de l'élite mondaine. Certaines vont jusqu'à coucher avec eux si ça leur permet de continuer à boire du champagne et à manger du foie gras. Ma femme et moi, nous avons pris nos distances par rapport à nos familles en venant nous installer à Lyon. »

L'entendre parler de son épouse me rappela soudain pourquoi nous ne pouvions pas être ensemble. Je me rappelai la princesse à l'enterrement du comte Harry. J'avais deviné qu'elle était hors du commun. Qu'une femme si privilégiée soit prête à tourner le dos au Tout-Paris ne fit que grandir mon admiration pour elle. Je pris les mains d'André et les retins dans les miennes. « Merci ! soufflai-je. Ce que tu as proposé va considérablement nous aider. À chaque

630

colis d'uniformes que tu enverras en Allemagne, tu sauras que les profits dégagés aident la France. »

À ce moment-là, je crus qu'il allait se pencher pour m'embrasser sur la bouche. Le visage de Roger m'apparut tout à coup et je reculai d'un pas. Mais André ne fit aucun geste pour se rapprocher. Au lieu de cela, il jeta un regard par-dessus son épaule avant de dire : « Non, ne me remercie pas, Suzanne. C'est moi qui te suis reconnaissant. »

Je le regardai rejoindre la rue principale et disparaître dans la nuit.

31

L'hiver 1940 fut le plus froid que j'avais connu depuis des années. Les Allemands refusaient d'utiliser leurs moyens de transport pour approvisionner Paris en charbon, aussi nos appartements n'étaient-ils pas chauffés alors que les braseros fonctionnant au charbon ne cessaient jamais de brûler dans les établissements qu'ils fréquentaient. Mme Ibert et moi fîmes de notre mieux pour que les hommes que nous cachions n'aient pas froid. Tandis qu'André nous fournissait des couvertures et des pardessus, nous tricotions des chaussettes et des gants avec la laine vierge disponible. Mais la nourriture nous posait toujours plus de problèmes. Même au marché noir, elle se faisait rare. Nous nous efforcions de faire des soupes, pourtant certains jours nous ne pouvions rien offrir de mieux à nos hôtes que du bouillon de poule. Nous prîmes l'habitude d'aller nous coucher tout de suite après souper. C'était la seule façon de conserver un peu de chaleur pour la nuit.

« Nous nous en tirons mieux que bien des gens, dit un jour Mme Goux en revenant du froid avec quatre carottes rabougries dans son filet. Il y en a qui brûlent leurs meubles et cousent des doublures en papier journal dans leurs vêtements.

— Il fait toujours moins froid qu'en Écosse ! » renchérit un des hommes dont nous nous occupions.

Je ris, ravie de voir qu'il avait conservé son sens de l'humour. Avec les tensions liées à la guerre, dans nos appartements surpeuplés, sans parler du froid et de la faim, nous risquions à tout moment de voir certains soldats perdre leur sang-froid.

Un jour, Roger revint du Sud avec une mission particulièrement dangereuse. Le capitaine d'un navire avait accepté de cacher vingt hommes à bord et de les emmener au Portugal. Nous en avions exactement vingt à notre charge à ce moment-là et le seul moyen pour eux d'arriver à temps pour l'appareillage était de voyager tous ensemble. Transporter vingt hommes dont aucun ne parlait français avec Mme Ibert, Roger et moi pour seuls accompagnateurs était déjà assez risqué, mais encore plus dangereuse était la raison pour laquelle nous nous étions retrouvés avec tant de soldats au départ. Quatre caches avaient été découvertes à cause d'un agent double et les résistants avaient été exécutés après avoir subi la torture. Au bout d'une semaine avec vingt hôtes dans des conditions difficiles, notre

632

tentative pour emmener les hommes dans le Sud avait échoué : en arrivant à la gare, nous nous étions aperçus que des portraits de certains de nos fugitifs avaient été affichés et qu'une récompense était promise à qui aiderait à leur capture. Le bateau devrait partir sans eux.

Se voir obligés de retourner à l'appartement surpeuplé pour y attendre de nouveaux papiers et une nouvelle apparence – que nous fabriquions avec l'aide de l'assistante costumière de l'Adriana –, c'en fut trop pour certains. Des bagarres commencèrent pour des vétilles, comme passer trop de temps dans les toilettes ou ronfler. Deux hommes en vinrent aux mains à cause d'une partie de cartes. Certains remirent en question l'autorité de Roger.

« Si je perds leur confiance et leur respect, Suzanne, nous pourrions tout aussi bien aller nous rendre directement aux Allemands », dit-il. Roger, comme je l'avais découvert, était le genre d'homme qui voit les choses en grand. « Impossible » n'était pas un mot qu'il utilisait facilement. Aussi était-il inhabituel de le voir à ce point découragé. Certes, il était confronté à une mission très difficile. J'avais perçu des signes d'épuisement chez nos hommes avant même que nous partions pour le Sud.

« Personne ne peut supporter une telle pression si longtemps ; il faut toujours que quelqu'un craque, fis-je observer.

— Nous devons faire attention, vous et moi, répondit-il, nous résistons trop bien à la pression. »

Je comprenais ce que voulait dire Roger. La poussée d'adrénaline que nous sentions quand nous franchissions les postes de contrôle allemands nous servait à nous avertir du danger. Mais nous l'avions fait si souvent que nous courions désormais le risque d'être moins réceptifs et de commettre des erreurs stupides.

« Vous croyez que c'est ce qui nous arrive ? lui demandai-je. Nous prenons un trop grand risque en essayant de faire passer tant de fugitifs dans le Sud ? »

Roger secoua la tête. Il avait l'air vraiment perdu. « Je ne sais pas, Suzanne. Je commence à douter de moi-même. »

Je m'adossai au mur et aperçus Kira assise sur le pas de la porte, qui se léchait les pattes. Je ne sais pas pourquoi elle me fit soudain penser au chat en baudruche que l'artiste dramatique du Ziegfeld Theatre m'avait offert comme mascotte pour me calmer avant la première. Tout à coup, l'artiste qui sommeillait en moi se réveilla.

« J'ai une idée, dis-je à Roger. Aidez-moi à transporter mon gramophone dans l'escalier ! »

Roger installa le gramophone dans l'appartement de M. Nitelet, où nous logions nos hôtes, et je le suivis, des disques plein les bras. Quand nous eûmes posé le gramophone sur une chaise, Roger mit un disque de tango puis j'invitai les soldats qui connaissaient les pas à me servir de partenaires. Au début, j'eus du mal à les convaincre de danser avec moi, mais à force de cajoleries, je découvris deux très bons danseurs de tango parmi eux. L'un d'eux était si flamboyant avec ses volte-face et ses plongeons que bientôt nous fûmes le centre d'intérêt de toute la salle.

« Je peux ? demanda Roger, la main tendue vers moi.

— Bien sûr », dis-je en rougissant comme une adolescente.

Roger était un des hommes les plus assurés qu'il m'eût été donné de rencontrer tant qu'il s'agissait d'accomplir des missions, pourtant il restait toujours un peu sur la réserve en ma présence. Moi qui l'avais imaginé trop timide pour me prendre dans ses bras, il m'étreignit avec une telle passion que mon pouls s'accéléra. Il savait mener sa partenaire avec assurance. Encore plus surprenant, il se mit à chanter avec la voix espagnole que faisait entendre le gramophone : son timbre était agréable et mélodieux.

Rivarola m'avait dit que quand je dansais le tango, je devais m'imaginer en chatte : belle, fière et gracieuse. Dans ses bras à lui, je n'avais jamais eu cette sensation. Mais je me sentis très féline dans ceux de Roger.

« Vous êtes une femme hors du commun, Suzanne Fleurier, me murmura-t-il à l'oreille. Non seulement vous êtes courageuse, bourrée de talent et belle, mais vous êtes intelligente. Ça n'allait pas bien du tout et vous avez remonté le moral à tout le monde. »

De fait, l'atmosphère avait bien changé dans la pièce. Les hommes avaient retrouvé le sourire et se donnaient des claques dans le dos. L'amélioration de leur humeur et de leur esprit de camaraderie les aiderait, d'une façon ou d'une autre, à effectuer leur périlleux voyage sans encombre.

« Je voulais leur laisser un bon souvenir de Paris », dis-je.

Roger me leva le menton pour me regarder droit dans les yeux. « Mon plus beau souvenir de Paris, c'est vous. »

Des étincelles me réchauffèrent les bras et un fourmillement me remonta le long de la colonne vertébrale. Mais je fus incapable de soutenir le regard de Roger, je regardai ailleurs.

« Allez, fit un soldat australien en tapotant le dos de Roger. C'est Mlle Fleurier qui a organisé cette petite fête, alors j'aimerais bien avoir l'occasion de danser avec elle ! »

Roger sourit et nous nous écartâmes l'un de l'autre à contrecœur. Chaque moment passé ensemble était précieux, cependant refuser une danse à un soldat ne se faisait pas, quand il risquait de se faire tuer le lendemain.

« Lorsque la guerre sera finie, je donnerai un concert spécialement pour tous ceux qui sont ici ce soir, annonçai-je à l'Australien.

— Dans ce cas, je ferais mieux d'éviter de me prendre une balle dans la tête », répliqua-t-il avec un sourire, en me guidant sur la piste de danse avec autant de vigueur qu'un bélier.

Une fois tous les cœurs réchauffés et quand tout le monde fut fatigué, Roger mit fin à la soirée. J'embrassai chacun des soldats et leur souhaitai bonne chance avant de me retirer dans mon appartement glacial, à l'étage inférieur. Mais bien que mes draps fussent gelés lorsque je me glissai dans mon lit, je n'avais plus froid. En fermant les yeux, je fis de mon mieux pour chasser les pensées qui me ramenaient à Roger. Pourtant, au milieu d'événements terribles et dans les circonstances les moins propices, je ne pouvais pas nier qu'une lumière éteinte depuis si longtemps dans mon cœur avait été rallumée.

Quelques semaines après avoir réussi à faire passer la ligne de démarcation aux vingt fugitifs, nous commençâmes à recevoir moins de soldats et plus d'agents envoyés de Grande-Bretagne pour renseigner les Anglais sur les mouvements des troupes ennemies et sur les installations militaires. Nous hébergions aussi des opérateurs radio et quand je me rendais dans le sud de la France, je devais souvent transporter un émetteur ou un casque dans mes bagages.

Un après-midi, je me promenais rue Royale après un rendez-vous dont le but était de récupérer de faux papiers pour trois hommes que Mme Ibert devait emmener le lendemain. L'air mordant me picotait les joues et le froid que dégageaient les pavés gelés traversait la semelle de mes chaussures. Il n'y avait plus de cuir sur le marché, si bien que même les chaussures des magasins haut de gamme avaient des semelles en bois qui claquaient comme des sabots. Le froid me donnait des crampes d'estomac. Si l'hiver était une épreuve pour moi, une femme riche vivant dans un appartement muni de rideaux, de couvertures et de tapis, il devait être terrible pour les familles pauvres. Et que dire des nouveau-nés ? Qu'est-ce que cela devait être en prison ? Je me mis à penser à celle de Fresnes. Il ne s'y trouvait plus aucun prisonnier de droit commun – les Allemands avaient du travail pour les voyous – mais, selon la rumeur, on entendait appeler à l'aide et des cris de douleur s'échappaient des cellules pendant la nuit. Les prisonniers étaient des résistants qui avaient été arrêtés. Il y avait de jeunes étudiants parmi eux.

Quelqu'un m'appela. Je fis volte-face et vis une

blonde qui me faisait signe à la porte de chez Maxim's. Elle portait une robe bleue cintrée à la taille avec un col en fourrure. Il me fallut quelques instants pour la reconnaître : Camille Casal.

« Je me disais bien que c'était toi, s'exclama-t-elle. Entre ! »

Elle s'était fait friser les cheveux et pour tout maquillage, elle portait de la poudre blanche et du rouge à lèvres violet très foncé. Mon cerveau était tellement embrumé par le froid que j'avais du mal à réfléchir et j'entrai dans le restaurant. Maxim's n'était plus le lieu de rendez-vous opulent du monde du spectacle. C'était l'antre hédoniste du haut commandement allemand et des collaborateurs français.

« Comme tu as maigri ! » fit remarquer Camille, qui me détaillait des pieds à la tête.

C'est tout juste si je l'entendis. La chaleur et le parfum du cognac étaient étourdissants. Un arôme délicieux de beurre fondu et de canard rôti flottait dans la salle.

« Nous étions justement sur le point de manger, dit Camille en me guidant dans le restaurant. Il faut absolument que tu déjeunes avec nous. »

Je me retrouvai dans la salle qui m'était si familière autrefois. Je contemplai les vitraux du plafond et les fresques Art nouveau. Ici, les courtisanes avaient invité leurs princes, mais l'endroit regorgeait désormais de prostituées d'un autre genre. Je reconnus bon nombre de personnes qui évoluaient jadis dans la même sphère qu'André, et parmi elles les filles de certaines familles de l'élite.

Une table d'Allemands en uniforme se leva à notre

entrée. Ils se donnèrent des coups de coude et sourirent quand Camille me présenta. Ils n'étaient que cinq et pourtant la table croulait sous les terrines de soupe et de foie gras, les assiettes de caviar et de légumes cuisinés au beurre ; il y avait là de quoi nourrir une armée ! La plupart des officiers étaient de jeunes hommes aux joues roses, mais l'homme qui présidait et se pencha pour me baiser la main avait la cinquantaine grisonnante.

« Le colonel von Loringhoven », annonça Camille. Elle se posta à côté de lui pour glisser son bras sous le sien.

Mon regard se posa sur l'insigne des SS qui ornait son col. Je serrai mon sac à main, avec les documents falsifiés, tout contre ma hanche. Les SS : le corps d'élite de Hitler ! Roger m'avait dit qu'ils avaient exécuté les prisonniers de guerre alliés à Dunkerque au mépris de toutes les conventions observées par l'armée allemande. Les réfugiés venus du Nord avaient raconté que les SS brûlaient les églises et détruisaient les crucifix quand ils traversaient des villages, en clamant haut et fort que Jésus était le fils d'une putain juive et qu'ils apportaient une nouvelle religion à la France. Von Loringhoven, un colonel ? Il faisait donc partie de ceux qui donnaient de tels ordres...

« Il est plutôt fringant, tu ne trouves pas ? me chuchota Camille. Il m'a gardé une chambre au Ritz alors qu'ils mettent tout le monde dehors ! »

Mon regard passa du colonel von Loringhoven à Camille et je me rappelai notre conversation au café, pendant la drôle de guerre. Était-elle aveugle à ce point ? Ce n'était pas un play-boy de plus, ni un mondain ; c'était le diable en personne. Une chambre au Ritz : l'âme de Camille était-elle à ce prix ? La seule excuse que je pouvais lui trouver était qu'elle cherchait peut-être à garder sa fille à l'abri du besoin. J'aurais voulu prendre Camille à part pour la mettre en garde, mais j'avais des agents alliés sous ma responsabilité et c'est à leur sauvegarde que je devais penser avant tout.

Je me tournai vers le colonel von Loringhoven et le gratifiai du sourire le plus charmant que je pus me forcer à grimacer. « C'était un plaisir de faire votre connaissance, seulement il faut que je me sauve. »

Il me répondit par un sourire qui découvrit une rangée de dents carnassières. En me retournant pour rejoindre le hall, je sentis ses yeux dans mon dos. J'eus le sentiment bouleversant qu'il n'était absolument pas dupe.

En juin, la BBC annonça que l'Allemagne avait envahi l'Union soviétique. L'opératrice radio que nous logions cette semaine-là fut ragaillardie par cette nouvelle. C'était une Anglaise, bilingue pour avoir vécu à Paris pendant son enfance, et elle avait été envoyée par les services secrets anglais pour transmettre des renseignements à Londres. Je lui demandai pourquoi l'agression de la Russie par les Allemands était une bonne nouvelle. Cela signifiait simplement qu'un autre pays allait tomber sous la coupe des Allemands.

« Ah ! fit-elle, une étincelle dans les yeux, vous êtes française mais vous avez oublié : Napoléon s'est attaqué à cette terre inhospitalière, à ces Russes si fougueux, et c'est ce qui a causé sa perte. »

Je repris courage, cependant les comptes rendus suivants me remplirent de honte. Non seulement l'armée russe si mal équipée se battait jusqu'au dernier des soldats et des soldates, mais leurs civils combattaient eux aussi ! Pourquoi la France s'était-elle rendue si facilement ?

En décembre, grelottant dans nos appartements non chauffés, nous apprîmes que les Japonais avaient bombardé Pearl Harbor et que les États-Unis s'étaient engagés dans la guerre. Enfin, me dis-je. Enfin !

« Maintenant qu'on a l'aide des Américains, on va sûrement pouvoir gagner la guerre », commenta Mme Goux.

Tous nos espoirs de voir le conflit se terminer rapidement furent toutefois anéantis à l'été 1942. Les Allemands étaient sur le point de prendre Stalingrad et, avec elle, le Caucase et ses gisements de pétrole. Ils étaient aussi en Afrique : Alexandrie et Le Caire étaient presque entre leurs mains. L'opératrice radio avait beau déclarer avec confiance que les Allemands se dispersaient tellement qu'ils allaient finir par s'effondrer, ils n'étaient plus très loin ni de l'Iran, ni de l'Irak, ni de l'Inde. Qui aurait imaginé qu'une nation européenne puisse connaître une expansion si rapide, comme une tache noire sur un planisphère ? Ils allaient peut-être aussi envahir les États-Unis...

Si j'avais senti la présence du mal quand j'avais rencontré le colonel von Loringhoven, Paris et le reste de la France finirent par le voir aussi. Même certains des collaborateurs les plus égoïstes commençaient à se demander quelles forces malveillantes ils avaient laissées entrer dans leur pays. En juillet, les nazis interdirent aux juifs d'aller au cinéma, d'entrer dans les théâtres, les restaurants, les cafés, les musées et les bibliothèques ; ils allèrent même jusqu'à leur interdire d'utiliser les cabines téléphoniques. Ils n'avaient le droit de voyager que dans les deux derniers wagons des métros et devaient attendre leurs rations à des horaires peu pratiques. Pour les identifier, on les forçait à porter sur leur manteau l'étoile de David avec le mot « Juif » au milieu.

Un homme défila sur les Champs-Élysées avec ses médailles de guerre accrochées à côté de son étoile ; il fut passé à tabac par des SS puis abattu d'une balle dans la tête. La nouvelle des abominations perpétrées sur leurs amis et leurs voisins se répandit dans la ville comme une traînée de poudre. Le fait qu'un vétéran de guerre français ait été tué de sang-froid et sans autre forme de procès n'échappa pas aux Parisiens.

Quelques jours plus tard, je reçus l'ordre de Roger de traverser la ligne de démarcation pour me rendre à la ferme familiale, seulement avec Kira. Il commençait à y avoir des soupçons et il était probable que je doive m'installer dans le Sud de façon permanente. Même si je m'étais inscrite auprès du *Propagandastaffel*, le fait que je ne me produise pas à Paris suscitait des questions. Comme Maurice Chevalier, Mistinguett, Tino Rossi et les autres avaient monté des spectacles, il semblait que mes excuses trompaient de moins en moins de gens. Le dernier problème en date était que nous ne pouvions plus héberger d'opérateurs radio dans notre immeuble.

À deux reprises, les camionnettes de détection avaient repéré un signal dans le quartier. Notre immeuble avait été fouillé une fois. Mme Goux avait caché le récepteur dans le panier du chat et avait mis Kira juste devant. L'opératrice radio et moi nous étions dévêtues avant de nous précipiter dans la baignoire. Nous fûmes si indignées quand les Allemands firent irruption dans la salle de bains que les soldats, rouges de confusion, s'empressèrent de se retirer sans remarquer qu'il n'y avait pas d'eau !

J'arrivai dans le pays de Sault alors que la lavande sauvage était en pleine floraison au bord de la route et dans les crevasses des parois rocheuses. Elle emplissait l'air de sa senteur suave et stimulante. La route était poussiéreuse et le panier de Kira pesait sur mon bras. Je m'arrêtais régulièrement pour me reposer, assise sur ma petite valise, et m'éponger le cou avec un mouchoir. À deux kilomètres de la ferme, je compris que je n'y arriverais jamais si je continuais à porter Kira.

« Il va falloir que tu marches, ma chère », dis-je en la faisant sortir du panier, que je laissai derrière un rocher.

Je m'attendais qu'elle se mette sur son séant et refuse d'avancer. Mais elle se contenta de lâcher un miaulement et de trottiner à côté de moi.

« Si j'avais su que tu pouvais être aussi coopérative, je me serais débarrassée du panier depuis longtemps ! »

Nous passions devant l'ancienne ferme des Rucart quand j'entendis un véhicule cahoter derrière nous. En me retournant, j'aperçus Minot qui me faisait signe au volant de la Peugeot. « Bonjour ! » s'exclama-t-il avec un sourire en m'ouvrant la portière.

Je déposai Kira sur le siège et jetai ma valise à l'arrière. Minot portait un pantalon de coton épais et une chemise à carreaux avec des auréoles sous les aisselles. On avait peine à croire que c'était là le directeur artistique si sophistiqué de l'Adriana. Mais après tout, dans ma robe sale et avec mes chaussures abîmées, je n'avais plus grand-chose de la fille des savons Le Chat, moi non plus !

« Roger est à la ferme ? » demandai-je. Je ne l'avais pas vu depuis des mois car il s'était occupé de faire passer les Pyrénées à des fugitifs. J'espérais secrètement qu'en venant dans le Sud je le verrais plus souvent.

Minot secoua la tête. « Il vient demain avec deux agents qu'il emmène dans le maquis. »

Le nombre des maquisards avait considérablement augmenté le mois précédent quand les Allemands avaient essayé de forcer des Français à aller travailler dans les usines d'armement et les fermes allemandes. Des dizaines de milliers de jeunes hommes s'étaient enfuis dans les montagnes et avaient grossi les rangs des résistants prêts à se battre.

« Je me fais du souci pour vous et votre mère », dis-je à Minot. Je lui racontai ce qui s'était passé à Paris. « Le gouvernement de Vichy est encore plus antisémite que les nazis. Il est peut-être temps que vous quittiez la France. »

Il secoua encore la tête. « Je ne peux pas abandonner ma mère. Elle est trop vieille pour prendre un bateau. Dans le pire des cas, nous devrons la cacher. Moi, j'irai dans la montagne me battre avec les autres. »

Quand nous arrivâmes à la maison, les chiens dormaient dans le jardin. Ma mère et ma tante mettaient la table pour le déjeuner. Je remarquai les branches de cyprès et les guirlandes d'ail accrochées près de la porte – des talismans provençaux destinés à protéger les habitants de la maison. Bernard était assis à table, il parlait à Mme Meyer. Je serrai ma mère et ma tante dans mes bras. Elles étaient toutes les deux très amaigries depuis ma dernière visite, pourtant à la campagne la nourriture n'avait pas l'air de manquer. Mon regard tomba sur les cinq assiettes supplémentaires posées sur la table.

« Je croyais que Roger et les autres n'arrivaient que demain ? »

Bernard prit un air grave. Il attrapa le balai posé près du poêle et cogna trois fois au plafond. J'entendis immédiatement un bruit rapide de pas. Je croyais pourtant que le dernier groupe de soldats avait déjà été conduit dans la maison de Marseille. Alors je m'aperçus que les pas étaient très légers.

Les enfants s'arrêtèrent sur le seuil en me voyant : deux petites filles rouquines de sept et neuf ans environ et trois garçons qui avaient à peu près le même âge. Je fus stupéfaite par le mélange d'innocence et de terreur que je lus dans leurs yeux.

« Je les ai trouvés à Marseille quand je suis allé y installer les hommes, m'expliqua Bernard.

— Leurs parents ont été emmenés, chuchota tante Yvette. Une femme qui habitait la maison voisine de celle de tante Augustine les a cachés.

— Venez à table, dit ma mère aux enfants en tendant le bras. Voici Suzanne. »

À mesure que les enfants avançaient lentement, elle me les présenta : Micheline, Lucie, Richard, Claude et Jean. Ils avaient les yeux comme des soucoupes. Cela me fit de la peine de voir ces enfants déjà capables de méfiance. J'appelai Kira et la pris dans mes bras afin qu'ils puissent la caresser.

« Comment elle s'appelle ? demanda Claude, le plus jeune.

— Kira, répondis-je. Elle est russe.

— Elle ressemble à Chérie, dit Lucie. Chérie, elle dort sur mon lit. »

Après déjeuner, les enfants remontèrent jouer à l'étage. Je trouvais bizarre qu'on ne les autorise pas à s'amuser dehors. La ferme était à des kilomètres de tout.

« Les activités des maquisards font que les gendarmes viennent régulièrement vérifier que les gens du village et les fermiers ne cachent pas des armes ou des blessés, expliqua Bernard. J'aimerais bien garder les enfants ici, mais je ne sais pas s'ils y seront très longtemps en sécurité. J'espère que Roger aura une solution à proposer. »

Roger arriva le lendemain soir avec un expert dans le maniement des armes et une opératrice radio qui paraissaient avoir à peine vingt ans. Ils avaient été parachutés la veille dans la nuit. Après dîner, nous envoyâmes nos hôtes prendre une bonne nuit de sommeil dans un lit à l'étage ; puis Roger et moi sortîmes pour discuter. Il était aussi beau que la dernière fois que je l'avais vu, à Paris, mais il avait des cernes sous les yeux et les rides s'étaient creusées sur son front.

« Vous avez besoin de repos, remarquai-je.

— Vous aussi, répondit-il en attrapant mon poignet pour l'examiner. Regardez comme vous avez maigri ! »

Je lui parlai des enfants que Bernard avait cachés en haut.

« Je sais, dit Roger en levant les yeux sur le ciel éclairé par la lune. Il m'en a parlé à Marseille.

— Avons-nous un moyen de les faire sortir du pays ? »

Roger s'adossa au mur latéral de la maison. « Nous faisons franchir la frontière à des réfugiés juifs depuis un certain temps maintenant. Mais ces enfants n'arriveront jamais à traverser les Pyrénées avec un seul guide. » Il resta silencieux pendant un moment ; il tournait et retournait la question dans sa tête. « Un bateau viendra chercher les hommes à Marseille dans quelques jours, reprit-il. Ce sera dangereux mais je ne vois pas d'autre moyen de sortir ces enfants du pays. » Il se tourna vers moi et son souffle me caressa la joue. « Je pars avec eux, Suzanne. Je dois quitter la France. »

Mon cœur se brisa. Il partait !

« Pourquoi ? bégayai-je.

— J'ai été compromis par un agent double et je dois me désolidariser du réseau pour ne pas conduire cet agent à d'autres membres. »

Le froid m'envahit. Comment pouvais-je me montrer si égoïste ? Si Roger avait été compromis, il courait un grave danger. Il n'avait d'autre choix que de partir. L'espace d'un instant, je songeai à lui demander si je pouvais l'accompagner, avant de me rappeler où je me trouvais. La France avait besoin de moi, ma famille et des amis s'étaient mis en danger parce que je les en avais convaincus. Qu'importe mes sentiments personnels, je devais rester dans mon pays.

« Vous allez me manquer, Suzanne », murmura Roger en tendant la main pour me passer les doigts dans les cheveux.

Je me détournai afin qu'il ne voie pas les larmes briller sur mes joues.

Le lendemain matin à l'aube, Roger et moi conduisîmes les deux agents aux maquisards de la région, avec lesquels ils allaient travailler.

Quand nous arrivâmes à leur campement, les premières personnes que je vis furent Jean Grimaud, l'ami de mon père, et Jules Fournier, le beau-frère du maire. Je ne les reconnus qu'à leur façon de se tenir et à leurs yeux ; ils s'étaient l'un et l'autre laissé pousser une épaisse barbe, leurs vêtements étaient maculés de boue et couverts d'aiguilles de pin. Les nuits passées à la belle étoile les avaient épuisés, mais ils nous accueillirent chaleureusement et nous invitèrent à partager leur repas : des omelettes aux champignons sauvages. Roger et moi déclinâmes l'invitation ; nous savions que les maquisards avaient du mal à se procurer de quoi manger et que leurs femmes et leurs filles prenaient des risques pour leur apporter des provisions.

Pendant qu'ils se servaient, un jeune homme aux yeux noirs immenses vint apporter à Jean un message du maquis voisin. Le garçon m'était familier, pourtant je ne me rappelais pas où je l'avais vu. Il remarqua mon expression perplexe et sourit.

« Ah, c'est vous ! dit-il avec un accent étranger. Je n'ai jamais oublié votre gentillesse. » Il mit la main dans sa veste et en sortit un sachet de lavande, sale et élimé par les années. « C'est toujours mon porte-bonheur. »

C'est alors que je me rappelai : Goya, le petit garçon qui avait accompagné sa famille d'ouvriers agricoles, l'année de notre première récolte de lavande. Il m'apprit son véritable nom – Juan – et nous échangeâmes quelques mots sur ce que nous étions devenus depuis notre dernière rencontre. « Ma mère disait toujours en riant que vous n'étiez pas faite pour travailler à la ferme. Et vous voyez : sa prédiction était juste. »

Nous restâmes avec les maquisards presque toute la journée. Roger glanait des informations et les agents lui exposaient leurs stratégies pour déposer des armes et entrer en contact avec les Alliés. L'opératrice radio installait son matériel.

Roger m'avait raconté que chaque opérateur avait un code spécial à transmettre à la Grande-Bretagne pour indiquer si le message qu'il envoyait était fiable ou pas. L'opératrice en aurait besoin si elle se retrouvait un jour avec le canon d'une arme allemande sur la nuque.

Elle avait probablement laissé un amoureux et une famille au pays, elle aussi, me dis-je en observant la froide détermination avec laquelle elle s'affairait. Je devais faire preuve de la même volonté de fer.

En fin d'après-midi, Roger et moi souhaitâmes

bonne chance à l'opératrice et au jeune instructeur et saluâmes les maquisards. Nous arrivâmes devant les champs de la ferme familiale juste au coucher de soleil. C'était devenu une plantation de lavandin, un hybride plus rentable, mais Bernard avait gardé une parcelle de lavande sauvage dans le champ le plus proche de la maison par respect pour mon père. La lumière tamisée jouait sur les épis de lavande. La tristesse que suscitait en moi le départ imminent de Roger enfonça dans mon cœur sa pointe aiguisée, comme une pierre acérée.

« Et si on s'asseyait ici un moment ? » suggéra-t-il.

J'acquiesçai et nous nous assîmes côte à côte sur un gros rocher encore tiédi par le soleil.

« C'était ton nom de code dans le réseau, dit Roger, qui me tutoyait pour la première fois. Lavande sauvage.

— J'ignorais que j'avais un nom de code. Je ne l'ai jamais utilisé. »

Il sourit. « Eh bien, c'est ainsi que je t'ai toujours vue : tenace, entêtée mais plutôt douce aussi. »

J'étais sur le point de lui dire que je n'aimais pas trop cette description quand il me posa la main sur l'épaule. « Quand cette guerre sera finie, est-ce que je pourrai revenir te chercher, Suzanne ? »

Son étreinte était douce, mais elle dégageait autant d'énergie qu'un brasier. Je me rappelai comme il m'avait enlacée le soir où nous avions dansé le tango et me rapprochai de lui. « Je ne sais même pas si tu t'appelles vraiment Roger », dis-je en suivant du doigt la ligne dessinée par la naissance de ses cheveux.

Roger passa son bras autour de ma taille. « C'est

bien mon prénom. Mais mon nom de famille, c'est Clifton, pas Delpierre. »

Il roula les *r* de son nom de code si fort que cela me fit rire. Je posai ma joue tout contre la sienne. Le soleil s'attardait encore dans la douce chaleur de sa peau. Je humai sa bonne odeur qui ressemblait à celle du thym roussi au-dessus d'un feu.

« Et quand je reviendrai te chercher, Suzanne, tu voudras bien m'épouser ? »

Le cœur me manqua. Étais-je en train de rêver ? « Oui », répondis-je, surprise de la facilité avec laquelle j'avais accepté. Je n'avais pas eu besoin de réfléchir. Cela me semblait naturel d'être avec Roger, comme si nous étions deux pièces d'un puzzle destinées à s'unir.

Roger me passa la main dans le dos. Quand il me toucha, je m'aperçus que la guerre avait épuisé mon corps, je me sentais lourde et fatiguée. Mais à chaque caresse, ce corps revenait un peu plus à la vie.

« Qui l'aurait cru ? dit Roger en riant. La vedette la plus célèbre de France et un homme de loi bien terne venu de Tasmanie ! Il fallait une guerre pour former un couple aussi improbable. »

Je n'avais pas oublié sa façon de danser le tango et de chanter en espagnol. « Tu es tout sauf terne, fis-je remarquer. Et puis tu es un héros. Et je prie pour que cette guerre ne dure pas toujours.

— Eh bien, il faut y croire maintenant que nous avons décidé de nous marier », murmura Roger en m'embrassant. La douceur de ses lèvres était divine. J'avais l'impression de mordre une pêche. J'aurais pu me perdre pour toujours dans ses baisers mais je me détachai de lui, le temps d'une question : « Où vivrons-nous ? À Londres ou à Paris ? Ou as-tu l'intention de m'emmener en Tasmanie ?

— Nous pourrons aller en Tasmanie pour notre lune de miel. Mais quand nous serons mariés, je voudrais vivre ici. »

Je m'éloignai un peu pour le regarder. « En Provence ? En France, tu veux dire ?

— Ici, à la ferme, répéta Roger en contemplant le ciel. C'est si beau, je ne comprends pas pourquoi on peut avoir envie de vivre ailleurs. Je serais heureux de cultiver la lavande avec ta famille et d'élever nos enfants ici. Ça me semble tellement dérisoire d'être homme de loi après tout ce que j'ai vu. La loi suppose l'ordre. Et je n'ai vu que le chaos. »

J'adorais la région de Sault et ma famille, seulement je n'avais jamais imaginé revenir vivre ici. « Je ne suis pas très douée pour les travaux de la ferme, répliquai-je. En fait, je ne vaux rien comme agricultrice.

— Qui a dit que tu aurais besoin de travailler à la ferme ? Tu es une artiste. Quand tu auras envie d'aller à Paris ou à Marseille, je t'y conduirai en avion. »

Les larmes me firent piquer les yeux. C'était un si beau rêve que je n'arrivais même pas à m'imaginer vivre un tel bonheur. J'avais peur, si je m'y laissais aller, qu'on ne m'arrache mon espoir comme c'était arrivé avec André.

Roger posa ses lèvres sur les miennes et m'embrassa encore. Je me serrai contre lui et il m'attira sur le sol crayeux.

« Ne t'interdis pas d'être heureuse, Suzanne ! dit-il en me caressant le visage. Quand on aura traversé la guerre, plus rien ne nous sera impossible. »

Sa main se glissa dans l'échancrure de ma chemise et se referma sur mes seins. Je fermai les yeux, frémissante de désir.

« Tenace, entêtée mais *très* douce », murmura-t-il.

Le lendemain à l'aube, je me dégageai d'entre les bras de Roger, me rhabillai et traversai la cour jusqu'à la maison de ma tante au pas de course. Ma mère était dans la cuisine, elle disposait les assiettes pour le petit déjeuner quand je fis irruption dans la pièce. Elle fit un bond en arrière et lâcha les couverts, qui s'éparpillèrent sur le sol avec fracas.

« Pardon », m'excusai-je. Avec la tension créée par les circonstances, ce n'était pas très gentil de surprendre les gens. Mais ma mère n'était pas fâchée.

« Roger m'a demandé de l'épouser, dis-je. Il a promis de revenir me chercher après la guerre. »

Ma mère sourit, sans un mot. Elle ne me quittait pas des yeux.

Je fis un pas vers elle. « Tu crois qu'on peut se faire des promesses pareilles pendant une guerre ? Il doit retourner à Londres. Peut-être qu'on ne se reverra jamais. »

Ma mère posa l'assiette qu'elle tenait et prit mes mains dans les siennes. « Nous sommes encore vivants, Suzanne. Nous devons agir comme des êtres vivants. Tu dois t'engager envers lui. Il t'aime. »

Je jetai mes bras autour de son cou et la serrai plus fort que je ne l'avais fait depuis des années. Ma mère était frêle mais robuste. Je sentis sa charpente solide sous les muscles. Elle m'éloigna d'elle un instant pour me regarder dans les yeux. « Est-ce vraiment ça qui te fait le plus peur : la guerre ? demanda-t-elle. Ou quelque chose d'autre ? »

Sous son regard, j'eus l'impression d'avoir à nouveau quatorze ans. Je n'avais pas besoin de lui avouer ce qu'il y avait au fond de mon cœur.

« André ? » Elle levait les sourcils.

J'acquiesçai. Les sentiments qui m'avaient agitée quand je l'avais revu à Lyon ne m'avaient pas quittée. Même s'il était marié et père de famille, même si nous étions tous les deux dévoués à la cause, nous avions eu une impression d'inachevé. Pouvais-je en toute honnêteté donner mon cœur à Roger si je ressentais encore cela ?

Le regard de ma mère s'adoucit et elle posa un baiser sur le haut de ma tête. « Je vous ai vus ensemble, Roger et toi, dit-elle. Vous êtes tombés amoureux dans des circonstances tragiques. Ce qui vous unit est très fort. Cet homme ne t'abandonnera jamais. Il peut bien partir maintenant, s'il promet qu'il reviendra te chercher il le fera.

— Et si sa famille n'approuve pas son choix ? »

Ma mère secoua la tête. « Je suis certaine qu'ils seraient fiers de savoir que Roger veut épouser une femme aussi courageuse et honorable. Si ton père pouvait voir quelle femme tu es devenue, il dirait exactement la même chose. Tes dons, c'est de lui que tu les tiens. »

Les pas de tante Yvette résonnèrent dans l'escalier. Nous nous retournâmes toutes les deux et la vîmes entrer dans la cuisine en nouant un foulard sur ses cheveux d'ange. Elle s'arrêta net en nous apercevant, une expression perplexe sur le visage.

« Roger et Suzanne vont se marier, lui annonça ma mère. Il reviendra la chercher après la guerre. »

Le visage de tante Yvette se détendit en un large sourire.

32

Le matin où Roger et moi annonçâmes nos fiançailles, nous prîmes le petit déjeuner le plus joyeux depuis des années. Même les enfants que nous avions recueillis semblaient plus épanouis que la veille. Ma mère posa le bras sur l'épaule de Roger avec autant de tendresse que s'il avait été son propre fils. Tante Yvette et Bernard ressortirent toutes les histoires de mon enfance dont ils pouvaient se souvenir pour me faire rougir devant mon fiancé ; ils allèrent jusqu'à lui raconter qu'on me surnommait autrefois la *flamingo* à cause de mes longues jambes. Mais cela m'était égal. J'étais heureuse de savoir qu'en dépit de la situation dans laquelle nous nous trouvions, on nous fêtait rien que pour avoir imaginé un avenir meilleur.

J'avais encore une mission à accomplir à Paris avant de m'installer définitivement dans le Sud. Roger devait transmettre un message codé à un membre du réseau. Je l'avais appris par cœur, de façon que personne ne le trouve si on me fouillait. J'avais prévu de passer une nuit à Paris et de prendre le premier train du matin pour retourner dans le

Sud. Roger et moi aurions une nuit de plus ensemble à la ferme avant qu'il quitte la France.

Pendant que je mettais mes affaires dans mon sac, ma mère me tendit un petit sac en tissu. « Ne l'ouvre pas ! dit-elle. Tu sais ce que c'est. »

Je tâtai le contenu du sachet, un objet pointu : un os de lapin destiné à me protéger. « Tu en auras besoin. Je ne pourrai pas toujours veiller sur toi. »

Il y avait longtemps que je m'étais débarrassée de mes superstitions provençales, cependant, par respect, je mis le sachet dans ma poche. Ma mère et moi n'avions peut-être pas les mêmes armes, mais nous combattions dans la même guerre.

« Je le garderai toujours sur moi », lui promis-je en l'embrassant.

Une fois prête, je serrai ma mère et ma tante dans mes bras, ainsi que Minot, sa mère, Bernard et chacun des enfants ; je caressai chacun des animaux puis je suivis Roger dehors dans le soleil.

Nous rejoignîmes le village à pied. Arrivés devant la mairie, Roger et moi nous embrassâmes pendant que le chauffeur, d'humeur espiègle, nous klaxonnait.

« Je t'aime, Suzanne Fleurier », fit Roger en insérant un brin de lavande dans la boutonnière de ma robe.

À l'arrière du car, j'agitai la main. Une nuit à Paris et je les retrouverais, lui et ma famille. C'est ainsi que les choses devaient se passer. Cela n'arriva jamais.

J'arrivai à Paris dans la soirée et pris le métro jusqu'aux Champs-Élysées. Bien que mon absence eût été de courte durée, je constatai que l'humeur des habitants de la ville avait encore dégringolé. Peut-être à cause de la fatigue, je ne remarquai pas que les deux derniers wagons de la rame étaient vides.

Mme Goux m'ouvrit la porte. Dès que je fus dans le hall, elle me raconta toute l'histoire. « Il y a eu une grande rafle de juifs ! Pas seulement les étrangers, les Français aussi. Ils les envoient dans des camps en Pologne.

— Qui a organisé la rafle ? demandai-je en m'écroulant sur une chaise près de la porte de la loge.

— La police parisienne.

— Alors les nazis nous font faire leur sale boulot ? » Je laissai aller ma tête contre le mur. À mes yeux, c'était ce qu'il y avait de plus décourageant dans l'histoire. Les Allemands n'avaient pas de souci à se faire, ils pouvaient bien se disperser sur toute la planète, avec tous ces Français prêts à collaborer !

Mme Goux fit claquer sa langue. « Une dizaine de policiers ont rejoint notre réseau. Ils sont écœurés par ce qui s'est passé au Vélodrome d'Hiver. Une des nouvelles recrues y était. Il a raconté que les Allemands avaient donné l'ordre de ne prendre que les enfants en âge de travailler. Alors la police a écarté les plus petits de leurs mères avec la crosse de leur fusil et avec des lances à incendie. Il dit qu'il n'oubliera jamais leurs cris.

— Où sont ces enfants maintenant ?

— Certains ont été récupérés par le réseau, mais la plupart sont livrés à eux-mêmes, répondit-elle. Le policier qui nous a rejoints dit qu'ils seront bientôt raflés eux aussi.

— Comme des animaux, murmurai-je.

— Les autorités françaises ont demandé aux Allemands que tous les enfants puissent accompagner leurs parents à l'avenir. C'est plus humain, dit Mme Goux.

— Plus humain ! m'écriai-je. C'est à la mort qu'on les envoie ! »

Quand les juifs d'origine étrangère avaient été raflés et déportés les premiers, la plupart des Français ignoraient tout des camps de concentration et les nazis avaient mené une propagande très efficace en diffusant des documentaires sur la réimplantation des juifs en Europe de l'Est. Les non-Juifs recevaient même des cartes postales de leurs amis juifs qui les assuraient que tout allait bien. Mais les services de renseignement de la Résistance avaient recomposé un tableau bien différent. Roger m'avait parlé des atrocités qu'ils soupçonnaient ; pourtant, quand des journaux clandestins comme *J'accuse* et *Fraternité* avaient publié des récits de génocides, les gens avaient refusé d'y croire, prétendant qu'ils étaient trop horribles pour être crédibles ou que c'était de la propagande des Alliés.

Je repensai aux cinq enfants que Bernard avait sauvés à Marseille et aux difficultés qu'allait rencontrer Roger pour les emmener en lieu sûr. Comment la Résistance parisienne pourrait-elle sauver des milliers d'enfants, sans parler de leurs parents ? Nous avions besoin d'aide. Il fallait que les Parisiens nous aident au lieu de se cacher derrière la fiction d'une vie normale sous le régime nazi.

L'expression de Mme Goux changea : « Vous avez de la visite en haut. La femme a refusé de dire qui elle était, mais je crois qu'elles ont besoin de votre aide. »

Je m'attendais à des agents, aussi fus-je surprise de trouver une femme assise à la table de ma salle à manger ; elle serrait un petit enfant dans ses bras. Quand elle m'entendit franchir la porte, elle fit volte-face. Elle avait le même regard terrifié que les enfants de la ferme.

« Odette ! » m'écriai-je.

Elle se leva et s'élança vers moi. Je la pris dans mes bras, caressai la tête de la petite Suzanne. La fillette était aussi jolie que sa mère, avec son petit nez coquin et sa peau lumineuse. Mais ses yeux se fermaient de fatigue.

« Couchons-la dans mon lit, décidai-je. Nous pourrons parler ensuite. »

La petite Suzanne bâilla et s'endormit dès que sa tête se posa sur l'oreiller.

« Laisse la porte ouverte », dit Odette quand elle me vit sur le point de la fermer. Elle ne semblait pas supporter de perdre sa fille de vue un seul instant, comme si on allait la lui arracher.

Nous nous assîmes toutes les deux sur le canapé et je pris ses mains dans les miennes. « Pourquoi es-tu venue à Paris ? » lui demandai-je.

Une expression hagarde se peignit un instant sur les traits d'Odette. « J'aurais dû t'écouter, Suzanne. Ils ont emmené mon oncle et Joseph. Ils ont pris mes parents. Il y a eu une rafle à Bordeaux. Nous nous croyions sauvés parce que oncle Étienne avait trouvé un passeur prêt à nous faire franchir la ligne

659

de démarcation. C'était un commerçant et nous devions nous cacher à l'arrière de sa camionnette. Mais il n'est jamais venu nous chercher. Il a pris presque tout notre argent et il n'est jamais venu. »

Les larmes lui montèrent aux yeux et elle secoua la tête comme si elle avait du mal à croire qu'il existait des gens capables de voler les plus désespérés. « Le lendemain, tout le monde a été raflé, poursuivit-elle. Suzanne et moi en avons réchappé parce que nous étions allées rendre visite à une voisine catholique. Elle nous a cachées dans la cave jusqu'à ce que ce soit terminé. Quand je suis retournée à la maison, tout avait été retourné et ils avaient emmené tout le monde. »

J'enfouis mon visage dans ses mains. Pendant deux ans, j'avais consacré toutes les ressources et le temps dont je disposais à sauver des soldats alliés et à cacher des agents secrets britanniques. Plusieurs mois auparavant, on nous avait dit que les Américains ne tarderaient pas à mettre fin à la guerre. Où étaient-ils tous passés aujourd'hui ?

« Si aucune aide ne vient de l'extérieur, nous devons nous aider nous-mêmes, dis-je à voix basse. Odette, vous avez des faux papiers, Suzanne et toi, ou seulement les vrais ?

— C'est le passeur qui devait nous en procurer, répondit-elle. Je n'ai que les vrais, avec le tampon "Juif" dessus.

— Comment es-tu arrivée à Paris ?

— J'avais juste assez d'argent pour nos billets. Je suis montée dans le train avec nos papiers de juifs et personne ne m'en a empêchée. » Elle lâcha un petit rire aigu. « Peut-être savaient-ils que si les

Allemands ne nous attrapaient pas à Bordeaux, nous serions arrêtées à Paris de toute façon. »

Mon cerveau fonctionnait au ralenti. J'avais toujours récupéré les faux papiers des mains d'un autre membre du réseau, jamais directement d'un faussaire. Les bons faussaires étaient bien trop précieux pour qu'on les compromette : on ne les contactait pas facilement. Pendant des années, je m'étais contentée de suivre les ordres. Je n'avais aucune idée de la manière dont je pouvais faire passer la ligne de démarcation à Odette et à la petite Suzanne. Mes pensées se portèrent sur Roger. Je n'avais aucun moyen de l'appeler pour lui demander conseil. Il avait coupé les ponts avec le réseau. Si je ne rentrais pas le lendemain, il penserait peut-être qu'on m'avait arrêtée. J'espérais que cela ne l'empêcherait pas de partir. Je ne m'autorisais pas à regretter son départ ; je me faisais trop de souci pour Odette et la petite Suzanne. Je ne voulais pas non plus penser à M. Étienne et à Joseph, ni à ce qui les attendait. Si je l'avais fait, je me serais effondrée. Je devais réfléchir comme Roger quand il planifiait une mission. Je me persuadai d'agir comme une machine, de foncer avec un seul but en tête : sortir Odette et sa fille du pays.

Le lendemain matin, j'allai à mon rendez-vous pour transmettre le message codé que Roger m'avait confié. J'étais assise sur un banc dans le jardin du Luxembourg ; c'était dangereux : plusieurs personnes me reconnurent et me demandèrent un autographe. Pire, un officier allemand essaya de flirter avec moi. Je crus qu'il ne partirait jamais, aussi je lui expliquai en allemand que j'attendais « mon homme ».

Quand le contact arriva, je fus soulagée que l'officier ne soit pas resté pour le voir. « Mon homme » avait une énorme bedaine qui pesait sur chacun des boutons de sa chemise et trois doubles mentons. Je lui dictai le message codé. Il le répéta une seule fois, sans la moindre erreur. Il était sur le point de se relever et de s'éloigner quand je posai la main sur son bras.

« J'ai besoin de papiers, dis-je. Pour une femme et une fillette.

— Juives ? »

Je hochai la tête.

« Vous avez des photos ? De l'argent ? » Je lui tendis une enveloppe contenant les émoluments du faussaire et les photos découpées des vrais papiers d'Odette et de Suzanne.

Il la glissa immédiatement dans sa poche. « Soyez ici dans trois jours. »

Pendant les trois jours suivants, Odette, sa fille et moi nous cloîtrâmes dans mon appartement.

La nuit, Odette et moi dormions dans le même lit, avec Suzanne entre nous. La fillette prit l'habitude de refermer son petit bras potelé autour du mien. J'écoutais son souffle léger quand elle expirait ; avec tristesse, je me disais que je n'aurais peut-être jamais d'enfant.

La deuxième nuit, la petite réclama son père et son oncle. J'attendis la réponse d'Odette.

« Ils sont au travail, ma chérie, répondit-elle. Pendant ce temps, toi et moi, nous devons trouver un nouvel endroit où habiter pour qu'ils puissent nous rejoindre plus tard. »

662

Odette parlait si calmement que je pus presque voir M. Étienne à son bureau, en train d'appeler les théâtres, et Joseph dans son magasin de meubles. Où étaient passés tous mes amis d'autrefois ? Quelles abominations enduraient-ils ?

Le contact du jardin du Luxembourg tint parole : il m'attendait sur le même banc trois jours plus tard.

« Ces papiers ne sont pas parfaits, me dit-il d'un ton très détaché. Les Allemands n'arrêtent pas de changer les règles pour que les gens se fassent prendre. Beaucoup de juifs essaient de quitter Paris. La femme sera votre cousine. Mais s'ils vous arrêtent et vérifient vos actes de naissance, vous êtes fichues.

— Je n'ai pas le choix, répondis-je. Il faut que je les sauve, elle et l'enfant. »

Il me lança un regard et acquiesça. Ses manières étaient abruptes, mais je lus la sympathie dans ses yeux. Voir le visage d'une autre personne qui n'avait pas encore perdu tout sens de l'humanité me redonna du courage.

Après ce qu'il avait dit, je me demandais s'il ne serait pas plus prudent de garder Odette et Suzanne à Paris, soit en les cachant dans mon appartement, soit en les conduisant à une des caches du réseau. Je fis une halte dans un café pour reposer mes pieds et réfléchir à la question. Comme un présage à glacer le sang, dès que je fus assise, je surpris une conversation entre deux hommes assis derrière moi.

« Ils offrent des récompenses à tous ceux qui dénoncent des juifs ou révèlent qui les cachent.

— Quelle sorte de récompense ?

— On est autorisé à garder leur appartement et leurs meubles. »

J'essayai de terminer ma chicorée aussi calmement que possible, mais mon cœur battait à tout rompre dans ma poitrine. Qu'était-il arrivé à ces êtres humains ? Je me forçais à garder la tête froide. Odette était connue de nombreuses personnes sur la scène parisienne. Leur faire traverser la ville avec de faux papiers, à elle et à la petite, serait aussi dangereux que leur faire prendre un train vers le Sud. C'est Mme Goux qui, à mon retour à l'appartement, me fournit l'ultime bonne raison pour partir :

« On a glissé ça sous la porte », dit-elle en me tendant une enveloppe à mon nom.

Je l'ouvris, y trouvai un tract. C'était un avis des Allemands sur la déportation des juifs. Une ligne était entourée en rouge : « Ceux qui aident les juifs subiront le sort des juifs. »

« C'est une menace ? demandai-je. On nous espionne ? » En y réfléchissant, je compris que le message venait sans doute d'un membre du réseau. Quelqu'un essayait de me mettre en garde.

Odette et moi ne perdîmes pas de temps : nous fîmes nos bagages et partîmes directement à la gare de Lyon prendre un train pour le Sud. À mon soulagement, la gare n'était pas plus bondée que les autres fois où j'avais voyagé avec des agents et des soldats. Apparemment, aucun exode massif de juifs porteurs de faux papiers n'était prévu ce soir-là. Bien que nous n'ayons pas réservé de billets, je pus nous obtenir des places en première classe.

« Bon voyage, nous dit le guichetier.

— Merci bien. » Je souris, mais mon cœur battait la chamade.

Ce serait mon dernier voyage de Paris vers le Sud. Chaque fois, j'avais réussi à franchir la ligne de démarcation avec mes « colis ». Odette et la petite Suzanne avaient l'air moins suspect que les hommes que j'avais accompagnés. Je priai pour atteindre Lyon sans encombre. Là-bas, André pourrait nous aider.

Odette et l'enfant m'attendaient sur un banc. Je leur montrai les billets. J'admirai Odette pour le calme qu'elle tentait d'afficher. Elle avait un ouvrage de couture sur les genoux et s'y consacrait comme la plus insouciante des femmes.

« Allons-y », dis-je.

La petite glissa sa main dans la mienne en disant : « Je t'aime, tante Suzanne.

— Moi aussi », lui répondis-je en m'arrêtant un instant pour l'embrasser.

Le chef de train nous accueillit sans méfiance quand nous montâmes en voiture. Un officiel allemand vérifia nos papiers dans le couloir. Il n'accorda qu'un bref regard aux miens, mais il lut ceux d'Odette attentivement et vérifia la photo.

« Vous êtes originaire du Sud ? » questionna-t-il en inspectant ses vêtements. Elle portait un tailleur bleu marine dont les revers étaient en satin ; il provenait de ma garde-robe. Elle faisait très parisienne – c'était l'effet recherché.

« Oui, répondit-elle. Seulement j'ai vécu à Paris presque toute ma vie. »

Il lui rendit ses papiers et nous fit signe d'avancer. Odette et moi prîmes place dans le compartiment ;

nous installâmes la fillette près de la fenêtre. Nous avions tellement peur que nous ne pûmes prononcer une seule parole. Je saisis la main d'Odette et la serrai. Puis elle reprit sa couture, mais ses doigts tremblaient. Je jetai un coup d'œil à ma montre. Plus que sept minutes avant le départ. Il y aurait d'autres contrôles en cours de route, pourtant j'étais sûre que si nous arrivions à quitter Paris nous parviendrions à nous en tirer d'une façon ou d'une autre.

D'autres passagers montèrent dans le train. Chaque fois que quelqu'un passait devant notre compartiment, mon cœur bondissait dans ma poitrine. Je fermai les yeux et m'adossai à mon siège en essayant de me détendre. J'entendais le sifflement de la machine. Nous n'allions plus tarder à partir. La porte s'ouvrit soudain avec fracas. Quatre officiers allemands jetèrent un œil à l'intérieur et s'aperçurent qu'ils s'étaient trompés de numéros de sièges. Ils s'excusèrent et s'éloignèrent. C'est tout juste si j'osais respirer. Il aurait été plus facile de voyager en troisième classe, mais ma célébrité rendait cela impossible. Je priai de toutes mes forces pour que nous ne finissions pas dans un compartiment plein d'Allemands et cherchai à tâtons dans ma poche l'os de lapin que m'avait donné ma mère ; c'est alors que je m'aperçus que je l'avais laissé sur mon lit. Encore un coup d'œil à ma montre. Plus que quatre minutes.

Je lorgnai vers le quai. Il était presque vide. Nous aurions peut-être le compartiment à nous toutes seules avec un peu de chance ! Je me détendis alors et me levai pour sortir un livre de mon sac de voyage sur le porte-bagages au-dessus de nous. À ce moment-là, la porte s'ouvrit à nouveau. Une ombre glaciale s'étendit sur mon dos. Je me retournai. D'abord, je crus que mon cerveau pris de panique avait produit une hallucination, mais plus je regardais, plus les cheveux noirs et les dents pointues gagnèrent en réalité : c'était le colonel von Loringhoven.

« Mademoiselle Fleurier, quelle surprise ! Moi qui croyais être seul dans le compartiment. »

Il sourit à Odette et à la petite Suzanne. « Vraiment ? fis-je en me remettant de ma surprise aussi vite que possible. Nous ne voudrions pas vous déranger. Nous pouvons changer si vous avez besoin d'être seul. »

Je pris soin de prendre un ton généreux plutôt que servile. Les stars ne cédaient jamais leur compartiment – elles ne cédaient jamais rien. Mais dans ces circonstances, j'aurais été soulagée de voyager dans le wagon à charbon plutôt qu'avec von Loringhoven.

« Ce ne sera pas nécessaire, rétorqua-t-il. En fait, c'est une agréable coïncidence. J'ai toujours espéré pouvoir faire plus ample connaissance avec vous. »

Son regard me quitta pour se poser sur Odette et sur la petite Suzanne ; il avait quelque chose de sournois que je n'aimais pas. J'affichai mon plus charmant sourire pour les lui présenter. Nous avions dit à la fillette que si quelqu'un venait s'asseoir dans le compartiment, elle devait se taire autant que possible. Elle m'attendrit en serrant ostensiblement les lèvres.

« Ravi de faire votre connaissance, dit le colonel von Loringhoven à Odette. Je ne savais pas que Mlle Fleurier avait de la famille à Paris. »

Odette répondit du tac au tac : « Nous sommes des

parentes très éloignées et nous nous sommes toujours considérées plutôt comme des amies. J'allais voir Suzanne quand elle a fait ses débuts. »

Les doigts d'Odette ne tremblaient plus sur ses genoux, mais des perles de sueur lui coulaient à la naissance des cheveux. Von Loringhoven allait-il le remarquer ?

Je regardai ma montre. Plus que deux minutes. Dès que le train serait en marche, je pourrais trouver une excuse : nous dînerions tôt dans le wagon-restaurant et ensuite nous pourrions faire semblant de dormir. Le train lâcha un jet de vapeur en sifflant.

« Excusez-moi un instant », dit soudain le colonel von Loringhoven en se levant. Il ne donna aucune explication à son départ mais sitôt qu'il fut sorti du compartiment, Odette me lança un regard affolé.

Je jetai un œil par la fenêtre et vit le colonel qui parlait à deux soldats allemands en nous montrant du doigt. Le sifflet retentit, le train commença à avancer poussivement. « Dieu merci ! » soupirai-je, et j'arrivai presque à rire. Le colonel von Loringhoven allait rater le départ. Mais un des soldats allemands cria et le train s'arrêta brusquement, dans un crissement de roues.

« Il a deviné, fit Odette dans un souffle.

— Partons ! » m'exclamai-je en prenant la petite fille dans mes bras avant de me précipiter vers la porte. Il y avait des valises dans le couloir, que je franchis en déchirant mes bas. Le chef de train nous vit arriver. Un instant, je crus qu'il allait nous barrer la route. Au lieu de cela, il dit : « Pas par cette porte ! Passez par la deuxième classe. »

Nous courûmes devant des passagers à l'air

surpris et sautâmes sur le quai. « Allez ! lançai-je à Odette par-dessus mon épaule. Fonce vers l'entrée. »

Je bousculai un contrôleur trop surpris pour réagir. L'entrée de la gare était en vue. Odette poussa un cri aigu. Je me retournai et aperçus un soldat allemand qui la plaquait au sol.

« Cours ! » me cria-t-elle.

L'espace d'une seconde atroce, je fus déchirée. « Cours ! » répéta Odette. Je ne pouvais plus rien pour elle. Tout au plus pouvais-je sauver la petite. Je la mis sur mon dos, enlevai mes chaussures de deux coups de pied et m'élançai vers la sortie avec toutes mes ressources d'énergie.

« Maman ! Maman ! » pleurait la fillette en se débattant, mais je la retins fermement. J'entendis les Allemands me lancer des sommations. Pourtant je savais que même eux ne tireraient pas dans une gare. L'entrée n'était plus qu'à quelques mètres. Mon cœur se contracta dans ma poitrine, je manquais d'air. Je crus que j'allais m'évanouir, seulement j'étais bien décidée à m'échapper. Pas un seul Allemand en vue devant moi.

On va y arriver ! soufflai-je à mes membres tremblants. On va y arriver !

Une tache bleue flotta devant mes yeux. Un policier français que je n'avais pas remarqué fonça sur moi. Il s'abattit sur ma hanche et je m'étalai de tout mon long. Suzanne dégringola de mes épaules. Un soldat allemand nous rattrapa et la ramassa par le revers de son manteau. Elle lui donna des coups de pied et le mordit, mais il la retint d'une poigne de fer. Je tendis la main vers elle au moment où le policier m'asséna un coup de matraque sur la nuque. Je tombai à genoux, une douleur aiguë dans le dos ; malgré tout, je parvins à me relever et à faire quelques pas en titubant. Le policier me donna un deuxième coup, au-dessus de l'oreille cette fois. J'appelai Suzanne, mais il continua à me frapper sur les épaules et dans le dos jusqu'à ce que je perde connaissance.

Quand j'ouvris les yeux, il faisait noir. Le sang battait dans ma tête et je ressentais une douleur perçante dans l'épaule. Je pris conscience de ma position, allongée face contre terre sur quelque chose de dur et froid. Une odeur qui évoquait une végétation pourrissante emplit mes narines. Quelque part derrière moi, un bruit de goutte d'eau se fit entendre. J'essayai de m'asseoir, mais la douleur m'électrisa le dos. Mes bras cédèrent sous mon poids. Je sombrai à nouveau dans l'inconscience.

Je me réveillai, sans doute quelques heures plus tard. Des rayons de soleil matinal jouaient sur mon bras. En levant les yeux, je vis que la lumière venait d'une fenêtre à barreaux. J'étais couchée sur un sol de pierre, très dur contre mes hanches et mes genoux meurtris. On n'entendait rien à part l'eau qui coulait le long d'un mur.

Lançant un défi à la douleur intolérable, je me hissai sur les coudes en grimaçant à cause de mon dos et de mes côtes endoloris. Un matelas de paille était posé par terre en face de la porte. Mue par ma pure volonté, je parvins à me lever. Ma tête se mit à tourner, ma vision se brouilla. Je m'approchai du lit en chancelant et m'effondrai, puis sombrai à nouveau dans un profond sommeil.

Quand je me réveillai pour la troisième fois, le soleil avait disparu de la fenêtre. Mais j'apercevais un morceau de ciel bleu et il faisait un peu plus chaud dans la cellule. C'était sans doute l'après-midi. Je n'avais pas faim, mais ma gorge était sèche et avaler ma salive faisait mal. Aucun robinet dans la cellule. Pas même un pichet d'eau. Rien qu'un seau à l'odeur putride dans le coin. J'enfonçai ma figure dans le matelas qui sentait le moisi et me mis à pleurer en pensant à Odette et à Suzanne. Étaient-elles ici, elles aussi ? Ou les avait-on déportées ?

La grille de la porte de la cellule glissa soudain et un garde jeta un coup d'œil à l'intérieur. Quelques instants plus tard, j'entendis la clé dans la serrure. La porte s'ouvrit en grinçant et alla claquer contre le mur.

« Debout ! » cria-t-il.

Protester n'aurait servi à rien. Je me forçai à me lever, mais mes jambes cédèrent sous mon poids. Mon genou droit était si enflé que je ne pouvais pas serrer les jambes. Par comparaison avec les autres douleurs dont j'étais percluse, je n'avais pas remarqué celle-ci. Le gardien vint se placer derrière moi et me prit à bras-le-corps. Un second gardien entra et me fixa des chaînes autour des chevilles.

« Avance ! » ordonna le premier en me poussant.

En faisant porter tout le poids de mon corps sur mon genou et avec le fardeau des chaînes, marcher était une torture. Je fis quelques pas en boitillant avant de m'écrouler sur le sol. Le gardien qui m'avait enchaînée fit un pas en avant. Je me couvris instinctivement la tête en m'attendant à un coup de matraque ; au lieu de cela, il m'attrapa par les épaules et me poussa violemment en avant. L'autre m'entoura de son bras et me soutint. J'avançai en traînant les pieds dans un couloir mal éclairé. La seule lumière provenait des lucarnes à barreaux près du plafond. J'entendis un cri et une explosion déchira l'air. Le silence se fit pendant un moment, puis le bruit retentit encore une fois. Je n'avais jamais rien entendu de pareil mais je devinai instinctivement ce que c'était : un peloton d'exécution. Était-ce ce qui m'attendait ? Allais-je être abattue ?

« Où suis-je ? demandai-je au gardien qui marchait devant.

— Taisez-vous ! »

On me conduisit le long d'un autre couloir au bout duquel se trouvait un escalier. Les gardiens furent obligés de me hisser en haut des marches. Enfin, ils me traînèrent dans une pièce où il n'y avait qu'une chaise et une ampoule suspendue au plafond. Le gardien qui me soutenait me poussa sur la chaise et me menotta les mains dans le dos. Puis ils partirent sans un mot.

« Voir une si jolie femme dans un tel état, quel dommage ! »

La redoutable malveillance de cette voix me fit frissonner des pieds à la tête. Je reconnus celle de von Loringhoven, sans parvenir à le voir. Il sortit de l'ombre, avança sous la lumière aveuglante de l'ampoule. Il fit le tour de ma chaise pour m'examiner sous tous les angles. « Vous voulez quelque chose ? ricana-t-il. Café ? Cigarette ? De la glace pour votre genou ? »

Je baissai les yeux. Ma jupe était déchirée et on

voyait mon genou difforme et violacé. Je secouai la tête. Je ne voulais rien devoir à von Loringhoven.

Il disparut dans la pénombre et reparut avec une chaise dont les pieds raclaient le béton. Il la plaça en face de moi.

« La première fois que je vous ai vue, c'était en 1930 à Paris, dit-il en s'asseyant et en sortant un étui à cigarettes en argent de sa veste. Aux Folies-Bergère. Quelle voix ! me suis-je dit. Une voix magnifique. Et, bien sûr, vous étiez très belle. »

Il se tut le temps de prendre une cigarette, de l'allumer et de souffler lentement la fumée. L'odeur âcre du tabac me gratta la gorge. J'essayai de ne pas tousser. J'ignorais où cet interrogatoire allait me mener, mais je devais me montrer prudente. Il était possible qu'Odette et sa petite fille n'aient pas été identifiées comme juives et que j'aie été arrêtée pour une autre raison. Après tout, Roger m'avait prévenue que la Gestapo commençait à trouver mes activités louches. Un jour, il m'avait aussi dit que le plus important, c'était de se taire pendant au moins vingt-quatre heures. Cela donnerait le temps au réseau d'apprendre l'arrestation et à ses membres de se cacher. J'étais bien décidée à résister aussi longtemps que je le pourrais.

Une ombre se profila dans la lumière. C'était un homme en manteau de cuir. Il s'avança comme pour me saluer mais au lieu de cela me donna une claque si violente que j'entendis mon cou craquer et vis trente-six chandelles.

« Pas le visage », grommela von Loringhoven.

Je relevai les yeux juste à temps pour voir l'homme lever encore le poing. Les jointures de ses doigts s'abattirent sur ma poitrine. La chaise bascula en arrière et je tombai à la renverse, sur mon épaule blessée. Je poussai un cri de douleur et reculai. J'essayai de me recroqueviller mais il m'était impossible de me protéger avec les chevilles enchaînées et les mains attachées dans le dos. Il me donna un coup de pied dans le ventre. J'eus un haut-le-cœur et ne pus reprendre mon souffle : j'avais l'impression qu'il avait pulvérisé mon bassin. Il recula le pied, prêt à frapper à nouveau. Je fermai les yeux, persuadée que le prochain coup allait me tuer.

« Assez ! » ordonna von Loringhoven.

Mon tortionnaire remit la chaise d'aplomb, et moi avec, puis il quitta la pièce.

« Vous êtes bien bête, mademoiselle Fleurier, reprit von Loringhoven. Les Allemands et les Français travaillent si bien ensemble. Vous auriez pu continuer à mener votre vie normalement, en toute liberté. Mais c'est peut-être à cause de vos fréquentations. »

J'arrivais à peine à l'entendre tellement mes oreilles tintaient.

« Bon, reprit von Loringhoven, dites-moi ce que vous savez d'Yves Fichot.

— Je ne connais pas d'Yves Fichot, soufflai-je dans un râle douloureux.

— Et Muriel Martin alors ? »

Je secouai la tête.

Von Loringhoven se tut. Pendant un instant terrible, je crus qu'il allait rappeler l'autre brute, mais il se contenta de faire claquer sa langue. « Et votre cher ami Roger Delpierre ? »

Ma bouche devint sèche et je déglutis péniblement.

674

Le visage de von Loringhoven se fit souriant. Il était satisfait de m'avoir fait réagir.

« Vous voyez ce que je veux dire quand je parle de votre bêtise dans le choix de vos amis ! Pourquoi une jeune femme célèbre et talentueuse accorde-t-elle sa confiance à un pauvre type ? »

Silence.

« Il vous a dit qu'il vous aimait ? demanda-t-il avec un petit rire. Il a déclaré la même chose à toutes les femmes avec qui il a couché. Il vous a utilisée pour parvenir à ses fins. Nous l'avons arrêté il y a trois jours, il essayait de quitter Marseille. On n'a eu qu'à le menacer de lui couper les couilles pour qu'il raconte tout ce qu'il savait sur le réseau. »

Un goût de métal me remonta dans la gorge. Je toussai et la douleur resserra son étau autour de mes côtes. Roger ? Roger m'avait utilisée ? Les coups avaient émoussé mes facultés. Je m'efforçai d'enchaîner mes pensées avec logique, mais elles ne me conduisaient nulle part, comme dans ces rêves où on court sans fin.

Von Loringhoven exultait sur sa chaise, persuadé de m'avoir brisée. Quelque chose dans la rapidité avec laquelle il était arrivé à cette conclusion éveilla mes soupçons. Roger ne trahirait jamais le réseau qu'il s'était donné tant de mal à mettre en place – même sous la torture. Un jour, il m'avait montré le cyanure qu'il gardait dans sa poche au cas où il serait arrêté et se sentirait sur le point de « révéler des secrets vitaux ». Et puis si von Loringhoven avait tout découvert, pourquoi n'utilisait-il pas le vrai nom de Roger ? Il doit bluffer, songeai-je. Selon lui,

675

si je pense que la partie est perdue pour le réseau, je lui raconterai tout.

« Alors vous savez, pour Bruno et Kira ? fis-je d'un ton geignard. Les opérateurs radio que j'ai conduits à Bordeaux. »

Von Loringhoven promena ses regards sur ma personne. « Oui, opina-t-il. Delpierre nous a tout dit sur eux. » Il tendit la main pour me tapoter le bras. « Peut-être que votre visite ici vous encouragera à faire des choix plus avisés à l'avenir », conclut-il.

Sa voix m'électrisa. J'étais indéniablement en présence de l'homme le plus malfaisant que j'aie jamais rencontré, mais il prenait un ton presque paternel.

Von Loringhoven appela les gardiens, qui me traînèrent dans ma cellule. Plus tard, on me donna une soupe insipide et du pain sec. De nouveau seule, j'eus le temps de repenser à ce qui s'était passé. Von Loringhoven ne m'avait pas posé beaucoup de questions sur le réseau et aucune sur Odette et Suzanne. J'avais certes été battue, mais pas torturée. Je me demandai si c'était bon signe ou si j'allais croupir en prison tant qu'ils n'auraient pas trouvé un agent Bruno et un agent Kira à Bordeaux. Je comprenais maintenant pourquoi même les plus courageux finissaient par parler aux interrogatoires : l'incertitude et l'attente usaient autant que les coups.

Quand j'entendis le gardien déverrouiller la porte de ma cellule le lendemain matin, la terreur me saisit. Les coups d'aujourd'hui seraient-ils pires que ceux d'hier ?

En levant les yeux, je vis Camille Casal, qui me rendit mon regard. Le gardien lui apporta une

676

chaise, qu'il épousseta avec un mouchoir afin qu'elle puisse s'y asseoir. Elle lissa sa jupe en soie sur ses jambes et indiqua d'un signe de tête au gardien qu'il devait nous laisser. J'eus besoin de quelques instants pour me remettre de la surprise. Cependant, je devinais bien pourquoi ils l'avaient envoyée. Ils espéraient que ma « vieille amie » saurait me soutirer gentiment d'autres renseignements.

« Tu perds ton temps, Camille, lui lançai-je. Je ne sais rien sur le réseau. On ne m'a jamais rien dit. »

Camille s'agita un peu sur sa chaise et tira sa veste sur ses épaules comme si elle venait de remarquer le froid dans ma cellule. J'étais si hébétée que je ne sentais presque rien.

« Ton attitude avec les Allemands, voilà ce qui t'a conduite ici, répliqua-t-elle. Ils savent que tu n'as qu'un rôle mineur dans la Résistance. Que tu as été exploitée parce que tu es tombée amoureuse. »

Son affirmation me laissa abasourdie. Je reculai sur ma couche de paille et m'adossai au mur. Était-il possible que les nazis ne sachent vraiment pas à quel point j'étais impliquée dans le réseau ?

« Tu refuses de te produire à Paris, poursuivit Camille, dont la voix résonna dans la cellule. Tu fais des difficultés avec le *Propagandastaffel*, tu as snobé le colonel von Loringhoven qui t'invitait à dîner chez Maxim's et ensuite tu as refusé de partager un compartiment avec lui ! »

Mon cerveau embrumé de prisonnière affamée et déshydratée essayait de suivre ce nouveau rebondissement. J'étais donc en prison pour avoir blessé la fierté d'un nazi ?

« Qu'est-ce que je fais ici ? balbutiai-je.

677

— Tu es ici parce que tu as des responsabilités, rétorqua Camille comme si elle s'adressait à une petite fille têtue. Tu es une artiste populaire. »

Elle parlait fort pour que le gardien entende depuis le couloir.

« Qu'est-ce que tu veux, Camille ? »

Elle baissa la voix. « Je veux t'aider. Le colonel von Loringhoven voudrait faire plaisir au général Oberg à l'occasion des défilés de la victoire ce mois-ci. Il a suggéré un concert donné par Suzanne Fleurier, qui se fait trop rare. Ils ont besoin de toi pour rallier la population. »

Mon ventre se contracta. Ils voulaient m'utiliser comme ils avaient utilisé Pétain, pour faire avaler leur politique méprisable au peuple français ! Karl Oberg était le chef des SS à Paris. Theodor Danneker était son subalterne, l'officier SS qui supervisait la déportation des juifs. Oberg et Danneker étaient des êtres aussi vils que les pilotes qui avaient massacré les enfants belges sur la nationale 7.

« Non ! » m'exclamai-je. Ils pourraient peut-être m'arracher des noms sous la torture, mais il n'était pas question qu'ils me forcent à chanter.

Les yeux de Camille se plissèrent et elle m'empoigna le bras. « Je te dis que j'essaie de t'aider. Tu n'as pas l'air de comprendre la situation, Suzanne. Si tu refuses, tu seras exécutée.

— Alors il faudra qu'ils me fusillent. »

Mon ton convaincu m'étonna autant que Camille. Ce n'était pas le courage qui m'avait dicté ces paroles, c'était l'idée qu'il me faudrait continuer à vivre et à me regarder dans la glace après avoir commis un acte aussi lâche sans autre raison que celle de sauver ma peau.

Camille se leva et arpenta la cellule. « Ah, c'est bien toi ! Tu es prétentieuse, Suzanne. Tu l'as toujours été. Regarde-toi, assise là avec tes cheveux emmêlés et tes habits sales. Regarde un peu ce que tu es devenue ! Voilà où t'a menée ta prétention.

— Et toi, regarde-toi, Camille Casal, répliquai-je. Vois ce que tu es devenue : la putain des nazis ! »

Nous nous toisâmes. Que c'était étrange : nous étions devenues deux ennemies appartenant à deux camps opposés, face à face dans une cellule de prison. En regardant Camille, une idée se fit jour en moi. Les Allemands ne pouvaient pas me fusiller. S'ils étaient en train de perdre le soutien des Français, à quoi les avancerait l'exécution d'une icône nationale adulée ? Maurice Chevalier se produisait à Paris, mais il avait réussi à éviter une tournée en Allemagne, en dépit de demandes répétées. Et sa femme était juive. La force de mon pouvoir de négociation m'apparut.

Je me levai péniblement, boitillai jusqu'à la chaise de Camille et m'y assis. « La femme et la fillette qui ont été arrêtées en même temps que moi…

— On les a envoyées à Drancy. Elles vont être déportées en Pologne. »

Le cœur me manqua. Odette et la petite Suzanne avaient donc été découvertes ? Le camp de Drancy était réputé pour sa dureté.

« On peut encore les sauver ? demandai-je à Camille.

— Non, répondit-elle en croisant les bras. Les ordres viennent d'Allemagne. »

679

Je levai les yeux vers elle. « Et si j'accepte de chanter ? »

Camille soutint mon regard assez longtemps pour que je sache que nous nous comprenions parfaitement.

33

Le lendemain de la visite de Camille, une gardienne m'apporta une cuvette d'eau savonneuse, une serviette et une robe propre. Ensuite, un médecin entra dans ma cellule. Il nettoya mes plaies, diagnostiqua des côtes fêlées et une entorse au genou. Il remit l'articulation en place, m'infligeant une telle douleur que si un agent de la Gestapo l'avait fait, j'aurais avoué tout ce qu'il voulait. Une fois le médecin parti, les gardiens me conduisirent au colonel von Loringhoven.

« Vous avez fini par entendre raison, paraît-il.

— J'ai accepté un marché », lui rappelai-je.

Il ignora ma réponse et énuméra une liste de conditions : je devais chanter à l'Adriana, qui, je le savais, était maintenant dirigé par un collaborateur français. Il faudrait que je porte une robe de soirée noire et je ne devrais ni danser ni chanter quoi que ce soit d'osé. De toute façon, j'aurais été incapable de danser avec un genou blessé. À ma surprise, il me laissa libre de choisir mon répertoire – qui serait cependant visé par le *Propagandastaffel*.

« Et mes amies ? insistai-je.

— La femme et la petite fille ont été retirées de Drancy. Elles seront maintenues en lieu sûr en attendant que vous ayez fait une prestation satisfaisante.

— Je veux qu'elles soient libérées *avant* le spectacle.

— Vous n'êtes pas en position de négocier, répondit-il, élevant légèrement la voix. Je vais vous faire reconduire chez vous par un chauffeur, ajouta-t-il en se levant de son bureau. Mais permettez-moi de vous mettre en garde sur un dernier point : vous devrez faire semblant de chanter de votre plein gré. Si vous révélez à quiconque que vous avez passé un marché avec moi, vos deux amies seront exécutées. »

Je ne doutais pas qu'il fût capable de mettre sa menace à exécution.

Je fus reconduite à mon immeuble dans une BMW noire. L'agent de la Gestapo qui faisait office de chauffeur n'arrêtait pas de bâiller, son haleine empestait le tabac froid. Je me demandais s'il avait passé une nuit blanche à tabasser quelqu'un.

Quand nous nous arrêtâmes devant mon appartement, il ouvrit la portière, me tendit une canne et me hissa jusqu'à la porte d'entrée.

« Je ne bouge pas d'ici, dit-il en indiquant le trottoir. Je vous surveille. » Il jeta un coup d'œil à ma jambe et lâcha un petit rire en me gratifiant d'une bouffée de son haleine putride. « Mais vous n'irez pas bien loin avec ce genou ! »

Le hall était plongé dans l'obscurité. J'allumai la lumière.

681

« Madame Goux ? » appelai-je doucement. Pas de réponse.

Je poussai la porte de l'appartement de M. Copeau. Ni la secrétaire ni les médecins n'étaient présents. Les meubles avaient été retournés et les papiers éparpillés par terre.

« Qui est là ? » demanda une voix derrière moi.

Je me retournai et aperçus Mme Goux. Elle avait les deux yeux au beurre noir, son nez était tout écrasé et gonflé.

« Qu'est-ce qu'ils vous ont fait ? » Je boitillai jusqu'à elle et la pris par les épaules. Son visage et son cou portaient des marques de brûlures de cigarette.

Elle haussa les épaules. « Et vous, dans quel état vous êtes ! »

Je lui racontai mon interrogatoire et voulus savoir ce qu'étaient devenus les autres.

« Les docteurs ont vidé les lieux à temps. Mme Ibert a été prévenue, elle est partie dans votre ferme, en Provence. Elle a essayé de me faire passer le message, mais je suis tombée en plein dans le piège. En tout cas, je n'ai rien dit. J'ai joué les vieilles folles. »

Elle avait une brûlure qui suppurait près de l'œil. Je passai mon bras autour de ses épaules.

« Oh, il en faut plus pour me tuer ! » fit-elle en m'aidant à rejoindre l'ascenseur qui, par miracle, fonctionnait.

Quelques jours après mon retour, alors que j'étais allongée sur le canapé, ma jambe blessée posée sur des coussins, j'entendis la voix assourdie d'un homme qui discutait avec Mme Goux. Je tendis l'oreille pour essayer de deviner qui c'était.

« Je ne fais que passer, disait l'homme. Je leur ai dit que j'étais son manager pour le spectacle. »

Le concert pour les SS était connu dans tout Paris. Le *Propagandastaffel* n'avait pas perdu de temps : les affiches étaient prêtes. Ce que j'ignorais encore, et par la suite je fus reconnaissante à Mme Goux de me l'avoir caché, c'est que derrière mon image flottait le drapeau à la croix gammée.

« Allez-y ! ordonna Mme Goux d'une voix pressante à mon visiteur. Elle a bien besoin qu'on lui remonte le moral. »

Il m'avait fallu quelques instants pour reconnaître la voix d'André. Notre travail commun dans la Résistance ne nous avait mis en contact direct qu'à de rares occasions. La plupart du temps, nous communiquions par messagers interposés. Être vus ensemble aurait pu lancer des rumeurs et éveiller les soupçons de Guillemette. Les pas d'André approchèrent. Je me lissai les cheveux et arrangeai ma robe de chambre. André frappa à ma porte, pourtant entrouverte.

« Entre !

— Suzanne ! s'écria-t-il en s'élançant vers moi. Je suis si heureux de te voir en vie. J'ai pris dix ans, je me suis fait tant de souci ! »

Il posa sur moi un regard pénétrant ; visiblement, il espérait une explication sur ma décision de chanter pour les nazis. Mais après la menace agitée par von Loringhoven au sujet d'Odette et de la petite Suzanne, je ne pouvais pas prendre le risque d'exposer mes raisons à quiconque.

« Je te laisse te préparer à boire, dis-je en faisant un geste vers le bar. Tu peux m'apporter une eau de Seltz, s'il te plaît ? »

Comme je le voulais, André dut me tourner le dos pour s'approcher du bar et y prendre les verres. Cela me procura un instant de répit : je n'étais plus obligée de le regarder dans les yeux alors que je me sentais si souillée.

« Et maintenant, commença André en me passant mon verre avant de retourner à son siège, dis-moi ce que je peux faire pour toi.

— Tu peux essayer de savoir ce qui est arrivé à Roger Delpierre ? implorai-je. Savoir si c'est vrai qu'il a été arrêté. »

André me contempla en silence.

« Tu sais de qui je veux parler, n'est-ce pas ? Celui qui est entré en contact avec toi au début, quand tu as rejoint le réseau ?

— Oui, dit André. Je me rappelle. »

Il s'absorba si longtemps dans la contemplation de son verre que mes pensées me ramenèrent à l'Adlon, le soir où il m'avait parlé de sa relation avec son père. Son humeur avait changé du tout au tout en un instant, comme aujourd'hui. André releva les yeux. Il étudiait à nouveau mon visage, mais cette fois-ci, c'est une autre question qu'il me posait. Son regard glissa le long de mon cou et détailla ma silhouette. Je fus étonnée de découvrir ce que je n'avais pas su voir pendant toutes les années qui avaient suivi son mariage avec la princesse Letellier. Cet éclair de lucidité me perça le cœur : André Blanchard m'aimait toujours.

Au bout d'une semaine, mon genou était moins enflé et j'avais repris des forces. Si je voulais que ma prestation donne « satisfaction» à von Loringhoven, il fallait que je répète. J'envoyai un mot au directeur artistique de l'Adriana pour lui apprendre que j'avais un piano dans mon appartement et que je commencerais à répéter dès qu'il m'aurait trouvé un pianiste. Comme il n'y aurait pas d'essayage et que j'avais choisi de rester seule en scène, je n'aurais pas besoin de me rendre au théâtre avant la répétition finale. Je reçus une réponse l'après-midi même, accompagnée d'un bouquet de roses si extravagant que l'agent de la Gestapo eut du mal à franchir la porte. Le billet disait :

Chère mademoiselle Fleurier,
J'aurai le plus grand plaisir à vous entendre chanter à l'Adriana pour célébrer l'union de la France et de l'Allemagne dans la Nouvelle Europe.
Maxime Gaveau

Pire encore, dans le PS, Gaveau m'informait que ma prestation allait être retransmise par Paris Inter ; Paris ne serait pas la seule à apprendre que j'avais trahi la Résistance : toute la France allait le savoir !

Je déchirai le mot en deux. J'avais travaillé avec Martin Meyer, Michel Gyarmathy et Erté. Qui était cet arriviste de Maxime Gaveau ? Je commençai par jeter les fleurs dans l'évier, puis je me rappelai que la Gestapo pouvait revenir à mon appartement et déposai le bouquet dans un seau.

Plus tard dans l'après-midi, Mme Goux m'appela

d'en bas pour m'annoncer qu'André montait me voir. Mon cœur bondit à l'idée qu'il m'apportait peut-être de bonnes nouvelles de Roger. Je boitillai jusqu'à la porte et l'ouvris en grand. Mais l'expression sombre d'André me heurta de plein fouet.

« Tu ferais mieux de t'asseoir, dit-il. Je vais t'apporter à boire. »

Durant une seconde, je fus incapable de bouger. « Ne me fais pas attendre », suppliai-je.

André me saisit par les épaules. « Roger Delpierre a été arrêté à Marseille. Mais il n'a rien voulu dire. Alors ils l'ont fusillé. »

Mes jambes se dérobèrent. André m'aida à retourner sur le canapé. Roger ? Fusillé ? L'odeur de la lavande m'enveloppa. Je sentis les caresses de Roger sur ma cuisse. André serra mes mains dans les siennes. Je me sentais tomber dans un trou noir.

« Je suis navré », murmura-t-il, les larmes aux yeux.

Je savais qu'en dépit de la jalousie qu'il avait éprouvée la semaine précédente, il était sincère.

« C'est peut-être une erreur ?

— Roger Delpierre était le chef du réseau, répondit André. J'ai vérifié l'information auprès de deux contacts.

— Les enfants et les soldats alliés qui l'accompagnaient. Ils ont été arrêtés, eux aussi ? »

André secoua la tête. « Il a été arrêté seul, dans un bar. On pense qu'il y est allé pour détourner l'attention des autorités. Afin que les autres puissent s'échapper. »

Je fus incapable de retenir mes larmes. Voilà ce que faisait la guerre ! Elle nous enlevait ceux que nous aimions. Un des pilotes que j'avais accompagnés dans le Sud m'avait raconté qu'il avait perdu tant d'amis qu'il ne voulait plus se lier avec personne.

André me servit à boire et appela Mme Goux. « Suzanne, dit-il en se penchant pour me poser un baiser sur la joue, je dois y aller. Je reviendrai te voir demain. La meilleure chose à faire pour honorer la mémoire de Delpierre, c'est de finir ce qu'il a commencé : vaincre les Allemands et gagner la guerre. »

Les jours suivants, je restai allongée dans ma chambre à écouter le bruit que faisaient mes poumons quand j'essayais de respirer. J'avais accepté de chanter pour le haut commandement SS. Pouvais-je inventer pire trahison ? Quelque part dans le public, il y aurait l'homme qui avait donné l'ordre de son exécution. À quoi servait de gagner cette guerre si j'avais perdu Roger ? Il avait ouvert les portes de mon cœur, alors que je les avais crues fermées pour toujours. Après l'avoir aimé et perdu, quelle sorte d'existence pouvait être la mienne ?

J'étais assignée à résidence, mais je demandai à André d'annoncer la nouvelle à ma famille. Je le suppliai de leur enjoindre, pour leur propre sécurité et celle des agents qu'ils abritaient, de ne pas me contacter.

J'étais comme un navire en perdition qui prend l'eau de toutes parts. Et cette fois-ci, il n'était pas question d'aller retrouver le havre de la ferme familiale. Je devais maintenir le cap. Je devais chanter pour sauver la vie d'Odette et de la petite Suzanne.

Quand Mme Goux vint m'annoncer que le pianiste-répétiteur de l'Adriana était arrivé, je fus abasourdie de voir M. Dargent entrer dans mon salon.

Il n'avait pas du tout changé depuis la dernière fois que je l'avais vu, au Chat espiègle, seize ans plus tôt. Il portait un complet blanc avec un œillet rose à la boutonnière, et sa moustache relevée était plus noire et lustrée que jamais.

« Monsieur Dargent !

— Regardez un peu ce que vous êtes devenue ! fit-il en écartant les mains. La drôle de fille qui dansait comme une vahiné !

— J'ai essayé de vous contacter plusieurs fois, lui dis-je. Pour vous remercier de m'avoir donné ma première chance. Mais je n'ai jamais réussi à vous retrouver. »

Il rit de son grand rire un peu fou. « Oh, j'ai voyagé, expliqua-t-il en se cachant la bouche derrière la main. Histoire d'échapper aux créanciers ! »

Quelque chose dans ses façons me mettait mal à l'aise. Je l'escortai jusqu'au piano. « Alors vous êtes devenu pianiste-répétiteur ?

— Non. Je suis le nouveau directeur de l'Adriana, plus connu sous le nom de Maxime Gaveau, ces temps-ci. » Il s'inclina et agita la main avec affectation.

Mon cœur se serra. C'était un collaborateur. Le véritable directeur de l'Adriana était Minot, et il serait encore en place sans la présence des nazis.

M. Dargent se redressa et me tendit des partitions. « Ce sont des chansons de votre spectacle. Je me suis dit que nous pourrions faire une sorte de rétrospective. Je vous fais aussi écrire quelques nouvelles

688

chansons – on vous les fera parvenir en début de semaine prochaine. Il faut d'abord que le *Propagandastaffel* les approuve. Ce qui nous laissera plusieurs jours pour les répéter avant le spectacle. »

Quelques jours plus tard, quand la nouvelle série de textes arriva, j'ouvris le courrier avec un mauvais pressentiment. Je lus attentivement les paroles de chaque chanson. À mon grand soulagement, elles semblaient assez anodines.

M. Dargent vint répéter avec moi le lendemain. Il feuilleta les partitions et insista lourdement sur la nécessité de respecter à la virgule près le texte des nouvelles chansons. Le concert approchait, les vies d'Odette et de Suzanne étaient en jeu, aussi n'avais-je absolument pas l'intention de me mettre les nazis à dos – ni eux ni leurs amis collaborateurs !

Ma répétition générale à l'Adriana eut lieu par une de ces sombres journées où le ciel nuageux couvre Paris d'un linceul de grisaille. Je promenai mes regards sur les rideaux violets et le mobilier Arts déco du théâtre et sur ses portes en verre et acier. La première fois que j'y avais chanté, je tremblais comme une feuille. À l'époque, je croyais encore que tout ce qui comptait, c'était de devenir une star. Aujourd'hui, je ne souhaitais plus qu'une chose : en avoir terminé le plus vite possible avec cette épreuve. Et si on m'avait demandé si j'étais heureuse d'être devenue célèbre, j'aurais répondu que j'aurais préféré être n'importe qui sauf Suzanne Fleurier, « la femme la plus sensationnelle au monde ». Ma célébrité était une arme que les Allemands allaient retourner contre la France.

Je ne restai que le temps nécessaire pour répéter

mes chansons. M. Dargent me montra le programme du spectacle, mais je n'avais aucune envie de savoir quels étaient les autres numéros. Il y aurait des trapézistes autrichiens – « de renommée internationale », d'après M. Dargent ; une chanteuse lyrique – « le meilleur de l'opéra allemand » ; enfin, une troupe de chanteurs et de danseurs de cabaret venus de Berlin. Quelle ironie : moi, la brune au type méditerranéen, j'allais me produire comme vedette parmi de si beaux spécimens de la race aryenne !

Le soir venu, avant la répétition, j'étais assise dans ma loge à écouter craquer le plancher du bureau de M. Dargent à l'étage et l'orchestre qui accordait et chauffait ses instruments en bas. Je n'avais ni Kira, ma mascotte, ni Minot pour m'envoyer une bouteille de champagne. J'étais seule. Me retrouver dans la loge de la vedette me ramena au temps de *Bonjour Paris, c'est moi !* Je posai la tête sur mes bras croisés en me demandant où se trouvaient Odette et sa fille. Savaient-elles qu'elles seraient libres demain ? Roger, ses yeux verts et sa détermination ne quitteraient jamais mon cœur. Mais ce soir, je devais l'éloigner de mes pensées autant que possible pour aller au bout de ce que je m'apprêtais à faire.

On frappa à ma porte. Ce n'était pas l'habilleuse : avec ma robe de soirée noire pour tout costume, je n'en avais pas besoin. « Qui est là ?

— C'est moi, Gaveau, répondit M. Dargent. Je dois vous parler. »

Je n'avais pas encore passé ma robe et je n'étais pas coiffée. Je drapai un kimono autour de ma taille et allai ouvrir. M. Dargent me bouscula et s'engouffra dans la loge pour aller s'asseoir sur mon tabouret. Ses mains tremblaient, son visage était livide. Je me demandai ce qui pouvait bien l'agiter à ce point. On ne pouvait pas s'attendre que les choses se passent mal, à moins que les Allemands n'apprécient pas ma prestation vocale. Le nombre de chansons était réduit, il n'y avait ni chorégraphie, ni décors, ni accessoires, ni changements de costumes !

« Que se passe-t-il ? » demandai-je en lui servant un verre d'eau. M. Dargent avait peut-être vu un peu trop grand. C'était le premier spectacle d'une telle envergure à Paris depuis plusieurs années, et même si je l'aimais beaucoup, Dargent n'était pas Minot.

« Je n'étais pas autorisé à vous expliquer la situation, l'autre jour, balbutia-t-il en buvant à petites gorgées. Aujourd'hui, j'en ai le droit. Vous avez chanté les chansons à la perfection pendant les répétitions, mais j'ai peur que vous changiez les paroles pendant le spectacle. »

Je m'accoudai à ma coiffeuse. Il insistait beaucoup trop sur l'exactitude des textes, qui, à mon avis, n'étaient pas aussi importants que la musique – sauf pour le parolier ! M. Dargent remarqua que je fronçais les sourcils et soupira. « Ça pourrait tout gâcher, poursuivit-il. Alors j'ai décidé qu'il valait mieux vous mettre au courant. Les paroles de la dernière chanson sont d'une importance capitale pour l'effort de guerre. »

Je me redressai. Je commençais à comprendre. Je me récitai les paroles pour essayer d'en saisir le sens caché. Trop vagues pour qu'on les prenne pour de la propagande, elles devaient contenir un message codé.

« Quel effort de guerre ? demandai-je. Je n'ai pas l'intention d'aider les Allemands de quelque manière que ce soit ! »

Les yeux de M. Dargent lancèrent des éclairs. « De quoi parlez-vous ? chuchota-t-il. Nous sommes dans le même camp. Quand vous chanterez la dernière chanson, vous informerez la Résistance que les Alliés et les Forces françaises libres se préparent à attaquer. Les résistants doivent se tenir prêts, parce que, quand les Alliés attaqueront, les Allemands occuperont le sud de la France. Par l'intermédiaire de Paris Inter, le message sera transmis aux opérateurs radio et au maquis. »

Je le scrutai avec méfiance. C'était un collaborateur. Je trouvais plus facile à croire que le message contenu dans la chanson y avait été mis par les Allemands, pour tromper la Résistance et non pour l'aider.

« Vous cherchez à me manipuler ! crachai-je.

— Bon Dieu ! Mais pour qui vous me prenez ? jura M. Dargent en se levant. Nous travaillons pour le même réseau. » Il avala le reste de son verre d'eau d'un coup et secoua la tête d'un air dégoûté. « Clifton m'avait prévenu que vous pourriez causer des difficultés. »

Un frisson me courut dans le dos. D'abord, je crus avoir mal entendu.

« Qui ? Qui a dit ça ? » le questionnai-je. Mes mains tremblaient. Clifton était peut-être un nom très commun en Angleterre.

M. Dargent déglutit péniblement, je vis sa pomme d'Adam tressauter dans sa gorge. « Je n'étais pas censé vous le dire. Ça m'a échappé. »

692

Je me précipitai vers lui et lui attrapai les deux bras. « Le capitaine Roger Clifton ? Nom de code : Delpierre ? »

M. Dargent me repoussa. « Il avait averti que vous pouviez être entêtée, mademoiselle Fleurier. Et il avait raison. C'est autant pour sa sécurité que pour la mienne si je ne vous en dis pas plus. »

Des fourmillements me coururent sur la peau. De toute ma vie, une seule personne m'avait décrite comme « entêtée ». Moi qui étais dans les ténèbres, je me retrouvai projetée en pleine lumière ! « Roger est vivant ! m'exclamai-je. Comment ça ? Où ? Comment a-t-il échappé aux nazis ?

— Il n'y a jamais eu d'arrestation, concéda M. Dargent. Quand il a appris que vous aviez été capturée, il est venu à Paris pour vous retrouver. L'agent double a répandu la rumeur de son arrestation et de son exécution pour induire le réseau en erreur.

— Il est toujours à Paris ? »

M. Dargent secoua la tête. « Il prend l'avion ce soir pour Londres. »

Le régisseur allemand vint frapper à la porte. « Dix minutes avant le lever de rideau !

— Ça suffit, mademoiselle Fleurier. Dépêchez-vous de vous habiller ! Si vous mécontentez les Allemands, ça ne nous mènera nulle part. »

Je me tournai vers mon miroir. Le bonheur me montait à la tête. Roger, vivant ! Il était vivant et il m'avait fait un cadeau : je m'apprêtais à aider la Résistance, pas à la trahir !

« Bonjour Paris ! » chantai-je en agitant la main, dès que je quittai les coulisses pour entrer en scène.

Les Allemands applaudirent. Derrière les feux de la rampe, j'aperçus des rangées d'uniformes sombres de SS, il y en avait jusqu'aux balcons, comme des centaines d'araignées qui me guettaient. Mais le dégoût que m'inspirait mon auditoire et tout ce qu'il représentait ne pouvait étouffer la lumière qui brillait dans mon cœur. La joie était si forte que je crus qu'elle allait me consumer.

> *C'est moi !*
> *Ce soir est le grand soir où les étoiles brilleront*
> *Et m'éclaireront entre toutes*
> *Pour que tout Paris me voie !*

Le technicien de Paris Inter était assis dans la fosse de l'orchestre. Je lui lançai un sourire, le plus grand que j'aie jamais adressé à un collaborateur ! Nous étions camarades, ce soir. Il ne le savait pas, mais nous envoyions de bonnes nouvelles à la Résistance…

Les Allemands aimèrent tant ce qu'ils voyaient qu'ils applaudirent aussitôt. Malgré une douleur persistante dans les côtes, ma voix n'avait jamais été aussi puissante : je chantais de toute mon âme. C'était l'apogée de ma vie – un de ces moments où le rideau se lève et où vous savez soudain que vous faites ce pour quoi vous êtes née, que vous accomplissez votre destin sur terre. À cet instant, je fus heureuse d'être Suzanne Fleurier et ravie d'être utile aux forces alliées.

Le colonel von Loringhoven était assis au balcon en compagnie de Karl Oberg et de Camille. L'orchestre embraya sur *La bouteille est vide* et je projetai ma voix vers mes trois auditeurs privilégiés :

694

Et plus on en a
Et plus on en veut
Encore et encore
Jusqu'à la misère.

Karl Oberg sourit et lâcha un petit rire satisfait. Von Loringhoven lui jeta un coup d'œil puis reporta son regard sur moi. Il s'agita dans son fauteuil, content de lui. Tu peux sourire ! pensai-je. Tu n'en as plus pour très longtemps.

J'entonnai mes chansons de tango avec toute la tragédie et la mélancolie requises, en pensant à ce qui m'avait poussée à m'engager dans la Résistance : le massacre des petits enfants belges sur la route de l'exode.

Mais le final fut mon heure de gloire. Je chantai la dernière chanson de tout mon cœur. Les soldats SS subjugués qui me contemplaient bouche bée devaient être persuadés que je chantais pour eux, mais je regardais mon public sans le voir. Je chantais pour Odette et la petite Suzanne, pour ma famille, pour M. Étienne et Joseph, pour le général de Gaulle, pour Minot, Raton et le Juge, pour André et tous les résistants. Je chantais pour mon père et pour la Résistance. Je ne voulais pas penser aux hommes assis devant moi : la plupart d'entre eux avaient torturé et exécuté des résistants.

J'avais beau les haïr de toutes les fibres de mon être, eux m'adorèrent. Quand j'eus terminé la chanson finale, ils étaient debout. Je m'inclinai avec grâce et m'éclipsai dans les coulisses. « Bravo ! criaient-ils. Encore ! Encore ! »

M. Dargent se tenait derrière le rideau. Nous

échangeâmes un sourire. Les acclamations et les applaudissements du public s'intensifièrent.

« Allez ! s'exclama M. Dargent. Vous êtes une artiste. Donnez ce qu'il veut à votre public. »

Je m'élançai sur scène et me plaçai devant le drapeau à la croix gammée, avant de chanter la chanson finale une deuxième fois.

Les spectateurs m'acclamaient encore quand le rideau se baissa pour la cinquième et dernière fois. Je n'aurais pas imaginé une fin plus heureuse à mon existence que de mourir sur scène ce soir-là.

34

En novembre 1942, les Alliés attaquèrent les forces de l'Axe en Afrique du Nord. L'opération fut un succès et donna aux Alliés une tête de pont pour délivrer non seulement la France mais aussi l'Italie. Quand André nous annonça la nouvelle, Mme Goux et moi tombâmes dans les bras l'une de l'autre en pleurant de joie. Au milieu des ténèbres qui enserraient nos vies, la flamme de l'espoir nous éclairait à nouveau de sa lueur vacillante. Bien sûr, nous ne savions pas encore que les Alliés auraient besoin de deux années de plus pour arriver en France et que les choses allaient devenir bien pires avant que nous puissions entrevoir un avenir meilleur.

Tout comme l'avait prédit M. Dargent, les Allemands envahirent la France libre et occupèrent le Sud pour nous « défendre » contre l'ennemi. La

Résistance reprit courage, la Grande-Bretagne et de Gaulle intensifièrent leurs efforts pour armer le maquis et préparer l'invasion alliée, si bien que la répression nazie se fit plus brutale. La Milice fut formée, c'était une armée française placée sous le commandement de la Gestapo et qui rassemblait les pires éléments de la société, parmi lesquels des criminels qui avaient obtenu la liberté en échange de leurs services de chasseurs de résistants.

André et sa femme faisaient maintenant l'objet de soupçons et, pour éviter de mettre le réseau en danger, André dut couper les ponts avec les résistants, à qui il continua de verser de l'argent par l'intermédiaire de Véronique, qui vivait à Marseille. Comme il ne pouvait plus nous servir d'informateur, je n'avais aucunes nouvelles du pays de Sault. Mais André avait toujours accès à une radio dans une de ses usines et grâce à la BBC, nous apprîmes que les Russes progressaient et forçaient les Allemands à quitter Berlin. Ces derniers avaient sous-estimé l'ardeur de la Résistance non seulement en France, mais aussi en Autriche, au Danemark, en Pologne, en Belgique, en Hollande, en Tchécoslovaquie, en Italie, en Norvège et même en Allemagne. Le comte Kessler aurait été fier des jeunes Allemands et Allemandes qui combattaient vaillamment alors qu'ils se trouvaient dans l'œil du cyclone. Ils avaient beau être peu nombreux, ils faisaient la preuve que l'ardeur compte parfois plus que la puissance.

Pendant la dernière année de la guerre, je fus réveillée tous les matins par des bruits de fusillades à vous glacer le sang. Pour chaque soldat allemand tué par les résistants à Paris, dix prisonniers français, parmi lesquels de nombreux résistants, étaient conduits dans le bois de Boulogne et exécutés. Les résistants savaient depuis le début quel pouvait être le prix de leur patriotisme, mais la terreur saisit Paris pour de bon lorsque les nazis commencèrent à manquer de prisonniers et se mirent à rafler des civils.

Chaque jour, quand Mme Goux allait acheter nos rations, escortée par un agent de la Gestapo, elle lisait les avis de décès placardés sur le mur de la boulangerie. C'est ainsi que j'appris la mort de Mme Baquet, la propriétaire du café des Singes. Elle était dans une file d'attente à l'Hôtel de Ville pour renouveler sa licence professionnelle quand la Gestapo y avait fait irruption dans le but de se venger d'un acte de sabotage de la Résistance. Les agents de la Gestapo avaient vidé un poste de police voisin de ses prostituées, de ses clochards et de quelques maris avinés mais le compte n'y était pas encore. Aussi arrêtèrent-ils les civils qui se trouvaient dans le hall de l'Hôtel de Ville : un étudiant, deux mères de famille, un médecin, une bibliothécaire, un avocat et Mme Baquet. Le lendemain matin, ces otages terrifiés furent conduits sous les arbres. Je ne retournai plus jamais au bois de Boulogne après avoir entendu ce récit, mais on raconte que les impacts des balles étaient encore visibles trois ans après la fusillade.

À l'été 1944, le raz de marée était devenu inéluctable. André parvint à me procurer un émetteur radio en pièces détachées à l'insu des vigiles qui surveillaient mon appartement, et ensemble nous écoutâmes la voix grésillante de De Gaulle lorsqu'il annonça : « Cette année sera celle de votre libération. » Quelque chose allait enfin se passer !

Paris commença à ressembler à une cité en guerre. Les camions allemands quittèrent la ville en catastrophe puis, quelques jours plus tard, ils revinrent pleins de soldats blessés. André et moi nous retrouvâmes encore une fois pour écouter la radio, seulement nous ne captions plus le signal. La nourriture se fit rare ; il n'y avait plus ni lait ni viande dans aucun magasin. Notre gaz et notre électricité furent limités à certaines heures de la journée. Le métro cessa de fonctionner. C'est M. Dargent qui nous apprit la grande nouvelle : les Alliés avaient débarqué en Normandie et ils poussaient les Allemands à la retraite !

En août, il fut clair que les Allemands étaient en train de perdre la guerre. Où était passée la fière armée qui était entrée dans Paris ? La plupart des soldats étaient évacués et ceux qui restaient se déplaçaient en groupes, terrorisés à l'idée de ce qui pourrait leur arriver s'ils se retrouvaient séparés de leur unité.

Au milieu du mois, selon la rumeur, les Alliés avaient débarqué dans le Sud et, avec l'aide des maquisards, ils délogeaient les Allemands et la Milice de leurs bastions. La police de Paris jugea le moment opportun d'effacer quatre années d'infamie : les agents rendirent leurs uniformes mais gardèrent leurs armes. Le nombre de ceux qui combattaient au sein de la Résistance augmenta. La police, qui avait eu pour tâche de remettre la ville aux Allemands en 1940, avait à cœur de leur montrer où était la sortie !

Mme Goux et moi, pelotonnées l'une contre l'autre dans mon appartement, tendions l'oreille aux échanges de tirs entre les Allemands et la Résistance. Nous gardions une bougie allumée, bien qu'elles fussent difficiles à trouver, et priions pour Paris, pour les femmes et les hommes qui mouraient. La population française descendit dans la rue – pas dans notre quartier mais sur la rive gauche et dans les faubourgs. Les gens érigèrent des barricades pour empêcher les Allemands de s'enfuir et de patrouiller en tank dans la ville. Mme Goux et moi utilisâmes des draps pour fabriquer des bandages destinés à la Croix-Rouge.

Par une soirée particulièrement chaude du mois d'août, alors que j'étais dans mon bain, les bruits de la bataille cessèrent. Le silence, après tant de violence, était déroutant. Un peu plus tard, les cloches de Notre-Dame se mirent à sonner. Je me séchai et m'enveloppai dans un kimono, puis je me précipitai à la fenêtre. Les cloches de l'église Saint-Séverin se joignirent à celles de Notre-Dame et je scrutai la nuit obscure en me demandant ce qui se passait. Les lumières des immeubles qui bordaient la Seine s'allumèrent, vacillèrent puis s'éteignirent. Soudain, les cloches des églises Saint-Jacques, Saint-Eustache et Saint-Gervais résonnèrent dans le noir.

Je courus au rez-de-chaussée et trouvai Mme Goux dans le hall, le visage livide et les yeux écarquillés. « Qu'est-ce que ça veut dire ? » balbutiait-elle.

C'est alors que je remarquai que les deux soldats allemands qui montaient la garde devant chez nous étaient partis. Dévalant les quelques marches qui me

700

séparaient de la concierge, je la pris dans mes bras. Je n'oublierais jamais ce moment :

« Ça veut dire que les Alliés ont gagné ! m'écriai-je. Paris est libre ! »

Dans l'euphorie qui nous saisit, nous eûmes l'impression que notre joie allait durer toujours. Les drapeaux tricolores étaient sur les fenêtres et sur le seuil des maisons, certains avaient été cousus avec les bouts de tissu disponibles : une chemise bleue, une nappe blanche, un jupon rouge. Malgré les bris de verre qui jonchaient le sol et les tirs des soldats allemands qui n'avaient pas encore reçu l'ordre de se rendre, nous ne pouvions pas rester chez nous plus longtemps. Les notes de *La Marseillaise* résonnaient dans l'air chaud de l'été : jadis interdite, on la chantait maintenant à tous les coins de rue.

J'arpentais les rues de Paris comme je l'avais fait à mon arrivée dans les années 1920 ; mais en passant devant les cafés et les attroupements autour des monuments ou des tanks alliés couverts de fleurs, je m'aperçus soudain que notre bonheur était une sorte de comédie. Comment Paris aurait-elle pu être la même ? On voyait des impacts de balles dans de nombreux édifices et des fleurs déposées sur les trottoirs à l'endroit où des résistants avaient sacrifié leur vie pour la France.

Le général de Gaulle devait faire son apparition officielle à Paris quelques jours après l'entrée des Alliés. En voyant les forces de police se presser autour de l'Arc de Triomphe, nous comprîmes qu'il défilerait l'après-midi même le long des Champs-Élysées. J'avais hâte de voir l'homme qui se cachait derrière la voix désincarnée des années de guerre, une voix qui m'avait inspiré le désir de suivre son appel au péril de ma vie.

Comme ma salle à manger avait un balcon donnant sur l'avenue, j'invitai André et M. Dargent à se joindre à nous pour le déjeuner. Mme Goux et moi nous mîmes en devoir de concocter un petit festin avec le peu qu'il nous restait. Nous approchâmes la table des fenêtres du balcon et la dressâmes avec des serviettes bleues, blanches et rouges. Quand nous eûmes mis du champagne au frais, en jetant un coup d'œil à ma montre, je remarquai avec surprise qu'André et M. Dargent avaient une demi-heure de retard. André, en particulier, était très ponctuel.

J'allais proposer un verre à Mme Goux quand on frappa des coups violents à la porte, ce qui nous fit sursauter toutes les deux. « J'y vais », dit Mme Goux, qui se dirigea vers la porte et souleva le loquet avant que j'aie pu réagir.

Une fois la porte ouverte, trois hommes armés se précipitèrent dans l'appartement ; l'un d'eux brandissait une mitraillette comme s'il s'attendait à trouver les lieux pleins d'Allemands. Ils n'étaient pas rasés et sentaient la sueur, mais leurs traits rudes étaient empreints de fierté. Je jetai un coup d'œil à leurs brassards FFI. Ils faisaient partie des Forces françaises de l'intérieur de De Gaulle.

« Entrez, leur dis-je, supposant qu'ils cherchaient un bon endroit d'où détecter les tireurs embusqués. Je vous en prie, vous pouvez vous poster aux balcons ou aux fenêtres, comme vous voulez. Et servez-vous à manger. Nous n'avons pas grand-chose, mais vous êtes les bienvenus. »

La surprise se peignit un instant sur le visage du soldat qui se trouvait près de moi. « Mademoiselle Fleurier ? aboya-t-il.

— Oui, fis-je, abasourdie par son ton agressif.

— Sur ordre de la police de Paris, je vous mets en état d'arrestation ! Vous devez nous accompagner immédiatement. »

Je restai plantée là, trop stupéfaite pour obéir. Le soldat me toisa comme si je le provoquais. « Vous êtes accusée de collaboration et vous devez nous suivre jusqu'au poste de police. »

Je lançai un regard à Mme Goux, qui, bouche bée, semblait manifestement aussi choquée que moi. « Vous voulez rire ou quoi ? lança-t-elle. Mlle Fleurier n'est pas une collabo. C'est une résistante. Elle résiste depuis que les Allemands occupent Paris. Sinon, pourquoi on l'aurait mise en résidence surveillée ? »

Le soldat haussa les épaules. « Ce n'est pas ce que dit le rapport. Mais si c'est la vérité, alors elle pourra s'expliquer au poste. »

La tête me tournait. J'essayai d'éclaircir mes idées. La meilleure chose à faire était de coopérer. Je ne pourrais sans doute pas être déclarée coupable de collaboration même si, je ne sais trop comment, je me trouvais accusée. J'allais remettre les pendules à l'heure.

Je pris mon sac à main sur le buffet et posai la main sur le bras de Mme Goux. « Ne vous en faites pas, la rassurai-je. C'est une erreur. Allez-y, fêtez l'arrivée de De Gaulle avec les autres. Je suis sûre que nous allons tirer tout ça au clair et que je serai de retour cet après-midi. »

Une fois au poste, les policiers me conduisirent à un endroit qui ressemblait à un hall de gare. Des soldats y faisaient les cent pas, leur arme sur la hanche, pendant que les agents contrôlaient les papiers des gens éplorés qui se trouvaient en état d'arrestation ; beaucoup d'entre eux semblaient avoir été tirés du lit. On m'escorta jusqu'à une rangée de chaises et on me fit asseoir à côté d'une vieille femme en robe de chambre et en pantoufles. En regardant autour de moi dans la salle d'attente, je vis Jacques Noir assis en face, la tête dans les mains. On ne pouvait certainement pas me mettre dans le même panier que cet homme ! Noir était allé jusqu'à jouer pour Hitler à Berlin...

Quand on eut contrôlé mes papiers, je fus conduite dans une cellule. Elle était bondée, on y trouvait le groupe de femmes le plus mal assorti que j'aie jamais vu. Au moins la moitié d'entre elles étaient des prostituées ; les autres ressemblaient à des commerçantes ou à des mères de famille, à part trois dames habillées avec élégance, pelotonnées ensemble sur un lit. Je jetai un coup d'œil à ma montre : presque trois heures. De Gaulle devait avoir commencé son défilé.

Quelque temps plus tard, un soldat ouvrit la porte de la cellule et appela mon nom. À la façon dont les femmes tremblaient en sa présence, il aurait tout aussi bien pu m'appeler pour le peloton d'exécution. Il me fit monter deux escaliers qui menaient à une salle d'interrogatoire. J'étudiai le visage du lieutenant au visage impassible qui était assis à la table.

« Asseyez-vous », ordonna-t-il.

J'obéis et le lieutenant me lut la liste des chefs d'accusation. Je frissonnai en entendant « transmission d'informations secrètes à l'ennemi » et « trahison ». Il s'agissait d'accusations graves plus que de simple collaboration et j'encourais la peine de mort.

« Qui m'a dénoncé ? demandai-je. Il y a erreur sur la personne. »

Il me regarda, soupira qu'il avait entendu cette réponse toute la journée et qu'il aurait bien aimé que quelqu'un admette sa culpabilité. « Je ne peux pas vous donner de noms, mais vous avez bien chanté pour les Allemands et les archives du Deuxième Bureau confirment l'accusation de trahison. »

Les dossiers falsifiés par Raton ! Qui pouvait bien m'avoir dénoncée ? Une rivale jalouse qui avait voulu égaliser les compteurs ?

« J'ai travaillé pour un réseau, dis-je au lieutenant en m'efforçant d'avoir l'air aussi calme et objective que possible, bien que son attitude eût entamé ma confiance en moi. J'ai fait franchir la ligne de démarcation à des soldats alliés et français. J'ai été aidée par ma concierge, Mme Goux, et par ma voisine, Mme Ibert.

— Et où sont-elles maintenant ? » interrogea-t-il en notant leurs noms sur une feuille. Je lui expliquai que Mme Goux se trouvait dans mon appartement et que Mme Ibert était dans le Sud.

« On ne peut pas encore obtenir d'informations du Sud, mais je vais faire interroger Mme Goux. Quel était le nom de votre contact dans le réseau ?

— Roger Clifton... enfin, Delpierre. » Je me haïssais d'avoir la voix qui tremblait ! Soudain je compris qu'il serait moins facile que prévu de prouver mon innocence. J'étais partie du principe qu'une fois rentré à Londres, Roger aurait soit contacté les services secrets anglais, soit rejoint la Royal Air Force. Seulement je ne l'avais pas vu et n'avais aucunes nouvelles de lui depuis deux ans. La guerre était finie en France, mais pas partout. Il faudrait peut-être encore des mois avant que Roger parvienne à me contacter. Et comme de Gaulle et Churchill se battaient sur deux fronts différents, les FFI ne sauraient peut-être pas le localiser.

Le lieutenant me jaugea du regard. « Alors, mademoiselle Fleurier, à part votre concierge, d'autres personnes faisant autorité peuvent-elles se porter garantes de votre personne ?

— J'ai commencé à travailler pour le réseau après avoir été contactée par deux membres du Deuxième Bureau.

— Leurs noms ? »

Raton et le Juge. Je n'avais pas la moindre idée de leur véritable identité. J'essayai d'expliquer cela au lieutenant. Il poussa un soupir et s'adossa à sa chaise. « Si vous ignorez leur nom, il y a quelqu'un d'autre ?

— Oui. André Blanchard. »

Le lieutenant me dévisagea. « André Blanchard a été arrêté, de lourdes charges pèsent contre lui. Il a fourni des uniformes à l'armée allemande pendant que son beau-frère fabriquait des armes.

— André est un patriote, rectifiai-je. Il a fourni de l'argent et des vêtements au réseau. Sans son aide, nous n'aurions pas pu sauver autant de soldats. »

Je parlais avec beaucoup plus d'assurance pour

protester de l'innocence d'André et non plus de la mienne. Cela eut l'air d'impressionner le lieutenant. « Il aura droit à un procès équitable, tout comme vous », fit-il en se levant pour aller ouvrir la porte.

Il héla un soldat avant de se retourner vers moi. « Le plus incroyable dans tout ça, conclut-il en se frottant les mains, c'est que pendant toute la guerre il n'y a jamais eu plus d'une centaine de personnes engagées dans la résistance parisienne. Mais ces deux derniers jours, rien que dans ce poste de police, nous avons interrogé plus de cinq cents collaborateurs notoires qui prétendent avoir effectivement travaillé dans la Résistance. Alors, vous pouvez expliquer ça ? »

On m'emmena à la prison du Cherche-Midi, l'endroit même où les Allemands m'avaient enfermée. Je ne fus certes pas battue cette fois-ci et on me donna de quoi boire et manger correctement, pourtant j'étais bien plus terrorisée que lorsque j'étais prisonnière de l'ennemi. Cette fois-ci, j'étais innocente et ceux qui me détenaient étaient français. Les nouvelles autorités semblaient bien décidées à rafler et à punir les anciens collaborateurs avant qu'ils s'échappent. En entendant des bruits de fusillade le lendemain matin, je me demandai combien de temps la police consacrerait à rassembler les preuves de ma version des faits.

Après le petit déjeuner, composé de pain et d'ersatz de café, un gardien me fit sortir dans la cour. Il y avait une dizaine de femmes ; ce spectacle me retourna l'estomac : elles avaient le crâne rasé et des croix gammées tatouées sur la peau. L'une d'entre elles, une jeune fille, ne portait rien d'autre qu'une combinaison.

Un soldat faisait office de gardien près de l'entrée qui donnait sur la cour. Je me tournai vers lui : « C'est pour ça que j'ai risqué ma vie ? grondai-je en désignant la jeune fille. C'est ça, ma France bien-aimée ? Parce que si c'est ça, nous ne valons pas mieux que les nazis !

— Calmez-vous ! » me prévint-il.

Mais je n'avais pas l'intention de me taire. « Que font ces femmes ici ? hurlai-je. Elles sont peut-être là parce que vous êtes incapables d'atteindre les véritables collaborateurs ? »

Je m'échauffais de plus en plus et le soldat avait beau tenir une arme, il avait l'air désemparé. Un de ses camarades se précipita sur moi et me tordit le bras dans le dos. « Si vous ne voulez pas profiter de votre sortie, alors retournez dans votre cellule ! »

Il m'y traîna par les cheveux. Une fois dans la cellule, il me remit d'aplomb avant de me jeter sur la paillasse. Puis, une fois la poussée d'adrénaline passée, il lança : « Ce n'est pas nous qui avons fait subir ça à ces femmes. C'était la foule. Nous avons horreur de ce comportement et nous l'avons interdit. Mais ces femmes ont été dénoncées et nous devons mener l'enquête sur leurs crimes.

— Ceux qui les ont dénoncées ont peut-être beaucoup de choses à cacher eux-mêmes. »

Il me jaugea longuement : « Peut-être », dit-il avant de se détourner et de claquer la porte de la cellule derrière lui.

Je posai la tête sur mes genoux. Moi qui avais cru que la guerre était finie, comme je m'étais trompée !

Une semaine plus tard, j'étais encore en prison quand le gardien m'informa que mon procès aurait lieu quelques jours plus tard. Je lui demandai si Mme Goux avait été interrogée ; si les médecins qui avaient utilisé notre immeuble avaient été retrouvés ? Il répondit qu'il n'en savait rien.

Le jour de mon procès, je fis ma toilette avec les moyens du bord. Je ne pouvais guère arranger ma robe, qui était froissée et pleine de poussière. Mais je me débarbouillai avec un chiffon humide et me brossai les dents avec un doigt. Si j'avais compris ce qui se passait à l'extérieur, j'aurais vu ma situation sous un jour différent. Ainsi que le lieutenant l'avait fait remarquer, alors qu'il n'y avait eu que quelques résistants actifs à Paris, depuis la Libération, plus de cent vingt mille personnes avaient déposé une demande de reconnaissance officielle de leur travail dans la Résistance.

« Les Septembrisards », comme un soldat des FFI les avait appelés. Les résistants de la dernière heure, qui avaient rejoint le mouvement en septembre quand ils s'étaient aperçus que les Allemands avaient perdu la guerre. Les véritables résistants hésitaient à faire la même démarche afin de ne pas être assimilés à ces opportunistes. Quelle solution me restait-il ?

Quelques heures avant le moment où l'on devait venir me chercher, le gardien arriva et poussa la porte de ma cellule.

« Vite ! Vite ! s'écria-t-il en me tendant mon sac à

main, qui m'avait été confisqué à mon entrée en prison. Il faut vous rendre présentable. »

Sans la surprise causée par ces injonctions, j'aurais pu lui demander ce qu'un visage poudré et du rouge à lèvres allaient changer à mes habits sales. Mais j'obtempérai. Je me tapotai de l'eau de Cologne derrière les oreilles et sur les poignets. Ce n'est qu'alors que je pris la mesure de ce qui m'attendait : le procès de la célèbre Suzanne Fleurier. Si je donnais l'impression d'avoir été maltraitée, la sympathie du public allait se reporter sur moi. Cependant, à ma grande surprise, je ne fus pas conduite à l'extérieur de la prison ni emmenée au tribunal sous escorte policière, comme je l'avais imaginé. On me fit descendre l'escalier qui menait au bureau du directeur de la prison du Cherche-Midi.

Le gardien s'arrêta dans le couloir où des soldats des FFI étaient alignés au garde-à-vous.

« Je fais comparaître Mlle Fleurier », déclara-t-il.

Un des soldats frappa à la porte du directeur. « Entrez ! » entendit-on. Il fit un pas de côté et me laissa entrer. Le directeur était un vieux monsieur chauve à l'air soucieux qui remuait des papiers sur son bureau. Un autre homme se tenait devant la fenêtre. La lumière entrait à flots derrière lui. C'était l'homme le plus grand et le plus maigre que j'eusse jamais vu. Il fit un pas vers moi.

« Mademoiselle Fleurier, commença-t-il. Je suis désolé de ne pas avoir été mis au courant de votre situation plus tôt. Vous allez être libérée immédiatement. »

Un frisson me parcourut l'échine. Je n'avais jamais vu cet homme, mais je reconnus sa voix.

C'était celle qui m'avait appelée quatre ans auparavant, celle qui m'avait enjoint de ne jamais accepter la défaite. La voix du général de Gaulle !

« Quand j'étais à Londres, j'ai eu connaissance de votre courage et de votre coopération à la Résistance, poursuivit-il. J'ai été heureux d'apprendre que toutes les lumières de Paris ne s'étaient pas éteintes : il y en restait une qui brillait de tous ses feux. C'est un grand honneur pour moi de vous remettre ceci », poursuivit-il en me tendant une petite boîte. En l'ouvrant, j'y trouvai une croix de Lorraine en or – le symbole de la Résistance consacré par de Gaulle.

Je compris soudain le sens de l'expression « avoir le cœur gonflé de fierté ». Le monde semblait s'ouvrir devant moi. Jamais je n'avais été aussi fière !

Avant de partir, de Gaulle se tourna vers moi. « J'ai moi aussi été accusé de trahison par le gouvernement de Vichy alors que mon but était de servir la France, la vraie, dit-il. J'espère que vous ferez de ce terrible malentendu une mise à l'épreuve supplémentaire de votre courage. »

J'acquiesçai – pourtant, si un autre que lui m'avait suggéré une telle idée, j'aurais montré les dents !

« Vive la France ! me lança-t-il en m'adressant un salut militaire.

— Vive la France ! »

La coutume voulait que les militaires se saluent entre eux et je n'étais qu'une civile. C'est alors que je compris à quel point le Général respectait les combattants de l'ombre.

Quand je fus libérée, je me mis aussitôt en devoir de me renseigner sur le sort d'André. Maintenant que j'avais été officiellement reconnue comme résistante par de Gaulle, mon témoignage aurait du poids. En fait, j'arrivai juste à temps. Le procès d'André était prévu pour le lendemain. Pour je ne sais quelle raison, on l'avait autorisé à faire appel à son avocat, contrairement à moi. Je passai à mon appartement pour prendre un bain et me changer, puis je me rendis directement au cabinet de son avocat afin de déposer mon témoignage.

M. Villeray était un homme élégant ; âgé d'environ soixante-cinq ans, il avait connu André quand il n'était encore qu'un enfant. « Vous ne pouvez pas imaginer à quel point je suis heureux de vous voir, me dit-il en me faisant signe de m'asseoir. André est accusé de collaboration et de trahison. Grâce à vous, le procès n'aura peut-être même pas lieu.

— Quand pouvons-nous le faire libérer ?

— Sans doute pas avant deux jours. Pour les exécutions, ça va vite, mais il y a du retard dans les libérations.

— Je vais lui rendre visite cet après-midi pour lui annoncer la nouvelle, décidai-je. Je vous laisse travailler à sa libération.

— Saviez-vous que Camille Casal est aussi détenue à la prison de Fresnes ? »

Camille avait fraternisé publiquement avec le haut commandement nazi. Il était peu probable qu'elle soit exécutée, mais trop de charges pesaient contre elle pour qu'elle puisse échapper à la prison. Je n'étais pas sûre qu'une déposition de ma part affecte l'issue de son procès. Ses liens avec von Loringhoven m'avaient tout de même permis d'aider la Résistance et de sauver Odette et la petite Suzanne.

712

« Je suis prête à déposer en sa faveur », déclarai-je.

M. Villeray eut l'air très surpris. Il leva les sourcils : « Saviez-vous que c'est elle qui vous a dénoncée aux FFI ?

— Elle m'a dénoncée ? Pourquoi aurait-elle fait une chose pareille ?

— Elle a toujours été contre vous, mademoiselle Fleurier.

— Ce n'est pas vrai, dis-je en secouant la tête. C'est l'image que voulait donner la presse, voilà tout.

— Alors, vous ne savez pas ? » M. Villeray fronça les sourcils. Il s'adossa à sa chaise et soupira en pesant les conséquences de ce qu'il s'apprêtait à révéler. « Puis-je compter sur votre discrétion ? »

Je le regardai en silence. Il sortit une boîte d'un tiroir et la posa sur son bureau avec une mine endeuillée.

« Quand André a été arrêté, j'ai fouillé les dossiers de son père dans l'espoir de trouver de quoi l'innocenter, dit-il. Je suis tombé sur de vieilles lettres échangées par M. Blanchard et Camille Casal. Elle le faisait chanter. »

Tout devint flou autour de moi. Jamais je n'aurais imaginé que Camille connaissait M. Blanchard. « Elle le faisait chanter ? Quand ?

— En 1936. »

L'année où André avait eu trente ans ; l'année où nous devions nous marier.

« C'est de l'argent qu'elle voulait ? »

M. Villeray secoua la tête. « Elle voulait détruire votre bonheur. Elle demandait à M. Blanchard de refuser que son fils vous épouse. »

Je trouvai cette idée ridicule. En admettant que

Camille eût été aussi malveillante, je ne voyais pas comment elle aurait pu exercer un tel pouvoir sur M. Blanchard. Contrairement aux prédictions de sa femme sur sa santé de fer, il était devenu fou peu de temps après avoir pris sa retraite. Mais en 1936, il était encore arrogant et impudent.

« Elle a fait ça par dépit, poursuivit M. Villeray. C'est l'œuvre d'un esprit jaloux. Elle a découvert qu'il y avait un cadavre dans le placard chez les Blanchard. Elle le tenait d'un haut dignitaire de l'armée française et elle a décidé de l'utiliser contre vous. »

Je ne pouvais pas détacher mes yeux de l'avocat.

« Laurent Blanchard n'est pas mort en héros à Verdun. C'est ce qu'a affirmé le gouvernement au vu de l'importance de la famille Blanchard pour les intérêts de la France. Laurent Blanchard avait incité ses hommes à se mutiner. Il a été abattu par un autre officier alors qu'il fuyait le champ de bataille. »

Le souffle me manqua. « Il a été fusillé pour trahison ?

— Il a été abattu sans autre forme de procès », rectifia M. Villeray.

Je me levai de ma chaise, les jambes flageolantes, et titubai jusqu'à la fenêtre. Dans le brouillard de la confusion, j'entendis M. Villeray me demander : « Vous croyez que je dois le révéler à André ? »

Je me retournai vers lui, que je distinguais à peine à travers mes larmes. S'il disait la vérité à André sur Camille, il devrait la lui dire au sujet de Laurent. Je me rappelai la photo de l'homme au regard mélancolique dans le salon de Mme Blanchard. Je me doutais que Laurent n'avait pas trahi ses camarades, qu'il avait plutôt été comme tant d'autres jeunes officiers que mon père avait décrits : un homme intelligent qui ne voyait pas de sens à envoyer des milliers de soldats à la boucherie sur le simple ordre d'un général. Mais personne ne pourrait jamais en être sûr.

Je repensai à cette froide matinée à Neuilly, le jour où André et moi fûmes séparés pour toujours. À quoi cela aurait-il servi qu'il sache aujourd'hui ?

« Non, décidai-je. Nous ne devrons jamais lui en parler. »

J'apportai des vêtements, du linge propre, du savon et un colis de nourriture à Fresnes pour André. On me l'amena dans une tenue de prisonnier, avec des chaînes aux chevilles. Je fus effrayée par son air exténué.

« Suzanne ! s'exclama-t-il, et son visage s'éclaira. Ils t'ont laissée sortir ? Tu vas bien ? »

J'eus l'impression de lui répondre par un sourire forcé. Toutes les révélations de M. Villeray pesaient lourd sur ma conscience. Je demandai au gardien de bien vouloir nous laisser seuls. Après un coup d'œil à la croix de Lorraine que je portais sur le revers de ma veste, le gardien hocha la tête et partit.

« Tu ne seras pas jugé, André. Ils vont te relâcher dès que ton avocat leur aura transmis ton dossier. »

André poussa un soupir de soulagement et posa les mains sur le grillage de la vitre qui nous séparait. Je ne pus me résoudre à lever la main pour toucher la sienne. Devant moi se tenait l'homme que j'aimais encore de tout mon cœur.

« Je ferais mieux d'annoncer à ta femme que tu seras bientôt libéré, dis-je. Elle doit se faire du souci.

Tu veux que je lui transmette un message de ta part ? »

André baissa la tête. Je sentis quelque chose se modifier entre nous. Comme deux plaques tectoniques qui se réalignent dans une position plus stable. Quand il releva les yeux, nos regards se rencontrèrent. « Dis-lui simplement que… je les aime, elle et les filles. »

Nous nous sourîmes.

« Et toi, Suzanne ? Qu'est-ce que tu vas faire maintenant ?

— Je vais rejoindre ma famille dans le Sud et attendre Roger. »

André fronça les sourcils en entendant parler de Roger, plus par inquiétude que par jalousie. « M. Villeray a essayé de retrouver sa trace. C'est vrai qu'il était derrière l'idée de ta chanson à l'Adriana, mais il a été capturé avant d'avoir pu rejoindre Londres. Il a été envoyé dans un camp de concentration. Personne ne sait où il est maintenant. »

Le cœur me manqua. C'était impossible ! Je ne pouvais pas perdre Roger deux fois…

« Non ! fis-je en serrant les poings pour m'efforcer de refouler mes larmes.

— Ne pleure pas, Suzanne, murmura André. Dès que je serai sorti, je remuerai ciel et terre pour t'aider à le retrouver. »

Tandis que je regagnais la sortie de la prison, le gardien qui m'accompagnait me demanda d'attendre un instant dans le couloir. Il disparut dans un bureau et je m'adossai au mur. Puis je m'approchai d'une fenêtre pour regarder dehors. Un groupe de femmes se trouvait dans la cour. Je n'étais qu'au premier étage, aussi je pouvais distinguer leurs visages ; elles portaient leurs vêtements civils et avaient un air sale et chiffonné. Mais elles n'appartenaient pas à la classe ouvrière – je voyais leurs robes de couturier et leurs talons hauts. Certaines avaient le crâne rasé.

Mon regard se posa sur une blonde qui se tenait dans un coin, en train de fumer. Ses yeux bleus au regard dur étaient bien loin de la peur et du chaos qui l'entouraient. Je me rapprochai encore de la fenêtre. Sans maquillage, les traits de Camille étaient fatigués, elle paraissait vieille. Moi qui avais jadis été fascinée par sa beauté, je m'aperçus que sa laideur intérieure commençait à transparaître. Je me souvins du dédain glacial avec lequel elle contemplait son public et compris soudain pourquoi elle n'avait jamais eu le trac de sa vie : chaque mouvement de la tête, chaque battement des cils avait été répété avec une précision toute militaire. Camille ne donnait jamais rien d'elle-même, voilà pourquoi l'amitié qu'elle m'avait témoignée n'avait ni substance ni vérité.

Elle leva les yeux et nos regards se croisèrent. Elle me dévisagea sans l'ombre d'une hésitation et sans crainte. Elle savait que j'avais découvert ses méfaits – mais elle s'en fichait.

« Qui est-ce que vous regardez ? » demanda le gardien en ressortant du bureau. Il jeta un œil par-dessus mon épaule et lâcha un petit rire moqueur. « Camille Casal ? Votre ancienne rivale ? Elle n'a plus rien de sensationnel, pas vrai ?

— Elle n'a jamais été ma rivale, dis-je en me rappelant ce que m'avait toujours répété M. Étienne. Je chantais et je dansais bien mieux qu'elle.

— Et puis vous êtes plus jolie. J'ai assisté à son interrogatoire. Vous saviez qu'elle a eu un enfant ? Elle l'a abandonnée dans un couvent et n'est jamais revenue la chercher. »

Je lançai un regard au gardien. Il avait les joues couperosées et le ventre protubérant d'un bon père de famille. « Qu'est-ce qu'elle est devenue ? questionnai-je. Ce doit être une jeune femme aujourd'hui. »

Il secoua la tête. « Elle n'a pas eu l'occasion d'en devenir une. Elle est morte de la fièvre jaune à l'âge de cinq ans. Elle est enterrée dans une fosse commune ; pourtant Camille Casal était déjà une vedette à l'époque. »

35

J'écrivis au général de Gaulle pour savoir s'il ne pouvait pas faire quelque chose pour retrouver la trace de Roger. Je donnai également des instructions à Mme Goux pour qu'elle mène des recherches auprès de la Croix-Rouge en mon nom sur ce qu'ils étaient devenus, lui, M. Étienne et Joseph ; de mon côté, j'essayai de l'apprendre de mes contacts dans le réseau. Von Loringhoven avait refusé de confirmer qu'Odette et la petite Suzanne avaient bien quitté le pays, tout au mieux pouvais-je espérer qu'Odette allait m'écrire. M. Dargent vint chez moi tous les jours pour m'aider. Les journaux clandestins étaient devenus des parutions officielles et c'est dans l'un d'eux que je vis pour la première fois, sur un cliché flou, les corps squelettiques déterrés au bulldozer des fosses communes près de ce que l'on appelait désormais les camps de la mort.

« Il faut y croire, Suzanne, me répétait M. Dargent. Quoi qu'il en coûte, nous les retrouverons. »

Quand je ne cherchais pas des renseignements sur Roger et sur mes amis, je me languissais de ma famille. J'avais perdu le contact depuis que je les avais quittés pour revenir à Paris, et après toutes ces épreuves, ma famille, Mme Ibert et les Meyer étaient les personnes avec qui j'avais le plus envie de fêter la fin de la guerre. Pour ralentir les Allemands et prêter main-forte à l'invasion alliée, les maquisards avaient fait sauter les ponts, déboulonné les rails de chemin de fer et coupé les lignes téléphoniques. Il était donc impossible d'entrer en contact avec les gens du Sud. Mais sitôt que les premiers trains furent remis en circulation, je pris mon billet, accrochée à l'espoir que Roger était revenu en France et s'était directement rendu à la ferme.

J'arrivai à Carpentras en trois jours et, de là, je pris un car. Le chauffeur, qui venait de Sault, me raconta que la milice et l'armée allemande en retraite avaient fait preuve d'une grande cruauté dans les derniers jours de la guerre. Rien qu'à Sault, près de cinquante résistants avaient été envoyés en camp de concentration. Je repensai à Roger en frissonnant.

Le chauffeur me déposa à un kilomètre et demi de la ferme. C'était le début de l'automne et le paysage respirait la paix après le chaos parisien. Je me rappelai le bonheur de ma famille quand Roger et moi avions annoncé nos fiançailles et le courage que cela nous avait donné dans ces heures sombres. J'essayai de retrouver cet espoir en longeant les champs de blé et de lavande qui auraient dû être moissonnés depuis des mois, m'imaginant la vie à la ferme quand Roger et moi nous serions mariés... Dans les cinq cents derniers mètres qui me séparaient de la ferme, j'étais si heureuse que je me mis à courir. J'aperçus la maison de ma tante derrière les arbres. Personne dans la cour ni dans les champs. Aucune fumée ne sortait de la cheminée. En débouchant du coude que décrivait la route, j'eus une vue dégagée de la maison. Je m'arrêtai net, mes jambes ne me portaient presque plus :

« Non ! »

Le bas de la maison était intact, mais le premier étage n'était plus que ruines. À la place des fenêtres, il y avait de grands trous noircis par le feu. Je me tournai vers l'endroit, béant, où aurait dû se trouver la maison de mon père. Il n'en restait rien qu'un amas de pierres noircies.

« Maman ! hurlai-je. Maman ! Tante Yvette ! Bernard ! »

L'écho de ma voix résonna au milieu des arbres, répercuté comme des balles de revolver. Personne ne me répondit.

Je me précipitai vers les ruines calcinées, le cœur battant la chamade. « Minot ! Mme Ibert ! » appelai-je.

J'essayai d'ouvrir la porte de la maison de ma tante. Elle était bloquée. Je lui donnai des coups d'épaule et des coups de pied jusqu'à ce qu'elle cède et s'ouvre en grinçant. La cuisine était intacte, dressée comme un tableau surréaliste au milieu des gravats. La table était mise pour six. L'auraient-ils préparée s'ils s'apprêtaient à s'enfuir ? Je poussai la porte du garde-manger. Il regorgeait de boîtes de conserve, de bocaux et de sacs de céréales. Si les Allemands étaient venus ici, n'auraient-ils pas tout mis à sac ? Tous les scénarios possibles se bousculaient dans ma tête… Soudain, je vis une boule de poils filer dehors. Je scrutai les volets verts pour voir ce que c'était. Un lapin ? Deux yeux clignèrent dans ma direction. Non : pas un lapin, un chat !

Je fonçai dehors, pris Kira dans mes bras. Ses os saillaient sous sa fourrure emmêlée et elle était couverte d'épines. Elle miaula faiblement en découvrant des incisives cassées. Je la ramenai dans la maison, serrée dans mes bras. J'avais vu des boîtes d'anchois dans la réserve, aussi je la posai sur la table et écrasai le contenu d'une de ces conserves dans une assiette. Je lui apporterais de l'eau dès que j'aurais vérifié si le puits n'était pas empoisonné.

« Qu'est-ce qui t'est arrivé ? » lui demandai-je en lui caressant la tête du bout du doigt.

Une pensée angoissante se fit jour dans mon esprit. Si ma famille avait été prévenue à temps pour fuir devant les Allemands, pourquoi auraient-ils laissé Kira ? Je sortis sur le pas de la porte et appelai les chiens et Chérie. Comme je l'avais pensé, Kira était seule.

Je m'effondrai sur une chaise. Il me faudrait une heure pour retourner à pied jusqu'au village, mais je n'avais pas le choix. Je me demandais bien comment

Kira, qui n'était plus toute jeune, avait survécu sans personne pour la nourrir.

« Hé ! Ho ! » cria une voix d'homme. Je courus à la fenêtre, d'où j'aperçus la silhouette grisonnante de Jean Grimaud sur la route. Une autre idée me traversa l'esprit. Ils avaient peut-être tous pris le maquis pour se mettre à l'abri ? Dans ce cas, qu'avaient-ils fait de Mme Meyer ?

« Jean ! m'écriai-je en me précipitant dans la cour.

— J'étais à Carpentras, grimaça-t-il. On m'a dit que tu venais ici.

— Où sont-ils ? »

Jean déglutit et regarda ses mains. Alors je compris. La vérité était tout autour de moi, mais j'avais refusé de la voir.

« Je suis désolé », dit Jean, les larmes aux yeux, en s'approchant de moi.

Pauvre Jean ! Deux fois dans sa vie il avait dû m'annoncer une terrible nouvelle.

« Qu'est-ce qui s'est passé ? »

Il me passa le bras autour des épaules. « Ils ont trouvé les grenades parachutées par les Alliés que Bernard gardait pour notre maquis. Nous étions trois à nous diriger vers la ferme quand on a vu que les Allemands étaient là. On s'est cachés dans les arbres. On n'a rien pu faire pour les sauver. On n'était pas assez nombreux. »

Je cherchai dans ses yeux une confirmation de la terrible vérité. Il acquiesça.

« Tu peux être fière d'eux, Suzanne, fit-il en me serrant contre lui. Ils sont morts comme des saints. Ils se sont tous agenouillés en se tenant la main. Et les Allemands les ont abattus. »

722

Maman ! Le sang me bourdonna dans les oreilles. Je fermai les poings et les serrai contre mon visage. En dépit des dangers que je leur avais fait courir, jamais je n'avais imaginé qu'il puisse arriver quoi que ce soit à ma famille et à mes amis. Quand la guerre faisait rage à Paris, j'avais trouvé du réconfort dans l'idée qu'ils vivaient dans une campagne reculée. C'est tout juste si j'entendis Jean me raconter que le premier soldat allemand qui avait reçu l'ordre d'exécuter Mme Meyer n'avait pu se résoudre à le faire ; alors son commandant l'avait abattu avant de tuer lui-même Mme Meyer et les autres. J'étais tellement choquée que je n'entendis rien de plus.

« Je vais t'emmener au village, décida Jean. Odile t'hébergera. C'est elle qui a tes chiens et un de tes chats. On n'a pas pu retrouver l'autre.

— Non, dis-je en essuyant mon visage poussiéreux et trempé de larmes. Kira m'attendait ici. »

Je ne retournai pas au village avec Jean. Je voulais passer la nuit dans la cuisine de ma tante. Il n'essaya pas de m'en dissuader, il se contenta de me dire qu'il reviendrait le lendemain. Avant son départ, je lui demandai de me montrer l'endroit où ma famille, Minot, sa mère et Mme Ibert avaient trouvé la mort. Il désigna un coin dans la cour, près de la distillerie.

« Ils les ont tués d'une balle dans la nuque. »

Je m'assis sur une pierre, les yeux rivés sur cet endroit. Kira vint se frotter contre mes jambes, puis elle s'installa à côté de moi. Il était difficile d'imaginer que cette cour avait été le théâtre d'une telle violence. Quand le soleil commença à disparaître, une brise agita les feuilles des arbres, ensuite tout redevint paisible. Je me rappelai la première récolte de lavande. J'entendis mon père chanter, revis ma mère essuyer la sueur de son visage du revers de la main et tante Yvette descendre ses manches pour se protéger du soleil.

Quelqu'un se mit à rire et je me retournai ; c'était mon imagination : Minot faisait tinter sa coupe de champagne contre la mienne le soir de ma première à l'Adriana.

Je n'arrivais pas à croire que tout soit terminé, que je ne reverrais jamais ces visages si chers. Quand le soleil finit par disparaître et que la nuit tomba, l'engourdissement fit place au chagrin brut. « Pourrez-vous me pardonner un jour ? » Je me mis à pleurer dans l'obscurité silencieuse.

Jean m'avait dit que les habitants du village avaient enterré les membres de ma famille et mes amis dans le cimetière, mais le lendemain à l'aube je compris que je ne pourrais me résoudre à aller me recueillir sur leurs tombes avant un certain temps. J'étais prisonnière d'un rêve, bloquée entre une réalité inacceptable et les souvenirs heureux de la vie à la ferme. Je n'avais aucune intention de retourner à Paris.

Il y avait des légumes dans le jardin et l'eau du puits était potable. Je nettoyai la cuisine et m'y installai une chambre, bien qu'il y eût un trou béant dans le plafond. Je récurai le plancher, lessivai les murs avec de l'eau de lavande pour tenter d'éradiquer l'odeur de brûlé. Je m'occupai de Kira, à qui je donnais des œufs, des anchois, des sardines et de la viande en boîte dans l'espoir de lui faire reprendre

du poids. Un jour, elle refusa de manger. Le lendemain matin, en me réveillant, je ne la trouvai pas
endormie près de moi. Je sortis et la vis allongée sur
le côté dans le champ de lavande. Elle haletait. En
regardant ses yeux, je compris qu'elle ne vivrait pas
jusqu'à midi.

« Merci, Kira chérie, murmurai-je en m'allongeant
près d'elle pour la caresser. Tu m'as attendue, c'est
ça ? Tu ne voulais pas me laisser découvrir seule
tout ce qui s'est passé ici. »

Kira tendit la patte pour me toucher le menton
comme elle avait aimé le faire chaque matin.

J'enterrai Kira à côté des tombes d'Olive, de
Chocolat et de Bonbon. Toute ma vie, mon attache-
ment aux bêtes m'avait attiré des railleries, mais
après avoir traversé la guerre, j'avais appris à préfé-
rer les animaux aux êtres humains.

Dans l'après-midi, je me rendis au village. Jean
discutait avec Odile et Jules Fournier près de la fontaine. Odile me vit arriver et s'empressa de marcher
à ma rencontre. Elle me prit dans ses bras. Elle avait
beau être beaucoup plus petite que moi, c'était elle
qui me soutint : le chagrin m'avait vidée de toute
mon énergie.

« J'ai tes animaux, dit-elle. Tu veux les voir ? »

Bruno, Princesse, Charlot et Chérie se doraient au
soleil dans la cour intérieure du bar comme des
vedettes sur la Côte d'Azur. Ils bondirent sur leurs
pattes à ma vue et se disputèrent mon attention. Je
les caressai, les grattai derrière les oreilles, mais Kira
était toujours dans mes pensées.

« Je m'y suis attachée, me confia Odile. Ce sont de bons compagnons.

— Tu peux t'occuper d'eux encore un peu ? » lui demandai-je en prenant Chérie dans mes bras. Je me sentais à peine capable de prendre soin de moi-même.

Odile tapota le dos de Chérie et me caressa la joue. « Viens les chercher quand tu te sentiras prête. »

Elle me fit asseoir à une table et m'apporta un verre de pastis, bien que dans mon village ce ne fût pas une boisson pour les femmes. Jean entra dans le bar avec Jules. Aucun de nous n'avait envie de parler de la guerre, mais comment l'éviter ? La guerre avait tout changé. Je n'étais pas la seule à avoir souffert. Dans notre petit village, dix familles avaient perdu un père, un fils ou une fille.

« En tout cas, il n'y avait pas de collabo ici, contrairement aux autres villages, déclara Jean non sans fierté. On était unis face à l'ennemi.

— Ils s'en tirent bien, les collabos, cracha Jules avec mépris. Même Pétain a vu sa peine de mort commuée en prison à vie !

— Tout dépend de l'argent qu'on a, fit Odile en se frottant le pouce et l'index. Si on est riche et célèbre ou utile à quelqu'un, on vous pardonne. Mais gare à ceux qui sont pauvres ! Ils sont exécutés "pour l'exemple".

— Non, objecta M. Poulard, debout au bar. De Gaulle a transformé la France entière en une nation de résistants. C'est l'image qu'il veut donner au monde pour pouvoir garder la tête haute quand il rencontre les chefs d'État alliés. »

De Gaulle a fait ça ! pensai-je avec amertume ; je

me rappelai à quel point je l'avais idolâtré. Les héros ne sont jamais parfaits…

Ce premier après-midi au village rompit mon isolement. Par la suite, j'y retournai à pied tous les jours pour envoyer des télégrammes à Paris et à Marseille ainsi que des lettres à Londres. J'essayais de contacter toutes mes relations pour savoir ce qui était arrivé à Roger. Chaque jour, je déjeunais avec Odile avant de rentrer à la maison. C'est par elle que j'appris que Coco Chanel avait réussi à éviter l'accusation de collaboration ; pourtant, la créatrice de mode et son amant allemand avaient essayé de convaincre Churchill de signer un traité de paix avec Hitler. Si les membres de ma famille n'avaient pas été exécutés, j'aurais peut-être éprouvé moins d'amertume envers les gens de son espèce. Collaborer ne l'avait pas rendue plus heureuse – seulement plus riche. Mais pourquoi avait-il fallu que ma famille trouve la mort en essayant de sauver la France alors que tant d'opportunistes s'en tiraient à bon compte ?

Le lendemain, je retournai au bureau de poste expédier d'autres lettres. « J'ai du courrier pour vous, m'annonça l'employée des postes. Ça a l'air officiel. »

Officiel ! me dis-je, soudain alarmée. Voilà qui ne présageait rien de bon. Ce que j'espérais, c'était une lettre manuscrite de Roger m'assurant qu'il allait bien. En ouvrant l'enveloppe, je découvris un article que Mme Goux avait découpé dans *Le Figaro*. Camille Casal avait été reconnue coupable de collaboration. Pour toute punition, il lui était interdit de se produire sur scène pendant cinq ans. Je me

727

rappelai la dureté de son visage quand elle m'avait regardée, le jour de ma visite à Fresnes. Le prix de sa collaboration n'était rien comparé à ce que m'avaient coûté mes actes de résistance.

« Les nouvelles sont bonnes ? » demanda l'employée des postes.

Je secouai la tête.

Quelques semaines plus tard, je reçus une autre lettre de Mme Goux, qui m'informait que la Croix-Rouge n'avait pas réussi à retrouver Roger. Mais ils avaient des nouvelles d'Odette. Elle et sa petite fille étaient arrivées en Amérique du Sud ; elles attendaient maintenant l'autorisation d'émigrer en Australie, où elles seraient acceptées comme réfugiées. On était encore sans nouvelles de M. Étienne et de Joseph. Mme Goux me demandait comment se portaient ma famille et Mme Ibert ; c'est alors que je m'aperçus qu'elle n'était pas au courant. Je n'en avais parlé à personne à Paris.

Je traversai les champs automnaux, soulagée d'avoir des nouvelles d'Odette et de la petite Suzanne, mais toujours aussi inquiète pour les autres. L'Australie ! Cette ironie du sort ne m'échappa pas.

J'essayai d'imaginer le pays de Roger tel qu'il me l'avait décrit : une côte accidentée et une forêt vierge séculaire, bien loin des souillures de la guerre. Sans nouvelles de lui et avec toutes les atrocités dont parlait la presse chaque jour, l'hypothèse funeste que mon fiancé, Joseph et M. Étienne soient morts me serrait le cœur.

Quand j'arrivai à la ferme, le mistral s'était levé. J'allumai un feu dans la cuisine, mais il ne suffit pas à me réchauffer très longtemps. Qu'allais-je faire ici pendant l'hiver ? Je pensai à tous les gens qui, dans le monde, cherchaient à retrouver la trace d'êtres chers. Si je retournais à Paris, je serais en mesure d'aider la Croix-Rouge dans ses recherches. André et moi pourrions peut-être consacrer ce qu'il restait de nos fortunes à secourir les orphelins de guerre ?

Ensuite, une autre possibilité m'apparut : je ferais peut-être mieux d'aller en Australie. Puisque ma famille avait disparu et que l'espoir de retrouver Roger s'amenuisait de jour en jour, plus rien ne me retenait en France. Je ne me voyais pas recommencer à chanter ni à jouer dans des films. Peut-être pourrais-je refaire ma vie dans un pays neuf avec Odette et Suzanne ? J'eus à peine le temps de me réchauffer le cœur à cette idée que ce nouvel espoir s'évanouit. Repartir de zéro était trop douloureux. Il était plus facile de rester ici, dans mon cocon.

Le mistral hurla plus fort. Je vidai le contenu de mon sac de voyage sur le plancher pour trouver un pull-over. Quelque chose heurta le sol. Je ramassai le sachet que m'avait donné ma mère, celui qui contenait un os de lapin. « Tu en auras besoin, avait-elle dit. Je ne pourrai pas toujours veiller sur toi. »

Tu aurais dû le garder pour te protéger, maman, pensai-je.

Je fis coulisser le cordon de serrage. L'os ne pesait pas lourd dans ma main. C'était une patte de lapin. Quelque chose attira mon regard. Je m'approchai de la lampe et portai l'os à la lumière. Gravés sur le côté de l'os, des mots étaient inscrits d'une main maladroite. Je plissai les yeux pour les lire : « À ma fille bien-aimée pour qu'enfin brille sa lumière. »

Je fixai ces lettres que ma mère avait tracées. Mais comment ? Quand avait-elle appris à écrire ? Est-ce qu'elle avait toujours su ?

Les larmes me piquèrent les yeux au souvenir de cette femme qui était restée un mystère pour moi et le serait pour toujours désormais. Les morts emportent leurs secrets dans la tombe. *À ma fille bien-aimée pour qu'enfin brille sa lumière.* En tout cas, il y avait une chose dont je ne pouvais pas douter : ma mère m'adorait.

Une fois le feu éteint, je me pelotonnai sous les couvertures en contemplant le ciel au clair de lune par le trou du plafond. Tard dans la nuit, le vent tomba. Je me réveillai, la lumière de la lune baignait mon visage. Je me levai attirée par la lumière et enroulai les couvertures autour de mes épaules.

En avançant dans la cuisine, je vis que la porte d'entrée s'était entrouverte. Les arbres étaient féeriques dans la lumière argentée. Une chouette hulula dans les bois. Je sortis dans la cour, aussi légère qu'une somnambule. Une ombre descendit comme un rideau au moment où un nuage passait devant la lune.

Je pris la direction de la route. Des ombres se déplaçaient à l'endroit où j'avais aperçu des gitans bien des années auparavant. D'abord, j'eus du mal à les distinguer. Puis le nuage s'écarta et la lune éclaira à nouveau le ciel ; c'est alors que je les vis : les silhouettes de deux hommes et de quatre femmes, la plus vieille s'appuyait sur une canne. Celle qui se tenait devant les autres portait une robe rouge soulevée par le vent et ses cheveux lâchés flottaient sur ses épaules. Elle leva la main pour me faire signe.

Je n'avais pas peur, pourtant je me mis à respirer plus vite. Les larmes m'aveuglaient. Maman ?

Je restai pétrifiée, pleine de nostalgie et d'amour. J'avais envie de courir vers elle, de me réfugier dans ses bras. J'avais envie de la rejoindre au lieu de rester seule sous la lune. Mais les forces de la gravité pesaient sur mon corps et mes pieds refusaient d'avancer. Un autre nuage couvrit la lune et je sentis quelque chose se modifier dans l'atmosphère. Les autres silhouettes s'approchèrent, leurs visages brillaient sous la lune. Comme pour me dire au revoir.

Je me tournai vers ma mère. Sans même bouger les lèvres, elle me parla : « Rien ne se perd, Suzanne. L'amour que l'on donne ne meurt pas. Il change de forme, c'est tout. »

J'aperçus Kira et ses grands yeux brillants posés sur moi et je me sentis rattrapée par le sommeil. Avant de fermer les yeux, j'entendis encore ma mère murmurer : « N'aie jamais peur de donner de l'amour. » Ces paroles se posèrent sur mon cœur meurtri avec toute la douceur d'un baiser.

« Suzanne, la lavande t'attend ! »

J'ouvris les yeux. Le soleil entrait à flots par l'ouverture du plafond, éclaboussant la pièce de lumière. Je contemplai le ciel bleu, prête à recevoir la douleur de plein fouet. Mais elle avait été remplacée par une autre sensation, indéfinissable. Je humai l'air qui embaumait l'humidité et l'odeur des pins, le parfum de l'automne en Provence. J'écoutai un oiseau chanter dans un arbre tout proche en essayant de deviner à quelle espèce il appartenait. Puis un autre bruit, un murmure, s'éleva. Je m'assis sur mon lit, droite comme un piquet, l'oreille tendue. Était-ce le car qui allait à Sault ? Le bruit s'amplifia. Je regardai autour de moi, cherchant ma robe. Des habits dépassaient de la commode que j'avais retrouvée dans la salle de bains, mais il ne s'y trouvait rien de mettable. Où était ma robe ? Je la vis, elle était accrochée derrière la porte, là où je l'avais laissée la veille au soir. Je l'enfilai, mis mes chaussures et sortis de la maison en courant.

Je ne voyais toujours pas la voiture, mais j'étais sûre qu'elle venait à la ferme. Enfin, elle apparut derrière le bosquet. C'était une Citroën couverte de poussière et qui n'avait plus de calandre à l'avant. Elle s'arrêta dans la cour. Je ne voyais pas le chauffeur à cause de la réverbération sur le pare-brise. La portière s'ouvrit et André sortit du véhicule.

« André ! » Mon cœur chavira. Il a appris la nouvelle, me dis-je. Et il vient me consoler, ce cher André ! Il me rendit mon salut mais n'ajouta rien. Il contourna la voiture par l'avant et ouvrit la portière côté passager. Une jambe en sortit, puis une autre. Suivies d'une canne. Ensuite, comme au ralenti, André tendit la main pour aider un homme vêtu d'un uniforme de la RAF.

« Roger ? » soufflai-je.

Ils se tournèrent tous les deux vers moi. Je détaillai l'homme en uniforme pour essayer de retrouver dans cette silhouette décharnée l'ombre de celui que j'avais aimé. Il avait le crâne rasé, une cicatrice irrégulière courait au-dessus de son oreille gauche. Non, ce n'était pas Roger. Peut-être un autre soldat allié, un ami de Roger, qui venait en personne m'apporter la mauvaise nouvelle.

L'homme prit sa canne dans sa main droite et gravit l'allée en pente. André resta à côté de la voiture. Je vis la mâchoire de l'aviateur se contracter et devinai que sa progression était douloureuse. J'aurais dû m'avancer pour lui faciliter la tâche, mais j'étais pétrifiée. J'avais peur de ne pas pouvoir supporter la nouvelle.

Le messager leva les yeux vers moi. « Où est ta ménagerie ? demanda-t-il. Je m'attendais que tu aies ouvert un zoo depuis tout ce temps ! »

Il sourit et je le reconnus malgré les ravages causés par la guerre :

« Roger ! »

Je courus vers lui, mes pieds touchant à peine la terre, et jetai mes bras autour de sa poitrine. Il m'écrasa contre lui et se pencha pour m'embrasser. Ses lèvres étaient tendres, chaudes, *vivantes* ! Les larmes inondèrent mes joues et se mêlèrent à nos baisers. Des larmes qui avaient le goût de tous les possibles, le goût de l'amour et de la joie retrouvés.

Nous nous écartâmes l'un de l'autre pour mieux nous regarder. J'aurais dû lui demander ce qui lui était arrivé, comment il s'était évadé du camp, mais les mots me manquaient. Tout ce que je savais, c'est qu'il était mort et moi aussi, et nous étions aujourd'hui de retour parmi les vivants.

Un moteur se mit à ronronner. Je me retournai juste à temps pour voir André me faire signe par la fenêtre de la Citroën. Je le suivis du regard, la voiture disparut derrière les arbres.

733

« Il s'est montré aussi tenace que toi, dit Roger. Il a fouillé tous les hôpitaux pour me retrouver. »

Je baissai les paupières, je me sentais soudain si légère ! Des collines verdoyantes et des forêts surgirent devant mes yeux. Des vagues venaient s'écraser sur un sable d'un blanc pur. J'avais l'impression d'être une exploratrice qui découvrait la terre promise. C'était un pays magnifique, comme si mon âme délivrée des contraintes terrestres embrassait le passé, le présent et l'avenir. Je voyais la douleur, la tristesse et la terreur, mais surtout l'amour et le bonheur.

« J'ai des hallucinations, murmurai-je en rouvrant les yeux. Je vois la Tasmanie ! »

Roger éclata de rire et passa le bras autour de ma taille.

En contemplant son visage souriant, je me surpris à sourire moi aussi. Nous nous dirigeâmes ensemble vers les ruines de la ferme. Qu'importe ce que j'allais devoir affronter, je ne serais plus seule. Mon Australien était revenu. Comme il l'avait promis.

REMERCIEMENTS

Écrire *Un doux parfum de lavande* a été une expérience extraordinaire et très enrichissante, surtout grâce aux gens que j'ai rencontrés en me documentant pour la rédaction de ce roman.

Pour commencer, je voudrais remercier quatre hommes en France ; sans l'aide généreuse qu'ils m'ont apportée, ce livre n'aurait jamais vu le jour : Xavier Jean-François qui m'a généreusement consacré son temps pour la traduction de mes questions techniques, pour contacter en mon nom des associations et des universitaires en France et prêter assistance à mon projet romanesque de toutes les façons possibles ; Michel Brès et José Campos, qui ont fait un formidable travail de recherche pour moi dans la région de Sault et à Marseille ; et enfin Graham Skinner, dont la connaissance du système de transport français et des chemins de fer à l'époque de mon histoire a été des plus précieuses.

D'autres gens m'ont aidée à faire mes recherches en France : Nicolas Durr et son père, Gilbert Durr, Pascale Jones, Chris et Vanessa Mack, Antoine Carlier, Selena Hanet-Hutchins et sa mère, Kari Hanet, et aussi Robbi Zeck et Jim Llewellyn, d'Aroma

Tours, qui m'ont initiée aux délices et à l'histoire de la culture de la lavande en Provence.

Je suis également très reconnaissante à ceux qui m'ont apporté leur aide dans les domaines qui constituent leur spécialité : Gary Skerritt et Adam Workman pour les informations sur les voitures de collection ; Fiona Workman pour les questions médicales ; Christine Denniston, Sophia et Pedro Alvarez pour les renseignements sur le tango à Paris dans les années 1920 ; Jeff Haddleton et Fiona Watson pour les informations sur les danses de salon ; Barry Tate, historien de l'aviation dont les excellentes informations sur les avions n'ont pas été utilisées dans ce roman, mais je les garde en réserve pour le prochain ; Steven Richards, de Hewlett Packard, pour m'avoir épargné un purgatoire informatique ; Andrea Lammel pour avoir relu mes phrases allemandes ; le Dr Larissa Korolev pour avoir corrigé les épreuves de mes phrases russes ; Damian Seltzer pour ses jurons de danseur de tango argentin furieux, Alvaro Covarrubias pour m'avoir mise en contact avec Damian, et Rosalind Bassett pour m'avoir mise en contact avec Alvaro ; et, bien sûr, merci à mon époustouflant partenaire de danse, Mauro Crosilla, pour avoir relevé le défi qui consistait à apprendre le tango avec moi pour que je puisse en ressentir moi-même les sensations.

Merci en particulier aux employés de deux bibliothèques : la State Library Information Service et la Kuring-gai Library, qui n'ont pas ménagé leurs jambes pour me trouver toujours plus de renseignements.

Je voudrais exprimer ma gratitude à mon merveilleux agent, Selwa Anthony, pour son soutien

736

enthousiaste et pour avoir été une source d'inspiration et d'équilibre pour moi pendant toute l'écriture et la révision du roman. Je suis aussi reconnaissante à son bras droit, Brian Dennis, pour ses conseils avisés sur les aspects pratiques du métier d'écrivain.

L'aventure romanesque de *Un doux parfum de lavande* a été si passionnante grace aux membres de l'équipage de HarperCollins Publishers, qui ont habilement su changer mes pneus, ajuster mes suspensions, vérifier mes freins et remplir le réservoir avant de me renvoyer faire un nouveau tour de piste éditorial. En particulier, je voudrais remercier Linda Funnell, Shona Martyn, Catherine Day, Karen-Maree Griffiths et Kylie Mason. Je tiens également à dire qu'avoir eu l'occasion de travailler à nouveau avec mes éditrices, Julia Stiles et Nicola O'Shea, sur un roman presque aussi long que *Guerre et Paix*, m'a permis de faire durer le plaisir de cette collaboration ! J'ai beaucoup apprécié leurs idées bien inspirées.

Enfin, je voudrais remercier ma famille et mes amis pour leur soutien constant pendant que j'écris. La vie ne serait pas la même sans eux.

Note de l'auteur

Pendant la Seconde Guerre mondiale, il n'y avait pas d'organisation unifiée connue sous le nom de « Résistance » en France. Dans l'après-guerre, ce terme a généralement été utilisé pour décrire des groupuscules isolés comme des communistes, des socialistes, des fermiers, des étudiants et des réseaux de citoyens ordinaires qui s'impliquèrent dans toutes sortes d'activités pour « résister » à l'occupation nazie de leur pays. Ces individus et ces groupuscules produisaient des journaux clandestins, dissimulaient des soldats alliés et trouvaient des itinéraires pour les juifs en fuite, ils accomplissaient des actes de sabotage et combattaient l'armée allemande. Cependant, dans le but de simplifier les choses, j'ai utilisé le terme de « Résistance » pour décrire la cause à laquelle Suzanne Fleurier se rallie quand elle rejoint un réseau de passeurs.

Une partie du plaisir que m'a procuré l'écriture de ce roman a consisté à faire évoluer mes personnages fictifs parmi des personnages ayant réellement existé à Paris et à Berlin, comme Jean Renoir et le comte Harry Kessler. J'espère que les lecteurs qui connaissent bien les divers mouvements artistiques et sociaux dans l'Europe de l'entre-deux-guerres s'amuseront à reconnaître les personnalités authentiques parmi les personnages imaginaires. Les Folies-Bergère et le Casino de Paris étaient, bien sûr, de célèbres music-halls à l'époque. L'Adriana, son imprésario, Régis Lebaron, et son directeur artistique, Martin Meyer, sont le produit de mon imagination.

Dans la mesure du possible, je me suis efforcée de respecter le calendrier des événements historiques, mais il y a un endroit où j'ai modifié l'année. La production aux Folies-Bergère de « La Folie du Jour » dans laquelle se produisait Joséphine Baker et le procès qui a opposé Mistinguett et les sœurs Dolly ont eu lieu en 1926 mais j'ai dû avancer ces événements d'une année, à 1925, pour les insérer dans l'histoire.

L'écriture de ce roman a indéniablement été une aventure agréable et très enrichissante et j'espère que vous aurez trouvé autant de plaisir à le lire.

Composition et mise en pages réalisées
par IND - 39100 Brevans

Achevé d'imprimer
en février 2006
par Printer Industria Gráfica
pour le compte de France Loisirs, Paris

Numéro d'éditeur : 44623
Dépôt légal : février 2006

Imprimé en Espagne